HYSTERIA LANE

DU MÊME AUTEUR

Movie Star, Saison 3 - Hollywood, Belfond, 2016
Movie Star, Saison 2 - Venise, Belfond, 2016
Movie Star, Saison 1 - Deauville, Belfond, 2016

ALEX CARTIER

HYSTERIA LANE

belfond

© Belfond, 2017.
ISBN : 978-2-7144-7817-7
Dépôt légal : octobre 2017

Belfond | un département **place des éditeurs**

place
des
éditeurs

Prologue
Mrs Robinson

Samedi 28 novembre 2015

Quand il est revenu du bar, où il était parti me chercher une coupe de champagne, j'ai pris le temps de l'observer. Il approche de la cinquantaine, mais c'est quand même un beau mec. Dans la pénombre, je pouvais apprécier ses yeux bleus qui scintillaient. Comme d'habitude, il avait ce look à la fois cool et élégant, chemise blanche, jean et mocassins.

Quand ma meilleure amie, Ophélie, essayait de me persuader qu'il était le plus bel homme du monde, j'avais toujours eu des réserves, mais ce soir j'avais, pour la première fois, la sensation qu'il méritait d'être au moins dans le top 5.

Il m'a tendu ma coupe.

— Tenez, Laure.

— Merci, Michael.

Il avait ce petit sourire énigmatique qu'il aime arborer.

— Qu'est-ce qui vous amuse tant ?

7

— Vous. Vous avez un air mystérieux, comme plongée dans vos pensées. Comme on dit en anglais : *a penny for your thoughts*[1].

— En dollars, ça fait combien ?

— C'est à peu près l'équivalent de se faire apporter un verre par un acteur oscarisé.

— C'est vrai ! Je crois même que prendre un drink avec le célèbre Michael Brown a beaucoup plus de valeur que les pensées intimes d'une attachée de presse.

— Allons, Laure, ne vous sous-estimez pas ! Vous êtes maintenant la boss d'une agence de presse qui porte votre nom ! Alors, allez-vous me faire partager vos pensées ?

J'ai hésité un instant, mais son charisme a eu raison de mon indécision.

— Je pensais à tout ce qui s'est passé ces deux dernières années, depuis notre première rencontre à Deauville. Le hasard qui vous a réunis, Ophélie et vous, votre liaison. Cette croisière où vous m'avez gentiment invitée. La rencontre avec votre frère, que j'aurais tellement aimé avoir comme boy-friend...

Il a ri.

— Et moi, je suis en plein divorce.

— Comme moi ! Enfin, pas vraiment, parce qu'on n'est pas mariés, mais ça revient un peu au même.

Je devais avoir l'air triste, parce qu'il avait un ton super gentil quand il m'a répondu :

— Je suis désolé pour vous, Laure. Mais ne vous inquiétez pas, c'est que ce n'était pas le bon. Je suis certain que vous allez trouver le prince charmant.

---

1. Expression qui peut se traduire par : « Je donnerais cher pour connaître tes pensées. »

C'était touchant, ces paroles de réconfort dans la bouche de cette célébrité internationale qui était capable de tant d'humanité. Beaucoup de jeunes femmes auraient eu la larme à l'œil, voire plus. Même Ophélie aurait pleuré, j'en suis persuadée, surtout si elle avait bu autant d'alcool que moi.

Mais il faut toujours que je réagisse différemment ! Moi, ce mec assez canon qui me sourit, ça a fait vibrer ma féminité. Une seconde plus tard, j'ai attrapé sa chemise à deux mains et je l'ai attiré vers moi. Ma bouche s'est posée sur la sienne, mais, quand bien même ses lèvres ont répondu présent, sa langue est, elle, restée aux abonnés absents. Ma langue est restée orpheline et il a réussi à la repousser avec beaucoup de délicatesse quand elle s'est aventurée un peu trop loin : j'ai juste pu sentir le goût du whisky dans sa bouche.

Il a pris mes deux mains, qui avaient ruiné le devant de sa chemise, et les a portées à son visage pour les embrasser.

— Laure, quand je vous parlais de trouver le « bon », je ne pensais pas à moi.

J'étais un peu vexée et ça a dû se sentir dans ma réponse.

— Ne vous inquiétez pas ! Je ne comptais pas vous passer la bague au doigt. Je me disais juste que nous pourrions avoir un moment de fun.

— Cette période est révolue pour moi. Je suis avec quelqu'un et, même si nous ne nous sommes fait aucune promesse, elle a l'exclusivité de ma personne.

— C'est bien ma chance...

— Oui, de toute façon, vous ne pouvez pas être un simple « moment de fun ». Votre personnalité est addictive, comme celle d'Ophélie, mais différemment.

Qu'il ait cité le prénom de mon amie a presque éclipsé le compliment qu'il venait de me faire : c'était un seau d'eau glacée envoyé au visage qui a dissipé les brumes de l'alcool.

— Ophélie... Je pense qu'elle n'aurait pas apprécié.

Il a souri et il avait l'air si gentil que j'ai compris pourquoi Ophélie avait succombé.

— C'est un euphémisme ! Elle m'aurait encore extorqué quelques millions de dollars et votre amitié n'y aurait peut-être pas résisté.

— Oui, je suppose que vous avez raison.

— Je vais rentrer. Vous voulez que je vous dépose ?

— Merci, je vais encore rester un petit moment.

Il est parti et m'a laissée seule. Il n'y avait plus de champagne, alors je suis passée au gin. Peut-être une bonne idée pour oublier que l'un des plus beaux hommes du monde avait refusé de coucher avec moi – alors qu'il devait avoir eu plus de mille femmes dans son lit –, mais ça m'a assommée.

Quand je me suis réveillée, j'étais dans une chambre inconnue. Mon premier réflexe a été de regarder l'heure : 14 heures ! Une éternité que je n'avais pas dormi autant, sans doute depuis l'adolescence. Mais, ça, ce n'était pas le plus grave...

À côté de moi, il y avait un homme en caleçon, autrement dit presque nu. Enfin, un homme, c'est une notion relative, considérant qu'il avait encore des boutons d'acné... À vue de nez, je lui aurais donné dix-sept, dix-huit ans. Comme j'étais, moi aussi, en petite tenue, je me suis dit que l'on n'avait pas dû se contenter de réviser son programme de géographie et de mathématiques. Quelle énorme connerie, coucher avec un gamin ! En plus, il n'était pas très beau, blondinet plutôt maigre, la peau assez blanche.

La chambre, c'était typique de l'adolescent pas encore sorti de l'enfance. MacBook, écharpe des Rams[1] mais aussi poster du film *Le Réveil de la force*, ainsi qu'un mannequin grandeur nature de Dark Vador qui prouvait que j'avais couché avec un fan de *Star Wars*.

Je ne sais pas s'il avait la force, mais je n'avais absolument aucun souvenir d'avoir testé son sabre laser perso.

Après avoir digéré la catastrophe, je me suis décidée à me lever. J'ai ramassé mes affaires et je me suis dirigée vers une porte qui me semblait pouvoir me conduire vers une douche réparatrice. Il semble que j'avais retrouvé un peu de bon sens, car je ne m'étais pas trompée. Quand j'ai allumé la lumière, j'ai retrouvé un peu le moral : la salle de bains privée était superbe, hypermoderne et fonctionnelle. Au moins, j'avais couché avec un gamin… riche ! Un quart d'heure sous un jet chaud m'a réconfortée. En sortant, j'ai pensé à regarder dans la poubelle, où je n'ai pas trouvé de préservatifs. C'était à la fois une bonne et une mauvaise nouvelle : soit je n'avais pas consommé, soit c'était la connerie suprême qui pouvait me valoir une visite urgente chez le gynéco.

J'ai quitté la chambre le plus discrètement possible, car je ne tenais pas à échanger avec mon jeune partenaire de la nuit.

---

1. Équipe de football américain relocalisée à Los Angeles à partir de janvier 2016. (*Toutes les notes sont de l'auteur.*)

J'ai parcouru un long couloir dans ce qui était, visiblement, une grande villa. Et là, je me suis retrouvée dans la quatrième dimension. Le garçon que j'avais laissé dans la chambre quasi nu et endormi était face à moi, entièrement vêtu ! Il m'a même dit bonjour. Je me suis demandé si je n'avais pas avalé des champignons hallucinogènes.

J'ai réussi à sortir un « *Hi !* », mais je n'ai pas reconnu ma voix. On aurait dit une rockeuse qui a fumé pendant trente ans.

Je suis arrivée dans une cuisine hypermoderne, inondée par la lumière du soleil. Une jeune femme assise sur un tabouret haut me faisait face. Elle mangeait des céréales en lisant un livre. Elle a levé les yeux vers moi et m'a accueillie par un « *Hi* » amical.

Et là, bien qu'elle soit à contre-jour et que sa coiffure ressemble à celle de Kristen Stewart, je l'ai reconnue : Emma Watson !

Moi qui suis depuis toujours une fan des livres de J. K. Rowling, je me retrouve en face de l'interprète géniale d'Hermione Granger. Je devais avoir l'air un peu idiote, plantée là devant elle, car elle m'a souri ironiquement.

— Tu sais, je n'ai pas ma baguette et je n'ai pas prononcé les paroles du sort d'immobilisation.

J'ai répondu comme par réflexe :

— *Immobulus.*

— Bravo, je vois que j'ai affaire à une spécialiste. Tiens, si tu veux un café, tu peux prendre une tasse dans ce placard. Je pense qu'il est encore chaud. Tu peux aussi te faire un espresso si tu n'aimes pas la version américaine qui, je l'avoue, est assez fade. Car tu es étrangère, n'est-ce pas ?

— Oui.

— Française ?

J'ai été impressionnée par sa faculté d'identifier les accents, mais aussi un peu vexée, car je pensais que mon séjour à Hollywood avait fait de moi une vraie bilingue. Visiblement, ce n'était pas encore le cas.

— En effet. Je crois que tu es née en France, toi aussi, n'est-ce pas ?

— Non, je suis née à Londres.

Alors, ça, c'est un véritable scoop ! On ne peut vraiment pas faire confiance à Internet. Moi qui avais lu qu'elle était née à Maisons-Laffitte comme mon amie Ophélie !

— Mais tu parles français, je t'ai entendue en interview.

— Non, je ne suis pas « elle ».

Je crois que ses propos ont mis un peu de temps à parvenir à mon cerveau embrumé. Avec quand même l'excuse de la quantité d'alcool ingurgitée la veille...

— Je ne suis pas sûre de comprendre... Tu n'es pas...

— Non, je m'appelle Julia Branson. Enchantée.

Elle m'a tendu la main. Je l'ai saisie mollement. J'étais tellement déçue de ne pas rencontrer celle qui était allée à Poudlard pendant des années. Enfin, c'est une manière de parler, car c'est Hermione Granger et non Emma Watson qui est allée à l'école des jeunes sorciers.

Je suis restée silencieuse assez longtemps pendant que je me préparais mon espresso. Elle s'était remise à lire *Le Lauréat*. Ça a attisé ma curiosité.

— J'ai vu le film, mais je ne savais pas qu'il y avait un livre.

Elle a levé la tête et m'a montré la couverture.

— Oui, il a été écrit par Charles Webb en 1963. C'était son premier livre.

— C'est bien ?

— Je n'en suis qu'au début, le jeune Ben n'a même pas encore couché avec Mme Robinson.

Quand elle a parlé des personnages, mon esprit a fait une analogie immédiate avec celui que je venais de trouver couché à côté de moi. J'ai eu une grande bouffée d'angoisse à l'idée d'avoir eu une relation avec un mineur. Je me suis demandé si je devais partager mes craintes avec cette jeune femme que je ne connaissais que depuis quelques minutes. Mais, rester dans l'incertitude, c'était insupportable. Il a fallu que je crève l'abcès.

— Dis-moi, Julia, j'ai rencontré deux jeunes hommes qui se ressemblent énormément...

— Oui, ils sont jumeaux, Fred et George.

Fred et George ? Comme les frères jumeaux de Ron Weasley ? Je l'ai regardée attentivement pour voir si elle se foutait de ma gueule. Elle a dû lire mes interrogations sur mon visage. Elle s'est justifiée :

— Je sais, ça peut paraître bizarre, mais ma belle-mère est une fan de la saga depuis le tout début. Pour sa défense, quand elle les a eus, elle ne pouvait pas prévoir que ces livres allaient se vendre à quatre cent cinquante millions d'exemplaires !

Merde, je cherche à me rappeler la date de la première publication du tome I. Je crois qu'il est sorti juste avant l'été 1997. Si c'est vraiment une des premières lectrices, j'ai peut-être une chance que mon compagnon de chambre ait plus de dix-huit ans. C'est quand même chaud...

— Et ils ont quel âge ?

Son sourire s'est figé.

— Dix-sept ans. Pourquoi ? C'est quoi le lien avec le livre que je suis en train de lire ? Tu as couché avec un des deux ?

Je suis effondrée. Comment ai-je pu me mettre dans une telle situation ? Je pourrais nier, mais je suis trop fatiguée pour ça.

— Je ne sais pas, je ne me rappelle plus... Je me suis réveillée ce matin et il dormait à côté de moi.

— Tu n'as pas de chance, l'âge légal pour la majorité sexuelle est de seize ou dix-sept ans dans la plupart des États, mais en Californie c'est dix-huit ans.

Ça m'aurait étonnée... Avec la montagne de merdes que je me tape depuis quelques semaines.

— Mais, s'il était consentant, ce n'est quand même pas grave.

Je m'aperçois que ma voix était plus plaintive que convaincue.

Julia secoue la tête.

— En Californie, le consentement du mineur ne disculpe pas l'adulte de plus de vingt et un ans.

Elle a l'air de s'y connaître sur la question.

— Tu sais ce que je risque ?

— Vous avez plus de trois ans d'écart, donc tu risques une peine de trente-six mois de prison dans une prison fédérale.

Je suis sous le choc. Je n'arrive pas à croire que je puisse aller pourrir dans un pénitencier californien. Adieu tous mes projets pour l'avenir. Le plus urgent est de trouver un avocat.

C'est à ce moment que la sonnette interrompt mes réflexions et me fait sursauter. Julia me laisse pour aller ouvrir. J'entends une voix d'homme et, si je n'arrive pas à discerner ses propos, j'entends distinctement la réponse de Julia et la suite de leur dialogue.

— Bonjour, officier. Oui, bien sûr, entrez.

— Elle est là ?

— Oui, elle est encore là, mais elle dit qu'elle n'a pas fait exprès.

— Elles disent toutes ça... C'est difficile de croire qu'elle n'était pas consciente de ses actes.

— Oui, mais je pense vraiment qu'elle ne savait pas.

— Ça, c'est le jury qui décidera ! Elle peut toujours plaider non coupable.

L'échange m'a glacée. Les voix se sont rapprochées. Si je veux m'enfuir, c'est maintenant ou jamais ! Je peux passer par la porte-fenêtre qui donne sur un grand jardin. Mais je n'ai même pas de voiture et je ne sais pas où nous sommes. Aurai-je la chance de pouvoir sauter dans un taxi avant que les flics ne me rattrapent ? Eux, ils doivent avoir leur voiture garée devant la porte. La course paraît inégale. Si je leur échappe, il faut que je fonce chez moi pour prendre mon passeport, et direction l'aéroport JFK.

Mais, ma pauvre fille, tu es une vraie abrutie ! Leur premier réflexe sera de boucler les aéroports dès qu'ils auront constaté ta fuite. Tu n'as aucune chance par la voie des airs. Ils étaient même allés arrêter Dominique Strauss-Kahn dans l'avion d'Air France. Et lui, il était patron du FMI !

Peut-être vaut-il mieux essayer de passer au Mexique ? Si les services de l'immigration américaine n'arrivent pas à empêcher les illégaux d'entrer aux États-Unis, ils ne vont quand même pas arrêter une jeune femme qui cherche à faire le trajet inverse ! Enfin, ce n'est pas certain. S'ils sont aussi tenaces que les flics dans *Thelma et Louise*, ils risquent de boucler toutes les routes. Et moi, je n'ai nulle envie de lancer ma voiture dans le Grand Canyon ! Je n'ai aucune raison de me suicider : je suis jeune, je suis belle, j'ai plein d'humour ! En plus, je suis seule, je n'ai même pas d'amie pour partager ma fuite. Ophélie aurait pu jouer Louise, mais elle m'a lâchement abandonnée pour vivre son idylle avec Charlie.

L'autre solution, c'est d'aller au Canada. Si je passe la frontière, j'essaierai de rejoindre la côte ouest et je m'embarquerai sur un chalutier en partance pour la saison de la pêche. J'espère qu'il ne s'agira pas d'un baleinier, je ne supporterais pas de voir tuer ces animaux magnifiques.

Je n'arrive pas à me rappeler si ce pays a aboli cette atrocité ou pas…

Je ne sais pas si c'est l'effet de l'alcool absorbé la nuit précédente, mais mon esprit s'emballe, mes pensées sont incontrôlables. Au lieu de me concentrer sur une solution réaliste, je divague sur des problèmes dont l'urgence est limitée. Après les baleines, mes neurones me rappellent le destin du *Titanic* et la mort du personnage interprété par Leonardo DiCaprio dans le film de James Cameron !

La seule chose qui me rassure, c'est de constater que, même quand ma santé mentale défaille, les références cinématographiques ne m'abandonnent pas.

Pour revenir à ma situation, je crois que la fuite n'est pas la bonne solution. Même si je ne finis pas en bouillie au fond du Grand Canyon ou gelée dans les eaux de l'Arctique, je suis sûre que les autorités françaises me renverront aux États-Unis pour que je sois jugée. Saloperies de traités d'extradition !

J'attends donc avec fatalisme que les forces de l'ordre viennent me passer les menottes et me lisent mes droits. Dans mes dernières secondes de liberté, je ne peux m'empêcher de me retourner sur les événements de ces dernières semaines. L'accumulation incroyable des pépins qui me sont tombés dessus doit être l'œuvre du plus puissant des sorciers vaudous ! Quand je pense comme tout allait bien dans ma vie avant la soirée du film de Michael… J'aurais dû profiter plus de mon bonheur.

Chapitre 1

La Genèse :
Ève, la pomme et le serpent

Je devrais aller plus souvent à l'église, ou au moins relire la Bible de temps en temps. D'abord, si on considère qu'avoir des relations sexuelles avant le mariage est un péché, je pense que je pourrais m'accorder une petite demi-heure avec un prêtre tous les quinze jours. Avec ce que je lui raconterais, il ne perdrait pas son temps, et augmenterait mes chances d'aller au paradis sans passer par la case purgatoire...

Le problème, c'est que je ne suis pas très croyante. Alors, la confession perd tout son intérêt ! Je pourrais aussi aller à des cours de théologie pour me rafraîchir la mémoire. La Bible est quand même le livre le plus vendu au monde. Ce n'est pas pour rien qu'elle trône en tête du classement des best-sellers depuis deux mille ans.

Tout ça pour dire que j'aurais pu éviter de frôler l'arrestation si j'avais relu le passage sur le paradis terrestre, Adam et Ève, le serpent et la pomme...

Si on veut comprendre la parabole, il faut accepter que j'incarne Ève et que David, mon boy-friend, soit Adam. Là, il faut faire un effort d'imagination car, étant juif, je ne crois pas qu'il accepterait le rôle. Pour le paradis terrestre, c'est assez facile à comprendre : à moins de trente ans, je possède une agence de RP dans le cinéma à Hollywood ! Et un des acteurs les plus célèbres a décidé de nous épauler, mon associée et moi-même, pour lancer l'agence. Bon, mon associée, qui est également ma meilleure amie, Ophélie, lui a un peu forcé la main, mais il ne sert à rien de revenir sur cet épisode[1]...

Tout compte fait, je devrais plutôt endosser le rôle du serpent ! À moins que ce ne soit Michael Brown, ou même mon amoureux...

Je m'égare un peu, alors reprenons l'histoire dans l'ordre. Tout a commencé le 21 octobre. Le temps était magnifique à Los Angeles. Avant de partir au bureau, je suis même allée marcher sur la plage, les pieds dans l'océan Pacifique. C'est un plaisir dont je ne me lasse pas, une des raisons qui me poussent à garder notre appartement à Santa Monica. J'avais dans les oreilles une sélection des plus belles compositions de Mozart : *Les Noces de Figaro*, *Così fan tutte*, *Don Giovanni*... Vraiment, Mozart est un génie. Dire qu'il est mort à trente-cinq ans : quel gâchis ! Je suis devenue une adepte de Wolfgang et de l'opéra alors qu'il y a quelques mois je fuyais ce genre de musique.

C'est David qui a changé ma perception. Un soir, je suis rentrée et il préparait un article en écoutant très fort une chanteuse qui s'époumonait sur un morceau vieux de plusieurs siècles. Ça m'a tout de suite cassé les pieds.

— *Hello*, David, ça ne t'ennuie pas qu'on baisse ? Je ne sais pas comment tu peux écouter cette musique aussi fort sans attraper une migraine.

---

1. Voir *Movie Star, Saison 3 – Hollywood*.

Et, sans vraiment attendre la réponse, je suis allée baisser le volume.

David a levé la tête. Son regard n'était pas aussi amène que d'habitude.

— Laure, je ne crois pas t'avoir donné l'autorisation de baisser ou même avoir eu quelques secondes pour réfléchir à ta requête. Tu sais que je suis en train de travailler ?

J'ai senti que la météo avait tourné à l'orage. J'aurais pu ramener le ciel bleu en m'excusant et en remontant le son. Mais ce soir-là je n'avais pas envie de capituler. D'ailleurs, je dois avouer que c'est un de mes péchés mignons : j'aime faire ce que je veux et même, je le confesse, imposer ma volonté à David.

— Justement, comment peux-tu travailler avec cette cantatrice médiocre qui passe son temps à faire des vocalises ? Âââ, âââ, âââ, âââ, âââ, âââ, âââ ! Tu vois, je peux faire aussi bien…

Là, je pense que j'avais poussé le bouchon un peu loin. David est un garçon calme, mais j'avais, comme on dit, franchi le Rubicon. La réaction de mon chéri a été semblable à celle de Tryphon Tournesol quand le Capitaine Haddock le traite de zouave. Dans les faits, David ne m'a pas poursuivie autour de la table en hurlant, mais sa voix glaciale m'a fait comprendre que je m'étais aventurée à découvert.

— Cantatrice médiocre ? Sache qu'il s'agit de Natalie Dessay, une de tes compatriotes, une voix d'une grande richesse, une soprano colorature…

— Une quoi ?

— En musique classique, le terme colorature qualifie une voix virtuose apte à réaliser des vocalises complexes. Ça vient du latin *colorare*, qui signifie « orner ».

Je l'ai trouvé pédant et j'étais également vexée.

— C'est bon, même la messe n'est plus en latin… Le problème doit venir de ta sono.

Il a frôlé la crise d'apoplexie.

— Comment peux-tu dire des bêtises pareilles ? Une platine Thorens TD 295 MK IV, un ampli Marantz et des enceintes Cabasse !

Il a vu que je n'avais pas rendu les armes et il a enchaîné :

— Avant que tu ne dises des horreurs sur le morceau lui-même, je dois te préciser qu'il s'agit de l'air de la Reine de la nuit, dans *La Flûte enchantée*. C'est de Mozart… Mozart, tu connais ? Tu sais, c'est celui qui a le rire idiot dans le film *Amadeus*.

— Tu me prends pour une inculte ? Wolfgang Amadeus Mozart, d'où le titre du film de Milos Forman.

— Au moins, ta connaissance du cinéma t'évite le ridicule complet…

Il y a eu un grand silence entre nous qui a duré une éternité. Puis David s'est levé pour aller vers sa platine.

— Je vais te remettre le morceau, mais je vais d'abord t'expliquer le contexte. Il s'agit de la Reine de la nuit, personnage maléfique, qui demande à sa fille, Pamina, d'aller tuer le grand-prêtre Sarastro. La colère de la reine est l'élément central de la scène et la voix de l'interprète doit refléter cet état d'esprit. Elle menace sa fille de la répudier si celle-ci ne s'exécute pas. Techniquement, c'est terriblement difficile, il faut être capable d'aller chercher les graves et les suraigus. Ce morceau est l'Everest d'une carrière de soprano. C'est un morceau sublime.

Ma rancœur s'est envolée. J'avais été portée par ses paroles. Quand la voix de la cantatrice française a retenti, j'ai ressenti l'émotion et la colère de la reine. Elle m'a touchée au plus profond de mon être, comme si Wolfgang avait révélé un pan de ma sensibilité artistique que je ne connaissais pas.

Quand le morceau s'est terminé, j'ai pris David dans mes bras.

— Je te prie de m'excuser. J'avais tort, c'est absolument magnifique.

L'espace d'un instant, j'ai vu une lueur de suspicion dans son regard. Il était surpris de ma conversion soudaine. Je l'ai rassuré :

— C'est vrai, j'ai adoré et je t'aime pour ta culture incroyable. Mais pas seulement…

Il me connaît suffisamment pour savoir où je voulais en venir.

— Ah non ! Laure, je dois travailler…

Je ne lui ai pas répondu. Je me suis contentée de le lécher dans le cou, juste en dessous de l'oreille : ça le rend fou ! Il ne m'a pas repoussée et, quand ma main est descendue au niveau de son entrejambe, j'ai pu constater qu'il n'avait pas été indifférent à ma démonstration d'affection. J'ai commencé à défaire les boutons de son pantalon.

— Moi aussi, j'ai envie d'essayer ta flûte enchantée… Je suis une reine pour jouer de cet instrument !

— Laure, parfois, tu es d'une vulgarité…

Il n'a pas pu continuer sa phrase, car je l'ai stoppé en le prenant dans ma bouche. Nul besoin de préciser qu'il n'a pas protesté. Mon talent lui a fait émettre des gémissements qui, bien que moins mélodieux, exprimaient aussi clairement son plaisir que les vocalises de la Reine de la nuit sa colère.

J'ai fait attention à ne pas le conduire à l'orgasme, car notre échange à forte valeur culturelle m'avait, de façon étrange, excitée. J'ai la chance d'avoir un amant non seulement gâté par la nature, mais également doté d'une certaine résistance. Mon habileté dans la fellation m'a souvent, dans le passé, amenée à recueillir le plaisir de mes amants bien trop tôt pour pouvoir en tirer un quelconque bénéfice. C'était assez énervant et j'en ai frappé quelques-uns par frustration...

David ne fait heureusement pas partie de ce club d'éjaculateurs précoces. Ce soir-là, je l'ai laissé juste à l'orée du plaisir. J'ai fini de lui enlever son pantalon et son caleçon. Pour ma part, je me suis contentée d'enlever ma culotte et j'ai remonté ma jupe avant de venir sur lui. Nous avons gémi de concert (c'est le cas de le dire quand on écoute un opéra). J'ai été très rapidement proche de l'orgasme. J'ai inconsciemment suivi le rythme de la musique que j'entendais. C'était l'air de Papageno et Papagena. Ce dialogue magnifique dont le rythme augmente nous a emportés vers un orgasme violent et simultané.

Je suis restée effondrée sur David quelques minutes pendant que lui essayait aussi de trouver un peu d'oxygène pour ne pas défaillir. Je me suis aperçue que nous ne nous étions même pas embrassés. C'était néanmoins l'un de nos cinq plus beaux orgasmes. Plus qu'un simple plaisir physique, j'avais vécu une expérience mystique !

Depuis, Mozart est mon nouveau dieu, et David est le prêtre qui m'initie à ce culte.

Je suis arrivée au bureau avant Ophélie. J'ai mis la musique et je me suis préparé un espresso. Après avoir allumé mon ordinateur, j'ai commencé à m'occuper du courrier. Il y avait une grosse enveloppe qui m'intriguait. La différence entre Ophélie et moi, c'est qu'elle ouvre les lettres dans l'ordre, ce qui a le don de me mettre dans tous mes états quand il y a un pli d'un format un peu spécial. Ce jour-là, j'ai profité de son absence pour sauter les étapes et aller droit au but. C'est au moment où je me rendais compte de l'énormité du contenu que mon associée a franchi la porte.

— Ophélie, j'ai eu Brad Pitt !

On ne peut pas dire que mon enthousiasme a été aussi communicatif que je le souhaitais.

— Au téléphone ou dans ton lit ? Si c'est la deuxième hypothèse, je ne crois pas que David va apprécier…

— Mais non ! Son film, son prochain film, nous allons nous en occuper ! Je viens de recevoir le contrat ! Tu te rappelles, je suis allée présenter notre agence à ce studio indépendant, Blue Dream production. Ils préparent un film avec Brad Pitt dans le rôle principal et ils ont décidé de nous confier les RP.

Une lueur appréciative est apparue dans ses yeux bleus.

— Bravo, Laure, c'est top ! Qu'est-ce que tu as dit pour les convaincre ?

— Euh, je leur ai parlé de Deauville et de Venise.

Le problème, quand on est amie avec quelqu'un depuis longtemps, c'est que la personne développe un sixième sens pour détecter les craques. Son ton était suspicieux quand elle m'a interrogée.

— Ils sont intéressés par ces festivals ?

— Oui, très. Ils pensent que la thématique du film marchera très bien en Europe.

— Ne me dis pas que tu leur as fait croire que tu pouvais les aider à participer !

— Je leur ai dit que nous avions travaillé pour l'organisateur du Festival de Deauville.

— C'est tout ?

— J'ai peut-être un peu brodé sur l'importance de notre rôle et sur la qualité de notre relation actuelle avec Ciné organisation en disant que le patron, Bertrand, était un ami.

Elle a réfléchi un instant.

— C'est très exagéré, considérant qu'on ne lui a pas parlé depuis que l'on a démissionné il y a deux mois. Mais ce n'est pas un mensonge trop grave et c'est difficile à vérifier. Heureusement que je t'ai empêchée de l'appeler pour lui dire ses quatre vérités.

— Oui, tu avais raison, ça ne sert à rien de se fâcher avec les gens dans un aussi petit milieu.

Mon ton conciliant a réveillé sa méfiance.

— Et pour Venise, tu as dit quoi ?

— Euh, je crois que j'ai dû sous-entendre que l'on avait participé à l'organisation de la soirée Casanova pour le film de Michael Brown...

Elle a eu un air catastrophé.

— Laure, tu n'as quand même pas dit ça ? Je te rappelle que nous n'étions même pas invitées à la soirée et que tu as dû piquer deux invitations pour que l'on puisse entrer ! Ils t'ont crue ?

— Ils n'avaient pas l'air convaincus. Alors, j'ai dû leur dire que tu avais ouvert le bal avec Michael.

Elle s'est énervée.

— Laure, tu ne peux pas te servir ainsi de ma relation avec Michael Brown pour promouvoir l'agence.

Il y a eu un gros silence. Je crois qu'elle était fâchée. Dans ce cas, le mieux, c'est de ne rien dire. C'était facile, car je boudais un peu. Je trouvais qu'elle s'attardait sur des détails alors que le principal était que nous allions nous occuper du film d'une des plus grandes stars de Hollywood.

Cinq minutes plus tard, une pensée s'est imposée à mon esprit. J'ai dû briser le silence :

— Tu crois que je pourrais lui plaire ?

Elle a levé les yeux de son ordinateur, un tantinet agacée.

— Plaire à qui ?

— À Brad.

— Aucune chance.

Sa réponse laconique ne m'a pas plu. Mais alors pas du tout.

— Et pourquoi ?

— Parce que c'est une star et qu'il est marié.

— Ça n'a rien empêché, pour Michael et toi.

— Ce n'est pas la même chose. Et puis n'oublie pas que tu as David.

— Toi aussi, tu étais avec quelqu'un.

— Je te le répète, ça n'a rien à voir.

Je trouvais ça profondément injuste, car c'était tout à fait comparable. J'avais l'impression qu'elle me mettait dans une classe différente de la sienne, qu'elle était une star et pas moi. J'étais bien décidée à ne plus lui adresser la parole de la matinée, mais l'ouverture de l'enveloppe suivante a mis fin à cette résolution.

27

— Ophélie, c'est une invitation pour la première du film de Michael.

— Ah oui ! Charlie m'en a parlé.

— Oh ! c'est trop chou, Michael nous a écrit un petit mot ! « Aux deux plus charmantes Françaises de Los Angeles, sans lesquelles organiser une soirée de qualité est impossible. » Tu vois, lui, il est galant, il ne sous-entend pas que j'ai la beauté d'une guenon comparée au dieu Brad.

— Je n'ai jamais pensé cela. Il écrit autre chose ?

— « À défaut d'être organisatrices de la soirée comme à Venise, voici une invitation pour ne pas avoir à emprunter celle des autres. »

Merde, il avait dû recevoir un appel du studio Blue Dream production. C'était ultra-gênant.

Ophélie a soupiré.

— C'était couru d'avance. Nous avons de la chance, je crois que tes histoires l'amusent.

Pour ma part, j'avais retrouvé la pêche : aller à une première reste pour moi un événement dont je ne me lasse pas. En plus, comme Charlie, le boy-friend d'Ophélie, est le frère de Michael Brown, nous sommes certains d'avoir de bonnes places.

De bonnes places ? Je devrais dire un aller simple pour l'enfer.

Chapitre 2

À l'est d'Éden

Je sais, au départ, *À l'est d'Éden*, c'est un film d'Elia Kazan, celui qui a révélé James Dean, un des acteurs cultes des années 1950.

C'est surtout une excellente façon de décrire cette soirée où Michael nous avait invitées, à cette première si prometteuse.

Le choix de la tenue pour une telle occasion est toujours difficile, mais j'avais trouvé la robe idéale. Pour une fois, j'avais abandonné la classique robe noire pour une autre, rouge, épaules nues, qui n'était pas sans rappeler la Christian Dior portée par Jennifer Lawrence aux Oscars en 2014. David avait accepté, exceptionnellement, de faire un effort, et je dois dire qu'avec son costume Dolce & Gabbana il avait belle allure. Nous allions à une soirée de stars et j'avoue que nous en avions la prestance. Moi en tout cas !

Nous sommes arrivés au Chinese Theater quelques minutes avant Ophélie et Charlie, et j'ai décidé que nous allions les attendre à l'extérieur pour faire notre entrée sur le tapis rouge avec eux.

Lorsqu'ils sont descendus de leur cabriolet Maserati, j'ai compris mon erreur. Je crois surtout qu'il ne faut pas avoir d'amie trop jolie... C'est simple, à côté d'elle, j'avais l'air d'un sac ! Quand je pense à ce que m'a coûté ma tenue, je suis dégoûtée ! En ce qui concerne Charlie, l'ami d'Ophélie, il aurait pu être mannequin s'il n'avait pas été réalisateur. Ils m'ont fait penser à Chris Hemsworth et Elsa Pataky. Quand ils sont venus nous embrasser, c'était comme un remake du *Seigneur des Anneaux* dans une scène où Aragorn et Arwen saluent Sam et sa fiancée Rosie.

Charlie m'a un peu consolée par ses gentilles paroles.

— Laure, tu es resplendissante ! Cette robe met tes épaules en valeur. Tu es sûre que tu ne veux pas jouer dans mon prochain film ? Je cherche une jolie héroïne qui a de la personnalité.

— Pour la personnalité, OK. Pour la beauté, je ne sais pas...

Ophélie est venue m'embrasser à son tour.

— Eh ! Laure, arrête de minauder avec mon mec ! Il a déjà dit que tu étais jolie, tu n'as pas besoin de le lui faire répéter.

Je n'ai rien répondu, mais, en mon for intérieur, je me suis dit que j'étais prête à l'entendre une nouvelle fois : pourquoi se priver d'un compliment énoncé par un bel homme ?

Si cet épisode avait pu effacer mes doutes sur ma capacité à passer pour une star, les nombreux photographes du tapis rouge ont rapidement mis les choses au point. Ils ont exigé de prendre la photo de nos amis, seuls, sans nous. C'était logique, et en même temps un peu humiliant.

Mais je les ai regardés, radieux sous les flashs qui crépitaient, et ma jalousie s'est envolée. Ils étaient beaux, ils formaient le couple parfait, ils méritaient d'être au centre de toutes les attentions.

Le service du protocole nous a poussés à accélérer pour libérer l'espace. Quand Ophélie et Charlie nous ont rejoints, nous nous sommes dirigés vers la salle. À l'intérieur, une hôtesse nous a conduits à nos places. J'étais juste derrière elle, impatiente de savoir si nous allions être proches de la zone réservée aux VIP. Pour une fois, j'avais sous-estimé mes chances, ce dont je me suis rendu compte quand la jeune femme m'a redonné les invitations.

— Voilà, mademoiselle Masson, vous êtes à ce rang.

C'était en plein milieu de la zone réservée !

— Mais c'est quelle place précisément ?

Elle m'a répondu avec un ton obséquieux, mais il est clair qu'elle me prenait pour une retardée mentale ou une péquenaude débarquant de sa cambrousse.

— Votre nom est inscrit sur votre fauteuil, mademoiselle.

La classe, la classe absolue ! Je me suis retournée pour partager ma joie avec mes amis et là, le néant, plus personne ; j'étais seule avec l'hôtesse ! Et cette compagnie même m'a été enlevée quand la jeune femme est partie s'occuper d'autres invités. J'ai cherché du regard mes amis. Je les ai repérés, en pleine discussion avec Chris Hemsworth. Pour celles qui se demandent comment il est dans la vie réelle, j'ai une mauvaise nouvelle : il n'est pas aussi bien que dans les films, il est, en fait, beaucoup plus canon ! En plus, il a un sourire charmant et il a visiblement la joie de vivre des surfeurs australiens. La discussion avec Charlie était animée et je me suis dit qu'Ophélie avait trop de chance de trôner entre ces deux bombes. Si je n'avais pas eu David avec moi, je serais allée la rejoindre.

C'est à ce moment-là que je me suis rappelé que j'avais aussi perdu mon homme. J'ai mis de longues secondes à le localiser. Il était dans le fond de la salle, sur le côté, en train de discuter avec une brune. Ils étaient trop loin pour que je puisse juger de son physique, mais j'ai vu qu'elle était très tactile avec mon mec. Elle parlait en faisant de grands gestes et sa main se posait régulièrement sur le bras de David. Par bonheur, j'avais pris le même sac à main que lors de notre sortie au Los Angeles Opera pour voir *Moby Dick*. J'avais eu des places par un client et j'y avais traîné David. Je pensais lui faire plaisir, mais, contrairement à moi, il n'avait pas aimé, décrétant qu'accoler les mots « opéra » et « contemporain » était une contradiction.

Enfin, le plus important, c'est que dans mon sac j'avais mes jumelles de théâtre. C'est essentiel pour apprécier le visage des cantatrices, mais ça peut se révéler utile quand votre mec parle à une fille non identifiée. Pour être plus discrète, je me suis assise et j'ai épié David, cachée par le dossier de mon fauteuil.

Pour être plus exacte, j'ai commencé par détailler la fille. Brune, assez grande, fine. Un visage qui affichait du caractère, quelques taches de rousseur et des yeux marron. Elle portait un tailleur-pantalon assez élégant. Pas mal, mais pas de quoi s'extasier. En conséquence, il n'y avait pas de raison de s'affoler. Pourtant, deux éléments m'ont énervée à mort. D'abord, son sourire, que l'on pourrait décrire comme éclatant, mais que, pour ma part, je préférerais qualifier de carnassier. Mais, le pire, c'était David qui souriait à ses propos ! Quand on connaît la réserve de David... Soudain, j'ai été interrompue dans mon inspection par une voix familière. Ophélie !

— Mais, Laure, qu'est-ce que tu fous ?

Je me suis retournée tout en gardant ma position de sniper.

— Chut ! Assieds-toi, tu vas nous faire repérer !

Elle a ignoré mon injonction, a regardé vers le fond de la salle avant de froncer les sourcils.

— Tu espionnes David ?

— Espionner, le terme est fort. J'observe sa conversation avec cette brune suspecte...

— Je pense au contraire que le terme est bien choisi ! Arrête immédiatement, tu ne peux pas te conduire comme ça, c'est une attitude puérile.

Là, je me suis étranglée.

— Je voudrais t'y voir, si une fille s'accrochait ainsi au bras de Charlie ! Regarde, elle recommence ! Tu la trouves comment ? Tu veux mes jumelles ?

— Ne sois pas ridicule, je peux très bien la voir. Je trouve qu'elle a de l'allure, du style.

— Et physiquement ?

— Elle a un beau sourire, une belle bouche, bien qu'un peu grande pour son visage...

Son diagnostic rejoignait le mien, mais l'entendre confirmer par mon amie m'a minée. Sa blague qui a suivi a prolongé ma descente aux enfers.

— Remarque, d'après ce que tu dis des proportions de l'engin de David, ça peut l'aider dans les préliminaires si elle consomme avec ton mec.

Son manque de psychologie m'a heurtée. Jamais je n'aurais fait ce genre de plaisanterie à une amie sous l'emprise de la jalousie. Ophélie est maintenant une jeune femme que l'ascension sociale et l'assurance qui en résulte ont privée de tact.

— Ophélie, ce n'est vraiment pas drôle.

Je me suis murée dans le silence, j'avais les larmes aux yeux. Je ne sais pas pourquoi cette discussion, certainement innocente, de David avec cette jeune femme m'affectait au-delà du rationnel. Ophélie s'est aperçue qu'elle avait dépassé les bornes. Elle s'est assise près de moi et m'a prise dans ses bras. Sur ces entrefaites, Charlie est arrivé. Il a été surpris de me trouver ainsi lovée dans les bras de sa fiancée. Il s'est enquis de la situation et Ophélie lui a tout expliqué. Il a jeté un coup d'œil et s'est mis à rire ; l'entendre m'a tout de suite fait du bien.

— Laure, tu ne crains rien, c'est une journaliste du *New York Times*. Je la connais, elle m'a déjà interviewé. Elle a du chien, mais elle n'est pas réellement jolie. Elle est assez masculine et elle est loin d'avoir autant de charme que toi.

Ses propos m'ont rassérénée. Mais j'ai joué l'avocat du diable pour en avoir le cœur net.

— Mais, et sa bouche ?

— Quoi, sa bouche ?

— Ophélie dit que c'est un avantage pour une certaine pratique qui plaît aux hommes.

C'est curieux, moi qui suis toujours cash quand je parle de sexe avec les hommes, j'ai toujours eu une petite réserve avec Charlie. Dans ce cas, j'ai été incapable d'employer les mots « pipe » ou même « fellation ». Ça ne l'a pas empêché de comprendre et d'éclater de rire.

— Je ne crois pas que ce soit un domaine dans lequel tu puisses craindre la concurrence !

C'était tellement inhabituel, cette franchise de Charlie en la matière, qu'il a réussi à me faire rougir.

— C'est David qui t'en a parlé ?

Ses yeux pétillaient quand il m'a répondu. Il n'y a pas à dire, il est craquant : si ce n'était pas le mec de mon amie…

— Non, c'est Ophélie. Je crois qu'elle complexe vis-à-vis de toi dans cette discipline… Aïe !

Ophélie venait de lui mettre un énorme coup de poing dans l'épaule. Ils ont réussi à me faire sourire et à me rassurer.

— Donc, je n'ai rien à craindre.

— Non, Sarah n'est pas une croqueuse d'hommes…

Je l'ai interrompu :

— Sarah ? Sarah Kramer ?

J'ai vu dans le regard de Charlie qu'il avait compris qu'il y avait un souci.

— Tu la connais ?

— C'est l'ex de David, celle avec qui il est sorti quand on a fait une pause, l'été où Ophélie et moi avons fait connaissance avec toi.

J'ai repensé à cette semaine de croisière incroyable sur ce yacht de milliardaire. À cette époque, je n'étais pas aussi attachée à David et je n'avais pas trop souffert de notre séparation. Ophélie était avec Michael, le grand frère de Charlie. Quant à moi, j'avais des visées sur ce dernier. En pure perte…

C'est Ophélie qui m'a sortie de mes rêveries.

— Laure, David peut discuter avec une ex sans aucune mauvaise intention : parler n'est pas tromper ! Ton mec, c'est l'opposé du caractère de Michael, la fidélité est naturelle pour lui.

J'ai bien vu que Charlie goûtait peu que mon amie mentionne son frère, même si elle ne faisait qu'énoncer une vérité. Mais comme j'étais mal et que c'est quelqu'un de délicat, il n'a rien dit.

J'étais partagée : Ophélie avait indéniablement raison et je ne risquais pas de mauvais coup de mon mec, mais une petite voix intérieure me suggérait des pensées négatives.

— Et s'il me quitte pour elle ? Dans ce cas, il n'aurait pas à enfreindre ses principes, mais, à l'arrivée, ce ne serait pas mieux, je me retrouverais seule, comme une conne.

Ophélie m'a répondu plus vertement :

— Arrête ton délire, Laure, ton mec t'adore. D'ailleurs, quand on parle du loup…

Je me suis retournée et j'ai vu que David se dirigeait vers nous. Son visage ne reflétait pas du tout l'adoration qu'il était supposé avoir pour moi. Il avait un visage sombre.

— Laure, c'était quoi, ces conneries ?

Merde, il flirte avec une fille et c'est moi qui me retrouve en position d'accusée. J'ai décidé de jouer la carte de l'innocence.

— Je ne comprends pas ce que tu veux dire…

Je sais, c'était un peu minable. Mais vous auriez fait quoi à ma place ?

— Tu nous espionnais ! Qui plus est, avec des jumelles !

— Mais pas du tout, je voulais voir le visage de Chris Hemsworth. Il discutait avec Ophélie et Charlie...

Dans un mensonge, toujours mélanger le faux avec le vrai. Dans ce cas, cette tactique n'a pas pris. David m'a interrompue :

— Laure, il était à l'autre bout de la salle !

— Après, j'ai cherché si ses frères étaient aussi dans la salle pour savoir lequel est le plus beau.

Là, honnêtement, j'ai trouvé mon excuse assez crédible : quelle jeune femme n'est pas fan des trois frères ? Il faudrait être difficile et ne pas aimer le type surfeur australien !

Mais le problème est que David détecte mes mensonges avec autant de facilité qu'une radio une fracture.

— Laure...

Cette fois, il n'a dit que mon prénom, mais ce seul mot prononcé avait la force du réquisitoire de Zola dans l'affaire Dreyfus.

J'ai cherché du regard l'appui de mes amis, Ophélie et Charlie, mais ils s'étaient éloignés de quelques mètres pour discuter avec un homme que je ne connaissais pas. J'étais seule, j'étais déboussolée, j'ai contre-attaqué :

— OK, oui, je vous observais. J'avoue, mais je ne vais pas m'excuser de vérifier si ton ex va te persuader de copuler en public.

Il a été surpris de ma sortie. Pourtant, il me connaît bien... Il a mis quelques secondes à encaisser le choc et sa réponse a été calme et glaciale :

— Laure, reprends-toi, tu dis n'importe quoi.

— Vraiment ? Elle se frottait à toi comme une gue-non en chaleur !

— Je déteste quand tu es vulgaire.

Ophélie est revenue vers nous et je l'ai prise à témoin.

— Ophélie, je ne suis pas folle, cette fille l'a touché à plusieurs reprises, oui ou non ?

J'ai senti que j'avais mis mon amie dans une situation délicate et elle a eu une hésitation avant de répondre :

— Elle lui a pris le bras...

David l'a interrompue. Il s'adressait à moi et son ton est soudain monté, traduisant une colère inhabituelle chez lui.

— Putain, Laure, elle est juste tactile quand elle est enthousiaste, ce n'est pas la mer à boire !

Que David utilise le *F-word*[1], en public de surcroît, donnait une idée de son énervement. Contrairement à moi, il est presque toujours poli.

Son éclat a été calmé par l'arrivée de Charlie.

— *Guys*, vous réglerez vos problèmes plus tard, l'équipe du film est en train d'entrer dans la salle.

Effectivement, Michael était là, tenant le bras de l'ac-trice principale du film et saluant la foule qui l'applau-dissait. D'habitude, j'adore ces moments et je ne suis pas la dernière à faire du bruit, mais, ce soir-là, le cœur n'y était pas. Ophélie s'en est aperçue et elle a tenté de me changer les idées.

— Tu crois que Michael a séduit sa co-star ?

J'ai eu envie de répliquer que je n'en avais rien à foutre, mais ce n'était pas totalement vrai et je n'avais

---

1. Le *F-word* est le mot *fuck*, que les Américains utilisent beau-coup mais dont seule l'initiale est écrite à la télévision.

pas non plus envie de passer mes nerfs sur mon amie. Ma réponse a été minimaliste :

— Qui sait ? Et toi, tu en penses quoi ?

— Moi, je crois qu'il se l'est tapée debout dans sa loge de star entre deux scènes et qu'il a répété la chose à plusieurs endroits du plateau. À tel point qu'elle avait du mal à marcher et que sa maquilleuse a failli donner sa démission quand elle s'est aperçue qu'elle ne parvenait pas à cacher ses cernes.

Ces propos obscènes dans la bouche de mon amie m'ont fait rire. Ils m'ont également impressionnée, considérant qu'un an plus tôt Michael était l'amour de sa vie.

— Ça ne te fait plus rien de l'imaginer avec une autre ?

Elle m'a souri gentiment.

— Michael et moi, c'est une histoire terminée. Et puis je suis avec son frère... Charlie est quand même le meilleur des Brown, non ?

Elle n'avait pas réellement répondu à la question et j'ai cru voir une petite lueur de nostalgie dans son œil. L'arrivée des acteurs sur la scène a stoppé notre échange. Nous avons eu droit aux quinze minutes de discours du réalisateur, des acteurs et du producteur. C'est toujours l'intervention de ce dernier qui est la plus ennuyeuse et le plus souvent la plus longue : pourquoi ne leur apprend-on pas que la longueur du propos ne compense que rarement son manque d'intérêt ?

Entre le moment où l'équipe du film redescend de la scène et le début de la projection, il y a toujours une minute, minute que j'ai utilisée pour questionner David.

— Et qu'est-ce qui provoquait un tel enthousiasme chez ton ex ?

— Elle part à Paris pour travailler pour le *New York Times*.

— Tant mieux, bon débarras !

Dommage que je n'aie pas gardé ces propos pour moi. Le penser, c'était compréhensible, l'exprimer n'était pas l'idée la plus judicieuse pour réchauffer ma relation avec mon mec.

Je ne sais pas si vous êtes déjà allé au cinéma avec quelqu'un avec qui vous êtes en froid. C'est en tout cas une situation où on a du mal à apprécier le film.

D'abord, il y a le problème du partage de l'accoudoir. Exactement comme dans les avions, on passe son temps à essayer de prendre la meilleure position sur l'accoudoir commun. Au cinéma, avec son mec, c'est moins gênant. C'est même émoustillant avant ou au début de la liaison.

Mais ce soir-là, pendant toute la projection, j'ai essayé d'éviter que nos coudes ne se touchent. J'ai eu du mal à m'intéresser à cette jeune veuve qui tombe amoureuse du médecin qui n'a pas pu sauver son mari.

Quand la lumière s'est rallumée, David et moi nous sommes levés sans nous dire un mot. C'est avec Ophélie que j'ai échangé mes impressions.

— Tu as aimé ?

— Assez. Je ne suis pas très mélo, mais, dans le genre, celui-ci était assez réussi. Et toi ?

— Pas trop, je ne me suis pas prise au jeu. Je n'ai rien trouvé d'original.

— Il manquait un grand réalisateur !

En disant cette phrase, elle a attiré son mec vers elle pour l'embrasser sur la bouche. Il a souri gentiment, mais on le sentait embarrassé.

— Chut, Ophélie, tu ne peux pas dire ça.

— Mais c'est vrai, tu es le plus grand réalisateur de Hollywood !

Elle l'a embrassé à nouveau. Quand on est célibataire ou en froid avec sa moitié, les démonstrations d'affection des autres deviennent pénibles. Et puis cette propension à voir son amoureux comme un héros est horripilante ! Charlie a remis les choses en perspective avec son humour britannique :

— Si on me compare à Ridley Scott, James Cameron, Steven Soderbergh et autres David Fincher, je ne suis plus grand que par la taille, pas par le talent !

Entre David et moi, c'était toujours l'ère glaciaire et sa proposition n'a pas réchauffé nos rapports.

— Laure, tu tiens vraiment à aller à cette soirée ? On pourrait rentrer, je suis mort.

Peut-être que, si j'avais accepté, aucun de mes ennuis ne serait arrivé. Je vois très bien comment notre retour à l'appartement se serait terminé. Nous aurions fait tout le trajet en taxi sans nous dire un mot. Les premières minutes à notre domicile n'auraient rien changé. Il aurait nourri Princesse Leia et l'aurait fait sortir après l'avoir caressée et lui avoir souhaité une bonne nuit.

C'est plus tard que tout aurait basculé. Je vois très bien la scène.

David est dans la salle de bains. Il est en pyjama. Je sais, ce n'est pas la tenue la plus glamour, mais j'ai amélioré la chose en lui en offrant un moderne que j'ai trouvé chez Ralph Lauren : il est rayé, bleu et blanc, et le bas s'arrête au-dessus des genoux. Mais, le petit plus, c'est une invention de ma part. La braguette est fermée par un bouton dont j'ai desserré les fils. Le bouton est tombé, David s'est plaint de la qualité de la production textile en Asie et de mon incapacité à coudre – il n'est pas plus doué que moi dans ce domaine. Mais le résultat est qu'il y a une fenêtre ouverte pour pouvoir admirer son membre qui, même au repos, est impressionnant et, en conséquence, terriblement excitant.

Bref, David est en train de se laver les dents et son humeur grognon me donne envie d'une réconciliation sur l'oreiller. Je me faufile derrière lui et commence à me lover contre son dos. Je glisse la main sur son torse et me mets à le caresser, en m'appliquant à exciter ses mamelons. Là, il tente de me stopper.

— Laure, je t'ai dit que j'étais fatigué !

Ma main glisse plus bas, vers la large ouverture que j'ai créée grâce à la suppression judicieuse du verrou. Le sexe de mon homme n'est plus tout à fait aussi tranquille que cinq minutes auparavant, mais ce n'est pas encore la barre d'acier en fusion que j'attends.

— David, j'ai l'impression que Petit David a envie de devenir grand...

— Laure, ce discours infantilisant n'est pas sexy ! En plus, tu vois bien que j'ai la bouche pleine de dentifrice.

Ça, je ne pouvais pas le manquer ! Même si j'avais eu les yeux bandés, j'aurais compris en entendant les borborygmes difficilement compréhensibles qui sortaient de sa bouche.

— Ne t'inquiète pas, continue, ne t'occupe pas de moi...

Je réussis à trouver une petite place entre mon mec et le lavabo et je m'agenouille... Je suis confiante, Charlie avait raison, je suis la reine des pipes. Je commence par descendre le caleçon de David. Il ne proteste pas et poursuit son lavage de dents comme si de rien n'était. Je parie que je vais arriver à le perturber. Je le prends dans ma bouche tout en le regardant dans les yeux. Il se crispe soudain. Je réprime un rire quand je vois que sa main droite a appuyé involontairement sur le tube de dentifrice qui tombe par terre. Mais David, d'habitude si maniaque, n'en a cure. Ses yeux sont exorbités : j'imagine sans mal qu'il a un point de vue imbattable ! Fière de moi, je poursuis mon œuvre en véritable artiste. Là où il faut faire preuve de savoir-faire, c'est pour le maintenir à la frontière du plaisir. S'il jouit, je suis foutue, dans cinq minutes il dormira et j'en serai réduite à utiliser mon vibromasseur.

J'ai la chance d'avoir un mec généreux et il fait attention à ne pas être égoïste dans le plaisir. Il me redresse et me retourne contre le lavabo. Il relève ma robe et descend ma culotte. Notre dispute du cinéma a provoqué une frustration qui s'est transformée en désir pur. David s'en rend compte quand sa main descend entre mes fesses. Aujourd'hui, c'est clair, nous n'aurons pas besoin de longs préliminaires !

Quand sa main s'éloigne, je sais quelle va être l'étape suivante... Il positionne son sexe contre moi. Ma main vient le chercher et le guide. L'important, comme pour les vols spatiaux, c'est l'angle de lancement ! Le compte à rebours n'est pas interrompu et la fusée prend son envol. Avec lui, j'atteins les étoiles, mon orgasme va arriver à la vitesse de la lumière (je sais, la nouvelle Laure est une poétesse, la Hubert Reeves du sexe, mais sans la barbe !).

J'ai beau y être habituée, sentir mon homme en moi est une sensation que je n'échangerais contre rien au monde. Il m'a pris le visage pour le tourner vers le sien et il m'embrasse avec passion. Car mon David ne vaut pas que par ses dimensions majestueuses, c'est aussi un amant qui connaît l'art du baiser et du slow sexe. Mais, ce soir, ce n'est pas ce que je souhaite. Notre dispute me donne envie de sexe bestial. J'arrête de mêler ma langue à la sienne, j'appuie mes deux mains contre la glace et je me cambre au maximum.

— Viens, David, je te veux. Maintenant !

Nos regards se croisent dans le reflet du miroir. Nos yeux restent soudés, même au moment où le plaisir rend la vision trouble. Il entre de plus en plus vite en moi, jusqu'à ce que je sente sa jouissance, ce qui provoque la mienne. C'est un orgasme magistral, un de ceux qui ressoudent les couples les plus fâchés.

Si j'avais accepté de rentrer avec lui, David aurait ramassé le tube de dentifrice, aurait nettoyé la pâte étalée sur le plancher sans rien me reprocher et m'aurait rejointe dans notre lit. Je me serais glissée dans ses bras et nous nous serions endormis collés l'un à l'autre. Le lendemain, nous nous serions réveillés plus amoureux que jamais ! Malheureusement, quand il m'a dit qu'il voulait rentrer, qu'il était mort, je n'ai pas répondu ce qui aurait pu m'épargner le chemin piégeux qui m'attendait…

— Mais, David, tu sais que j'adore aller à ces soirées ! C'est assez unique, quand même, d'être invité par la star principale d'un film.

Il a eu l'air d'hésiter. J'ai décidé d'ajouter une petite pique perfide :

— Ta Sarah ne vient pas ? Elle n'a pas eu d'invitation ?

44

J'ai vu sa mâchoire se crisper, mais il m'a répondu avec calme :

— Ce n'est pas ma Sarah et je ne sais pas si elle a un pass pour la soirée.

Une voix avec un fort accent new-yorkais a crié derrière nous :

— David ! Tu vas à la party ?

Pourquoi faut-il toujours que la mauvaise personne arrive au moment où l'on parle d'elle ? Je me suis retournée et j'ai pu la voir de près : elle avait vraiment une grande bouche qui me semblait disproportionnée par rapport au reste de son visage. Et beaucoup plus de taches de rousseur que ne me l'avaient révélé mes jumelles...

David ne m'avait pas donné sa réponse quant à sa venue à cette fameuse soirée et j'avoue que j'étais curieuse de savoir quelle décision il allait prendre maintenant que son ex et son actuelle le pressaient de venir. S'il avait accepté sans hésitation avec enthousiasme, je lui aurais arraché les yeux !

Mais David est plus fin que cela et il a commencé par nous présenter autant par politesse que pour gagner du temps.

— Sarah, je te présente Laure. Laure, Sarah.

Elle m'a regardée avec intensité et m'a fait un grand sourire – pas difficile quand on a ce genre de bouche !

— Laure, j'ai beaucoup entendu parler de vous.

— Moi, pas du tout et, en toute franchise, je ne m'en portais pas plus mal jusqu'à cet instant.

J'aurais rêvé de lui balancer cette réplique, mais je crois que David l'aurait très mal pris, alors je me suis contentée de déblatérer quelques platitudes avec un sourire dont je ne pouvais imaginer qu'il puisse faire illusion.

— En bien, j'espère ! Vous allez donc à la soirée du film ?

— Oui, vous voulez que je vous emmène ? J'ai ma voiture.

Merde, la dernière chose dont j'avais envie était de partager le véhicule de miss Pieuvre, celle dont les tentacules agrippent votre mec avec ses ventouses. J'ai cherché une excuse.

— David n'est pas sûr de vouloir y aller et, de toute façon, je pense que nous nous y rendrons avec Charles Brown et sa fiancée, mon amie Ophélie.

J'avais amplifié le côté *name dropping* en utilisant le prénom « Charles » plutôt que « Charlie » pour lui en mettre plein la vue, mais j'ai complètement raté ma cible : j'ai juste réussi à énerver David.

— Laure, tu sais bien que le cabriolet Maserati de Charlie n'a que deux places... Bon, comme vous souhaitez toutes les deux ma présence à ce pince-fesses, je ne peux pas refuser. Sarah, c'est avec plaisir que nous acceptons d'y aller avec toi.

J'ai décelé un soupçon de moquerie revancharde, ce qui a ravivé ma colère.

Être obligée de m'asseoir à l'arrière alors que David était sur le siège passager à côté d'elle m'a fait monter dans les tours. Ils n'ont pas pu s'en rendre compte, car ils ont discuté comme si je n'existais pas, ou si peu... Elle a même poussé l'outrecuidance jusqu'à me provoquer sur l'emplacement de son futur appartement parisien.

— Ils m'ont trouvé un délicieux quatre-vingts mètres carrés dans le Marais. C'est génial, non ?

Ma réponse a été acide :

— Je suppose, si on est gay…

— Et vous, où habitiez-vous ?

— Dans le 9ᵉ.

— Je ne connais pas, mais je dois avouer que je n'ai visité Paris qu'en touriste.

J'ai hésité sur quelques réponses plus grossières les unes que les autres, mais David s'est empressé de changer de sujet.

Quand nous sommes arrivés à l'hôtel Mondrian, j'ai à peine attendu que le *valet parking* prenne la voiture et je me suis précipitée à l'intérieur. C'était un peu ridicule, car David, en homme galant, a attendu Sarah, et je suis restée comme une conne, seule à l'accueil des invités.

Mais quelques minutes plus tard, j'ai trouvé un moyen de me venger de toutes ces humiliations. Le bracelet en tissu qui m'avait été remis par l'hôtesse d'accueil était rouge, tout comme celui de David. En revanche, celui de Sarah était violet…

Je me suis tournée vers eux avec un grand sourire.

— Allons rejoindre Ophélie et Charlie, je suis impatiente de connaître leur avis sur le film. Regardez, ils sont là-bas.

Sans leur laisser le temps de réagir, je me suis dirigée vers le carré VIP. Arrivée près de l'agent de sécurité qui contrôle les entrées, j'ai montré nonchalamment mon poignet et je suis passée. Sarah n'a pas eu cette chance.

— Désolé, mademoiselle, il faut avoir le bracelet rouge pour être admis dans l'espace VIP.

J'ai essayé de prendre un air désolé. C'était une performance d'actrice de ma part, mais la réalité a rattrapé la fiction. J'ai croisé le regard de David et j'y ai lu qu'il n'avait pas goûté mon interprétation. Quand il s'est adressé à moi, j'ai compris que mon initiative n'allait pas tourner à mon avantage.

— Ce n'est pas grave, je n'ai pas besoin d'aller dans l'espace VIP. Je vais rester avec Sarah. Laure, tu peux nous laisser si tu souhaites rejoindre Ophélie et Charlie.

J'avais deux options : soit m'adapter et accepter avec grâce de partager David avec son ex, quitte à jouer les crampons, soit m'enfermer dans ma dignité et poursuivre seule en feignant d'ignorer cette défaite symbolique.

Je ne sais pas s'il y avait une bonne solution à ce problème, mais j'ai choisi la seconde.

— Très bien. Je vous abandonne. À tout à l'heure.

C'était un choix qui me paraissait courageux sur le moment alors qu'il ne s'agissait, en fait, que d'orgueil. Je l'ai payé cher…

Au Mondrian, il y a un bar qui surplombe la piscine, et c'est là qu'était l'espace VIP. Au sommet de l'escalier, j'ai retrouvé Ophélie, qui écoutait une conversation entre son fiancé et un vieux beau d'une cinquantaine d'années. Mon amie a tout de suite vu qu'il y avait un problème.

— Ça va, Laure ? Tu as un air bizarre…

Je n'ai pas cherché à feindre.

— David est resté en bas avec Sarah.

— Tu aurais pu leur proposer de venir ici.

— Elle n'a pas le bracelet adéquat…

Elle s'est mordu la lèvre dans un mouvement invo-
lontaire de réflexion qui aurait rendu fou de désir Christian Grey s'il s'était agi d'Anastasia.

— Tu veux que j'essaie de lui trouver un bracelet ?
Je peux demander à Charlie.

— Laisse tomber. David va bien finir par nous
rejoindre.

C'était une mauvaise appréciation de ma part ; il m'arrive d'oublier que mon homme peut parfois être entêté,
un de ses rares défauts. Mais, ce soir-là, je l'avais énervé
et il n'avait pas l'intention de faire preuve de compréhension et d'empathie à mon égard.

L'interlocuteur de Charlie m'a permis d'oublier ce
désagrément quelques instants.

— Charlie, pourrais-tu me présenter cette charmante
demoiselle qui discute avec ta délicieuse fiancée ?

Charlie s'est tourné vers moi et la chaleur de son sourire m'a remonté le moral. Il a semblé hésiter un instant puis s'est retourné vers le gentleman aux tempes
grisonnantes.

— Sean, je ne suis pas sûr que ce soit une bonne
idée. Après tout, ta femme est la meilleure amie de ma
mère...

— Mon ex-femme, n'oublie pas, Charlie, mon ex-
femme ! Nous sommes divorcés depuis vingt ans !

— Je ne suis pas certain que la nouvelle approuve-
rait plus ces présentations... Enfin, bon, allons-y. Sean,
je te présente Laure, la meilleure amie de ma femme
mais également son associée dans leur société de relations presse. Laure, je te présente Sean, le plus grand
séducteur écossais depuis Sean Connery.

Je lui ai tendu la main droite, qu'il a saisie dans la sienne. Il s'est penché pour y déposer un baiser. L'espace d'un instant, je me suis crue dans un roman de Jane Austen. Quand il a relevé la tête, j'ai changé d'avis. Je n'étais plus dans *Orgueil et préjugés* mais bien dans *Il était une fois la révolution*. L'impression que m'ont laissée ses yeux bleu clair était si forte que je n'ai pas pu m'empêcher de l'exprimer :

— Vous ressemblez à...

Il m'a interrompue :

— À James Coburn, je sais. Je ne vous mentirais pas en vous disant que ma moustache n'a rien à voir avec le personnage imaginé par Sergio Leone. En revanche, j'aimerais prétendre que ma mère m'a prénommé ainsi en hommage au personnage qu'il interprète dans *Il était une fois la révolution*, mais comme le film est sorti en 1971, ce serait mentir sur mon âge...

— C'est dommage, j'aime bien l'idée que votre mère ait pu aimer la chanson magnifique composée par Ennio Morricone.

Je ne sais pas ce qui m'a pris, mais je me suis mise à fredonner quelques mesures de ce très beau morceau :

— *Sean, Sean, Sean...*

Il a ri.

— Je vois que votre culture égale votre charme...

Le compliment était certainement un peu gros, mais il a boosté mon ego, qui en avait bien besoin.

— Merci, je ne suis pas sûre de mériter cet éloge.

Minauder, c'est un aspect du caractère féminin assez caricatural et c'est quelque chose que j'abhorre quand il s'agit d'une autre, mais il arrive que je m'accorde

cette petite faiblesse de temps en temps. Je m'attendais à ce qu'il entre dans mon jeu pour me servir une
deuxième vague de compliments, mais Ophélie en a
décidé autrement.

— Mais si, Laure, tu le mérites amplement.

De prime abord, qu'Ophélie abonde dans le sens du
Britannique était très gentil, mais c'était une manière
habile de ne pas s'attarder sur le sujet : pas vraiment
ce qu'on attend d'une amie. À croire qu'elle déteste la
minauderie autant que moi !

Faute de pouvoir l'entendre vanter à nouveau mes
qualités, j'ai décidé d'en savoir plus sur Sean.

— Et que fait donc un Écossais si loin à l'ouest ?

— Que faire à Hollywood sinon de l'entertainment ?

Charlie a précisé d'un ton ironique :

— Sean est, en quelque sorte, producteur.

La remarque pouvait sembler blessante, mais elle a
fait rire sa cible.

— C'est une bonne définition, Charlie. On peut dire
que je suis « en quelque sorte » un producteur.

On sentait une vraie connivence entre les deux
hommes, de celles qui sont liées à des histoires ina-
vouables, de celles qui vous excluent.

Ça m'a énervée et ma question suivante était plus
virulente que nécessaire.

— Et ça veut dire quoi dans la vraie vie ?

Il a suffi qu'il plonge ses yeux dans les miens et qu'il
me sourie pour que je me calme et que je revisite ma
première appréciation de sa personne : ce n'était définitivement pas un « vieux beau ».

— Je suis trop paresseux pour être un vrai producteur,
mais je connais suffisamment de gens au Royaume-Uni

et aux États-Unis pour permettre que des films et des séries se fassent. Mais je n'ai pas la patience et la détermination pour suivre un projet de A à Z. Dès que le projet est financé, je passe à autre chose.

Charlie a rigolé.

— Je trouve que tu t'intéresses quand même de près au casting, notamment des interprètes féminines...

C'était une confirmation de ce qu'avait insinué Charlie au début de notre conversation : Sean était un *womanizer*, un homme à femmes.

— Tu peux parler, Charlie : il me semble que sur ton dernier film, que j'ai contribué à financer, c'est bien toi qui as eu une liaison avec l'actrice principale.

Charlie a fait la grimace.

— *Touché*[1] *!* Une erreur que je ne commettrai plus. Mais, pour un Britannique, tu manques de tact. Évoquer cet épisode devant Ophélie...

Une fraction de seconde, une lueur d'effroi est passée dans le regard du quinquagénaire, mais il a tout de suite repris sa contenance.

— Ma chère Ophélie, je vous prie de m'excuser. La personne que je viens d'évoquer ne peut rivaliser avec votre beauté.

J'ai trouvé qu'il avait le compliment facile, et qu'il qualifie Ophélie de « belle » alors que je n'étais que « charmante » a assombri mon opinion sur lui. D'ailleurs, il aurait mieux fait de s'abstenir, car il était clair qu'Ophélie avait été contrariée par la mention de celle qui l'avait précédée dans la vie de Charlie. La comparaison n'avait pas amélioré les choses...

---

1. Prononcé en français.

Sean a changé de sujet.

— Vous avez donc toutes les deux une agence de RP et vous vous occupez d'accompagner les films lors de leur sortie ?

— Oui, c'est ça.

— Et vous n'avez jamais été tentées par la production ? Être à la création, en amont du projet au lieu d'être en aval ?

J'ai jeté un coup d'œil à mon amie, mais elle boudait visiblement. J'ai donc dû répondre à cette question un peu bateau.

— Non, Sean, notre société n'a que quelques mois et notre expérience personnelle à toutes les deux a toujours été dans la promotion des films.

— Bravo ! Vous avez raison de ne pas vouloir risquer d'être victime du principe de Peter[1]. Mais vous savez que Ron Meyer, l'homme qui est resté le plus longtemps à la tête d'un studio, a commencé comme agent. Si un jour vous changez d'avis et souhaitez créer une série ou un film, n'hésitez pas, je suis à votre disposition.

Je lui aurais bien répondu que, pour se lancer dans la production, être agent de stars présente un avantage incontestable sur les RP, ne serait-ce qu'en matière de carnet d'adresses. Je me suis abstenue aussi de lui dire que, dans tous les cas, je ne troquerais pas un financement de mon projet contre une nuit avec lui, malgré ses beaux yeux. Je n'aime pas ce genre d'échanges – sauf si j'en suis à l'origine ! De toute façon, je suis prise.

---

1. Le principe de Peter est une loi empirique selon laquelle, dans une hiérarchie, tout employé a tendance à s'élever à son niveau d'incompétence.

Cette pensée m'a rappelé mon problème avec mon mec. J'ai profité de l'arrivée impromptue d'un ami de Sean dans notre discussion pour m'excuser et aller espionner la jeune femme aux mains baladeuses.

Cette fois, je n'ai pas pris mes jumelles pour les trouver du haut de mon poste d'observation. Le premier problème du Mondrian, ce sont les plantes qui cachent certaines parties de la terrasse. Le second problème, bien plus grave, est qu'il y a des sortes de lits ou de sofas sur lesquels les invités s'allongent.

Je n'aurais donc pas dû être surprise de trouver Sarah et David confortablement installés, un verre à la main, mais ça m'a fait un choc. Je ne les voyais pas bien dans la pénombre, mais je n'ai pas pu manquer le moment où elle a posé la main sur la joue de mon mec. Ça n'a duré qu'un instant, mais ça m'a donné l'envie de descendre, de la tirer par les cheveux jusqu'à la piscine et de la noyer ! Malheureusement, je crois que David n'aurait pas approuvé... Alors, j'ai adopté l'unique autre option possible : avaler des margaritas jusqu'à effacer les images que je venais de voir !

Je suis allée au bar.

— Une margarita, s'il vous plaît. Ou plutôt, non, mettez-moi un shot de tequila.

On m'a servie. J'ai pris le verre et je l'ai vidé cul sec. C'était fort, j'ai failli tousser.

— Un autre, s'il vous plaît.

Le serveur n'a rien dit et a rempli le petit verre. Le liquide a suivi le chemin emprunté par le précédent. Cette fois, ce n'était que du plaisir et du réconfort. Je trouvais dans l'alcool la chaleur que j'avais perdue par la faute de David.

54

— Encore.

— Vous êtes sûre ?

— Merci, oui.

— Vous voulez vous paqueter la fraise ?

— Pardon ?

Je l'ai regardé avec stupéfaction. Il avait parlé en français, mais je n'avais pas saisi un traître mot de ce qu'il avait dit. Il a réitéré, sans plus de succès. Ensuite, il a explosé de rire.

C'est là que je l'ai véritablement observé. Quand on va dans des soirées comme celles-ci, c'est affreux à dire, mais on ne prête plus attention aux serveurs. Ce n'est pas que l'on devient snob (ou peut-être que si), mais on est absorbé par tous les invités prestigieux. Là, il aurait été dommage de le manquer : c'était une pure bombe !

Avant de parler de lui, je dois avouer que je souffre d'une maladie chronique liée à ma passion pour le cinéma. Je rencontre un grand nombre de gens et je ne peux pas m'empêcher de remarquer leur ressemblance avec des acteurs ou des réalisateurs. Très souvent, mon amie Ophélie est horripilée par cette habitude et elle s'inscrit en faux quand je lui fais part des similitudes que je constate.

Mais là, je peux le jurer, ce n'était pas une exagération ou le fruit des deux verres de tequila : le jeune serveur était le sosie de James Dean, peut-être avec une chevelure plus foncée.

Il m'a regardée et m'a posé une question aussi incompréhensible que les précédentes :

— Alors, tu veux te rincer le bec ? Tu veux une autre grosse chotte ?

Je devais avoir l'air idiote, la bouche ouverte, à essayer de comprendre ce que ce fils d'Apollon voulait me dire.

Il a ri à nouveau, mais je n'en ai pas été vexée. Son hilarité multipliait sa beauté et on ne sentait pas de sarcasmes derrière ses propos. Je n'étais pas non plus gênée par son tutoiement.

— T'inquiète, je te niaise.

Là, j'ai décidé de reprendre l'initiative.

— Tu es québécois ?

— Pure laine.

— Et ça voulait dire quoi, ce que tu m'as dit précédemment ?

— Je te demandais si tu voulais te soûler, si tu voulais vraiment un autre verre. Tu devrais apprendre le québécois, c'est plus pur que le français que vous parlez, vous autres. Vous utilisez plein de mots anglais. Une vraie honte.

Il avait l'air sincèrement offusqué. Je me suis dit qu'il me fallait quand même réagir, je ne pouvais pas laisser passer sans défendre ma langue.

— Mais, toi, comment fais-tu ici, tu parles bien anglais, non ?

Il m'a répondu dans un anglais parfait :

— Naturellement, mais j'évite les mots anglais quand je parle québécois. En revanche, je n'hésite pas à utiliser les mots d'origine française en anglais comme « touché » ou « rendez-vous ».

Quand il a prononcé ce dernier mot, mon esprit a pris un chemin curieux et je me suis imaginée en tête à tête avec lui. Bêtement, j'ai rougi. Reste à espérer que le faible éclairage lui a caché cette petite faiblesse. Il faut dire que c'était une sacrée belle bête. La tenue des barmen, pantalon moulant et tee-shirt ajusté noirs, soulignait sa musculature. C'est vrai que mon David ne boxait pas dans la même catégorie. Penser à mon mec n'était plus aussi difficile que trente minutes auparavant. Qu'il flirte avec sa grognasse si ça pouvait lui faire plaisir. Elle n'était même pas jolie... Maintenant, moi, j'avais cette bombe à ma disposition. Je me suis aperçue que je ne connaissais même pas son nom, alors j'ai décidé de me présenter.

— Je m'appelle Laure. Et toi ?

— Moi, c'est Alexandre, mais les amis m'appellent Alex.

— Et tu es venu à Los Angeles pour...

Il a souri.

— Pour faire serveur, bien sûr ! Non, en réalité, je suis acteur et je fais des petits boulots pour joindre les deux bouts entre les castings.

Un grand classique de Los Angeles : il semble que la moitié des serveurs de la ville soient acteurs ou scénaristes et attendent le *lucky break* en subsistant grâce à la générosité des clients des restaurants et des bars. J'ai pensé que cet homme-là méritait un meilleur quotidien.

— Et tu n'as pas essayé de faire mannequin ?

— Pas assez grand, je ne mesure que 1,75 mètre ! Et on dit que mon physique n'est pas assez moderne...

J'ai senti une petite blessure quand il a parlé de son physique. Ça a réveillé mon côté protecteur.

— Moi, je te trouve très beau.

J'ai ramené un sourire sur son visage.

— Merci, c'est gentil. Tu ne travaillerais pas dans le cinéma, par hasard ?

— Eh bien, tu ne crois pas si bien dire, j'ai une société qui officie dans le 7e art. Tu voudrais que je t'aide ?

— Volontiers, si ta boîte est dans la production ou dans le casting et pas dans le marketing, car sinon ça ne sert à rien.

— Pourquoi dis-tu ça ?

— Parce que j'ai déjà testé une dizaine de fois depuis mon arrivée dans la Cité des Anges, et ceux qui m'ont proposé leur aide n'avaient rien d'angélique, tu peux me croire ! Dans le meilleur des cas, ils étaient juste des vantards incapables ; dans le pire, ils s'intéressaient plus à mon cul qu'à mon jeu d'acteur...

Cette fois, il était carrément amer. Son humour avait disparu avec son parler canadien.

Je n'ai pas trop su quoi dire, car je faisais partie de ces marketeurs qu'il jugeait inutiles ou même nuisibles. J'ai été effrayée quand je me suis avoué que, si je n'avais pas été en couple, j'aurais sans doute également utilisé cette « carte cinéma » pour l'amener dans mon lit.

L'arrivée au bar d'un petit groupe qui souhaitait des cocktails tous plus compliqués les uns que les autres m'a permis de gagner du temps.

Mais, quand il est revenu vers moi, une dizaine de minutes plus tard, je n'étais pas plus avancée sur ma réponse.

Il m'a interrogée sur un choix moins cornélien. Quoique...

— Alors, Laure, tu veux quoi ? Tu enchaînes sur une troisième tequila ou tu passes au Coca ?

J'ai hésité.

— Tu me conseilles quoi ?

— Ça dépend. Si tu veux éviter le mal de bloc demain matin, le Coca est recommandé. En revanche, si tu dois oublier une déception sentimentale, la tequila fera l'affaire.

Le « mal de bloc », j'ai réussi à traduire : je connais bien les gueules de bois, et à chaque fois je me promets que ce sera la dernière.

Si je considérais objectivement ma situation avec David, qui était plus un agacement réciproque qu'une « déception sentimentale », je me devais de choisir la boisson sucrée préparée à Atlanta.

— Je vais prendre une autre « grosse chotte ».

Ça, c'est un autre de mes défauts : je ne suis pas du tout rationnelle, je fonctionne à l'intuition. Ça m'a souvent porté chance. Ce soir-là, ce n'était pas le cas, je ne faisais que tracer un peu plus le chemin de mon infortune.

Il a posé la question que je redoutais :

— Alors, ta boîte, elle fait quoi ?

J'ai vidé mon verre et je me suis lancée :

— J'ai une maison de production, je produis des séries.

— Ah ! c'est top. Qu'est-ce que vous avez réalisé ?

Je devais être très alcoolisée pour balancer ce genre d'idiotie. Une seule question toute simple allait suffire à me démasquer. J'ai plongé plus avant dans mon délire mythomane.

— En fait, rien n'est encore passé à la télévision. La société est jeune (ça, au moins, c'était la vérité) et nous sommes en plein développement d'une série.

— C'est quoi comme genre de série ?

Si j'avais été Pinocchio, ce que j'ai alors dit aurait triplé la taille de mon appendice nasal.

— C'est une sorte de *Desperate Housewives* moderne.

Il a eu l'air déçu.

— Ah ! alors je risque d'être beaucoup trop jeune pour que tu aies un rôle pour moi...

Si je lui avais confirmé que je cherchais plutôt des hommes d'une quarantaine d'années, on aurait pu en rester là, se quitter bons amis. Mais, lancée sur mon TGV de mensonges, j'ai enchaîné :

— Non, c'est une rue très particulière dans une ville où le gouvernement américain a décidé d'installer tous les êtres paranormaux, comme des loups-garous. Ils vont tous aller à l'école ensemble.

— Il y a des vampires ?

Au point où j'en étais...

— Bien sûr, il y a une famille avec deux frères, le héros et son frère très méchant...

— Ça ne ressemble pas à *Vampire Diaries*, ton histoire ?

Décidément, l'alcool ne me réussissait pas ! J'étais en train de lui refaire l'histoire des frères Salvatore, une série que je suivais avec passion depuis son origine. Bien sûr, depuis mon début de liaison avec David, j'avais dû me cacher après qu'il m'avait demandé avec un dédain amusé comment je pouvais apprécier cette « série pour teenagers du Middle-West ». Il devait être jaloux de mon admiration pour le physique de Ian Somerhalder.

— Tu as raison, c'est une faiblesse que j'ai identifiée et j'ai demandé aux scénaristes de rectifier cette similitude. Mais, pour le reste, c'est assez différent. Il y a un côté *Gossip Girl*...

Merde, dans cette série, ils sont trop jeunes pour qu'il puisse avoir un rôle ! Je me suis rattrapée avec adresse :

— Sauf que là, ils sont plus vieux, ils vont à l'université.

— Une université pour paranormaux ? Comme l'Institut Xavier dans *X-Men* ?

— Exactement ! Ma série, c'est un croisement entre *Desperate Housewives* et *X-Men*.

— Et ça s'appelle ?

Cette question, les professionnels de Hollywood mettent des mois à la résoudre, dans leur recherche du sésame qui leur ouvrira le cœur des téléspectateurs du monde entier. Moi, j'avais moins de trois secondes pour y répondre. Une idée a surgi de mon esprit embrumé.

— *Mysteria Lane*. Tu comprends, c'est une référence…

— À la rue dans laquelle habitent les protagonistes de *Desperate Housewives*, *Wisteria Lane*. J'avais saisi. Ce n'est pas idiot, tu prends un nom connu par le public et tu le détournes en le transformant. Une lettre change tout et introduit la notion de mystère. En fait, c'est une idée géniale !

Il avait l'air tout excité. Son enthousiasme m'a gagnée.

— Oui, j'aime beaucoup. Les chaînes ont beaucoup apprécié.

— Et tu n'as pas un problème juridique pour un titre si proche du nom de la rue de *Desperate Housewives* ?

— Mes avocats sont en train d'étudier ce problème, mais ils sont très optimistes. Il n'y a qu'une lettre d'écart, mais le sens est complètement différent. Et n'oublie pas qu'il ne s'agissait pas du titre de la série, mais de la rue dans laquelle les personnages sont installés.

— Alors, j'auditionne quand ?

Là, ma réponse risquait de nous faire entrer dans la quatrième dimension du mensonge. C'est Ophélie qui m'a sauvée. Elle m'a tirée par le bras.

— Laure, Michael nous a rejoints. Tu devrais venir lui dire bonjour et le féliciter pour son film.

Elle s'est retournée vers mon James Dean barman.

— Excusez-nous. Mon amie Laure doit discuter avec Michael Brown de son rôle dans *Mysteria Lane*...

J'ai dû piquer un fard terrible, mais Alexandre, sous le choc produit par le nom de la star, n'a pas remarqué.

Je n'ai pas eu le temps de lui dire au revoir, car Ophélie m'avait entraînée hors de portée de voix. Elle a commencé à me chapitrer :

— C'est quoi, ce délire de production de série ? Tu n'as pas honte de raconter de telles histoires à ce pauvre garçon ? Tout ça pour quoi ? Pour l'impressionner ? Tu as vu l'âge qu'il a ? Et David, tu l'oublies ?

J'ai subi l'assaut jusqu'à ce que la mention du nom de mon boy-friend me fasse réagir.

— David ? Tu crois que je lui ai manqué ce soir ?

— Je ne sais pas, mais il est monté pour venir te chercher. Il t'a vue en pleine discussion avec ce mec et il est redescendu...

Cette nouvelle m'a ébranlée, mais l'alcool m'a aidée à retrouver ma contenance.

— Ce n'est pas moi qui ai commencé...

Ophélie était très énervée et mon propos l'a mise hors d'elle.

— « Pas moi qui ai commencé » ? Mais tu as quel âge, Laure ? David discute innocemment avec une ex et toi, par mesure de rétorsion, tu flirtes avec un serveur beaucoup plus jeune que toi.

J'ai pris un air buté.

— Je ne flirtais pas.

— Tu plaisantes ? C'était visible à vingt mètres. C'est pour cela que David est redescendu. Il n'avait pas l'air content. Heureusement qu'il n'a pas entendu les conneries que tu as débitées.

Je n'ai rien répondu. C'est quand même dingue de se retrouver dans le rôle de l'accusée pour une simple discussion avec un serveur. Et David est exempté de toute responsabilité, lui ! À se demander de qui Ophélie est l'amie. C'est sacrément gonflé !

Je ne me suis calmée qu'en arrivant auprès de Michael. Il faut dire que son accueil a été plus que chaleureux. Il m'a prise dans ses bras et m'a embrassée, à l'opposé des habitudes américaines. Ce n'était même pas un *hug*[1], j'ai eu droit à deux vraies bises à la française.

— Laure, quel plaisir de vous voir ! Vous êtes superbe dans cette tenue. David ne devrait pas vous laisser seule trop longtemps...

— Merci, Michael, vous n'êtes pas mal non plus...

Il a éclaté de rire. Ses yeux pétillaient.

— Elle est excellente, personne n'avait jamais osé me la faire ! Bravo, Laure, vous restez une personne unique.

À ce moment de notre échange, Ophélie est intervenue. Elle a parlé sur le ton de la plaisanterie, mais j'ai senti un agacement réel teinté de nostalgie.

— Eh ! vous deux, c'est fini, ce marivaudage ?

---

1. Accolade pratiquée couramment entre amis aux États-Unis.

Michael lui a répondu en la regardant droit dans les yeux :

— Ophélie, je pense que cet échange reste dans des limites acceptables, à la fois juridiques et morales, non ? D'ailleurs, j'ai mon avocate personnelle pour me protéger... Alors, maître, qu'en pensez-vous ?

Il s'était tourné vers la femme brune à son côté. Celle-ci a répondu avec assurance :

— Pour l'instant, je pense que tu es dans une zone *safe*, mais je ne vais pas m'éloigner de toi tant que tu restes avec ces charmantes Françaises. Je te protège de toi-même et je préserve mes intérêts...

C'est à ce moment-là que je l'ai reconnue. Je l'avais déjà rencontrée lors d'une soirée donnée par Charlie. Elle avait changé de coiffure, passant d'une coupe garçonne à des cheveux mi-longs. Je me suis demandé si Michael avait souhaité ce nouveau style qui, il fallait l'avouer, lui allait parfaitement. Ses yeux étaient toujours aussi incroyables, d'une couleur émeraude qui pouvait expliquer que Michael s'installe dans une relation monogame aussi longtemps. Sans compter qu'ils avaient au moins quinze ans d'écart... Le problème était que je n'avais plus aucune idée de son nom. Michael m'a sauvée.

— Laure, je vous présente mon amie, Lauren. Lauren, Laure.

— Bonjour, Laure, nous nous sommes déjà rencontrées, chez le frère de Michael.

— Bonjour Lauren, je me souviens parfaitement (c'était un mensonge). Michael, bravo pour votre film, c'était très bien (un autre mensonge), vous interprétez le personnage à la perfection (ça, c'était plus sincère).

— Merci, Laure, vous êtes gentille, mais je ne pense pas que j'aie une chance d'ajouter une troisième statuette[1] à mon palmarès... On ne peut pas faire que de grands films, il faut parfois sacrifier aux besoins alimentaires. J'ai eu récemment une grosse sortie financière[2]...

Il a prononcé cette dernière phrase en regardant avec insistance Ophélie, mais sans agressivité. Celle-ci n'a pas relevé. Un ange est passé...

L'arrivée de David à l'étage réservé aux VIP m'a forcée à m'excuser et à quitter le groupe de stars. Il me faisait signe de le rejoindre et je ne pouvais qu'obtempérer, mais cela n'a pas amélioré mon humeur.

— Oui, David ?

— Il est temps de rentrer, tu ne crois pas ? Sarah propose de nous raccompagner.

La mention de ce prénom a réveillé ma colère.

— Tu es sûr que tu ne préfères pas être seul avec elle ? Un petit tête-à-tête sans témoins pour conclure la soirée revival ?

— Laure, arrête ton délire paranoïaque, tu ne m'amuses pas.

— Et sa main sur ta joue, c'était une illusion psychotique ?

Il a accusé le coup et j'ai été assez satisfaite de mon effet.

— Mais, Laure, c'est ridicule, elle me disait juste que ma barbe m'allait bien !

1. Un Oscar.
2. À la fin de *Movie Star, Saison 3*, Michael dépense 50 millions de dollars à cause d'Ophélie.

— Habile, le coup de la barbe de trois jours ! Je comprends que cette mode soit aussi populaire si elle permet de se faire caresser en toute impunité !

— La joue, elle m'a juste passé la main sur la joue !

Il avait presque hurlé, ce qui montrait que je n'étais pas loin de l'avoir poussé à bout. Un signe de culpabilité ?

J'aurais pu en rester là, mais je ne sais pas m'arrêter quand j'engage une bagarre.

— La prochaine étape, c'est quoi ? Ton sexe dans sa grande bouche ? Elle arrive à te prendre en entier ? Si vous faites ça, merci d'utiliser sa voiture. Comme je ne suis pas sûre qu'elle avale, je n'ai pas envie qu'elle recrache ton sperme sur notre nouveau canapé.

Il m'a regardée et il m'a semblé que sa colère s'était transformée en tristesse. Cela m'a presque calmée et donné envie d'arrêter cette dispute stérile. Malheureusement, les mots qu'il a prononcés alors ont attisé mon courroux.

— Laure, que décides-tu ? Tu rentres ou tu restes ? Nous n'allons pas nous montrer grossiers en faisant attendre une personne qui propose gentiment de nous reconduire chez nous.

— Ne pas faire poireauter la princesse ? C'est ton seul souci ? Alors, vas-y, rentre avec elle, je vous laisse. Faites ce que vous avez à faire…

Il a ouvert la bouche, a hésité une seconde puis a tourné les talons sans répondre.

Je me suis retrouvée seule, un peu péteuse. Après quelques instants pour digérer cet épisode désagréable, je suis allée rejoindre mes amis. Mais le cœur n'y était plus, j'ai écouté les conversations sans rien dire.

Une quinzaine de minutes plus tard, j'ai senti que les effets de l'alcool ingurgité étaient en train de disparaître. Il était inconcevable de revenir à la lucidité triste d'une sobriété retrouvée. Alors, j'ai fait la seule chose sensée dans un cas pareil pour une jeune femme aussi désespérée que moi : je suis retournée au bar où m'attendaient une bouteille de tequila et un serveur canon. Et lui, au moins, était gentil…

— Bonsoir, mademoiselle Laure. Ça va ? Tu as l'air toute chamboulée.

Sa sollicitude m'a un peu réchauffé le cœur, mais ce n'était pas suffisant.

— Donne-moi une autre grosse chotte de tequila, ça ira mieux après.

— D'accord, mais c'est la dernière. On ferme le bar. Je dois ranger et après je file.

J'ai regardé ma montre.

— Une heure moins cinq ? Tu plaisantes ? C'est pire que Cendrillon, ton histoire !

Il s'est marré.

— À l'heure d'hiver alors, car Cendrillon, si je me souviens bien de mes classiques, c'était minuit.

J'ai vidé mon verre cul sec.

— Si tu veux. D'ailleurs, comme c'est toi qui pars, ça veut dire que c'est toi qui joues Cendrillon.

— Génial, un vrai rôle de composition. Et que penses-tu de mes souliers de verre ?

Il m'a montré une paire de New Balance d'un joli gris-bleu.

— Très élégant. Mais je ne suis pas certaine que tu sois le seul à pouvoir mettre cette pointure. Tu fais du 41 ?

Il a fait la grimace.

— Du 43, c'est mon talon d'Achille.

— On s'en fout ! Tu vas vraiment me planter là alors que la soirée ne fait que commencer ?

Il a eu une hésitation.

— Tu aimes les maracas ?

— La musique mexicaine ? Tu plaisantes, j'adore ! Pourquoi, t'as un plan ?

— J'ai des copains qui font une petite soirée-concert informelle.

— Mais, à 1 heure, ce sera terminé, non ?

— Non, beaucoup travaillent dans des restaurants et ils se retrouvent à partir de minuit. Ça te dit ?

— Génial ! Tu as une voiture ? Tu peux m'emmener ?

— Oui, mais il y a quelque chose que je dois te préciser...

Vu sa tête, j'ai eu peur de ce qu'il allait m'annoncer.

— Laure, la soirée se passe à l'est.

Je n'ai pas vu le problème.

— Tu veux dire vers Downtown ? Union Station ?

— Non, plus à l'est.

Merde, je crois que je n'étais jamais allée plus loin que Union Station, la magnifique gare de Los Angeles. J'ai essayé sans succès de rassembler mes souvenirs topographiques. Et puis j'ai repensé à une série que j'avais entraperçue il y a quelques années, *Retour à Lincoln Heights*.

Ça a commencé à m'inquiéter car, dans mon souvenir, la série en parlait comme d'un quartier assez dangereux.

— Lincoln Heights ? Ce n'est pas trop chaud comme quartier ?

Il a souri.

— Non, l'endroit où je vais est encore beaucoup plus loin, de l'autre côté de l'autoroute 710.

Il m'aurait annoncé que c'était dans le Bronx, ça ne m'aurait pas paru plus excentré ni plus hasardeux.

— Et ça s'appelle ?

— East Los Angeles.

Je me suis dit une fraction de seconde que je jouais avec ma vie, une vie confortable que j'appréciais malgré ces dernières heures de dispute avec mon chéri. Je m'apprêtais à refuser et à aller me coucher quand il m'a fait le sourire James Dean qui m'a fait craquer : c'était vraiment un mec mignon.

— Fais-toi-z'en pas, comme on dit à Québec. Je serai là pour m'occuper de toi.

Comment voulez-vous refuser après une telle déclaration ?

C'est comme ça que j'ai quitté mon Éden à moi – West Hollywood – pour aller plus à l'est avec mon James Dean du XXIe siècle.

Chapitre 3

Cendrillon,
sa belle-mère et sa marraine

Une fois dans la voiture, une vieille Coccinelle, j'ai regretté ma décision. Non seulement nous partions pour un quartier où la police devait sûrement éviter de se rendre, mais j'y allais dans un véhicule dont je n'étais pas certaine qu'il puisse m'y amener en une seule pièce.

— Alors, comment trouves-tu Herbie ?

— Herbie ?

Il a eu l'air surpris.

— Tu n'as pas vu *The Love Bug*, la série de films sur cette Coccinelle Volkswagen intelligente ?

J'ai compris que parfois les traductions dans les films sont approximatives…

— En France, on l'appelle Choupette.

— Mais c'est un nom de fille !

— Oui, ce doit être la première voiture transsexuelle de l'histoire du cinéma !

Il a explosé de rire et je l'ai rejoint dans son hilarité. Ça a calmé mes angoisses.

— Alors, Herbie ?

— Ta voiture ? Elle doit avoir l'âge du film au moins, non ?

— Tu exagères, mais je reconnais qu'elle n'est pas jeune. Mais j'y tiens comme à la prunelle de mes yeux. Ça m'a d'ailleurs coûté très cher, sentimentalement et financièrement.

Alors là, dès qu'on entre dans les confidences romantiques, je pénètre dans mon domaine de compétence. Je crois que je pourrais être psy ou, mieux encore, auteure de romances. J'enfoncerais toutes les Colleen Hoover et autres Anna Todd !

— C'est-à-dire ?

— Quand je suis arrivé à L.A., j'étais sans le sou. J'ai pas mal galéré au début, car je ne travaillais pas et je ne faisais que des castings. Alors, j'ai beaucoup squatté à droite et à gauche. Et puis, un jour, j'ai été invité à une soirée où j'ai rencontré une avocate. C'est elle qui m'a abordé. Elle était plus âgée que moi...

Tout d'un coup, l'histoire m'a paru familière.

— Tu te fous de moi ! Tu me racontes exactement l'histoire du film *Toy Boy*, avec Anne Heche et Ashton Kutcher.

— Non, non, je suis très sérieux, mais je dois reconnaître que ces histoires sont très proches. Je continue ou tu ne veux pas connaître la mienne ?

— Tu plaisantes ? Je suis tout ouïe !

— D'abord, elle était plus âgée...

— Combien ?

— Cinquante et un ans.

— C'est horrible ! C'est de la gérontophilie !

J'étais honnêtement dégoûtée. Il l'a senti et il avait pris un ton plus sérieux quand il m'a répondu :

— Non, Laure, la gérontophilie, c'est l'amour des personnes âgées. Kathryn avait juste la cinquantaine. Ce n'est pas *Harold et Maude* quand même.

— D'accord, mais elle aurait pu être ta mère.

— C'est vrai, ma mère est plus jeune de trois ans. Mais Kathryn s'entretenait physiquement en allant à la salle de gym deux fois par semaine. Elle était mince et musclée.

— J'ai quand même du mal à comprendre... Comment ça a commencé ?

— Lors de la soirée, elle m'a proposé de m'aider, de me faire rencontrer certains de ses clients qui pourraient me fournir un job. Elle m'a donné son numéro et je lui ai laissé le mien. Quatre jours plus tard, elle m'invitait chez elle pour me présenter un publicitaire.

C'est incroyable comme certaines femmes peuvent avoir ce tempérament de prédateur sexuel que l'on attribue aux hommes.

— Alors, je suppose que tu y es allé.

— Oui, nous avions rendez-vous en début de soirée chez elle. Elle avait une belle maison moderne à Beverly Hills. Quand je suis arrivé, elle était avec un mec d'une cinquantaine d'années. Il était directeur artistique dans une grande agence de publicité. Elle avait une robe décolletée et fendue au niveau des hanches.

— Tu n'as pas trouvé ça louche ?

— Un peu, mais je me suis dit qu'elle allait peut-être quelque part ensuite. Après tout, il n'était que 19 heures. On a pris un verre tous les trois et il m'a dit que je pourrais faire model pour des annonces.

— Donc, le rendez-vous était réel, ce n'était pas juste pour t'attirer chez elle.

Il a fait une petite grimace qui le rendait encore plus craquant.

— Non, le problème, c'est que, quand il m'a demandé si j'avais un book, j'ai dû lui avouer que je n'en avais pas. Il n'a pas fait de commentaire et nous avons continué à échanger sur différents sujets. Un quart d'heure plus tard, il nous a dit qu'il avait un dîner et qu'il devait partir. Je m'apprêtais à faire la même chose, mais, tout d'un coup, il a eu l'air d'avoir une idée. Il a demandé à Kathryn si elle avait toujours un studio photo dans le sous-sol de sa maison. Je pense que c'était une question pour la forme et qu'il savait parfaitement ce qu'il en était. Il lui a ensuite suggéré de faire des photos de moi pour me créer mon book pour, je cite, « gagner du temps et économiser de l'argent ». Ils ont alors eu un petit dialogue qui sonnait faux sur la thématique « je ne sais pas si j'ai le niveau », « mais si, tes photos sont formidables », « tu es certain ? », « oui, tu es une vraie artiste », etc.

— Ça ne t'a pas mis la puce à l'oreille ?

— Si, j'ai essayé d'en profiter pour m'éclipser. Je les ai remerciés pour ce rendez-vous et je leur ai dit que je me débrouillerais pour faire des photos avec un ami.

— Ça n'a pas marché ?

Il a eu un rire un peu amer.

— Tu parles ! Les deux ensemble, c'était pire que l'attaque coordonnée des vélociraptors dans *Jurassic Park*.

— Mais dans le film, dans la scène célèbre de la cuisine, les deux enfants réussissent à s'échapper. Toi, pas...

— Non, effectivement. Kyle a insisté en prétendant qu'il avait un shooting pour une marque de sous-vêtements la semaine suivante et qu'il devait trouver un model de toute urgence.

— Une campagne pour des caleçons ! Ils ne se sont pas embarrassés avec des faux-semblants. C'est une version triviale de « je vais te montrer mes estampes japonaises ». Tu ne les as pas envoyés se faire voir ?

— J'étais fauché, ce shooting tombait à pic.

— Mais c'était du bluff, il n'a jamais eu lieu, n'est-ce pas ?

— Eh bien, détrompe-toi. C'était réel et j'ai eu le job. Mais ce n'était pas une campagne nationale pour une marque prestigieuse. Je n'ai pas remplacé David Beckham pour H & M... C'était un catalogue de vente pour une chaîne locale de supermarchés. Je n'ai touché que 2 000 dollars. Mon banquier a quand même été content, plus que moi...

Le récit de ce beau garçon si gentil qui allait se faire croquer par une mante religieuse me fendait le cœur.

— Je n'aime pas ton histoire, c'est immoral.

— Et tu ne sais encore rien. Tu préfères que j'arrête ?

Oui, non, je ne sais pas. De toute façon, je connais la suite. Enfin, pas vraiment. Même si j'ai une idée précise de la chute, j'ai envie qu'il me raconte le déroulement des événements. C'est la même chose pour certains films romantiques dont l'intérêt ne se trouve pas dans la surprise du dénouement (inexistante), mais dans ce qui précède. Sauf que, dans le cas d'Alexandre, je ne crois pas que ça va être très romantique...

— Non, vas-y. De toute façon, tu m'as dit qu'il y avait une longue route à faire. Combien ? Une heure ?

— Non, à cette heure-ci, cinquante minutes.

— Donc tu peux me faire la *director's cut*, la version longue.

— OK. Quand il nous a laissés, je ne savais pas trop à quoi m'attendre. Elle a été assez cool et m'a proposé un apéritif avant de commencer les photos. Puis nous sommes descendus dans son sous-sol. Elle avait un vrai studio avec des lampes et un super appareil sur pied. Elle en avait un autre qu'elle tenait à la main. Elle a utilisé les deux et m'a fait prendre un certain nombre de poses. Elle était hyperpro. Je suis devenu moins nerveux et elle m'a beaucoup aidé, car moi, le métier de model, je ne connaissais pas. Au bout de quarante-cinq minutes, elle a voulu arrêter car elle avait faim. Nous sommes remontés. Elle avait commandé des sushis et des sashimis. Je peux te dire que ce n'était pas chez le petit restaurant japonais du coin. Pour la boisson, elle avait préféré remplacer le traditionnel thé vert par deux bouteilles de bourgogne rouge. Je crois que c'était du super bon vin. Elle m'a dit le nom, mais je ne m'en souviens plus. La discussion était passionnante, car Kathryn est très cultivée et très intelligente. Ça me changeait des filles avec qui je sors d'habitude.

— Des grands vins, des mets japonais de qualité et une bonne conversation, la soirée n'était pas si mauvaise.

— Oui, c'est ce que je me suis dit. J'ai même regretté ma suspicion. Vers 22 heures, Kathryn m'a annoncé qu'il fallait retourner au studio pour finir le shooting. En réponse à ma question, elle m'a expliqué qu'il n'y avait pas de problème sur ce qu'on avait déjà fait mais qu'il était nécessaire d'en faire d'autres en caleçon, pour montrer ma musculature au client de Kyle.

— Tu as dû te déshabiller devant elle ?

— Oui.

Merde, j'aurais bien aimé être à sa place. La salope, elle a dû profiter du spectacle.

— Tu n'étais pas gêné ?

— Non, je ne suis pas très prude. De plus, je sais que je suis bien foutu, donc ça ne me dérange pas. N'oublie pas non plus qu'on s'était bu deux bouteilles de vin. J'ai même refusé quand elle m'a proposé d'aller me changer dans la pièce à côté.

— Et c'est à ce moment-là qu'elle t'a sauté dessus ?

— Non, elle est restée très pro, même quand elle m'a maquillé le corps. Pour que mes muscles soient mis en valeur.

Je n'en croyais pas mes oreilles. Moi, un mec aussi beau, si je lui mets de la poudre ou je ne sais quelle huile sur ses pectoraux ou sur ses cuisses, je lui arrache son caleçon. Je crois que j'ai déjà fait 50 % du chemin jusqu'à l'orgasme !

— Et là, vous ne vous êtes toujours pas embrassés ? Mais il s'est passé quelque chose, ce soir-là ?

— Oui, au dessert. Mais c'est un peu chaud. Je vais t'épargner les détails...

— Tu plaisantes ? Tu ne vas rien m'épargner du tout ! J'ai supporté toute la partie Walt Disney de ton long récit et tu voudrais me priver du moment chaud ? Tu rêves !

— Comme tu veux. Elle avait préparé une fondue au chocolat. C'était sympa. Tu prends un morceau de fruit – il y avait des poires, des pommes, des kiwis, des mandarines, des ananas, des bananes...

— Merci, Alexandre, je connais, j'en ai fait quand j'étais jeune.

— Oui, mais là, ce qui était original, c'est qu'il y avait plein de sauces différentes dans lesquelles tu pouvais plonger ton fruit. Il y avait de la crème chantilly, mais aussi des choses nouvelles que je n'avais jamais goûtées, avec de l'alcool. C'était délicieux. C'est là que nous avons commencé à flirter, gentiment au début. On essayait toutes les combinaisons de fruits et d'accompagnements et on buvait de la vodka. Au bout d'un moment, elle s'est mise à me faire goûter ses préférées avec ses baguettes et elle me demandait ce que j'en pensais. Elle m'a dit que tout venait d'elle et elle en était très fière. Je lui ai répondu que c'était excellent, mais quand même un peu trop sucré pour moi. Elle m'a regardé droit dans les yeux et elle m'a annoncé : « Celle que je préfère n'est absolument pas sucrée. Je vais te faire goûter. » Elle a reculé sa chaise, s'est penchée en arrière et a monté une jambe sur la table. Avec sa robe archi-fendue, j'avais une vue dégagée sur sa petite culotte... sauf qu'elle n'en portait pas !

À ce moment du récit, j'ai senti qu'Alexandre était gêné. Je me doutais de ce qui allait suivre, mais je l'ai encouragé à continuer. Je n'aurais pas dû.

C'est bizarre, autant je trouve hypersexy la scène entre Mickey Rourke et Kim Basinger de *Neuf Semaines et demie* où ils jouent avec de la nourriture, autant là je trouvais ça dégueu. Le récit d'Alexandre dépassait mes limites sexuelles au point qu'il m'est impossible de le retranscrire.

— Pourquoi as-tu accepté ?

— Elle ne m'a pas trop laissé le choix. Et puis je dois avouer que j'étais bien alcoolisé et que la situation était assez excitante.

— Tordue, oui !

— Ensuite, elle a continué en...

C'en était trop, j'ai dit stop.

— Merci, Alexandre, je ne veux pas connaître les détails. Mais ces jeux ont-ils débouché sur quelque chose ?

— Oui, et ce qui s'est passé ensuite aurait dû me mettre la puce à l'oreille sur la dangerosité du personnage. Elle m'a scruté avec un regard inquiétant qui n'était pas compensé par la fausse douceur de sa voix quand elle m'a dit qu'il était temps de rembourser mes dettes – *payback time*. Elle s'est levée, s'est avancée vers moi, a mis sa jambe sur le dossier de ma chaise et a forcé ma tête à se diriger vers son sexe.

Alexandre a fait une pause. Moi qui me considère comme libérée, j'étais choquée. Il y a eu un silence dans la voiture puis il a repris :

— Ça, ce n'était pas le pire. Un cunni pour des préliminaires entre adultes avertis, ça paraît une chose normale. Non, ce qui m'a chiffonné, c'est qu'on ne s'était même pas embrassés. Et puis ce qu'elle a dit : « Tu vas voir, tu vas adorer. Et moi aussi, je crois. Allez, lèche-moi, salope ! » Une telle vulgarité dans la bouche d'une femme aussi sophistiquée, ça m'a coupé tout désir. D'ailleurs, après que je l'ai amenée à l'orgasme, elle m'a entraîné dans sa chambre. On s'est déshabillés, mais malgré tous ses efforts elle n'a pas réussi à ranimer la flamme.

J'ai pensé avec fierté qu'avec moi les hommes ne bandent pas mou et qu'ils retirent de nos relations un plaisir à la fois moral et physique. Je n'étais pas étonnée qu'avec tout son cirque elle l'ait dégoûté du sexe.

— Mais, Alexandre, après un tel fiasco, comment se fait-il que vous soyez restés ensemble ? Elle n'a pas mal pris que tu débandes ?

— J'ai dit que c'était à cause de l'alcool et, comme j'étais trop bourré pour reprendre le volant, j'ai dormi dans son lit. Au petit matin, la nature a voulu que mon instrument se lève tout gaillard. J'avais à peine eu le temps d'ouvrir un œil qu'elle l'avait pris dans sa bouche. Je dois reconnaître qu'elle savait bien s'y prendre. En plus, dans cette activité, elle ne pouvait plus proférer d'insanités. Car c'était ça, le vrai problème, son plaisir irrépressible d'être ultra-vulgaire pendant l'acte. Elle m'encourageait par des termes dont je préfère ne pas me souvenir. Elle provoquait chez moi l'inverse de ce qu'elle jugeait nécessaire pour sa sexualité, à tel point que j'ai eu un mal fou à maintenir mon érection le temps qu'elle arrive à l'orgasme.

— Mais elle n'a pas tiqué après ce nouvel échec ?

— Ça n'en a pas été un. Elle a recommencé sa fellation et elle est arrivée à ses fins, car il faut admettre qu'elle a un vrai talent dans ce domaine.

— Donc cette première nuit s'est bien terminée.

— Sauf qu'elle a voulu absolument m'embrasser ensuite.

J'ai écouté la suite de ces expériences qui n'auraient pas déplu au Marquis de Sade.

Décidément, cette femme et moi n'avions rien en commun dans nos pratiques. Mais j'étais loin de me douter de l'étendue de ses perversions. Ce qui m'interpellait, c'était les raisons qui avaient pu pousser Alexandre à se mettre à la colle avec elle.

— Mais comment as-tu pu continuer avec quelqu'un qui te correspondait si peu ?

— Par facilité... Après avoir brunché, elle m'a proposé d'emménager chez elle. Je pouvais prendre la chambre au sous-sol, à côté du studio photo, car elle préférait que je ne dorme pas avec elle. Cette nuit-là était une exception.

— Mais c'est un remake de *Cinquante Nuances* !

— Oui, excepté qu'elle ne m'a pas fait signer de contrat et que les rôles étaient inversés. C'est moi qui jouais Anastasia, et Kathryn aurait fait passer Christian Grey pour un enfant de chœur.

— Tu exagères ! Tu ne vas pas me dire qu'elle avait installé une chambre de BDSM ?

— Non, mais elle était très pointue sur les sextoys.

Les sextoys, j'en ai un ou deux, ce n'est quand même pas si effrayant que ça. Je me suis dit qu'il avait peut-être été impressionné parce qu'il manquait d'expérience.

— Ce n'est pas si terrible...

Il m'a interrompue :

— Ça dépend de quoi on parle. Moi, une femme qui se dirige vers moi avec un gode ceinture de quinze centimètres, ça ne me fait pas kiffer.

Je suis restée interdite. Il m'a rassurée.

— Ne t'inquiète pas, j'ai refusé. Je peux te dire qu'elle était salement énervée. Elle m'a envoyé dans ma chambre avec l'interdiction d'en sortir. Je n'avais même pas dîné.

— Mais c'est terrible, tu étais son esclave !

— C'est le bon qualificatif. Un esclave sexuel dont elle se servait selon son bon vouloir, un sextoy vivant.

— Et tu as tenu combien de temps ?

— Trois semaines. Un soir, elle a ramené un mec plus jeune que moi. Il devait avoir à peine vingt ans. Il débarquait tout juste à Los Angeles et c'était la première fois qu'il quittait son Nebraska natal. Il voulait être model et elle lui avait promis, comme à moi, son aide. Il avait un physique très fin, presque féminin. Mais il n'était pas homosexuel, il avait une fiancée qu'il espérait faire venir en Californie dès qu'il aurait percé. J'étais assez inquiet de la situation quand ils ont disparu dans la chambre.

— Tu n'étais pas jaloux ?

— Alors là, pas du tout. Je suis descendu dans la mienne voir un DVD. Le problème, c'était les bruits, qui ne semblaient pas être des rugissements de plaisir. J'ai mis mon casque, mais je culpabilisais un peu de m'être éclipsé ainsi. Une heure plus tard, Kathryn est sortie de la chambre en peignoir. Elle était rouge et ruisselante de sueur, ce qui la vieillissait : pas du tout une image séduisante. Elle m'a lancé que le « round un » était « terminé » et qu'il était « beaucoup plus compréhensif » que moi. Pour la première fois, je lui ai fait ouvertement des reproches, mais elle est restée très calme et m'a répliqué que c'était une relation entre deux adultes consentants : on aurait dit qu'elle plaidait au tribunal ! J'ai compris pourquoi elle avait accepté mes réprimandes sans broncher quand elle m'a demandé de me joindre à eux. Je lui ai répondu que je n'étais pas bisexuel. Alors, elle m'a fait les yeux doux et m'a promis que je n'aurais qu'à m'occuper d'elle pendant qu'elle se chargerait de lui. Elle m'a fait le grand numéro de charme en me disant que je pourrais ainsi le venger...

OK, il avait raison, cette femme était d'une perversion supérieure à tout ce que je pourrais endurer. J'étais catastrophée que ce jeune Québécois si mignon soit tombé sous sa coupe.

— Mais tu as refusé ?

— Oui.

— Elle a accepté ?

Il a eu un rire sans joie.

— Elle est devenue hystérique, m'a traité de tous les noms d'oiseau possibles et m'a dit qu'elle avait été trop gentille avec moi, que j'étais un ingrat et qu'elle allait me mettre au pas, me discipliner. Le premier ordre qu'elle m'a donné, c'était de me débarrasser de ma voiture, qu'elle a qualifiée de poubelle.

— Je dois dire que ton Herbie garée devant une maison à Beverly Hills, ça détonne. Pour ne pas dire plus...

Cette fois, son rire avait retrouvé sa chaleur.

— C'est vrai. Mais c'était un symbole, celui de ma liberté. Renoncer à Herbie, c'était être obligé de lui obéir en toutes circonstances. J'ai donc refusé. Elle est devenue folle, et elle m'a dit que je devais choisir entre la « vie de pacha » qu'elle m'offrait et mon « tas de boue ». Je l'ai fixée un long moment et je lui ai fait une réponse succincte, deux lettres : « OK. » L'espace d'un instant, elle a cru que j'avais capitulé, juste le temps pour moi de prendre mon sac et de commencer à y mettre mes affaires.

— Tu es parti dans l'instant ?

Là, il m'avait bluffé. Il est remonté dans mon estime.

— Dans l'instant, c'est un bien grand mot puisqu'elle s'évertuait à retirer du sac les affaires que j'y rangeais sous prétexte que c'était elle qui me les avait offertes.

— Parce qu'elle t'avait habillé ?

— Qu'est-ce que tu crois ? J'étais un vrai gigolo. Quand elle sortait dans des soirées, elle m'emmenait pour m'exhiber devant ses copines. Elle voulait que je sois élégant et j'ai eu droit à la tournée des boutiques de Rodeo Drive à deux reprises. Tu ne peux pas imaginer les remarques que j'ai entendues de ces femmes qui avaient le double de mon âge. Je comprends maintenant les tourments des femmes-objets ; j'ai enduré les mêmes.

J'étais ulcérée. Merde, du shopping à Rodeo Drive et elle voulait lui reprendre ce qu'elle lui avait offert !

— Mais c'était à toi !

— Oui, mais, pour pouvoir filer, j'ai tout laissé. Je suis parti avec le jean et la chemise blanche que je portais lors de notre première soirée. Quand elle a compris qu'elle ne pourrait pas me retenir, elle m'a menacé.

— De te faire descendre ?

Il a souri.

— Non, ce n'était pas à ce point. Mais elle m'a dit que je ne travaillerais plus à Los Angeles, que je pourrais retourner dans mon pays de péquenauds pour garder les troupeaux…

— Mais c'était des menaces en l'air, elle ne peut rien contre toi.

— C'est ce que j'ai cru. J'avais tort.

Mon cœur s'est arrêté de battre. Je n'ai rien répondu, attendant les détails sur sa vengeance.

— J'avais été pris à un casting, je devais faire un tournage pour une publicité. C'était un petit budget, mais le spot était amusant, il y avait la possibilité de montrer son talent d'acteur. J'étais très content de le faire, mais j'ai reçu un appel de l'assistant réalisateur qui m'a dit que le client avait changé d'avis et que je n'avais pas le rôle. Il était très emmerdé.

— Mais c'est peut-être un hasard, ce n'était pas obligatoirement elle.

— C'est ce que j'ai pensé. L'agence de publicité n'était pas celle de Kyle et je ne lui avais pas parlé de ce projet. J'ai compris que je m'étais bercé d'illusions quand j'ai reçu un SMS d'elle. « Je t'ai dit : plus de tournage à Los Angeles ni même aux États-Unis. Retourne récolter le sirop d'érable, c'est de ton niveau. »

J'étais soufflée.

— Quelle salope !

— Oui, et les gentillesses ont continué pendant plusieurs jours, à tel point que j'ai dû changer de portable. Depuis, plus de nouvelles. Mais pas de job non plus. Je ne récolte pas le sirop d'érable, mais je fais serveur et j'habite loin du cœur de la Cité des Anges...

J'étais dévastée par cette histoire. Je crois que je n'avais pas entendu parler d'une femme aussi diabolique depuis que j'avais vu Cendrillon tourmentée par sa belle-mère. Sauf qu'à l'époque j'avais huit ans et que l'histoire se terminait bien. Là, c'était moins sûr...

Et soudain, j'ai eu une illumination, j'ai compris que je pouvais faire quelque chose pour ce garçon si beau et si gentil. Quand j'avais parlé de cette série que j'allais produire, j'avais cru que mon esprit avait inventé ce mensonge pour l'impressionner. Mais ce n'était pas ça du tout. Ce que j'avais dit, j'allais le réaliser. Cette série, j'allais la produire et je ferais de lui une star.

— Alexandre, cette femme n'a aucun moyen de pression sur moi. Tu auras un rôle majeur dans ma série et tu deviendras riche et célèbre. Et elle pourra aller se faire foutre !

C'est rare que je sois aussi grossière, mais là elle m'avait ulcérée.

Quand il m'a répondu, sa voix manquait d'assurance, comme celle d'un garçonnet, un mélange d'espoir et de doute.

— Mais, ta série, tu m'as dit qu'elle était en cours de développement. Il n'est donc pas sûr qu'elle soit produite, n'est-ce pas ?

— Elle va l'être, Alexandre. Tu verras, ce sera de la bombe !

Je l'ai regardé et j'ai vu que ses yeux étaient légèrement humides.

Je me demande si Cendrillon était émue, elle aussi, quand sa marraine, la fée, lui a procuré le carrosse, la robe et tout le tralala. En tout cas, moi, j'ai compris enfin mon but dans l'existence. Je ne voulais plus faire des campagnes de RP pour des films qui étaient déjà terminés au moment où je commençais à m'en occuper. J'ai repensé à Sean, à son compliment, que je trouvais maintenant ironique, quand il m'avait félicitée de ne pas risquer de vérifier le principe de Peter. J'allais lui prouver, à lui et au monde entier, que le niveau d'incompétence de Laure Masson n'était pas la production de série.

J'allais devenir la nouvelle Marc Cherry[1], j'allais collectionner les Emmys[2]. Plus important, j'allais jouer le rôle de marraine pour ce jeune Québécois, comme la fée pour Cendrillon. Seul problème par rapport à la « vraie » : elle avait une baguette magique, moi pas...

---

1. Créateur de *Desperate Housewives*.
2. Récompenses attribuées chaque année aux séries télévisées lors d'une soirée de remise des trophées.

Chapitre 4

La Bamba

Nous sommes restés un moment silencieux pour reprendre nos esprits.

Je regardais le paysage et les rues qui défilaient. Ça m'a ramenée à mes inquiétudes plus terre à terre.

— Nous arrivons bientôt ?

— Dans cinq minutes.

— Ce n'est pas un quartier un peu latino ?

— À 97 %.

Je l'ai regardé. Il avait l'air très sérieux. Il pratiquait peut-être l'humour à froid.

— Tu plaisantes ?

— Non, le recensement de 2010 fait état d'une population à 97,1 % latino ou hispanique.

Je ne suis pas raciste, mais là j'ai eu un peu la trouille.

— Il n'y a pas de Blancs ?

— 0,5 %, mais en augmentation récemment.

J'ai repris espoir.

— Comment cela ?

— Eh bien, avec toi et moi, cela représente déjà une nette hausse de la population blanche...

— C'est malin ! On t'a déjà dit que ton sens de l'humour était bizarre ?

Il a rigolé.

— Souvent ! Arrête de faire ta « pissou », comme on dit chez moi.

J'ai deviné que ce n'était pas flatteur, mais j'ai demandé la traduction :

— Ça veut dire quoi ?

— Être peureuse.

— Je ne le suis pas, je m'intéresse à la géographie locale.

— Mon œil ! Ne t'inquiète pas, je suis là pour te protéger.

Il m'a fait le regard « yeux de velours » et j'ai fondu. La vie n'est pas juste : si j'étais célibataire, je saurais lui faire oublier son expérience désastreuse avec son avocate. Avec moi, ce serait l'école de l'amour et de la sensualité et le professeur y prendrait autant de plaisir que l'élève.

Mais tout cela n'est que pur fantasme. Il y a David... Je me suis dit qu'il était peut-être en train de se taper Sarah en ce moment, mais cette pensée s'est envolée en une fraction de seconde. Je le connais assez pour savoir qu'il ne ferait jamais une chose pareille malgré tout ce que j'ai pu lui dire.

Et moi, serais-je capable d'un tel acte ? Moi qui suis une femme libérée, puis-je séparer mes sentiments de mes attirances physiques ? Je ne le crois pas. J'ai beau être très en colère contre mon mec, je ne m'imagine pas le tromper. Mais, si je changeais d'avis, ce serait pour Alexandre. Il est très beau, musclé juste comme il faut, beaucoup plus qu'un manieur de plume comme David mais moins que ces culturistes que l'on trouve par centaines à Venice Beach. Et puis il est gentil et intelligent…

Je devais l'avoir fixé trop longtemps, car il s'est tourné vers moi en souriant.

— Qu'est-ce qu'il y a ? Tu es en train de m'imaginer dans ta série ?

— Oui, je me demande si tu peux jouer un vampire…

— Tu plaisantes ? Pourquoi crois-tu que je ne travaille que la nuit ?

Et il m'a fait les yeux ronds comme pour évoquer Dracula, mais cela le rendait plus ridicule qu'effrayant. L'important, c'est qu'il m'a fait rire. C'était d'autant plus important que nous étions arrivés et que nous avons dû descendre de la voiture, qui représentait un espace sûr.

Un bon nombre de personnes buvaient et fumaient dans la rue, devant une grande maison. En m'approchant, j'ai constaté que les statistiques du recensement étaient exactes, on devait être proches des 100 % de Latinos. Je suis devenue nerveuse, me demandant ce que je foutais là. Alexandre l'a senti.

— Donne-moi ta main, Laure. Il faut qu'ils croient que tu es avec moi. C'est plus sûr pour toi…

Je n'ai pas posé de questions et ma main s'est retrouvée dans la sienne. C'était une sensation incroyable. Dommage que ce n'ait pas été l'expression d'un amour immense lors d'une promenade à Central Park mais juste une mesure de sécurité dans un quartier ultrasensible.

Nous sommes arrivés devant la maison. De près, les gens n'avaient pas l'air si redoutables. C'était un groupe de jeunes gens comme on en voit partout, avec des bouteilles de bière à la main, des cigarettes et quelques joints.

Alexandre a dit bonjour à certains d'entre eux. Je me suis penchée vers lui.

— Ils n'ont pas l'air dangereux...

— Chut, malheureuse, tais-toi, tu ne sais pas ce que tu dis.

À ce moment-là, un homme est arrivé vers nous. C'était une force de la nature : plus de deux mètres, mais surtout une masse de muscles et de graisse. On aurait dit La Montagne, Gregor Clegane, dans *Game of Thrones* ! Il avait néanmoins un certain charme, surtout grâce à ses yeux qui brillaient d'une intensité inhabituelle.

— Alexandre.

— Guillermo.

Quand l'immense Mexicain a pris mon ami québécois dans ses bras, on ne le voyait presque plus. Au bout de quelques secondes, Guillermo a remarqué ma présence.

— Tu me présentes ton amie ?

— Je te présente Laure. Laure, voici Guillermo. Tu peux aussi compter sur lui pour ta protection. Mais fais attention aux autres...

Le Latino a eu un moment de surprise, ce qui a poussé Alexandre à préciser :

— Laure était inquiète de se retrouver dans un quartier mexicain. Mais je l'ai rassurée : tant qu'elle me tient la main, elle ne risque rien, n'est-ce pas ? Le code d'honneur Pancho Villa est toujours en vigueur ?

Je suis intervenue :

— Mais, Pancho Villa, ce n'était pas un des chefs de la révolution mexicaine ?

C'est Guillermo qui m'a répondu :

— Oui, à partir de 1910, mais dans les vingt années qui ont précédé il n'était qu'un vulgaire bandit et un meurtrier. Ce n'est qu'à la prise de Ciudad Juarez qu'il a commencé à devenir célèbre. Mais, en ce qui concerne les femmes, il a créé un code d'honneur pour éviter que ses hommes ne se déchirent. Quiconque prend la main d'une femme en public peut revendiquer sa main.

— Mais c'est féodal, comme pratique !

Le Mexicain a haussé les épaules.

— Peut-être, mais le mariage était une chose importante pour lui. Tu sais combien de fois il s'est marié ?

— Je ne sais pas. Quatre ? Cinq ?

Il a fait un geste de la main pour m'indiquer que j'étais bien en dessous de la vérité. J'ai continué :

— Sept ? Huit ?

Autre geste, presque impatient.

— Dix ? Douze ? Quinze ?

— Non, vingt-six ! Et encore, d'autres historiens lui attribuent soixante-quinze passages à l'autel.

J'étais sidérée : une autre preuve que les politiciens sont des coureurs de jupons !

— C'est incroyable ! Mais ça ne peut plus exister de nos jours : ton code Pancho Villa est obsolète au XXIe siècle.

— Détrompe-toi. Regarde la femme là-bas en rouge, avec le verre de Coca : quel âge lui donnes-tu ?

C'était une belle brune, certainement la seule Blanche dans toute la maison en dehors de moi.

— Je ne sais pas, trente-huit, quarante.

— Elle en a dix de moins. Elle est arrivée, comme toi, un soir, il y a quatre ans. Elle était jeune et belle, mais trop arrogante. Elle n'a pas suivi les conseils de son cavalier, a refusé de lui tenir la main. Elle a subi les conséquences du code Pancho Villa...

Cette histoire était terrifiante.

— C'est-à-dire ?

— Un homme lui a saisi la main...

— Et ?

— Dix mois plus tard, des jumeaux. Aujourd'hui, elle est mère de cinq enfants et tu lui donnes dix ans de plus que son âge réel !

J'ai regardé cette pauvre femme : quel destin terrible ! Ma main a serré celle d'Alexandre. Je regardais Guillermo, qui m'avait raconté ce drame avec une impassibilité totale.

Et puis les coins de sa bouche ont commencé à tressaillir et, dix secondes plus tard, il explosait de rire, imité par Alexandre.

Les deux salopards m'avaient joué la comédie, ils s'étaient foutus de ma gueule ! Ma main a quitté sa cachette pour venir s'abattre avec violence sur l'épaule de mon Québécois. Il a protesté :

— Eh ! pourquoi tu tapes sur moi ? C'est Guillermo qui a raconté cette histoire !

— Pour trois raisons : la première, c'est que tu l'as lancé dans cette direction avec cette invention du code Pancho Villa ; la deuxième, c'est que je ne le connais pas ; et la troisième est que je ne prendrais pas le risque de porter la main sur quelqu'un d'aussi fort. Donc tout était faux ? J'aurais dû m'en douter quand tu as dit que Pancho Villa s'était marié vingt-six fois...

Guillermo m'a interrompue :

— En fait, ce point-là est historiquement exact. Il a bien eu entre vingt-six et soixante-quinze épouses. En revanche, Brenda, avec son verre de Coca et sa robe rouge, a quarante-trois ans et non vingt-huit.

Il s'est interrompu en entendant un bruit de trompette.

— Ah ! je crois que le concert va commencer. Allons-y.

Les gens se sont tous rendus dans le jardin, à l'arrière de la maison. Il y avait un orchestre complet avec un accordéoniste et des maracas. Ils ont commencé à jouer.

Ce n'est pas mon style de musique, mais le chanteur avait une belle voix. Alexandre m'a passé un verre de sangria qu'il avait dû attraper au passage. Au bout de quelques chansons, j'ai frissonné et mon jeune Canadien m'a gentiment mis sa veste sur les épaules. Quelle galanterie ! Si on excepte sa blague idiote, il a presque le score parfait. Je ne regrettais pas cette soirée aux antipodes des pince-fesses de Hollywood.

Un peu plus tard, entre deux chansons, Alexandre m'a proposé de faire une pause.

— Tu sais, ils peuvent continuer pendant des heures. Allons discuter quelques minutes devant la maison.

Guillermo nous a accompagnés.

Quand Alexandre a commencé à rouler un joint, j'ai compris que le break n'était pas uniquement pour profiter de ma conversation.

Il l'a allumé puis l'a fait passer. C'était sympa, le mélange sangria-marijuana me faisait flotter dans un nuage de ouate.

Mon Canadien a alors expliqué à son camarade le projet de série que je développais (ou, pour être plus exacte, que j'étais supposée développer) :

— Laure, tu n'aurais pas un rôle dans ta série ? Avec un physique comme le sien, il est facile de lui attribuer des capacités paranormales.

95

J'ai décidé de me moquer de lui à mon tour :

— C'est certain qu'il fait plus peur que toi. Ce n'est pas difficile, tu es le vampire le plus inoffensif de l'histoire. Je pense que Nosferatu et Dracula se retourneraient dans leur tombe s'ils savaient que tu vas représenter leur race à la télévision.

— Tu plaisantes ? Je peux être terrifiant.

Il m'a fait une démonstration, mais ses grimaces m'ont fait rire. Alors, il s'est emparé de moi et ses dents se sont posées sur ma jugulaire. Mais, bien sûr, il ne m'a pas mordue et a transformé la morsure en un baiser dans mon cou...

Était-ce un geste gentil, une façon de parachever son interprétation, ou s'agissait-il d'un geste moins innocent ? Je n'ai pas la réponse, mais ses lèvres m'ont rappelé combien le cou peut être une zone érogène. J'ai frissonné à nouveau et, cette fois, la température n'était pas responsable. Je crois que, contrairement à ce que je pensais un peu plus tôt, mes lèvres auraient répondu aux siennes s'il m'avait embrassée. Mais il ne l'a pas fait, pour le plus grand bénéfice de ma loyauté envers David.

J'ai quand même accusé le coup. Je crois que c'était autant la sensation physique que de me rendre compte de ma vulnérabilité.

Je n'ai pas eu le temps de m'appesantir sur l'analyse de la situation, car j'ai entendu Guillermo crier :

— Laure, le joint, jette-le !

Je n'ai pas compris le sens de ses paroles sur le moment, et après il était trop tard. Je me suis retournée et j'ai vu le gyrophare en même temps que j'entendais la sirène : une voiture de police ! J'ai laissé ma main pendre le long de mon corps et le joint a glissé de mes doigts.

Quelques instants plus tard, les deux officiers de police étaient face à nous, un Noir et un Latino.

C'est ce dernier qui a pris la parole après avoir ramassé le joint et avoir vérifié par l'odorat le caractère illicite de la substance.

— Miss, vous savez que la consommation de marijuana est illégale en Californie. Sauf pour des raisons médicales. Avez-vous une raison médicale d'en consommer ?

Sa question m'a donné des idées pour échapper à la sanction, mais je me suis dit que, si je lui expliquais que j'étais dans la phase terminale d'un cancer, il risquait de ne pas me croire sur parole. Et je ne connaissais pas d'ami médecin pour me sortir de ce mauvais pas.

C'est amusant (si on peut dire), quand on est face aux forces de l'ordre, on retrouve les réflexes des mauvais élèves qui n'ont pas fait leurs devoirs et qui cherchent n'importe quelle excuse pour échapper aux heures de colle.

La mienne a été la plus basique :

— Ce n'est pas à moi, officier.

— Mademoiselle, nous vous avons vue laisser ce joint tomber par terre et nous sommes tous les deux assermentés.

À ce moment-là, Alexandre est intervenu, tel un chevalier blanc :

— C'est à moi, c'est mon joint.

— Très bien, monsieur. Procédons à une vérification plus approfondie. Pouvez-vous tous les trois vider le contenu de vos poches sur le capot de la voiture ?

Guillermo s'est exécuté et j'ai vu qu'il avait un petit sac de marijuana. De ce côté, j'étais tranquille. Enfin, c'est ce que je croyais... Quand Alexandre a voulu reprendre sa veste qui se trouvait sur mes épaules, l'officier noir a refusé.

— Non, monsieur, laissez mademoiselle vider le contenu de la veste.

— Mais, officier, c'est ma veste. Vous voyez bien que c'est une veste d'homme.

— Monsieur, je n'ai pas à entrer dans des considérations de mode vestimentaire. Mademoiselle, veuillez vider les poches de cette veste.

Je me suis exécutée et c'est sans aucune surprise que j'ai senti un petit sac mou dans la poche droite ; un petit sac qui, j'en étais certaine, allait me causer beaucoup d'ennuis.

Mon Canadien a revendiqué son appartenance :

— Officier, c'est ma veste, et donc ce qu'elle contient est aussi à moi.

— Nous verrons cela. Commençons par vérifier vos identités.

Alors que mes deux amis prenaient leur portefeuille pour en sortir leur carte d'identité, j'ai ouvert mon sac pour prendre la mienne.

Et là, catastrophe ! Quand j'avais décidé de prendre le sac qui allait si bien avec ma tenue, j'avais oublié d'y transférer mon portefeuille. En bref, j'avais eu la chance d'y trouver, par hasard, mes jumelles pour espionner Sarah et David, mais j'avais omis de prendre les documents qui m'éviteraient une visite au poste de police.

Après avoir vérifié l'identité d'Alexandre et de Guillermo, l'officier s'est tourné vers moi.

— Vos papiers, miss ?

— Euh, je crois que j'ai oublié de les prendre. Vous comprenez, j'ai changé de sac et je les ai laissés dans l'autre sac.

Il m'a regardée sans dire un mot, mais sans agressivité. Je me suis dit que j'avais une chance de m'en sortir.

— Vous voyez, il me fallait trouver un sac qui allait avec ma robe. C'était difficile, alors ça m'a pris un peu de temps et mon ami m'a pressée, car il avait peur que l'on soit en retard pour l'avant-première. Je dirige une société qui travaille dans le cinéma, Masson & Delacour. Masson, c'est mon nom, Laure Masson. C'était important pour moi, nous étions invités par Michael Brown. Alors, je me suis dépêchée, ce qui explique cet oubli. Vous comprenez ?

Visiblement, il n'a pas compris. Je ne crois pas que c'était un problème de langue ou même de culture mais plutôt de genre : jamais un homme ne pourra comprendre la difficulté d'assortir un sac et une robe ! Il n'a pas non plus été impressionné par le fait que je connaissais un grand acteur oscarisé...

— Si vous ne pouvez pas justifier de votre identité, vous devez venir au poste avec nous. Vous, messieurs, vous pouvez payer une amende de 100 dollars pour cette infraction.

Guillermo a demandé s'il pouvait aller chercher du cash dans la maison et l'officier a accepté.

Mon Canadien a sorti des billets de son portefeuille. Il y en avait beaucoup de 1 et de 5 dollars, et quelques-uns de 10 dollars. Il a compté la somme demandée et, quand il a tendu les billets au policier, il ne lui en restait que très peu. Il s'est tourné vers moi.

— Une soirée de travail pour rien ! Heureusement que les acteurs sont généreux en pourboire.

Il a dû voir mon air désolé, car il m'a fait un clin d'œil.

— Ne t'inquiète pas. Grâce à toi, je serai bientôt riche et célèbre !

Mon estomac s'est serré en entendant ses propos. J'ai eu un moment d'introspection pour savoir comment j'avais pu inventer une telle ineptie : moi, produire une série ? J'avais bercé ce garçon d'illusions. Et lui qui était déjà fauché prenait une amende le privant de son salaire de la soirée. Ma culpabilité a décuplé quand il a tenu à m'accompagner au poste de police.

C'est une image que l'on a vue cent fois dans les séries américaines, mais je peux vous dire que ça fait quand même bizarre quand ça vous arrive. Alexandre et moi nous sommes retrouvés assis à l'arrière de la voiture noir et blanc avec l'inscription LAPD sur la portière. Je suis sûre que ce sera une histoire que je raconterai avec fierté à mes petits-enfants dans une quarantaine d'années, mais, sur le moment, j'aurais préféré éviter.

Les heures suivantes ont été les plus humiliantes de ma vie. Pourtant, tout le monde a été gentil dans un premier temps. Le flic noir m'a demandé si je pouvais appeler quelqu'un pour m'apporter mes papiers d'identité. C'est ainsi que je me suis retrouvée à appeler l'appartement de Santa Monica à 3 heures, où David devait dormir du sommeil du juste. Vu le temps qu'il a mis pour répondre, le dicton devait se vérifier et il devait avoir bonne conscience.

Les explications ont été difficiles. J'ai pourtant essayé d'être claire et concise.

— David, c'est moi. J'aurais besoin que tu trouves mon sac, celui que j'utilise pour aller au travail.

Il a eu du mal à comprendre.

— Laure ? Mais il est quelle heure ?

Il y a eu un instant de silence.

— Merde, Laure, il est 3 heures ! Tu es où ? Tu vas bien ?

— Oui, ça va, mais il me faut mes papiers d'identité. J'ai été arrêtée.

— Arrêtée ? Par la police ?

C'est un grand journaliste, il est très intelligent, mais ses neurones étaient visiblement restés au lit pour leur plus grande majorité.

— Oui, par la police, pas par le FBI.

— Mais tu es où ? Pourquoi t'ont-ils arrêtée ?

— C'est compliqué, je t'expliquerai. Le commissariat se situe au 5019 E Third St. East Los Angeles.

— Tu es sûre de l'adresse ? C'est très loin, c'est proche d'East Los Angeles...

— C'est ça, c'est East Los Angeles.

— Mais qu'est-ce que tu fous là-bas ?

— David, s'il te plaît, je t'en supplie, trouve mes papiers et viens me chercher.

— OK, j'arrive. Je serai là dans trente-cinq minutes.

Il a été vraiment cool. Il a décidé de venir sans savoir les raisons de mon arrestation.

Je suis retournée m'asseoir sur le banc où m'attendait Alexandre.

Le flic noir, qui était plus sympa que son collègue, est venu discuter avec nous un peu plus tard.

— Votre coup de fil a été utile ? Quelqu'un vous apporte vos papiers ?

— Oui, il ne devrait pas tarder à arriver, il est parti de Santa Monica il y a une demi-heure.

— Je suis désolé de vous retenir ainsi, mais, dans le cas de possession ou d'usage de drogue douce, nous devons vérifier l'identité des contrevenants. En revanche, je pense que nous vous laisserons partir sans vous infliger les 100 dollars d'amende. Nous allons considérer que les 200 dollars payés par vos amis suffisent.

C'était très gentil, mais c'était gênant de penser que mon camarade qui n'avait pas le sou était puni alors que moi je m'en sortais indemne. Si j'avais su ce qui allait se passer dans le quart d'heure suivant, je pense que je me serais épargné cette pensée optimiste.

Ça a commencé à se gâter parce que ce flic était trop sympa et qu'il s'ennuyait, en pleine nuit dans ce commissariat. Le cadeau de 100 dollars, c'était bien, mais la petite conversation qui a suivi, c'était trop, beaucoup trop...

— Je regrette d'autant plus de ne pas vous laisser partir que j'ai vérifié sur l'ordinateur ce que vous m'avez dit. J'ai trouvé votre site Internet : « Masson & Delacour ». Il y a votre photo. Très classe, le site.

J'ai senti le désastre qui s'annonçait. J'ai essayé de couper court :

— Merci, nous nous sommes donné beaucoup de mal et nous sommes ravies du résultat.

Mais il n'en est pas resté là et ses propos ne pouvaient pas tomber plus mal.

— Ça doit être passionnant de s'occuper d'organiser les sorties des films. Fréquenter les stars, les réalisateurs...

Il a fait une pause. J'ai retenu mon souffle en espérant qu'il s'arrête, mais aussi que mon voisin n'ait pas trop prêté attention à ce qu'il disait.

Espoir vain, il a parachevé son œuvre.

— Mais, avec tous les contacts que vous avez, vous ne préféreriez pas produire plutôt que simplement vous occuper des films une fois qu'ils sont terminés ?

Dans mon esprit, une question est apparue : pourquoi ce soir tous les gens que je rencontre veulent absolument que je produise ? Et le seul qui ne me demandait rien était celui à qui j'avais menti en lui assurant que je pouvais lui procurer ce qu'il était venu chercher à Los Angeles, le rêve américain, la réussite en partant de rien. Alexandre n'a pas mis longtemps à comprendre qu'il avait été dupé, et sa réaction a été à la mesure de sa déception.

— Une agence de RP ? Tu diriges une agence de RP ? Et la série, mix entre *Desperate Housewives* et *X-Men*, c'était une invention ? Pour quoi, pour me mettre dans ton lit ?

J'ai essayé de me défendre.

— Non, non, j'ai un boy-friend.

— On n'en a pas beaucoup entendu parler, de ton boy-friend, avant l'arrivée de la police. On pouvait même croire que tu étais célibataire quand tu m'as tenu la jambe pendant des heures au bar. En tout cas, bravo pour l'idée de la série, c'était brillant ! J'ai tout gobé comme un crétin.

Son amertume m'a désespérée. Il était si beau, si gentil, et moi, j'avais sérieusement merdé. J'ai essayé de rattraper le coup.

— Mais je crois à la possibilité de créer cette série, Alexandre. Ce n'est pas infaisable…

— Laisse tomber, je m'en vais. Moi qui suis resté comme un con dans ce poste de police pour que tu ne sois pas seule… Quelle soirée ! J'ai perdu mon salaire, mais surtout mes dernières illusions sur cette ville de merde.

— Ne dis pas ça, Alexandre. Je connais du monde dans le milieu, je peux t'obtenir des rôles, au moins des castings. Et si tu attends quelques minutes, je te rendrai les 100 dollars…

Il m'a regardée comme si je lui avais craché à la figure.

— Je n'ai pas besoin de ton aumône. L'herbe, c'était la mienne ; il n'est donc pas illogique que je paye l'amende. Tu utiliseras l'argent pour payer une coupe de champagne à ton ami Michael Brown et tu lui raconteras comment tu t'es encanaillée à East Los Angeles et comment tu t'es joué d'un petit Québécois. Je pense que cela le fera bien rire.

Je n'ai rien répondu. Il était trop extrême dans ses propos, mais comment nier qu'il avait raison sur le fond, au moins en partie ?

Quand il est arrivé près de la porte, il s'est retourné vers moi juste au moment où David entrait dans la salle. Quand Alexandre m'a sorti sa tirade finale, les deux hommes étaient à moins d'un mètre l'un de l'autre.

— Laure, je pense que tu es pire que Kathryn, car elle, au moins, a le mérite d'annoncer la couleur. Et elle, quand elle te baise par-derrière, c'est littéralement et pas de façon hypocrite comme tu as pu le faire ce soir.

Sur ce, il est sorti. Je vous laisse imaginer la tête de David. Même dans les plus mauvais films, les scénaristes se refusent à imaginer de telles rencontres inopportunes.

David s'est dirigé vers moi et m'a donné mes papiers sans faire de commentaire. Je les ai tendus au gentil flic qui avait provoqué la catastrophe et il y a à peine jeté un coup d'œil. Il était sous le choc de la scène de vaudeville à laquelle il venait d'assister.

Nous sommes allés à la voiture sans dire un mot. Ce n'est qu'après quelques minutes de route que David m'a questionnée :

— Alors, tu peux me résumer la situation ? Le mec, c'était le serveur du Mondrian ?

Cette fois, j'étais trop épuisée pour que mon imagination ne m'offre d'arranger mon récit. Donc je n'ai pas nié et je lui ai tout raconté sans rien omettre. À la fin, il a soupiré.

— Il ne s'est donc rien passé entre vous ? Même pas un baiser ?

— Non, rien, David, je te le jure. Tu me crois ?

— Bien sûr que je te crois. Si je ne te croyais plus, je te quitterais. À quoi bon s'obstiner si on n'a plus confiance ? Mais cette histoire de production pour l'impressionner... Tu m'as déçu, Laure.

Son calme et sa froideur m'ont glacée.

— Je suis désolée, David.

Le reste du trajet s'est fait dans le silence. Vers 4 h 30, nous étions dans notre lit. Dans les romances, c'est dans ces moments que l'on se réconcilie sur l'oreiller et que les orgasmes sont les meilleurs. Pas dans la vraie vie ; en tout cas, pas dans la mienne...

Chapitre 5

La loi de Finagle

Pendant longtemps, j'ai cru que la loi de l'emmer-dement maximal s'appelait la loi de Murphy. Un soir, dans un dîner, un jeune arrogant m'a dit que la loi de Murphy renvoie aux erreurs que peut produire une personne et que, si on veut parler de la somme d'ennuis causés par l'univers à une personne, il faudrait plutôt faire référence à la loi de Finagle.

Je l'ai trouvé pédant et je n'ai pas vraiment prêté attention à ses propos. Mais ce soir-là, en rentrant, j'ai vérifié sur l'ordinateur et il s'est avéré qu'il avait raison.

Enfin, dans le fond, on s'en fout. Je crois que j'ai trouvé mieux : la loi de Masson (d'après mon nom), qui conjugue les deux lois précédemment expliquées.

Si mon aventure « mexicaine » relevait clairement de la loi de Murphy (j'avais fait à chaque fois les mauvais choix qui avaient conduit à ma mésaventure), ce qui m'est tombé dessus n'était pas ma faute.

Quand je suis arrivée au bureau, Ophélie a commencé par me vanner.

— Tu n'as pas l'air fraîche ! Ça ne te réussit pas de boire des tequilas pour impressionner les petits jeunes.

Comme je n'ai pas réagi, elle s'est inquiétée.

— Eh ! ça va ? Que s'est-il passé ?

Pour la deuxième fois en l'espace de quelques heures, j'ai dû tout expliquer. J'ai vu toutes les émotions passer sur le visage de mon amie, de l'amusement à l'inquiétude en passant par l'énervement.

À la fin de mon récit, j'ai craqué et je me suis mise à pleurer. Elle est venue vers moi et m'a prise dans ses bras. J'ai essayé de retenir mes larmes, mais les vannes étaient ouvertes et mes joues étaient trempées.

Ophélie a plaisanté pour me remonter le moral :

— Vas-y, essuie tes larmes et mouche-toi dans mon pull en cachemire. Ce n'est pas grave, c'est juste un petit Zadig & Voltaire que j'ai depuis quinze jours...

— Je suis sûre que c'est un faux que tu as commandé sur Alibaba.

— Pas du tout, madame la grosse jalouse. C'est un petit cadeau de mon amoureux lors de notre dernière séance de shopping sur Rodeo Drive.

Elle avait raison : j'étais jalouse. Mais pas de son pull, de cette liaison sans nuages avec Charlie. Pourquoi ne pouvais-je avoir la même chance ?

— Ce n'est pas délicat de m'étaler ton bonheur conjugal sous les yeux alors que mon couple bat de l'aile.

— À qui la faute ?

— Ça t'arrive de m'apporter un peu de soutien ? Tu es l'amie de qui ? De David ou de moi ?

— Des deux mais d'abord de toi.

— Je suis contente de te l'entendre dire. Tu pourrais m'accorder des circonstances atténuantes avec cette apparition de son ex qui m'a exaspérée.

— OK, mais l'histoire du serveur, tu aurais pu éviter. Pense à ce pauvre garçon qui espérait trouver un rôle grâce à toi et qui se retrouve ce matin plus fauché et certainement pas très en forme moralement. Tu devrais l'appeler.

— Mais je n'ai pas son numéro !

— Tu n'as qu'à appeler le poste de police.

Ça ne m'enchantait pas, mais j'ai suivi ses conseils. Le problème, c'est que les policiers qui nous avaient interpellés étaient de l'équipe de nuit et qu'ils ne prenaient leur poste qu'à 18 heures. J'ai essayé de savoir s'ils n'avaient pas consigné nos identités dans un registre d'infractions. La femme au téléphone n'était pas aimable et elle m'a opposé une fin de non-recevoir sans que je puisse déterminer si elle n'avait pas l'information ou si elle refusait de me la communiquer.

— Ophélie, pas de chance, j'ai fait chou blanc.

Elle a réfléchi un instant.

— Laure, tu m'as bien dit que le Mexicain... Comment il s'appelait déjà ?

— Guillermo.

— Oui, tu m'as dit que Guillermo avait des dimensions hors norme.

— C'est vrai.

— Tu devrais le trouver sans problème sur Internet.

J'ai repris espoir. Peut-être même pourrais-je avoir directement les coordonnées d'Alexandre.

Mais mes attentes ont été déçues. Pas d'acteur québécois prénommé Alexandre... Il faut dire que, s'il n'avait pas encore tourné, j'avais peu de chances de réussir.

Pour Guillermo, ça a été le jackpot : j'ai obtenu son nom, son adresse et même son numéro de mobile sur son CV d'acteur posté en ligne.

J'étais très nerveuse quand je l'ai appelé. Je craignais d'être mal reçue. J'étais en dessous de la vérité.

— Bonjour, Guillermo, c'est Laure. Excuse-moi de te déranger, mais je cherche le numéro de mobile d'Alexandre. Est-ce que tu l'aurais ?

— Oui, Laure, je l'ai, mais je ne peux pas te le communiquer.

— Pourquoi ?

— Il me l'a catégoriquement interdit. Je pense que tu en connais les raisons...

— Je suis désolée pour hier soir, mais ce n'est pas un mensonge. J'ai juste un peu exagéré. Je peux vraiment le présenter à des agents, à des *casting directors*.

Il était calme mais froid. Rien à voir avec le géant chaleureux que j'avais rencontré la veille.

— C'est trop tard, Laure.

— Guillermo, pourquoi dis-tu ça ? Il est jeune, il ne doit pas se décourager. Il y a beaucoup d'acteurs célèbres qui ont été découverts sur le tard. Harrison Ford a été obligé d'apprendre le métier de charpentier, car il ne gagnait pas assez en tant qu'acteur pour entretenir sa famille.

— C'est fini, Laure...

Je me suis énervée.

— Donne-moi son téléphone, je vais le faire changer d'avis. Ou mieux, dis-moi où il se trouve, je vais aller lui en parler de visu. Alors, où est-il ?

— À cette heure-ci, il doit être à la hauteur de Las Vegas...

— Mais qu'est-ce qu'il fout là-bas ? C'est pour un job de serveur ? Tu ne vas pas me dire qu'il va chercher fortune à la roulette ?

— S'il passe par Denver pour aller à Québec, c'est le chemin. À moins qu'il n'ait décidé de passer par le sud, par Oklahoma City.

J'ai été mortifiée par ce que j'entendais et je n'ai pas voulu y croire. J'ai espéré une seconde.

— Il va au Canada voir sa famille ?

— Non, Laure, il a jeté l'éponge, il ne fera pas de carrière d'acteur. Il va trouver un job normal et une vie normale chez lui, au Québec.

Là, c'était trop. J'ai hurlé :

— Ce n'est pas possible ! Il renonce à tout à cause d'une soirée où une fille lui fait miroiter une possibilité de rôle qui se révèle incertaine ? C'est à cause de ça, à cause de moi ?

— Ce n'est pas uniquement à cause de ça. Il a eu des mois de galère, l'histoire avec Kathryn l'a beaucoup secoué. Tu sais, cette femme était dangereuse. Elle lui en a fait voir de toutes les couleurs. Je ne pense pas qu'il t'ait tout raconté. Il commençait à peine à remonter la pente. Et puis la soirée d'hier, ça a été… Je ne connais pas l'expression en anglais. En espagnol, on dit : « *La gota que colma el vaso.* »

Je ne parle pas espagnol mais je n'ai eu aucun mal à comprendre.

— « La goutte d'eau qui fait déborder le vase », on dit la même chose en français.

On est restés silencieux quelques secondes. Je ne pouvais pas imaginer que j'avais provoqué un tel cataclysme et je voulais croire que je pouvais encore tout arranger.

— Guillermo, tu dois m'aider. Je me sens responsable, je veux faire quelque chose pour lui.

— Tu veux vraiment l'aider ?

J'ai repris espoir.

— Oui, plus que tout.

— Alors, oublie-le. Laisse-le vivre une vie rangée et tranquille. Il n'aura pas les sunlights et l'excitation des tournages, mais il pourra avoir une chance d'être heureux. Je dois te laisser, Laure. Je te le redis, oublie-le et vis ta vie.

Et sans autre forme de procès, il a raccroché. Il m'a laissée avec ma faute sans aucune possibilité d'absolution. Je n'étais déjà pas très en forme avant cet appel, alors après...

J'ai levé la tête vers Ophélie, qui me regardait avec attention. Elle avait saisi le sens de la conversation.

— Il est reparti chez lui, c'est ça ?

— Oui, à cause de moi.

— Tu ne peux pas dire cela. Quelqu'un qui renonce aussi facilement n'a pas la fibre, il n'a pas ce qu'il faut pour réussir dans ce métier.

J'ai trouvé ses propos très durs.

— Ophélie, il n'a même pas vingt-cinq ans. Il est beau comme un astre, il est fun et il a du charme. Il a tout pour réussir dans ce milieu...

— Tu sais combien il y a de jeunes hommes comme lui à Los Angeles, avec autant de charme et peut-être plus de talent ? Des milliers. Pour combien d'élus ? Une poignée. Tu le sais bien, la moitié des vendeurs dans les boutiques de mode, ou des serveurs dans les restaurants. Tu les as vus, Laure. Ils sont tous comme ton

Québécois. Et l'immense majorité ne percera pas et passera sa vie à attendre. Peut-être que ton serveur est plus intelligent et qu'il a raison de renoncer à temps, avant d'avoir trente ou trente-cinq ans.

— Mais, si je faisais cette série, je pourrais lui offrir un rôle. Ce serait un tremplin pour lui.

J'ai lu dans ses yeux sa surprise et son scepticisme.

— Pourquoi un si grand intérêt pour quelqu'un que tu as croisé quelques heures ? C'est quoi, le coup de foudre ? Comme Michael pour moi[1] ? Mais je ne comprends pas, tu as David. Tu le remplacerais par ce garçon ?

Les larmes sont réapparues sur mes joues.

— Je ne crois pas. J'aime David et je ne fais pas de comparaison entre Alexandre et lui. Mais il a quelque chose qui me touche et je suis certaine qu'une audience féminine pourrait être émue par sa personnalité.

— Même si tu as raison, ça n'a plus d'importance. On ne saura jamais.

— Et si nous produisions cette série dont je lui ai parlé ?

Le ton qu'elle a employé pour me répondre était celui d'une mère qui explique à son enfant de cinq ans qu'il ne peut pas conduire la voiture de papa.

— Laure, toi et moi n'avons jamais produit quoi que ce soit. Même pas un court-métrage. Nous avons déjà un beau défi avec le développement de cette société. Rappelle-toi qu'il y a quelques mois notre ancien boss voulait nous renvoyer en France. Quel chemin parcouru ! Ne gâchons pas tout…

---

1. Michael Brown, la star dont Ophélie était amoureuse depuis son adolescence.

— Tu as peut-être raison.

Je me suis plongée dans mes mails, mais j'avais du mal à me concentrer. J'ai consulté le site de ma salle de gym ; j'avais besoin de me dépenser.

— Ophélie, si ça ne t'ennuie pas, je vais à un cours de danse. Je serai de retour dans un peu plus d'une heure.

— Très bonne idée, ma grande. Je ne t'accompagne pas, j'ai un appel pour signer un film dans un quart d'heure. Amuse-toi bien.

Moi qui ne suis pas un modèle d'organisation, j'ai quand même réussi à me faire une réserve de tenues de sport au bureau afin de pouvoir décider d'aller à la salle sur un coup de tête.

Je suis arrivée avec cinq minutes d'avance, ce qui m'a permis d'examiner mes « copines » danseuses. C'était le mix habituel entre des femmes au foyer de quarante à cinquante ans refaites de partout et des jeunes bombes de vingt à vingt-cinq ans. Elles partageaient la fierté d'arborer des tenues colorées hypermode et des décolletés qui étaient, pour la plupart, rendus plus importants grâce au silicone.

Très vite, l'intensité de la dépense physique m'a vidé l'esprit. Ce que j'aime bien dans ce cours, plus que la gym, c'est la playlist. C'est un mélange de tubes qui oscille entre les années 1980 et des choses très récentes.

Il y a bien sûr des chansons incontournables que tous les cours de danse vont vous jouer à un moment ou à un autre. Aujourd'hui, c'était *What a Feeling*, d'Irene Cara, extrait de la bande originale de *Flashdance*.

Toutes les filles du cours se sont déchaînées (moi y compris) en pensant à la scène finale où Jennifer Beals va

114

convaincre le jury de la prendre au conservatoire. Pour ce qui est de la grâce, il devait y avoir autant d'écart entre nous et elle qu'entre des crapauds et une biche. Générale-ment, j'essaie d'éviter ces pensées parasites qui peuvent me gâcher mon plaisir. Mais, ce jour-là, l'image qui m'est venue à l'esprit était différente : j'ai vu l'héroïne qui se bat pour vivre son rêve et j'ai repensé à Alexandre qui avait renoncé au sien. Comme lui, elle avait pensé aban-donner. Ça m'a contrariée et je n'ai pas profité du quart d'heure suivant, où j'ai dansé mécaniquement.

C'est là que j'ai eu mon deuxième choc musical de la matinée. Les enceintes ont diffusé *Let the River Run*, la chanson de Carly Simon. Des images me sont venues à l'esprit et je me suis arrêtée de danser pour mieux écouter les paroles. La prof s'est inquiétée de savoir si j'allais bien. Je n'ai pas répondu. La chanson terminée, je me suis enfuie en plein cours, saisie par une révéla-tion que je devais partager avec Ophélie.

Quand je suis rentrée au bureau, elle avait un air bizarre, mais je n'y ai pas prêté beaucoup d'attention tellement j'étais excitée.

— Ophélie, si je te dis *Let the River Run*, ça t'évoque quelque chose ?

— Non, ça devrait ?

Bon, elle n'est pas encore à mon niveau en ce qui concerne les connaissances cinématographiques...

— C'est une chanson de Carly Simon, qui est aussi la musique originale du film *Working Girl*.

Elle n'a pas eu l'air passionnée.

— Ah oui ! Je me rappelle, un film avec Melanie Grif-fith, Harrison Ford et Sigourney Weaver.

OK, elle n'est pas si nulle que ça. Il fallait quand même être capable de citer les acteurs d'un film qui est sorti l'année de sa naissance.

— C'est ça. J'ai entendu cette musique, j'ai pensé à ce que réalise le personnage de Melanie Griffith et je me suis dit que je pouvais aussi réussir un pari impossible.

Elle a eu un air incrédule.

— Tu veux dire que, quand tu vois Melanie Griffith avec cette affreuse coiffure des années 1980, cette choucroute, tu arrives à te comparer à elle ?

— Oui, elle y a cru et elle y est arrivée ! Nous pouvons faire pareil, produire cette série, faire un succès. C'est ça, le rêve américain ! Tout est possible, il n'y a pas de limite.

— Je ne vois pas la similitude entre une jeune femme de Staten Island secrétaire à Wall Street et une Française qui habite Santa Monica et qui dirige une agence de RP à Hollywood. De toute façon, je ne peux pas te suivre dans ce projet...

Je l'ai interrompue. Boostée par ma révélation, j'étais sûre de pouvoir la convaincre.

— Ophélie, fais-moi confiance, nous allons réussir...

Elle m'a coupé la parole à son tour :

— Même si je voulais, Laure, je ne pourrais pas.

J'ai senti qu'une nouvelle catastrophe s'annonçait. Moi si volubile, je suis restée muette.

— J'ai une annonce qui ne va pas te faire plaisir. Je viens d'avoir Charlie au téléphone. Il va réaliser un film sur Beryl Markham.

— Connais pas. Et ?

— C'est la première femme à avoir traversé l'Atlantique en avion d'est en ouest. C'est aussi l'auteure du livre *West with the Night*.

— C'est formidable, mais quel est le lien avec notre conversation précédente ?

— C'est une Anglaise... mais elle a vécu la majorité de sa vie au Kenya. C'est une contemporaine de Karen Blixen, tu sais, *Out of Africa*...

— Ça va, je ne suis pas inculte ! Si je comprends bien, il va partir tourner en Afrique et tu vas le suivre.

— Oui.

Trois voyelles qui ne vous rapportent qu'un minimum de points au Scrabble pour une réponse à la portée terrifiante. C'était une annonce définitive, il n'y avait rien à discuter, juste à connaître la durée de la sentence.

— Tu pars combien de temps ?

— Six mois minimum, mais probablement un an.

Un an ! Une année seule, sans ma meilleure amie, au moment même où mon couple se mettait à battre de l'aile. J'ai serré les dents et je me suis forcée à sourire.

— C'est génial, tu vas retourner sur les lieux de ta lune de miel avec Charlie.

Elle m'a fait un sourire gentil.

— Laure, nous ne sommes pas mariés ! Mais tu as raison, nous retournons à l'endroit où nous avons fait ce merveilleux voyage romantique. C'est d'ailleurs en allant sur la tombe de Denys Finch Hatton que nous avons appris l'histoire de Beryl Markham. Tu sais qu'elle a été sa maîtresse, tout comme Karen Blixen. C'était une sacrée femme, très portée sur les hommes, tu l'aurais appréciée...

Je pense que, dans mon état normal, j'aurais protesté. J'ai beau avoir eu la chance de tester la sexualité d'un certain nombre d'hommes, je n'aime pas quand Ophélie me décrit comme une nymphomane. Mais, là, je n'ai rien dit. J'ai figé ce sourire sur mon visage et j'ai continué à l'écouter raconter l'histoire que son chéri allait réaliser. Elle était rayonnante de bonheur et sa beauté irradiait. Mais les événements de ma propre vie empêchaient ces rayons de me réchauffer. J'étais sincèrement heureuse pour elle, mais elle ne pouvait rien pour moi.

— Tu féliciteras Charlie de ma part. Vous partez quand ?

Elle a eu l'air gênée.

— Dans quelques jours. Il doit commencer les castings en début de semaine prochaine.

— Tu feras attention quand il choisira l'actrice principale. Une mangeuse d'hommes, anglaise de surcroît…

— Oui, et puis la dernière fois qu'il a dirigé une actrice anglaise, elle a fini dans son lit !

Elle avait une lueur amusée dans l'œil, mais je savais que j'avais gaffé sur un sujet sensible.

— Ophélie, je suis désolée, je n'ai pas pensé à ce que je disais !

— Ne t'inquiète pas, j'avais compris. Je te promets de ne pas le lâcher d'une semelle !

Nous avons fini par reprendre le travail, mais le cœur n'y était pas.

Une accumulation de choix douteux m'avait fait perdre ma relation privilégiée avec mon homme en même temps qu'un événement extérieur que je ne maîtrisais pas me faisait perdre mon amie et associée. On ne peut pas le contester :

Loi de Murphy + loi de Finagle = loi de Masson

Chapitre 6

Un Américain à Paris

Pour ceux qui ne sont pas fan des comédies musicales ou du cinéma des années 1950, il est certain que le titre *Un Américain à Paris* ne doit pas évoquer grand-chose. Mais pour moi qui suis une adepte du genre, c'est un bon film. Pas aussi bon quand même que *Chantons sous la pluie*, mais on y retrouve Gene Kelly, qui reste mon danseur préféré.

Intituler ce chapitre de ma vie « Un Américain à Paris », c'est pour illustrer un fait, mais cela n'exprime pas ce que j'ai ressenti. Peut-être que, si j'avais voulu choisir un titre qui reflète mon état d'esprit, j'aurais opté pour « Un monstre à Paris » !

Sur le chemin du retour, après cette journée où j'avais perdu la trace d'Alexandre et appris le départ d'Ophélie vers des contrées lointaines, je me suis dit que, pour ne pas perdre pied, il fallait avoir une attitude pragmatique, réapprendre à marcher *step by step*. Le plus important, c'était de reconquérir David. Par les sentiments et aussi par un câlin. Curieusement, songer à notre relation sexuelle à venir me rendait nerveuse, plus que pour une première fois. Pourtant, c'est un domaine dans lequel je ne doute jamais.

Je me suis arrêtée chez un traiteur chinois que j'affectionne et j'ai pris tous les plats préférés de mon chéri : dim sum en entrée, canard laqué, poulet aux champignons noirs.

À la maison, seule Princesse Leia m'attendait. Moi qui étais allergique (plus au sens figuré qu'au sens propre), je me suis amourachée de cette petite chatte et elle me le rend bien.

Comme je ne suis pas du genre patiente, j'ai décidé de prendre un bain. C'est un moment de détente que j'apprécie et un endroit parfait pour lire. J'ai versé des sels de bain dans l'eau chaude et je m'y suis plongée. Comme elle le fait souvent, Princesse Leia est venue me rejoindre et elle s'est installée sur une serviette que j'avais disposée à son intention. Une fois couchée, elle s'est mise à ronronner. Je l'ai réprimandée :

— Tu fais trop de bruit, tu m'empêches de lire ! Tu es contente et en sûreté, et ça t'évitera de tomber à nouveau dans l'eau.

Plus jeune, elle avait glissé alors qu'elle faisait le tour de la baignoire pour être avec moi. Elle s'était servie de mon corps pour en sortir dans la seconde – provoquant quelques griffures sur ma peau nue – et elle avait mouillé tout l'appartement avant qu'on puisse la rattraper. Je m'étais fait engueuler par David (comme si c'était ma faute !), mais cet épisode avait créé un lien indéfectible entre nous, et je crois que c'était moi que préférait cette jolie féline.

En réalité, ce n'était pas elle qui troublait mon avancée dans *La Vérité sur l'affaire Harry Quebert*. Malgré la qualité du roman de Joël Dicker, j'étais trop inquiète sur les retrouvailles à venir pour pouvoir m'intéresser à l'enquête du personnage principal.

J'ai posé le livre et je suis restée dans l'eau qui refroidissait en réfléchissant à ma vie. À deux reprises, j'ai rajouté de l'eau chaude avant de me résoudre à sortir. Il était presque 21 heures et David n'était toujours pas rentré.

Une demi-heure plus tard, j'ai enfin entendu la clé dans la serrure. David n'a prononcé qu'un seul mot :

— *Hello.*

— *Hello.* Ça va ? Tu rentres super tard. Il y a eu un problème au boulot ?

Il a hésité.

— Un problème ? Non, plutôt des perspectives inattendues.

— Ah ! c'est une bonne nouvelle. De quoi s'agit-il ?

— Je préfère t'en parler après dîner. C'est compliqué…

S'il s'était agi d'un soir normal, je n'aurais pas accepté et l'aurais forcé à tout me dire dans l'instant. Mais, un soir de réconciliation, il m'a semblé préférable d'être accommodante.

— Je suis allée chercher du chinois chez Yang.

— Ah, super !

Son manque d'enthousiasme m'a inquiétée. Était-ce ma virée nocturne qui le rendait distant ? Ça pouvait se comprendre, ça faisait moins de vingt heures que c'était arrivé. Moi, s'il m'avait réveillée en pleine nuit pour que j'aille le chercher dans une banlieue pourrie et que je l'avais trouvé avec une jeune bombe, je pense que j'aurais fait la gueule pendant au moins une semaine, si ce n'est deux.

Pendant le dîner, il est resté aussi fermé qu'une huître et il a ingurgité les délicieux plats chinois sans y prêter attention. Dire que j'étais allée les chercher spécialement pour lui faire plaisir ! La conversation a été inexistante. Entre lui qui ne disait rien et moi qui ne pouvais pas parler de mon grand projet de série à cause d'Alexandre, ce n'était pas facile. J'ai évoqué des sorties de film, mais, là aussi, je me suis retrouvée bloquée par l'impossibilité de mentionner celui de Michael Brown.

Nous sommes restés là à mastiquer consciencieusement en silence comme la pire caricature d'un couple après vingt ans de mariage.

C'est au dessert que j'ai craqué.

— David, je t'en supplie, dis quelque chose ! Si c'est à cause d'hier, je suis vraiment désolée. J'ai déconné et, si tu veux m'engueuler, fais-le. Mais ne reste pas muet comme ça, c'est insupportable.

Il a eu l'air surpris.

— Non, tu dois me croire, ce n'est pas à cause de ta virée au commissariat et de ce jeune mec.

Il a réfléchi un instant avant de continuer :

— Mais il est possible, voire probable, que tu le penses et que tu lies cette soirée à la nouvelle que je vais t'annoncer.

Le préambule n'étant pas encourageant, j'ai attendu la suite avec appréhension.

— Alors, c'est quoi, cette grande nouvelle ?

Il a hésité puis s'est lancé :

— On m'a offert un job à Paris.

— Tu plaisantes ? C'est une blague ?

— Non, c'est très sérieux. C'est au minimum une mission de six mois, mais ça peut devenir un poste permanent.

— C'est pour *Variety* ?

Son regard m'a indiqué que je n'allais pas aimer la réponse.

— Non, c'est le *New York Times*.

Quelle conne ! Comment n'avais-je pas fait le lien avec Sarah ? Je devrais arrêter les mélanges alcool-marijuana, ça ramollit l'esprit. J'ai pris sur moi pour ne pas m'énerver.

— C'est Sarah qui t'a proposé le poste ?

— Non, c'est le responsable de l'international et la directrice des ressources humaines.

En plus, il me prend pour une cruche...

— Mais c'est Sarah qui a soufflé ton nom ?

— Oui.

— Vous en avez parlé hier soir ?

— Oui.

— Et ils t'ont contacté aujourd'hui ?

— Oui.

Toutes ces réponses monosyllabiques identiques, ça devenait fatigant...

— Tu n'as pas accepté, j'espère ?

Il a réussi à faire une réponse encore plus courte – deux lettres –, mais je n'avais pas besoin de l'entendre sortir de ses lèvres pour la deviner :

— Si.

Et là, j'ai explosé :

— Tu as accepté de partir à Paris avec Sarah sans m'en parler avant !

— C'était difficile de t'en parler hier soir... Si tu ne nous avais pas snobés en allant dans le carré VIP, tu aurais entendu son idée en même temps que moi. Et si tu étais rentrée à la maison avec nous au lieu de participer à une fête mexicaine, nous aurions pu en discuter.

— Donc c'est bien une façon de me faire payer ma petite virée ?

Il a soupiré.

— Pas du tout, Laure. Rédacteur en chef du *New York Times* à Paris, c'est une opportunité que je ne peux pas refuser.

— Et moi ? Qu'est-ce que je deviens là-dedans ?

— Tu peux venir avec moi. Nous aurons un bel appartement au centre de la plus belle ville du monde.

— Mais je m'en fous, de la plus belle ville du monde ! J'ai décidé de venir à Los Angeles parce que c'était un rêve. Je viens de créer une boîte avec Ophélie et je m'éclate. Pourquoi devrais-je te suivre dans une ville froide et pluvieuse alors que je profite de la mer et du soleil trois cent soixante-cinq jours par an ?

Il s'est tu, nous étions dans une impasse.

— Allons nous coucher, je suis morte.

J'ai commencé à débarrasser la table et il m'a aidée.

Après être passée par la salle de bains, j'ai rejoint David sous la couette. J'ai vu qu'il était embêté.

— Je pourrai revenir au bout des six mois. Et nous pouvons essayer de nous voir tous les mois ou toutes les six semaines.

Je n'ai pu m'empêcher d'être ironique.

— Génial ! Tu vas vivre sept jours sur sept avec ton ex et nous, nous aurons deux jours tous les mois. Tu es sûr qu'elle acceptera, qu'elle ne va pas être jalouse ? Tu me laisses seule ici, je n'arrive pas à le croire !

— Tu as Ophélie et Charlie pour s'occuper de toi pendant mon absence.

J'expérimentais toutes les nuances possibles pour répondre. Cette fois, c'était l'amertume.

— Même pas, ils s'en vont eux aussi. Ils te battent, ils partent plus loin et plus longtemps.

Je me suis mise à pleurer. C'était trop, beaucoup trop…

David s'est approché et m'a prise dans ses bras. J'ai senti son torse venir se coller à mon dos.

— Laure, ne pleure pas, ma belle. Je reviendrai, tous les mois s'il le faut. Tu es celle que j'aime. La distance ne nous séparera pas.

Puis il m'a embrassée dans le cou. Des petits baisers gentils. Si c'était supposé constituer des préliminaires pour une joyeuse partie de jambes en l'air, c'était raté. Pour moi au moins.

Certaines disputes permettent des retrouvailles endia-blées, mais, certainement pour la première fois, j'étais bloquée. Sa main a soulevé mon tee-shirt pour caresser mes seins. D'habitude, j'adore, ça provoque chez moi une excitation instantanée. Mais là, rien, le néant. Mon intimité était aussi sèche que le désert de Death Valley.

Il est curieux de constater combien la sexualité peut mettre en exergue les divergences entre les amants. Les caresses qu'il me prodiguait, si elles n'avaient pas d'effet sur moi, ont provoqué une énorme érection que j'ai sentie contre mes fesses.

Quand sa main est descendue vers mon sexe, il a pu constater que la partie n'était pas gagnée… Il s'est appliqué à me caresser, exercice qu'il maîtrise mais qui s'est aussi avéré vain.

C'était humiliant, c'était triste, j'ai préféré couper court.

— Je suis fatiguée, David, je souhaiterais dormir.

Dans un bon jour, je lui aurais fait une pipe pour le soulager, j'aurais pris le « monstre » dans ma bouche pour lui faire plaisir, mais, ce soir-là, il n'a pas eu droit à ce privilège.

Car le monstre, ce n'est pas l'engin dans son caleçon, c'est lui. M'abandonner pour aller dans la capitale de mon pays avec son ex. Il n'y a pas d'autre qualificatif : pour moi, David, maintenant, c'est un monstre à Paris...

Chapitre 7

Jason et la Toison d'or

Quand je me suis réveillée, le lit était vide. J'ai regardé l'heure. Merde, 9 h 30 ! Encore une arrivée tardive au bureau. Heureusement, ce n'est pas Ophélie qui va me le reprocher vu la situation.

Dans la cuisine, il y avait des croissants et du café. C'était un geste gentil de la part de David, mais c'était peu en comparaison de sa trahison, de son abandon de poste. J'avais le cœur déchiré plus par son départ que par le fait qu'il suive Sarah.

J'ai attrapé un croissant que j'ai mangé dans la voiture. J'ai dû me forcer à me sustenter, car j'avais le ventre noué.

L'accueil d'Ophélie ne m'a pas remonté le moral.

— Laure, que se passe-t-il ? Tu es encore sortie ? Tu as encore plus mauvaise mine qu'hier.

Ça m'a énervée.

— Ce qui m'est tombé sur la gueule en dehors du départ de mon associée en Afrique pour un an ? C'est ça, la question ? Si je te dis que mon mec part avec son ex à Paris pour au moins six mois, ça le fait ? C'est suffisant pour expliquer pourquoi je n'arrive pas au bureau avec le *big smile* ?

Elle a eu l'air catastrophée.

— Je suis désolée. Il te l'a dit hier ?

— Oui, je crois que mon karma était au plus bas niveau qu'on puisse imaginer. Je crois même qu'il était encore deux niveaux au-dessous. J'ai établi un nouveau record, je vais être dans le *Guinness*.

— Je vois que tu gardes ton sens de l'humour. Tu vas réussir à travailler ?

— Qu'est-ce que tu crois ? Je vais me battre pour faire de ma société un leader dans la profession.

Au moment où je l'ai dit, je me suis aperçue que j'avais employé « ma » au lieu de « notre » en parlant de la boîte. Ophélie aurait pu s'offusquer, mais elle n'a pas relevé. De toute façon, elle sait que ce sera le cas dès la semaine prochaine. C'était un lapsus révélateur.

Quelques minutes plus tard, elle a abordé le sujet de sa succession.

— Laure, il faudrait que tu prennes quelqu'un pour t'épauler.

— Oui.

— Tu veux que je trouve un cabinet de recrutement ?

— Non.

— Tu veux qu'on essaye de faire jouer notre réseau pour trouver quelqu'un ?

— Non.

— Tu préfères t'en occuper toute seule, c'est ça ?

— C'est tout à fait ça.

Mon attitude l'a irritée.

— Laure, si tu restes seule, tu vas te planter ! Tu ne pourras pas y arriver, tu vas te décourager et tu vas faire couler notre agence.

Elle n'avait pas prononcé ces paroles avec véhémence, mais j'étais sur les nerfs, alors j'ai explosé.

— « Notre » agence ! Heureusement que miss Masson est là pour tenir la baraque pendant que tout le monde va s'éclater aux quatre coins de la planète. Si je veux saborder notre entreprise, c'est mon droit, car j'en suis propriétaire à 50 %. Qu'est-ce que ça peut te faire ? Tu ne viens pas de toucher quelques millions de dollars ? Et ton mec, son film va lui rapporter combien ? Si je veux foutre ma vie en l'air, ça ne regarde personne. Allez tous vous faire voir !

Sur ce, j'ai viré tout ce qui se trouvait sur mon bureau : classeurs, parapheurs, fournitures, tout a dégagé en une fraction de seconde. Je me suis assise et je me suis affalée sur mon bureau vide, la tête entre les bras, et j'ai pleuré. Moi qui ne suis pas émotive, c'est incroyable comme ces dernières vingt-quatre heures m'avaient changée. Ma crise de larmes, c'étaient les chutes du Niagara.

J'ai senti quelqu'un derrière moi, Ophélie. Elle a posé sa main sur mon dos et elle m'a parlé avec douceur.

— C'est beaucoup mieux rangé, ton bureau, comme ça. Heureusement que tu n'y avais pas encore mis ton ordinateur portable…

J'ai réussi à répondre, entre deux sanglots :

— Tu me prends pour une folle ? Mon MacBook Pro chéri ? C'est le seul ami qui me reste !

— Tu as aussi ta petite chatte. Je suppose que tu vas la garder.

Dans les moments de détresse, on ne pense pas aux détails pratiques. C'est pour cela qu'il faut s'entourer d'amis.

— Alors là, il n'a pas intérêt à me piquer Princesse Leia, sinon je le défonce !

— Ah ! c'est bien, je vois que tu retrouves ton *fighting spirit*.

C'est dingue comme les gens et les relations peuvent évoluer. Dans un passé pas trop lointain, nos rôles étaient inversés et c'est moi qui lui redonnais le moral.

Elle a repris :

— Pour l'agence, je ne me fais pas de souci. Par contre, je m'inquiète pour toi. J'aimerais que tu prennes une assistante et une autre personne plus expérimentée dans les RP. Ou quelqu'un qui puisse assumer les deux rôles. Laisse-moi t'aider pour ce recrutement, je t'en prie.

Comment refuser une proposition sincère venant de sa meilleure amie ? Impossible, alors j'ai accepté. J'ai passé le quart d'heure suivant à redonner son look original à mon bureau.

J'ai consacré la journée à la rédaction du dossier de presse sur le film de Brad Pitt pendant qu'Ophélie utilisait tous ses contacts pour nous dénicher la perle rare.

Vers 16 heures, elle a poussé un hurlement qui m'a fait bondir de ma chaise.

— Tu es folle, Ophélie ! Qu'est-ce qui te prend de crier ainsi ?

— Je crois que j'ai trouvé. Tu n'as rien contre les minorités ?

— Normalement, non, mais je dois avouer que, depuis vingt-quatre heures, j'ai développé une certaine aversion pour les journalistes ashkénazes...

— Les Asiatiques ?

— Pas de problème.

— Les homosexuels ?

— Ophélie, tu sais très bien que je ne suis pas homophobe !

— Et les homosexuels asiatiques ?

— Tu veux dire que tu as déniché un assistant homosexuel japonais ?

— Coréen. Troisième génération.

— Il est bien ?

— On m'a dit qu'il est génial. Mais je dois te prévenir qu'il est gay-gay.

— C'est-à-dire ?

— Tu as vu la série *Entourage* ? Tu te rappelles l'assistant d'Ari Gold ?

— Lloyd, tu parles de Lloyd ? Bien sûr que je m'en souviens. Tu veux dire qu'il est aussi gay que Lloyd ?

— Plus encore.

J'ai réfléchi un instant.

— S'il est aussi capable que Lloyd, je suis preneuse.

— Très bien, il arrive dans une heure pour un entretien.

Je me suis dépêchée de terminer mon dossier de presse. J'avoue que j'étais assez excitée par cette rencontre. Je n'avais encore jamais eu quelqu'un qui travaille pour moi, si on excepte quelques stagiaires.

Quand il est arrivé, il ne correspondait pas à l'idée que je m'en étais faite. C'était un homme qui ne devait pas avoir atteint la trentaine, cheveux courts coiffés en pétard, très fin, des lunettes qui lui donnaient un air d'intellectuel ou de geek (je ne connais pas vraiment la différence). Le look était sobre mais très élégant, costume bleu électrique et chemise blanche.

Nous l'avons invité à s'asseoir.

Dès nos premières questions, j'ai compris la comparaison avec le personnage de la série. Sa façon de s'exprimer, sa gestuelle étaient similaires, mais il était plus jeune et plus beau.

L'entretien a commencé de façon très bizarre. Il nous a remis son CV et j'ai fait les présentations.

— Je suis Laure Masson et voici mon associée, Ophélie. Vous vous appelez Jason ?

— C'est ça.

Et là, sans aucune raison, mon esprit a zappé. Je ne sais pas si c'était la fatigue accumulée ou la tension des événements récents, mais je lui ai sorti la question la plus improbable qu'on puisse imaginer :

— Et je suppose que vous êtes à la recherche de la Toison d'or ?

Ophélie s'est crispée instantanément. Elle est intervenue pour limiter les dégâts :

— Ce que mon associée souhaite savoir...

Il l'a interrompue avec douceur et fermeté :

— Merci, j'ai très bien compris la question, je vais y répondre, si vous le voulez bien. Oui, je suis à sa recherche. J'ai garé l'*Argo*[1] sur le parking et j'ai préféré demander aux Argonautes de m'attendre dehors, car j'ai pensé que vous ne pourriez pas accueillir cinquante personnes dans vos bureaux.

À sa réponse a succédé un moment de silence. Puis j'ai commencé à rire, bientôt suivie par Ophélie. Quand le rire est devenu fou rire, Jason a été contaminé et

---

1. L'*Argo* est le navire que Jason et les Argonautes vont utiliser pour aller à la recherche de la Toison d'or.

nous avons été incapables de nous arrêter pendant plusieurs minutes.

Puis Ophélie a applaudi et je l'ai imitée. Jason a accueilli ces félicitations par un discret mouvement de tête. Cette sobriété m'a convaincue que ce jeune homme était celui que je recherchais.

Mais il fallait bien continuer l'entretien et Ophélie est allée nous chercher des Kleenex. Cette fois, les larmes qui avaient coulé de mes yeux n'étaient pas liées à un événement triste, bien au contraire.

Jason est resté avec nous près d'une heure et j'ai pu apprendre qu'il était cinéphile, qu'il lisait beaucoup, mais aussi qu'il était un joueur de Moba[1], en particulier de *League of Legends*. Quand il m'a expliqué en quoi consiste ce jeu qui est pratiqué par cent millions de personnes dans le monde et qui a même une ligue professionnelle, je me suis demandé si nous avions vraiment le même âge et si nous n'étions pas dans des univers parallèles.

Mais c'était un détail, car il avait l'expérience souhaitée (il avait travaillé chez un agent) et sa personnalité était top. Le seul mystère était la raison pour laquelle il avait quitté sa précédente entreprise. Il est resté très elliptique et il a été difficile de savoir s'il était parti de son plein gré ou si on l'avait poussé dehors. Mais Ophélie avait obtenu trois recommandations de gens très fiables et c'était un miracle de trouver quelqu'un d'une telle valeur disponible immédiatement. Il en était d'ailleurs conscient. La discussion financière a été serrée.

---

1. *Multiplayer online battle arena*, jeux de stratégie en ligne.

— Jason, notre proposition est très juste. C'est 5 % de plus que ce que vous gagniez dans votre boîte précédente.

— Mais je gagnais 25 % de moins que ce que je méritais. C'est d'ailleurs une des raisons de mon départ... Coupons la poire en deux : vous m'offrez 5 %, je veux 25. On peut faire 20...

J'ai failli m'étrangler.

— Eh ! vous avez un curieux sens du calcul de la moyenne ! Pour moi, le résultat est 15, pas 20.

— D'accord, j'accepte.

— Vous acceptez quoi ?

— Les 15 que vous venez de m'offrir.

— Mais je n'ai rien fait de tel, j'ai juste rectifié votre calcul qui était faux !

Il était très sérieux, mais il y avait une lueur dans ses yeux qui indiquait qu'il jouait avec moi. Ophélie est intervenue :

— D'accord, Jason, on va faire un effort. 10 maintenant et 15 dans six mois.

— 12 et 17.

— Vous poussez le bouchon. D'accord pour les 12, mais on maintient les 15.

Il n'a réfléchi qu'une fraction de seconde.

— Deal !

Quand il est parti, j'étais soulagée d'avoir obtenu un tel renfort, mais aussi un peu vexée de l'irruption de mon amie dans la négociation.

— Ophélie, tu as été beaucoup trop généreuse !

— Laure, j'ai le sentiment que nous venons, au contraire, de faire l'affaire du siècle. Jason a un gros carnet d'adresses, il va t'aider à conquérir de nouveaux clients. Il va te la ramener, ta Toison d'or ! Tu verras, on en reparlera.

Elle n'avait peut-être pas tort. À l'extérieur, la nuit qui tombait m'a rappelé mon problème avec David. Ma bonne humeur s'est évaporée.

— Ophélie, je n'ai pas envie de rentrer à la maison…

— Je peux comprendre. D'ailleurs, comment ça va se passer quand il sera parti ? Tu gardes l'appart ?

— Je ne sais pas, je n'y ai pas pensé. Peut-être que je prendrai un appart pour moi toute seule. Je ne me sens pas la force de rester dans celui de David en son absence.

— Si c'est trop dur d'être avec lui ces prochains jours, tu peux venir dormir à la maison jusqu'à notre départ.

Sachant que le jeune couple devait être en train de préparer les bagages pour le grand voyage, sa proposition m'a beaucoup touchée.

— Ophélie, si tu penses que je ne vais pas vous gêner, j'accepte volontiers.

— Tu plaisantes ? Tu vas m'aider à faire les valises.

Soudain, son sourire s'est effacé.

— Laure, tu as conscience que David va très mal le prendre ? L'abandonner quelques jours avant qu'il ne parte à l'étranger pour six mois ne va pas arranger les affaires entre vous…

Mes certitudes sur cette décision ont vacillé, mais j'ai décidé de la maintenir.

— Qu'on se quitte un peu plus tôt ou un peu plus tard… ça ne fera pas de différence pour lui et ce sera moins difficile pour moi.

À la fin de la journée, je suis rentrée prendre des affaires à Santa Monica. David était là, un fait inhabituel, preuve de l'importance de la crise que nous traversions.

Ophélie avait prédit qu'il ne goûterait que très peu mon envie d'aller dormir chez elle. C'était un euphémisme, il a rugi. Dix fois pire qu'un lion blessé...

— Laure, pourquoi tu nous fais ça ?

— Parce que c'est moi la responsable ? Jusqu'à preuve du contraire, c'est toi qui pars à Paris en galante compagnie.

— Laure, c'est du travail ! C'est une collègue !

— Juste une collègue ?

— Tu as raison, c'est une amie.

— Une amie... une *sex friend*, quoi !

Il a hurlé :

— Non, Laure, juste une amie !

— C'est quand même une ex, et quand vous serez seuls à Paris...

— Quand on sera seuls à Paris, on restera des amis.

J'étais fatiguée, je ne voulais plus continuer cette discussion stérile. J'ai utilisé ce mot américain qui fonctionne si bien pour ce genre de situation :

— *Whatever*...

La traduction littérale, c'est « peu importe », mais c'est plus fort, on indique vraiment à son interlocuteur qu'on n'en a plus rien à foutre.

— Laure, si tu pars maintenant, tu affaiblis notre couple. Tu crées les conditions d'une vraie rupture.

— David, je ne supporterai pas de te voir partir à Paris avec elle. Tu as vu le résultat hier au lit : un énorme flop !

— Mais, Laure, ça arrive à tous les couples ! Ce n'est pas grave.

— Si, c'est grave... ça ne nous était jamais arrivé. Pire, c'est quelque chose de nouveau dans ma vie. Je vais avoir trente ans et c'est trop tôt pour être frigide.

David avait pris un coup au moral. Il avait l'air accablé.

— Tu n'es pas frigide et tu ne le seras jamais. Je te connais assez pour te le garantir. Alors, ça signifie quoi pour nous ? Tu ne veux pas que l'on se sépare, tout de même ?

C'était une bonne question. En avais-je envie ? La réponse était évidente et elle ne pouvait pas être positive. Le problème était de savoir ce que cela voulait dire en pratique. J'ai tenté de rationaliser :

— David, l'amour entre Paris et Los Angeles, nous avons déjà essayé et ça n'a pas marché...

Il a émis une sorte de gémissement.

— Mais nous n'étions pas encore en couple. Nous avions eu seulement une semaine à Deauville ensemble avant que le Pacifique ne nous sépare...

Ça a été à mon tour de l'interrompre :

— C'est pour cela que cette séparation sera beaucoup plus difficile, parce que nous avons une histoire commune.

Évoquer notre parcours m'a fait monter les larmes aux yeux. Encore des pleurs ! Ce n'était pas possible, je devenais plus émotive que mon amie Ophélie à l'époque où elle était d'une sensibilité confondante ! J'ai respiré un grand coup et j'ai repris le contrôle.

— David, faisons une pause. Une nouvelle pause. Comme ça, tu seras libre de faire ce que tu veux avec Sarah et, quoi qu'il arrive, je ne serai pas cocue...

— Mais je t'ai dit que je ne voulais pas de Sarah !

— Alors, tu pourras coucher avec Ethel ou Catherine, avec des goys, des Ashkénazes ou des Séfarades.

137

— Et toi avec des jeunes acteurs canadiens...

— Ce n'est pas le plan, mais sur le fond tu as raison : je pourrais avoir des liaisons avec des jeunes acteurs ou de vieux producteurs ou moguls[1] de studio sans que cela constitue une infidélité.

Il a eu un ton amer :

— Tu prépares bien le terrain...

— Encore une fois, ce n'est pas moi qui pars. On verra où on en sera dans six mois. Peut-être que l'on s'apercevra que l'on ne peut pas vivre l'un sans l'autre.

Ma dernière phrase était porteuse d'optimisme, mais ma voix rauque contredisait le propos. Il ne s'y est pas trompé.

— Laure, j'espère que tu as raison. Qu'est-ce que six mois dans une vie ?

Il a pris son blouson.

— Je vais sortir parce que je préfère ne pas être là quand tu partiras.

— Et tes clés ?

— Tu en auras besoin quand je ne serai plus là. Comment feras-tu pour rentrer à la maison ?

En prononçant ces paroles, il a compris en voyant mon regard que je ne reviendrais pas. Quand il a dit *home* pour parler de notre foyer, j'ai eu un coup au cœur. C'était aussi triste que quand E.T. montre une étoile et qu'il prononce le mot. J'ai vécu si heureuse dans ce petit appartement. Il a pris sur lui pour affermir sa voix.

— Je suppose que ça ne servirait à rien de te proposer de rester...

---

1. Personnages de grande importance dans le monde de l'industrie et du business.

138

— David, être seule ici, ça n'a pas de sens. De plus, tu pourras louer ton appart, ça te fera un revenu supplémentaire.

— Comme si j'étais un homme d'argent...

— Je sais.

— Tu n'as qu'à garder les clés jusqu'à ce que tu sois venue chercher toutes tes affaires.

— Et Princesse Leia ?

Il a ri tristement.

— Après avoir décidé de se séparer, mari et femme décident du sort des enfants. Dans notre cas, il s'agit de Princesse Leia. Je n'avais pas envisagé ce problème. Tu peux la garder ?

Un rayon de soleil dans toute cette obscurité...

— Merci, David, ça me paraît plus raisonnable.

— Tu me la laisses ces prochains jours ?

— Oui, je la prendrai quand je viendrai faire le déménagement. Ne t'inquiète pas, je ne prendrai que mes affaires.

— Je ne m'inquiète pas. Enfin, pas à ce sujet...

La conversation était terminée. Une fois à la porte, il s'est retourné et j'ai cru qu'il allait me dire quelque chose, mais il s'est abstenu et, une seconde plus tard, il était sorti de ma vie.

Sur le chemin vers la maison de Charlie, j'ai fait les comptes : j'avais perdu David et j'avais récupéré Jason. Je n'avais pas l'impression que la balance était équilibrée. Je me voyais largement perdante dans ce deal.

Ophélie a raison : Jason a intérêt à me rapporter la Toison d'or !

Chapitre 8

Un long dimanche de fiançailles

Être chez Ophélie et Charlie, c'était retrouver une famille. Quand on a un chagrin d'amour, être bien entouré est primordial, mais cela ne fait qu'atténuer la douleur, ça ne la supprime pas.

J'avais peur de gêner, mais ils m'ont mise à l'aise. Ophélie, quand nous étions seules, essayait de me rassurer et Charlie me faisait rire pour que j'oublie mes tourments.

Quand il est rentré le vendredi soir, Charlie nous a réunis dans son salon. Je m'attendais à ce qu'il me demande de leur laisser leurs deux derniers jours en tête à tête. Ça me paraissait normal de passer quelques nuits à l'hôtel. Ensuite, il me faudrait trouver un nouvel appartement. Autant en rechercher un avec Ophélie six mois plus tôt avait été un plaisir, autant la perspective de recommencer toute seule était une sinécure. J'ai un moment imaginé qu'elle allait me proposer de m'aider pour mes recherches, mais c'était impossible. Elle réglait déjà ses derniers problèmes au bureau et, le soir, elle préparait son départ.

Charlie avait un air grave.

— Mesdemoiselles, j'ai deux sujets d'importance à aborder avec vous. Le premier est que j'ai décidé de faire une fête de départ dimanche. Nous allons faire une *beach party*.

Ophélie a hurlé comme une groupie qui rencontre une rock star. Je me suis contentée de sourire.

— Où ça ?

— À Santa Monica, au Shutters on the Beach.

Nous étions tout de suite moins enthousiastes. Ophélie a protesté :

— Charlie, tu sais que je ne suis pas fan de cet hôtel.

Il l'a regardée avec gentillesse.

— Ophélie, je sais que cet hôtel est associé à un souvenir pénible pour une de tes amies[1], mais tu n'es pas directement concernée et tu ne peux pas le rayer de ta liste de lieux à découvrir. Fais-moi confiance. Après cette soirée, tu ne regarderas plus jamais cet hôtel de la même façon.

— D'accord, Charlie, par amour pour toi.

Elle avait fait une moue délicieuse, hypercraquante, et Charlie n'y a pas résisté. Il n'a pu s'empêcher de venir lui faire un gros smack.

Berk ! Je crois que je vais devenir nonne, je ne supporte même plus de voir deux personnes s'embrasser. Il faut dire que le choix de Santa Monica pour organiser cette soirée est malheureux : le matin, j'irai déménager de chez David et je retournerai presque au même endroit pour y faire la fête quelques heures plus tard !

---

1. Dans *Movie Star, Saison 3 – Hollywood*, Michael Brown a convaincu, dans cet hôtel, une de ses jeunes fans d'avorter, ce qui l'a conduite à faire une tentative de suicide qu'Ophélie a réussi à empêcher.

Perdue dans mes pensées, j'ai été surprise quand Charlie s'est adressé à moi. Il avait l'air gêné.

— Laure, mon second point te concerne. Il s'agit de ton séjour dans cette maison...

Ça y est, ce que j'avais prévu allait se produire. Il allait me demander de partir pour pouvoir terminer ses préparatifs. Il a repris :

— J'aurais besoin que tu me rendes un service.

Un service ? C'était surprenant, mais je me voyais mal refuser après son accueil si généreux.

— Bien sûr, Charlie. Tout ce que tu veux.

Il a souri.

— Tu ne devrais pas t'engager avant de savoir de quoi il retourne ! Plus sérieusement, j'ai un problème. Comme tu le sais, je suis propriétaire de cette maison et j'y tiens beaucoup. Je ne veux pas la louer, et la laisser vide n'est pas possible. Elle risque de s'abîmer et l'assurance ne marchera pas s'il survient un problème. Je voudrais savoir si tu accepterais d'y emménager pendant notre absence pour t'en occuper.

J'ai cru que je n'avais pas bien entendu et je suis restée muette. Charlie a continué son argumentaire :

— Ce ne sera pas trop difficile. Le jardinier et le préposé à la piscine continueront à venir à mes frais, ainsi que la femme de ménage. Tu n'auras pas non plus à t'occuper de l'électricité ou du téléphone. Alors, qu'en penses-tu ?

Moi si volubile, j'étais *speechless*. J'ai commencé à avoir les yeux humides. Je me suis tournée vers Ophélie, qui avait un sourire éclatant.

— Eh ! Laure, grosse nouille, tu ne vas pas te mettre à pleurer ? On dirait moi il y a deux ans.

— Je ne sais pas quoi dire. C'est trop gentil.

— Alors, dis oui.

J'ai inspiré un grand coup.

— J'accepte. Merci de tout mon cœur !

Et je me suis jetée dans les bras de Charlie, que j'ai failli faire trébucher malgré ses deux mètres et ses cent kilos. C'était un long *hug* qui l'a surpris.

J'ai entendu la voix railleuse de mon amie.

— Laure, n'en profite pas pour te frotter contre le torse musclé de mon mec !

Le soir, couchée dans mon lit dans la chambre d'amis, j'ai repris espoir dans l'avenir et dans l'homme.

Charlie, quel personnage exquis ! Cette délicatesse ! Il vous prête sa maison, il paye tout (après dix minutes de lutte, j'avais juste réussi à obtenir de régler la femme de ménage) et il arrive à vous présenter la chose comme si c'était un service que vous lui rendiez. Ophélie a une telle chance d'avoir rencontré cette perle ! Moi qui croyais que David était son équivalent... En moins beau, bien sûr, mais d'une intelligence, d'une gentillesse et d'une loyauté égales. Je m'étais peut-être trompée, mais, ce soir-là, j'ai décidé d'être optimiste et je me suis dit que cette maison, avec sa piscine et sa vue plongeante sur Los Angeles, me permettrait de l'attendre pendant ces six mois ou, autre possibilité, de construire une nouvelle vie sans lui.

Deux jours plus tard, quand je suis arrivée avec la camionnette que j'avais louée pour débarrasser mes affaires, la situation était moins rose. David n'était pas là. Il avait laissé sur la table de la cuisine une bouteille de jus de pamplemousse bio, boisson que j'affectionne particulièrement. Cette attention m'a serré le cœur. Les gens ne devraient pas être gentils avec ceux dont ils se séparent : ça ne fait que rendre les choses plus pénibles.

J'ai passé trois heures à faire des cartons. Heureusement, tout le mobilier était à David. À part quelques objets de décoration, mes biens se résumaient à ma garde-robe. Au moment où je finissais d'emballer les dernières affaires, David est arrivé. Je ne l'avais pas entendu et j'ai sursauté quand il s'est adressé à moi.

— Bonjour, Laure.

Quand je me suis retournée, j'ai eu l'impression que ce n'était pas le même homme. Il avait une tête ravagée. Ça m'a fait un choc.

— Bonjour, David, j'ai terminé.

Il a regardé le dressing aux trois quarts vide.

— Je vois ça.

— Je vais y aller.

— OK, j'ai préparé la cage pour Princesse Leia ainsi que de la nourriture et des granulés pour la litière. Tu sais où tu vas habiter ?

— Oui, Charlie me laisse sa maison.

Il a eu un air pensif.

— Je suis content, tu y seras bien. J'étais inquiet de te savoir sans domicile.

Je savais qu'il était sincère. Il a toujours été très protecteur avec moi.

Quelques minutes plus tard, c'était le moment de faire les adieux. J'avais imaginé que ce serait difficile, mais c'était encore pire… David a essayé d'être fort et optimiste, un vrai speech d'Américain. On aurait dit Humphrey Bogart à la fin de *Casablanca*, sauf que son discours dans le film cherche à convaincre Ingrid

Bergman de monter dans l'avion avec son mari et d'oublier leur amour au nom de l'intérêt commun. Dans notre cas, c'est bien David qui partait avec une ex…

— Laure, je comprends que tu ne veuilles pas m'accompagner pour l'instant. Tu avais raison, tu n'as pas à te sacrifier pour moi. Mais ce ne sera pas long, il ne s'agit que de six mois. On se verra, je te le promets, je ne veux pas te perdre.

Quand il a dit ces mots, j'ai vu des larmes dans ses yeux ; c'était la première fois depuis que j'avais fait sa connaissance. Il m'a prise dans ses bras et j'ai compris qu'il pleurait au ton de sa voix.

— Comme c'est moi qui pars, tu dois avoir du mal à imaginer l'amour que j'ai pour toi. Mais je t'aime, Laure, je t'aime ! Et ne crois pas que Sarah ait la moindre chance avec moi.

Son émotion était palpable, et cela excuse peut-être ou du moins explique son indélicatesse. Si sa déclaration d'amour était touchante, la mention de ma « rivale » était très maladroite. Et ça voulait dire quoi d'affirmer qu'elle n'avait aucune chance avec lui ? Qu'elle l'avait vraiment attiré dans ce but ? Je ne sais pas, mais ça m'a refroidie.

— Vous faites ce que vous voulez, vous êtes adultes. Je te l'ai dit, c'est une pause ; pas de promesses, pas d'engagement.

Mes propos auraient pu déclencher une nouvelle dispute, mais il était trop abattu. De mon côté, mon énergie provenait de ma colère. À tel point que je l'ai embrassé sur les joues et que je ne me suis pas retournée en allant à la voiture.

Moins d'un mile plus loin, j'ai été obligée de m'arrêter sur le bord de la route, car les sanglots risquaient

146

de provoquer un accident. Il m'a bien fallu une dizaine de minutes pour me calmer.

Arrivée chez Charlie, et en l'absence de mes amis, dans cette maison qui allait devenir mon foyer, j'ai profité de la piscine pour me remettre de mes émotions. Ophélie me l'a toujours dit, le sport est bénéfique dans ces moments-là. Dommage que je ne me sois pas contentée de ça comme cure...

— C'est un hôtel magnifique, Ophélie. Je n'ose pas imaginer le luxe des chambres. C'est ici que Michael voulait t'emmener ? Tu aurais dû accepter...

Mon amie a poussé un soupir d'exaspération.

— Laure, je te rappelle qu'il voulait juste me baiser...

— Oui, mais le plus bel homme du monde dans un tel cadre... Pour moi, c'est l'orgasme assuré.

— Et je te rappelle que je suis sortie avec Charlie ce soir-là. Je ne me plains pas de mon choix.

— OK, tu as raison, je retire ce que j'ai dit. Il n'empêche que cet hôtel est grandiose.

Un quart d'heure plus tôt, j'étais tombée sous le charme de cette grande bâtisse en bois gris et blanc de style colonial et mon vague à l'âme s'était dissipé. Je m'étais égarée quelques minutes avant de me faire indiquer le lieu de la soirée à la réception. C'était un espace près de la piscine, directement sur la plage. La vue sur l'océan Pacifique était sublimée par le soleil couchant. Il n'était pourtant que 16 heures ! C'est ce que j'aime avec les Américains : ils sont capables de commencer une soirée en plein milieu de l'après-midi. Remarquez, dans ce cas précis, c'était une décision judicieuse afin de profiter du cliché du disque rouge qui plonge dans la mer à l'horizon.

Ophélie a attiré mon attention sur l'arrivée d'un invité.

— Tiens, quand on parle du loup...

Je me suis retournée et j'ai vu Michael en train de discuter avec deux personnes. Cet homme est capable d'être une beauté incroyable en portant jean, chemise blanche et mocassins noirs. Ah! j'oubliais, il avait les lunettes de soleil pour renforcer le côté star. Dommage, on perdait le plaisir de ses yeux bleus. Ophélie avait l'air de lire dans mes pensées.

— On va le saluer. Tu veux tenter ta chance? Tu veux ton orgasme assuré?

— Tu plaisantes! Tu oublies David?

— Je croyais que vous étiez en pause? Tu peux faire ce que tu veux.

— Ophélie, tu n'as aucune morale! David habite à quelques centaines de mètres et nous nous sommes quittés il y a moins de quatre heures!

— Du calme, Laure, je te testais! De toute façon, tu n'as aucune chance...

J'ai compris que c'était une plaisanterie, et en même temps c'était provocateur et insultant.

— C'est dégueulasse. Pourquoi dis-tu ça?

— Parce que, d'après Charlie, Michael est devenu sérieux depuis qu'il est avec son avocate. Ne le prends pas perso. Je pense que, si Michael avait une aventure avec toi, ce serait pour lui un souvenir inoubliable malgré ses innombrables conquêtes.

Honnêtement, je crois qu'elle essaie de se rattraper, mais c'est quand même gentil, alors je lui pardonne. De plus, je crois qu'elle a raison...

— Merci, ta remarque me semble frappée au coin du bon sens.

Elle m'a souri.

— « Me semble frappée au coin du bon sens. » Eh ! tu parles comme ma grand-mère maintenant !

Typique d'Ophélie, elle souffle le chaud et le froid. Elle me vanne puis me complimente pour se rattraper avant de me balancer une autre pique. Hors de question de se laisser faire.

— Je n'y peux rien si mon verbe châtié dépasse ton niveau de langue habituel...

Elle a explosé de rire et m'a prise dans ses bras.

— Je te charrie, ma belle. C'était pour éviter que tu te morfondes.

Curieuse manière de réconforter une amie, mais je suppose que chacun a sa méthode. Elle a changé de sujet.

— On va lui dire bonjour ?

J'ai eu une réticence, l'espace d'un instant.

— Je ne sais pas... Il est peut-être en train de discuter boulot.

— À Los Angeles, tout échange est en partie professionnel. Si on s'arrête à cela, on ne rencontre jamais personne. Et puis tu connais l'homme à la droite de Michael, tu l'as rencontré à l'avant-première, l'autre jour.

En le regardant plus attentivement, je l'ai reconnu.

— Ah oui ! C'est Sean. Et la femme ?

— Aucune idée. Allons-y.

L'accueil de Michael a été chaleureux, comme si l'interruption ne le gênait pas. Il nous a embrassées toutes les deux. Il nous a présentées à ses interlocuteurs.

— Ophélie, Laure, je vous présente Kathryn et Sean.

L'Écossais l'a presque interrompu.

— J'ai l'honneur de connaître ta belle-sœur depuis quelque temps et j'ai eu le délicieux plaisir d'être présenté à Laure par Charlie à la party pour ton film.

Et, comme la première fois, nous avons eu droit au baisemain. Mon esprit ne s'est pas attardé à se demander si cette attitude « Grand Siècle » n'était qu'une posture ou s'il s'agissait de sa vraie personnalité. J'étais, en effet, focalisée sur la femme élégante en face de lui. Blonde, les cheveux ultracourts, elle me faisait penser un peu à Glenn Close dans *Le diable s'habille en Prada* ou à Robin Wright dans la série *House of Cards*. Elle avait cette même élégance, ce côté racé avec une touche masculine. L'effet était renforcé par sa tenue, un tailleur-pantalon bleu pétrole. Mais, ce qui frappait, c'était son regard perçant malgré un soupçon de strabisme.

Quand elle m'a tendu la main avec un sourire de façade, j'ai eu l'impression que ses yeux étaient deux lasers qui révélaient l'intérieur de ma personne aussi facilement que les portiques d'aéroport détectent les objets métalliques.

Mais, bien sûr, ce qui avait attiré mon attention n'était pas son apparence physique ni même ce qu'elle révélait sur sa personnalité. Un seul mot sorti de la bouche de Michael avait capté mon attention : « Kathryn ». Se pouvait-il que je sois vraiment en face de celle qui avait vampé mon pauvre Alexandre, la cougar qui se tapait des petits jeunes ?

J'ai pu l'observer à loisir quand elle s'est adressée à mon amie. Autant je n'avais retenu son attention qu'une petite seconde, autant elle semblait s'intéresser à elle.

— Alors, c'est vous la fameuse Ophélie... Je vous avais aperçue à la télévision, mais on ne pouvait pas se rendre compte. Vous êtes très belle, je comprends que Michael ait eu des ennuis à cause de vous[1]...

Ophélie n'a pas répondu. Elle a pris pour habitude de ne rien dire quand on évoque sa liaison avec l'acteur. C'est plus simple ainsi. Michael a clos le sujet :

— Kathryn, c'est de l'histoire ancienne. Nous sommes amis maintenant.

Elle a eu une moue dubitative.

— On me l'avait dit, mais je n'arrivais pas à le croire. En ce qui me concerne, il n'y a pas d'amitié après. Je les prends, je les consomme et je les jette.

Ça pouvait passer pour de l'humour, mais j'ai senti que ce n'en était pas.

Il y a eu un instant de froid. Michael a brisé le silence :

— Ça ne me semble pas très écologique !

— Détrompe-toi ! Il m'arrive de les passer à des amies !

Là, on sombrait dans le glauque. Cette fois, personne n'a rien dit. Elle a tenté de dissiper le malaise :

— Mais ils ne sont pas à plaindre. Grâce à moi, ils ont non seulement le gîte et le couvert, mais ils se font plein de contacts. Je pourrais presque lancer une activité d'agent.

C'est Sean qui a jeté le pavé dans la mare qui m'a fait tressaillir.

— Et ton petit Canadien, celui qui ressemblait à James Dean, il est où ?

— Qu'est-ce que j'en sais ? Il peut être à Yellowknife[2], pour autant que cela m'importe.

---

1. Voir *Movie Star, Saison 3 – Hollywood*.
2. Ville à l'extrême nord du Canada où les températures descendent à – 40 °C.

— C'est dommage, il avait une gueule, il pouvait faire carrière dans le cinéma.

— Eh bien, je peux te dire que cela ne risque pas d'arriver...

Quand elle a prononcé ces paroles, je me suis dit que j'allais me la faire. Et peut-être même pas verbalement. Malgré la différence de taille et de gabarit, j'étais prête à lui sauter à la gorge.

Mais Ophélie, qui me connaît bien, a posé sa main sur mon bras.

— Quelle rancune ! Vous avez dû beaucoup souffrir pour lui en vouloir ainsi. Qu'a-t-il fait pour mériter un tel courroux ? Des remarques désobligeantes sur vos fesses ou sur vos seins qu'il ne trouvait pas assez fermes ? C'est de sa faute, il pouvait imaginer ce qu'il allait trouver... Une belle femme de cinquante ans aura toujours un corps vingt ans plus vieux qu'une de trente ans...

Mon amie, ma sœur, mon double ! J'ai adoré cette réponse. Kathryn l'a moins appréciée. Elle a fusillé Ophélie du regard. La méchanceté qui émanait d'elle était presque palpable. Honnêtement, c'était terrifiant. Mais Ophélie n'a pas détourné les yeux. Elle a gardé un petit sourire tranquille.

On était pourtant au bord de l'incident diplomatique. C'était un remake de la crise des missiles de Cuba en 1962. La bombe atomique pouvait être lancée d'une minute à l'autre.

C'est Sean qui avait allumé la première flamme, c'est lui qui s'est chargé d'éteindre l'incendie.

— Ça vaut malheureusement pour les hommes aussi ! Je ne parle pas pour Michael, dont la jeunesse est éternelle, mais, pour ma part, je regrette mon corps d'adonis.

Michael est entré dans son jeu pour éviter le *catfight*[1].

— Tu n'es pas mal non plus pour un vieux beau… C'est en tout cas l'impression que ça donne quand on te voit avec toutes ces jeunes beautés à ton bras. Elles ont quel âge ? Vingt-cinq, vingt-sept ?

— Tu plaisantes, jamais plus de vingt-deux ! Et je crois qu'elles recherchent plus mon portefeuille et mes relations que mon corps d'apollon.

Cet échange m'avait calmée, je suis entrée dans la conversation :

— Ça ne vous gêne pas qu'elles vous choisissent pour ces raisons très matérialistes ?

Il m'a regardée avec un petit sourire.

— Je préfère avoir une jolie fille pour de mauvaises raisons que l'inverse… Bien sûr, il est parfois frustrant que la musique se résume à Taylor Swift et le cinéma à *Twilight*. Parfois, je rêve de rencontres plus ambitieuses avec des jeunes femmes plus matures, plus proches de la trentaine, qui allient le charme à l'intelligence, la culture à la sensualité…

En disant cela, il m'a adressé un regard qui a réussi à me faire rougir. Pourtant, Dieu sait que c'est une chose rarissime !

Michael s'est moqué de lui.

— En résumé, tu veux vivre ce que j'ai eu la chance de connaître avec Ophélie.

Il a paru songeur puis a répondu, sans se départir de son air amusé :

---

1. « Crêpage de chignon ».

— Pas certain que j'en aie les moyens...

Tous ces compliments un peu lourds, ça commençait à devenir gênant pour Ophélie et pour moi. Je songeais à trouver un prétexte pour battre en retraite, mais le départ de la Cruella de service m'a arrêtée. Nous nous sommes saluées froidement et elle est partie, accompagnée par Sean. Michael est allé saluer un arrivant, Ophélie a rejoint Charlie pour accueillir les invités et je me suis retrouvée seule, comme une conne.

Je me suis aperçue que la rencontre avec la femme qui avait maltraité Alexandre m'avait secouée. Je me suis rappelé ses propos quand il avait dit que j'étais pire qu'elle, plus hypocrite. J'ai essayé de me raisonner : ses paroles avaient été prononcées sous le coup de la colère, il avait exagéré. Mais ma conscience me tourmentait. Ma mythomanie l'avait poussé à abandonner toute idée de carrière dans le show-business alors qu'il en avait le potentiel : même Sean l'avait remarqué. Je n'étais peut-être pas la seule responsable de sa décision, mais j'en étais, en tout cas, l'élément déclencheur.

Cette culpabilité additionnée à la séparation avec David, c'était trop pour moi. Enfin, trop pour moi à jeun ! Je me suis précipitée vers le bar. Cette fois, le barman n'était pas un séduisant jeune Canadien, mais un vieux Noir maussade. Il m'a servi une coupe de champagne sans me décocher un sourire ni même un regard. Bon, je ne peux pas lui en vouloir, il devait avoir largement l'âge auquel un Français profite d'une retraite méritée : bienvenue dans l'économie libérale des États-Unis !

Après le deuxième verre, je me sentais mieux et la solitude n'était plus aussi pesante. C'est le moment qu'a choisi Charlie pour prendre la parole. Ophélie était à son côté et lui tenait la main.

— Chers amis, merci d'être venus pour cette soirée de départ. Mais ce n'est pas une soirée d'adieux et je ne crois pas que j'aurais sélectionné ce merveilleux endroit juste pour vous dire au revoir. Je vous ai réunis pour quelque chose de beaucoup plus important. Il faut que je partage avec vous l'expérience la plus forte de ma vie. Il y a moins d'un an, j'ai commencé à sortir avec cette magnifique jeune femme. Je suis tombé fou amoureux dans l'instant et j'ai compris que c'était la femme de ma vie. J'ai néanmoins failli la perdre à cause de mauvais choix…

L'émotion s'est invitée dans son discours, sa voix est devenue hésitante. Ophélie lui a serré le bras avec ses deux mains.

— Je suis toujours là, Charlie. Tu ne vas pas te débarrasser de moi comme ça. Tu vas peut-être même le regretter très vite. Pas de liaison possible avec les actrices de tes films…

Quand elle a dit ça, elle m'a lancé un regard ironique : c'était sa réponse à mon manque de diplomatie quelques jours plus tôt. Elle a continué :

— Tu verras, je suis du genre collant. Tu te rappelles Glenn Close dans *Liaison fatale* ? Je suis pire, mais je te promets de ne pas faire cuire ton lapin !

Son intervention a provoqué quelques petits rires dans l'assistance. Ça a permis à Charlie de reprendre sa contenance.

— Je ne vais pas faire la même erreur que Michael Douglas car, dans le film, Glenn Close est sa maîtresse, pas sa femme…

155

Je me suis demandé ce qu'il voulait dire. Je n'ai pas eu longtemps à attendre ; Charlie a mis un genou à terre et a sorti, comme par magie, un écrin de sa poche.

— Ophélie, parce que j'ai compris que la vie sans toi était sans saveur, que je veux de nombreux enfants de toi ; parce que tu allies la beauté, l'intelligence, l'humour et la culture comme nulle autre ; et surtout parce que je t'aime comme je n'ai jamais aimé, veux-tu être ma femme ?

En prononçant ces derniers mots, il a ouvert l'écrin. Même à distance, j'ai vu que le caillou était d'une taille imposante. La vache, il ne s'était pas foutu d'elle !

Ophélie n'a pas répondu. Elle s'est baissée et a passé les bras autour de son cou pour lui faire un long baiser. Il s'est relevé et, à cause de la différence de taille, elle s'est trouvée suspendue à son cou. Il l'a fait tourner en la tenant en l'air dans ses bras.

Quand il l'a reposée par terre, elle a donné sa réponse :

— Avec une telle bague, je ne vois pas comment je peux refuser.

Ça paraissait froid par rapport à la déclaration de son fiancé, mais, moi qui la connais bien, je savais que c'était un moyen de dissimuler son trouble et son émotion.

Elle a pris l'écrin comme si elle le volait, ce qui a provoqué d'autres rires. Si ses propos et ce geste n'étaient que du spectacle destiné aux invités, le baiser qui a suivi était sa vraie acceptation.

Avec le soleil qui se couchait à l'horizon dans le Pacifique, ces deux personnes si bien assorties, si belles aussi bien par leurs physiques que par leurs personnalités m'ont fait croire que j'étais en train de voir la scène finale d'un film hollywoodien. Je m'attendais à voir « *The End* » apparaître sur l'écran.

Entre parenthèses, c'est quand même le grand avantage de Los Angeles sur New York. Si on fait la même cérémonie dans la Big Apple en novembre, il faut sortir les doudounes et les Moon Boot ! Et puis si vous déplacez la cérémonie au printemps ou en été pour bénéficier de températures plus clémentes, vous pouvez toujours rêver si vous voulez le soleil qui se couche dans l'océan en arrière-plan. L'Atlantique est à l'est de New York, le soleil ne s'y couche jamais !

Quelques instants plus tard, la foule s'est dirigée vers les fiancés pour les féliciter. J'ai décidé de laisser passer le flot. En attendant, je suis allée prendre une nouvelle coupe, puis une autre et une dernière pour la route. Je me suis dit que j'étais en train de devenir une vraie alcoolique. C'est embêtant, mais que voulez-vous ? Une journée chargée d'autant d'émotions, il faut bien faire quelque chose…

L'alcool devait anesthésier mes nerfs mis à vif par tous ces événements, mais ça n'a pas été concluant. Quand je suis arrivée devant les amoureux, je n'ai réussi à prononcer que quatre mots :

— Ophélie, Charlie, c'est magnifique !

Et là, la mousson ! Une pluie de larmes comme seuls les pays tropicaux peuvent en produire. Incapable de prononcer un mot de plus ou de stopper les flots. Ophélie m'a prise dans ses bras.

— Alors, ma grande, qu'est-ce qui t'arrive ? Je t'ai plus vue pleurer en quelques jours que ces deux dernières années !

Elle avait raison, mais ce n'est pas son constat qui a changé quoi que ce soit à la situation : le débit était constant et risquait de créer un ruisseau au pied du jeune couple. C'est l'arrivée de Michael qui a sauvé la situation et m'a fait échapper au ridicule absolu. Il est venu embrasser son frère.

— Félicitations, Charlie, tu la mérites !

— Merci, *brother*.

Cet échange m'a frappée, comme s'il avait quelque chose d'incongru. Ça a stoppé net mes larmes.

— Michael, vous venez d'appeler votre frère « Charlie ». Vous nous aviez dit que vous teniez à ne l'appeler que « Charles ».

— Laure, vous avez tout à fait raison. Mais nous avions fait un pacte : le jour où il me présenterait sa future épouse, je l'appellerais « Charlie ». J'exécute ma promesse ce soir. Demain, ce sera à nouveau « Charles ».

Le petit frère est intervenu :

— Eh ! Michael, tu changes les termes de notre contrat. Le changement de nom est définitif !

— Ce n'est pas comme ça que je l'entendais. Ce qui, je le souhaite pour vous, est définitif, c'est votre engagement l'un pour l'autre.

— Ça, tu peux y compter.

Charlie a prononcé ces mots avec une telle certitude et un tel amour que j'ai cru un instant que les larmes allaient surgir à nouveau.

— Maintenant, mon frère, si Laure veut bien se détacher de son amie, je vais féliciter ta fiancée.

J'ai eu un moment d'embarras quand je me suis aperçue que j'avais squatté les bras d'Ophélie pendant plusieurs minutes. Je me suis vite reculée de deux pas.

Quand Michael a pris Ophélie dans ses bras, ce n'était pas un *hug* traditionnel à l'américaine. Il l'a embrassée sur les deux joues, et ces baisers n'étaient pas ceux d'un ami ni d'un ancien amant : c'était tout ça à la fois et c'était surtout l'expression d'une relation unique.

— Ophélie, je suis vraiment heureux pour toi. Tu as choisi un homme remarquable. Égoïstement, et même si je ne peux m'attribuer la paternité de votre amour, je suis content de penser que mes actions n'ont pas entraîné que des choses négatives.

C'étaient des paroles assez lourdes, une sorte d'acte de contrition que l'on n'attendait pas forcément de ce grand acteur.

Ophélie a hoché la tête sans rien dire, mais ce petit mouvement valait un long discours. De toute façon, ces deux-là ont toujours été à part, au-dessus du lot. Enfin, c'est mon avis.

D'autres personnes sont arrivées derrière nous, et Michael et moi leur avons laissé la place. C'est là que j'ai commencé à déraper.

Michael était à côté de moi. Il était vraiment beau dans la pénombre, éclairé seulement par les flambeaux. Et puis il avait été assez touchant avec Ophélie. Poussée par l'alcool et par la volonté de prouver à mon amie qu'elle avait tort, que j'avais l'étoffe (comme disent les Américains), que je pouvais moi aussi lui offrir un orgasme inoubliable (et réciproquement, bien sûr !)… j'ai pris une veste.

Il m'a enrobé la chose avec de multiples excuses et compliments, mais il n'en reste pas moins que c'est ce que l'on appelle communément un « vent ». Vous imaginez que ça n'a pas fait de bien à mon moral déjà chancelant.

Comme ce n'était pas mon soir, le bar s'est retrouvé à court de champagne, ce qui m'a forcée à passer au gin-tonic. Au deuxième verre, il me fallait toute ma concentration pour ne pas montrer mon état d'ébriété. Et je crois même que je ne réussissais pas à donner le change...

C'est l'impression que j'ai eue quand Ophélie et Charlie m'ont annoncé qu'ils partaient. Mon amie avait l'air de se faire du mauvais sang pour moi.

— Ça va ? Tu veux rentrer avec nous ?

— Non, non, ça va. T'inquiète...

Son expression montrait clairement qu'elle n'était pas convaincue.

— Tu ne vas pas prendre ta voiture ?

— Je reste un peu et je vais récupérer. Il n'y aura pas de problème.

— Laure, tu ne peux pas conduire. Tu risques soit d'avoir un grave accident, soit de finir ta nuit en prison.

Ce n'est pas vrai ! Pourquoi elle me casse les pieds, celle-là ?

— Ophélie, je vais très, très bien.

En disant cela, je sentais que j'exagérais un peu, car ma diction était un peu difficile.

— Passe-moi tes clés. Je m'occupe de ramener ta voiture.

— Et moi, je rentre comment ?

— Tu prendras un taxi. Tu as de l'argent ?

— Oui, maman.

— Bon, essaie de passer au Coca. Et sans whisky !

En y repensant, je devais être sérieusement imbibée. Je crois même me rappeler que je leur ai fait le salut militaire quand ils sont partis. À ce moment-là, je suis allée faire un nouveau tour au bar. J'y ai retrouvé Sean.

— Ah ! Laure. Vous arrivez trop tard, ils ne servent plus.

— Merde !

— Vous voulez qu'on trouve un autre endroit pour ne pas finir cette soirée à sec ?

— Si cet endroit n'est pas votre chambre…

Cette remarque a montré que même un fort taux d'alcoolémie ne me prive pas totalement de bon sens. Il a rigolé.

— Non, j'ai bien compris que je suis trop vieux pour vous !

— Et moi, trop jeune…

— *Touché*[1]. Non, c'est une proposition d'Écossais honnête, partager un ou deux verres en échangeant quelques blagues et autres propos courtois.

— Dans ce cas, ça me va.

Nous sommes partis. J'aurais pu être malade dans sa belle Jaguar, ce qui aurait pu m'aider à dessoûler. Au lieu de cela, je me suis assoupie.

Je me rappelle peu de chose de l'autre soirée, à part que les invités étaient beaucoup plus jeunes que moi et que j'ai continué à boire.

Pas une bonne idée quand on considère que cette overdose de gin m'a plongée dans un semi-coma et a provoqué une amnésie presque totale.

C'était vraiment *un long dimanche de fiançailles* !

Il me vaut de ne plus avoir que quelques secondes de liberté avant une arrestation pour activité sexuelle avec un mineur de moins de dix-huit ans !

J'entends les flics. Ils approchent, accompagnés de cette pâle copie d'Emma Watson.

---

1. Prononcé en français.

Chapitre 9

The Rock

Sur la vedette de la police, il n'y a que deux prisonnières en dehors de moi. Elles n'ont pas l'air commodes, et je suis certaine qu'elles sont dangereuses à en juger par le nombre de flics autour de nous. En plus du capitaine qui dirige le bateau, je peux compter douze représentants de l'ordre. Rien que des femmes. Certaines avec le pistolet à la ceinture, mais les autres ont même des fusils-mitrailleurs. Et elles portent toutes un gilet pare-balles.

Ce n'est pas un peu exagéré ? À moins que mes deux compagnes ne soient des terroristes ou des tueuses en série.

En regardant par le hublot, je vois le Golden Gate Bridge, dont nous nous rapprochons. Malgré la gravité de la situation, il est impossible de ne pas admirer la force qui se dégage de cette structure extraordinaire. Je ne peux m'empêcher de m'apitoyer sur mon sort. Moi, le Golden Gate Bridge, je rêvais de le franchir à vélo avec David. Malheureusement, nous n'avons jamais pu trouver le temps de mettre ce plan à exécution et je me retrouve à passer en dessous au lieu d'être dessus !

Plus nous approchons, plus l'édifice me semble haut.

Je dois avoir l'air fascinée, car une fliquette m'interpelle avec malice :

— C'est beau, hein ? Profites-en, ça va être l'unique point de vue de ta cellule ces prochaines années.

J'ai envie de lui dire qu'il n'est pas certain que je sois condamnée et que, de toute façon, j'espère avoir le sursis. Mais je préfère m'abstenir, ça ne sert à rien. Ça ne peut me valoir que des ennuis. Mon silence ne la dissuade pas de continuer.

— Et la couleur du pont ? Tu aimes ? Tu devrais, parce que la tenue que tu vas porter est pratiquement la même. Ne t'inquiète pas, c'est très fashion, *orange is the new black*.

L'espace d'un instant, je me demande si elle me parle de ma tenue de prisonnière, de la série diffusée sur Netflix, ou si c'est un message sur l'homosexualité qui règne dans le milieu carcéral féminin.

Moi, les filles, ça ne m'attire pas beaucoup. J'ai bien eu quelques expériences, dont une mémorable sur un yacht avec une Anglaise[1], mais je reste très attachée à mon hétérosexualité. Si en plus mes potentielles amantes ont la tête (et le corps !) des deux psychopathes qui m'accompagnent, ça ne va pas le faire.

— Tiens, regarde ton lieu de villégiature…

Devant le bateau, à quelques centaines de mètres, se trouve la prison la plus célèbre du monde, Alcatraz, « The Rock ». Je la connais de réputation, c'est la prison dont personne ne s'est jamais échappé. Elle est sur une petite île située à plus de deux kilomètres de San

1. Voir *Movie Star, Saison 2 - Venise.*

Francisco. Je vois le grand bâtiment blanc, au sommet, où doivent se trouver les cellules.

Tout semble s'accélérer. Sans que j'aie le temps de m'en rendre compte, nous nous retrouvons sur l'île.

Les choses se passent très vite. On nous fait entrer dans une pièce où on nous distribue la fameuse combinaison orange après nous avoir demandé notre taille. Il faut répondre vite. La détenue qui me précède veut savoir s'il y a du XXL ou seulement du XL, et elle se prend un coup de matraque qui lui explose l'arcade sourcilière. Le sang gicle. Berk! J'avais déjà vu ça dans des matchs de foot à la télé, mais à moins d'un mètre ça fait un choc! Elle va avoir droit à plusieurs points de suture. Et ça, après moins d'un quart d'heure sur l'île : ça promet!

Celle qui l'a frappée lui donne ses consignes :

— On va t'amener à l'infirmerie. Tu sais ce que tu dois dire? Tu t'es cognée dans une porte, OK? Pas d'embrouilles, sinon gare à tes fesses!

Moi qui croyais en le système judiciaire américain, je déchante...

Pas besoin de préciser que je choisis la taille de ma tenue en un quart de seconde. Je réponds même avant que la gardienne ait fini de poser la question. Visiblement, ça ne va pas non plus. La sadique m'interpelle :

— Tu cherches à faire ta maline? Tu veux goûter à ma matraque, toi aussi? C'est une matraque à deux coups.

Elle a un petit rire satisfait, elle est contente de sa blague.

— Non, pas du tout.

— Ma'am. Pas du tout, ma'am. Répète.

— Pas du tout, ma'am.

— « Pas du tout », ça veut dire que tu ne fais pas ta maline ou que tu ne veux pas goûter à ma matraque ? Tu cherches à m'embrouiller ?

Elle est tordue, celle-là.

— Pas du tout, ma'am.

— Écoute, si tu me balances un autre « pas du tout », tu vas la goûter... Et d'abord, c'est quoi, cet accent ?

— Français... ma'am.

Je me suis souvenue que je devais dire « ma'am » à la dernière seconde. Elle me fait vraiment flipper, celle-là. C'est une montagne, avec des cheveux presque rasés, blond-roux. Ce qui frappe, ce sont ses yeux, tout petits et très rapprochés, et son nez qui pointe.

Elle esquisse un petit sourire qui n'est aucunement rassurant.

— Une Française. *Voulez-vous coucher avec moi ?*

Elle a prononcé ces mots en français avec un tel accent que j'ai à peine compris leur signification.

Là, je suis carrément dans la merde. Que répondre à cela ? Heureusement, elle enchaîne :

— C'est la directrice de la prison qui va être contente d'apprendre la nouvelle. Bon, grouille-toi. Tu n'es pas dans un hôtel à Paris, on n'a pas que toi comme invitées !

Plus injuste comme commentaire, on ne fait pas, mais je ne demande pas mon reste et j'avance.

La porte s'ouvre sur une rangée de cellules. Il y a deux étages qui donnent sur le couloir dans lequel je dois passer. La traversée doit durer deux minutes, mais chaque seconde paraît durer une éternité. Les détenues font un boucan énorme, terrifiant. Elles tapent sur leurs barreaux avec la tasse en métal dans laquelle elles doivent boire. J'ai aussi droit à toutes les insultes et menaces possibles ainsi qu'aux commentaires sexuels les plus graveleux. Le tout accompagné de gestes pour illustrer leurs propos, avec les mains, avec la langue… Une expérience que je ne souhaiterais pas à ma pire ennemie, même à Kathryn !

La gardienne qui m'accompagne me fait pénétrer dans une salle assez grande où se trouvent déjà les deux autres prisonnières.

Quelques minutes plus tard, une petite femme avec des lunettes entre dans la pièce, suivie de la tortionnaire à la matraque.

— Mesdames, je suis la directrice de cette prison. Je viens vous donner les consignes pour que tout se passe bien. Vous êtes ici pour de nombreuses années pour purger une peine liée aux crimes que vous avez commis.

Elle a l'air plus sensée que sa subordonnée. C'est normal, c'est quand même la directrice. J'hésite à l'interrompre pour lui dire que je ne suis qu'en détention préventive, que je n'ai pas encore été condamnée et que j'espère ne pas l'être. Au dernier moment, je m'abstiens : autant écouter son speech jusqu'au bout sans broncher. Il sera toujours temps d'expliquer la situation ensuite.

— Je dis purger une peine, je devrais dire expier un péché. Car si vous êtes redevables devant la justice des hommes, ceux-ci ne peuvent vous infliger que quelques dizaines d'années de pénitence alors que le châtiment divin est éternel ! Alors, priez et repentez-vous !

OK, elle est aussi frappadingue que l'autre, mais dans un style différent. Elle a conclu son discours avec un sourire sarcastique.

— Si vous êtes pressées de découvrir votre sentence auprès du Divin, vous pouvez essayer de vous échapper. Personne n'a réussi depuis que cette prison a été créée, en 1933. Si vous arrivez à quitter votre cellule, à déjouer les rondes des gardes et à franchir les portes, il vous restera encore deux kilomètres de natation dans une eau glacée avec des courants traîtres. Et puis la baie de San Francisco héberge des requins blancs. Vous voulez faire un remake des *Dents de la mer* ?

Elle s'est retournée vers la gardienne aux cheveux courts.

— La Française, c'est la petite ? OK, envoyez l'autre en cellule et amenez-moi la Viet.

Quand nous nous sommes retrouvées seules, je me suis dit que c'était le bon moment pour m'adresser à elle.

— Ma'am, permettez-moi de vous expliquer mon cas. Je suis ici en détention provisoire. Je n'ai pas été jugée ni condamnée.

— Vous le serez, ne vous inquiétez pas, ici il n'y a pas d'innocents. Mais si vous coopérez, je peux intervenir…

— Bien sûr, dites-moi ce que je dois faire.

— Commence par quitter tes vêtements civils.

— Ici ? Devant vous ?

— Tu veux une cabine d'essayage ? Tu te crois chez Saks[1] ?

Je ne suis pas prude, mais l'idée de me déshabiller en présence de cette intégriste ne m'attirait pas plus que cela. De toute façon, avais-je vraiment le choix ? Alors, j'ai tout enlevé sans la regarder. Après avoir

---

1. Saks Fifth Avenue, grand magasin sur la 5e Avenue à New York.

enlevé ma culotte et mon soutien-gorge, j'ai vite saisi ma combinaison de prisonnière pour couvrir ma nudité et pour échapper au froid. Mais elle ne l'entendait pas de cette oreille.

— Pas si vite, ma petite. D'abord, il y a l'inspection.

Étant donné que j'étais nue, je ne voyais pas trop ce que je pouvais dissimuler. Enfin, j'avais une idée, mais c'était trop sordide pour s'attarder sur ces pensées.

Elle m'a regardée avec dégoût.

— Vous êtes les rebuts, la lie de la société. Vous représentez la laideur et la puanteur du monde. Je participe à votre purification qui vous permettra peut-être d'échapper à l'enfer. Cela va commencer par une douche en règle. Je sais que vous les Françaises ne vous lavez jamais.

Je lui aurais bien répondu que, depuis mon adolescence, je n'ai jamais passé plus de vingt-quatre heures sans utiliser un savon, un gel douche ou un shampoing, mais j'ai bien senti que discuter avec elle n'était qu'une perte de temps.

L'arrivée de la culturiste blonde a mis fin à mes tergiversations. Elle poussait devant elle une jeune Asiatique.

— Merci, gardienne Parson. Préparez le jet. Miss Tang, déshabillez-vous.

La jeune Asiatique a obtempéré sans dire un mot. Son regard était mort, c'était flippant. La gardienne s'est approchée avec une lance à incendie.

— Qui veut commencer ?

Je me suis abstenue de me porter volontaire. Mais la directrice s'est empressée de me désigner.

— La Française vient d'arriver, c'est celle qui pue le plus. Commençons par elle.

Elle s'est tournée vers moi.

— Va te mettre au fond. Tang, prenez le jet et aidez votre camarade à atteindre un niveau de propreté convenable.

La jeune Asiatique s'est positionnée en face de moi, à environ cinq mètres. C'était horrible, cette nudité renforcée par un sentiment de vulnérabilité totale. L'espace d'un instant, en attendant qu'ils envoient l'eau, j'ai retrouvé la sensation que j'avais éprouvée à quelques secondes du départ de Space Mountain à Disneyland ; cette impression que l'on ne peut plus inverser le cours des choses et que la suite est inéluctable. Sauf que, dans un parc d'attractions, ce que vous allez ressentir, c'est une minute trente de loopings qui vous laisseront un souvenir inoubliable. Là, on était loin du compte…

Quand l'eau a jailli, je n'ai rien vu, j'ai juste senti une claque terrible au niveau de ma poitrine. Ce n'est que dans un deuxième temps que j'ai ressenti la froideur extrême du jet. Au bout de quelques secondes, mon instinct de protection m'a fait me retourner pour présenter mon dos, dans l'espoir que ce soit moins pénible. C'était effectivement mieux, mais dans des proportions si faibles…

Le jet a été stoppé. Ça m'a semblé assez court, mais l'expérience avait été terrible. La directrice m'a interpellée :

— J'avais oublié de vous prévenir, cette première douche n'est pas très chaude. Vous avez souffert de sa température ?

Je ne suis pas capable de parler tellement j'ai les dents qui claquent. La seule solution est de lui indiquer par un signe de tête que je suis d'accord. Mauvaise réponse quand on parle à une sadique...

— Vous voyez, gardienne Parson, je vous l'avais dit, la seule façon de remédier à ce problème de température, c'est d'augmenter la pression. Allez-y.

Le temps que je réalise ce qu'elle vient de dire, j'ai juste le temps de me retourner pour éviter de prendre la déferlante glacée directement dans le ventre. J'ai l'impression que l'on me tire au fusil à pompe dans le dos. Je suis plaquée contre le mur. Je comprends que, si je tombe, ce sera pire, qu'il faut absolument résister à la tentation de me mettre dans la position du fœtus. Alors, je me plante aussi solidement que possible sur mes jambes et je pousse sur mes mains pour ne pas être trop écrasée contre la paroi. Je ne sais pas combien dure cette torture, mais ça paraît une éternité.

Quand ça s'arrête, j'ai du mal à réaliser. Je me retourne avec précaution. Les deux tortionnaires me regardent avec un sourire. La directrice me complimente :

— C'est bien, tu as du cran, le chemin de la rédemption ne sera peut-être pas trop escarpé. J'espère que l'Esprit saint t'a accompagnée dans cette première étape de purification. Tu peux te rhabiller.

Il n'y a, bien entendu, pas de serviette, mais le seul fait de pouvoir enfiler cette combinaison tiède et sèche sur mon corps trempé et glacé est un moment de bonheur.

Mais ce répit est temporaire ; la gardienne Parson me tend la lance.

— À toi.

Ayant subi cette torture, je devrais refuser d'être leur complice, mais je n'en ai pas la force. Alors, je prends le tuyau entre mes mains. L'eau jaillit, violente, et j'ai du mal à viser. Je commence par toucher le plafond et je me fais engueuler par Parson :

— Plus bas, imbécile, plus bas !

Je me concentre et, avec mes deux mains, je commence à rapprocher le jet de la jeune Asiatique. Je me débrouille pour la toucher entre le bas des fesses et le haut des cuisses, zone qui me paraît être la moins sensible. Mais la gardienne ne s'en laisse pas conter.

— Plus haut ! Plus haut !

Et sans crier gare, elle me prend le bras pour me faire changer de cible. Surprise, je ne peux contrôler mon mouvement et l'eau glacée vient directement frapper la jeune femme au niveau de la nuque. Sous le choc, elle plonge à terre et se recroqueville dans le coin de la pièce. Mon jet continue dans la direction qu'elle occupait quelques instants avant et nettoie maintenant le mur. Parson est hystérique.

— Mais qu'est-ce que tu fais, idiote ? Tu ne vois pas qu'elle est là, dans le coin, à ta merci ?

Cette fois, mon humanité remonte à la surface et j'ose une réponse :

— Mais si je continue, dans la position où elle est, je vais la tuer...

— Mais non, Charlie[1] est plus résistante que tu ne le crois. Regarde, elle fait du cinéma.

Sur un geste de la directrice, la gardienne coupe la pression de l'eau, sort sa matraque et frappe deux coups terribles sur le dos de la jeune Asiatique qui gémit.

---

1. Nom donné par les Américains aux ennemis du Vietcong pendant la guerre du Vietnam.

Pour la première fois de la soirée, je sors de ma torpeur et de ma passivité.

— Vous êtes dingues ! Frapper une prisonnière ! Vous n'avez pas le droit ! Si elle en garde des séquelles ou si elle meurt, vous finirez comme pensionnaires de votre propre établissement.

Si je pensais lui faire peur, c'est raté. La directrice me répond tranquillement :

— Que veux-tu dire ? Je ne comprends pas. Il est évident que c'est toi qui l'as frappée. Toi qui te dis innocente du crime pour lequel tu es en détention, tu vas avoir un nouveau chef d'inculpation : violence sur un autre prisonnier. Avec comme témoins la gardienne Parson ainsi que la directrice de prison la plus respectée du pays !

Elle retire ses lunettes et essuie les quelques gouttes qui gênent sa vision.

— De toute façon, il ne s'agit pas de la tuer mais de lui faire expier ses péchés. Cette créature impie a commis le péché de chair avec une de ses codétenues. La force de ce jet doit permettre de faire sortir Satan de son corps.

Ce n'est pas possible, la directrice de la prison la plus célèbre des États-Unis ressemble furieusement à un gourou de secte. La gardienne, elle, est plus pragmatique…

— Si tu ne t'exécutes pas, tu reprends sa place…

Ça, c'est hors de question !

— Vous voulez que je chasse le diable ? Alors, il faut plus de pression, ce n'est pas avec ce filet d'eau que je vais arriver à quelque chose !

Je lis la satisfaction dans le regard des deux tortionnaires. Elles veulent de l'action, elles vont en avoir. La jeune Asiatique, qui a suivi l'échange, s'est tournée vers moi et ne cherche même pas à se protéger.

Je me suis préparée à la pression supplémentaire de la lance à incendie, mais je manque de perdre le contrôle quand l'eau jaillit. Il est clair que, si je vise maintenant la jeune femme, je vais lui faire très mal. Mais là n'est pas mon intention. D'un mouvement brusque, je me retourne vers les deux responsables du pénitencier. Je commence par Parson, pour la forcer à s'éloigner de la vanne de pression.

Frappée de plein fouet à moins de deux mètres, elle va s'exploser contre le mur, ce qui me permet de diriger mon arme vers sa chef. Celle-ci, beaucoup plus légère, est repoussée dans le couloir sur plus de dix mètres. Après avoir constaté que les deux sont K-O, je stoppe l'arrivée d'eau. Je jette un coup d'œil à la pauvre prisonnière recroquevillée contre le mur. J'aimerais faire quelque chose, mais elle n'est pas en état de m'accompagner dans mon projet d'évasion. Tant pis, je ne peux pas jouer les héroïnes, je dois me contenter de sauver ma peau.

J'ai la présence d'esprit de saisir le trousseau de clés de la directrice et je me précipite dans le couloir. Je ne cours pas, je vole. La chance est avec moi, je ne croise personne. Bientôt, une porte devant moi. Je m'énerve de trop longues secondes pour trouver la bonne clé. Enfin, j'arrive à l'ouvrir. Derrière, je sens l'air frais de la mer : je suis à l'extérieur ! Il ne me reste qu'à éviter les lumières des miradors. Je descends vers la mer. Si seulement je pouvais trouver une embarcation ! Mais on ne peut pas toujours être verni, je suis face à la mer au sommet d'une petite falaise. Il faut que je rebrousse chemin et que je regagne les docks pour trouver un bateau. Mais, soudain, j'entends derrière moi des aboiements et les cris de la directrice :

— 10 000 dollars de prime à celle qui la ramène !
Je la veux vivante, je veux pouvoir m'occuper d'elle !

Plus de retraite possible, il me faut me rendre ou plonger dans les flots. Je n'hésite pas un instant, je choisis la seconde solution.

L'eau n'est pas froide, elle est glacée. Décidément, il semble que ce soit une constante dans ma soirée... Vais-je pouvoir nager deux kilomètres par cette température ? Je suis une assez bonne nageuse, mais je n'ai jamais connu des conditions aussi extrêmes. Une chose est sûre, j'ai la vie chevillée au corps, et il est hors de question de m'avouer vaincue. Je me mets à nager en direction des lumières de la ville. Je décide de ne pas aller trop vite pour ne pas m'épuiser. Au bout de quelques minutes, je ne sens plus le froid, je trouve mon rythme. Peut-être ai-je une chance, les courants semblent m'aider. Je reprends espoir.

Au bout d'un moment, je me retourne : l'île d'Alcatraz a déjà l'air loin, je dois être à la moitié du chemin. J'ai une chance, je vais retrouver la civilisation, mes amis, et pouvoir révéler au monde les atrocités commises dans cette prison !

Soudain, je sens que l'on me pousse au niveau de mon flanc : un coup, deux coups, trois coups. Pas de doute, il doit s'agir d'un requin. Et, soudain, je suis entraînée dans les profondeurs de l'océan et je bois la tasse. C'est fini, le requin est en train de m'entraîner vers le fond.

Ainsi va se terminer la vie de Laure Masson, noyée en essayant de s'évader de la prison la plus célèbre du monde. Alcatraz reste inviolée et mérite une fois de plus son surnom : The Rock !

Chapitre 10

Parfois homme varie...

On a tous un instinct de survie et, quand on boit la tasse, on se précipite vers la surface. C'est ce que j'ai fait, mais je ne me suis pas retrouvée où je pensais être. Je croyais nager dans la nuit, il faisait plein soleil ; me trouver dans les eaux sombres et glacées de la baie de San Francisco, j'étais dans une piscine dont la température devait être supérieure à 28 °C !

Soit j'avais eu droit à une véritable téléportation et j'avais été sauvée par Spock, soit je venais d'émerger d'un terrible cauchemar.

J'ai posé les pieds par terre et j'ai regardé autour de moi. En voyant la face hilare de la jeune femme que j'ai reconnue comme Julia Branson, le sosie d'Emma Watson, j'ai compris qu'il s'agissait de la seconde option.

Je devais avoir un air ahuri, car elle s'est excusée :

— Désolée, j'ai essayé de te réveiller, je t'ai un peu arrosée avec de l'eau fraîche et, comme cela n'avait aucun effet, je t'ai fait tomber de ton matelas gonflable. Tu sais, c'était pour ton bien, tu risquais l'insolation. Sans compter les complications liées à la quantité d'alcool que tu dois avoir dans le sang.

Donc les coups du requin, c'était elle. Le jet d'eau glacé dans la prison, c'était elle aussi. Ça ne m'a pas mise de bonne humeur, pas plus que ses justifications tirées par les cheveux.

— Julia, je ne vois pas bien le rapport entre alcool et insolation. Et puis il doit y avoir près de dix heures que je n'ai rien bu, mon taux d'alcoolémie doit être retombé à zéro.

— Pas évident. Pour moi, ton sommeil ressemblait à un coma éthylique. Il est possible que je t'aie sauvé la vie.

C'était la première fois que j'étais confrontée à sa mauvaise foi, unique en son genre. Et malheureusement pas la dernière...

J'ai quitté la piscine et je me suis mise sur une chaise longue à l'ombre. Une fois installée, j'ai essayé de faire un point sur la situation, de démêler le vrai du faux, la réalité du cauchemar.

OK, *let's go*. D'abord, le déménagement chez David ; ça, c'était réel et plutôt horrible. Après, la soirée de départ, qui s'est révélée être en fait une fête de fiançailles. Là, c'est le début de mes déboires : j'ai rencontré Kathryn, puis je me suis pris un vent par Michael. Ces deux éléments, je souhaiterais qu'ils fassent partie du cauchemar, mais je sais que ce n'est pas le cas. Après, c'est pire : une soirée trop arrosée, le réveil à côté d'un adolescent avec qui j'ai pu coucher, risquant plusieurs années de prison.

Je revois l'arrivée des flics avec Julia. Mon cœur battait à cent à l'heure, c'était horrible. Ils sont entrés dans la cuisine. Ils avaient l'air flegmatiques. Le plus grand s'est tourné vers Julia et m'a désignée.

— C'est elle ?

J'avais envie de dire : « Oui, c'est moi, mais je ne me souviens de rien, je ne suis pas coupable, ne m'envoyez pas en prison. »

La réponse m'a prise au dépourvu.

— Non, ce n'est pas elle. Elle est en haut, elle finit de s'habiller. Je vais la chercher, servez-vous un café en attendant.

Je ne comprenais plus rien, mais je m'en foutais. J'étais soulagée au-delà de ce que les mots peuvent exprimer. J'avais l'impression que le mauvais sort qui s'acharnait sur moi depuis un moment avait décidé de m'offrir un break. Les flics ont pris leur café après m'avoir saluée d'un mouvement de tête minimal.

Julia est redescendue accompagnée d'une créature. Vous pouvez vous offusquer que j'emploie ce terme pour une autre femme, mais, honnêtement, c'était le meilleur mot pour la qualifier.

Peut-être vingt-cinq ans, des cheveux dont le blond était le résultat d'une coloration bas de gamme, un visage quelconque, des yeux qui n'étaient remarquables que par leur léger strabisme et une silhouette assez trapue. Mais tout cela n'avait aucune importance, car cette jeune personne avait une poitrine fantastique. Et en ce qui concerne son « habillement », le haut avait une telle échancrure qu'en s'approchant on pouvait voir son nombril. Le short dévoilait la moitié des fesses, et les chaussures à énorme talon complétaient le tableau de la vulgarité incarnée.

— Messieurs, je vous présente Rachel, la jeune femme qui a renversé la statue des voisins.

179

Je devais avoir un air horrifié, car Julia m'a adressé un clin d'œil en faisant attention à ne pas être surprise par les policiers.

Ceux-ci étaient décontenancés par « l'apparition ». Apparemment, ils n'avaient pas le même jugement que moi. Ils ont été tout gentils et mielleux pour vérifier son identité. Quand ils lui ont demandé comment elle avait pu renverser une statue avec une voiture qui n'était même pas à elle, elle leur a fait le grand numéro : « Je voulais essayer la voiture de M. Branson... le siège n'était pas à bonne distance et j'avais du mal à atteindre les pédales... ma chaussure a glissé sur le frein... je suis si désolée... je regrette tant... » Et blablabla. Ça a duré dix minutes. Le tout accompagné de larmes discrètes, juste ce qu'il faut pour émouvoir sans massacrer le rimmel (car j'ai oublié de dire qu'elle était maquillée comme un camion volé). Elle avait aussi une gestuelle de repentir remarquable qui voulait s'inspirer à la fois de la commedia dell'arte et du porno le moins sensuel : le résultat est qu'elle arrivait à faire voir sa poitrine presque entièrement aux deux hommes à intervalles réguliers. Ils en étaient si troublés que leur concentration était défaillante et l'on a senti leur résolution faiblir. Le grand s'est presque excusé quand il a expliqué pourquoi elle devait les suivre au poste de police.

— Mais, mademoiselle, il y a le problème du dommage causé aux propriétaires de la statue. Il faut bien les indemniser, ces gens-là.

Les larmes ont redoublé, mais la solution ne pouvait surgir de ce torrent salé. C'est une voix au timbre grave avec un accent écossais qui a changé la donne.

— Messieurs, je suis au téléphone avec la propriétaire ; elle ne veut plus porter plainte. Je vous la passe.

Pendant qu'un des policiers échangeait avec la voisine, j'ai tourné la tête pour voir le nouvel arrivant. Mais c'était juste pour une confirmation, car j'avais déjà reconnu la voix : Sean !

La seule question, c'était de savoir ce qu'il faisait là. Un détective moyen aurait trouvé en dix secondes : les flics n'étant pas étonnés de sa présence, ce devait être sa maison, ce qui voulait dire... que Julia était sa fille ?

J'en ai eu la confirmation après le départ des officiers de la LAPD, accompagnés de Rachel (à qui on avait promis qu'elle ne serait pas inculpée, mais qui devait quand même signer quelques papiers).

Julia a voulu faire les présentations.

— Dad, voici Laure.

— Ma chère fille, j'ai déjà eu le plaisir de rencontrer cette charmante personne. C'est même moi qui lui ai proposé de finir la soirée avec moi.

Sa fille lui ayant jeté un drôle de regard, il s'est empressé d'ajouter :

— En tout bien, tout honneur, ma chérie.

— Vu que tu as fini avec une serveuse d'un genre plus que contestable, tout autre choix m'aurait convenu...

Le père a décidé d'éteindre la polémique naissante.

— Laisse-moi saluer notre invitée. Laure, comment allez-vous ? Avez-vous bien dormi ?

Il y avait plusieurs réponses possibles. L'honnêteté aurait voulu que j'avoue que je n'étais pas certaine de ne pas avoir couché avec son fils mineur, mais j'ai préféré faire plus court.

— Très bien, Sean, et vous ?

— La présence des oreilles chastes de ma descendance m'empêche de vous expliquer par le détail pourquoi j'ai peu dormi, mais je me sens aussi en forme qu'un jeune homme de vingt ans.

Comme s'il n'avait pas été suffisant de me faire la peur de ma vie en m'annonçant que je risquais plusieurs années de prison, la « descendance » a décidé de me balancer à son père.

— Laure a peut-être couché avec un de tes fils.

Quelle peste, celle-là !

— George ou Fred ?

— Elle ne sait pas…

Eh ! machine, tu ne sais pas qu'il est impoli de parler à la troisième personne de quelqu'un qui est présent ?

Mais Sean n'a pas eu une réaction courroucée, bien au contraire.

— Il s'agit de George. J'ai vu qu'elle était allée dormir dans sa chambre. Mais ton frère…

— Mon demi-frère.

— C'est quand même ton frère, ne m'interromps pas, s'il te plaît. Je disais que ton frère dormait du sommeil du juste et, entre le pétard qu'il avait fumé et la quantité d'alcool absorbé par notre invitée française, je doute qu'il se soit passé quelque chose. Note que, si je me trompais, je me réjouirais pour lui d'avoir eu une aussi charmante jeune femme dans ses bras…

Il m'a fait un clin d'œil. C'était gentil et il est remonté dans mon estime. C'est pour cela que j'ai accepté sa proposition d'aller prendre un verre au bord de la piscine.

— Une seule chose est meilleure qu'une coupe de Moët & Chandon pour soigner une bonne cuite. Vous savez ce que c'est ?

182

— Je ne sais pas. Une aspirine, je suppose ?

— Non, deux coupes !

La blague était facile, mais sa bonne humeur était communicative et j'ai ri de bon cœur. Je sentais que ma période de mauvais karma était en train de glisser derrière moi.

Une coupe en main, nous avons discuté comme de vieux amis. Il m'a questionnée sur mon agence et sur mes motivations.

— Je ne veux pas être lourd et revenir sur un sujet que j'ai déjà abordé avec vous, mais vous n'avez vraiment aucune envie de passer dans la création ?

— Pourquoi ? C'est un domaine dans lequel vous m'imaginez ?

— Tout à fait. Je ne pourrais vous l'expliquer. Une sorte d'intuition…

Julia, qui semblait faire une sieste dans la chaise longue voisine, est intervenue :

— Tu devrais l'écouter. Il ne faut jamais plaisanter sur le sixième sens de papa. Je te jure, il est redoutable. Il passe une minute avec quelqu'un et il est capable de t'en faire un portrait plus précis qu'un profiler. C'est un véritable scanner humain !

Je suis restée songeuse quelques instants puis je me suis lancée :

— Pour tout vous avouer, Sean, j'ai changé d'avis à ce sujet. J'adorerais produire une série.

Un sourire radieux est apparu sur son visage. Ses yeux bleus avaient l'éclat de deux topazes taillées par Van Cleef & Arpels !

— Bravo, Laure ! Et vous avez une idée de la façon de vous y prendre ?

La question à 1 million de dollars et je ne connaissais évidemment pas la réponse.

— Euh, j'ai quelques idées…

Il est resté silencieux, mais il en attendait plus. Alors, j'ai poursuivi :

— J'ai rencontré un acteur canadien qui ferait un premier rôle formidable.

— Il est connu ? Ne me dites pas que vous avez réussi à convaincre Ryan Gosling de jouer dans une série ! Ce serait un exploit, il a toujours été fidèle au grand écran. Mais, si c'est le cas, je vous trouve une chaîne pour l'acheter en moins de deux heures !

— Non, et ne me demandez pas s'il s'agit de Ryan Reynolds, Keanu Reeves ou Jim Carrey, parce qu'il ne s'agit d'aucun d'entre eux.

— J'imagine… Il a fait quoi, votre acteur ?

— Euh, pour l'instant, pas grand-chose. Quelques publicités.

Mon Écossais a eu un air soucieux.

— Vous savez, créer une série, c'est une chose difficile. Généralement, on commence par trouver l'idée d'un pitch original. Ensuite, on cherche un showrunner reconnu pour embrasser le projet et aider à le vendre à une chaîne. Le casting vient après. Sauf, bien sûr, s'il y a des stars pour servir de locomotive. Par exemple, Kevin Spacey et Robin Wright pour la série *House of Cards*. Baser la construction d'un projet complexe sur un acteur inconnu, c'est une gageure. Pourquoi ce choix ?

Son propos avait la force du bon sens. Que lui opposer ?

— Une intuition.

Le sourire est réapparu sur son visage.

— C'est un argument imparable pour moi. Mais je dois vous demander de pousser votre explication un peu plus loin.

— Il a du charisme, quelque chose que l'on ressent en sa présence. Il pourrait connecter avec le public. Comme James Dean, qui est devenu célèbre en cinq films.

— Oui, mais il y avait moins de concurrence à l'époque et c'est sa mort qui l'a rendu immortel. Et il n'y a qu'un seul James Dean…

Je n'ai pas relevé l'humour noir de son propos, car je ne suis pas certaine qu'il était volontaire.

— Eh bien, détrompez-vous, il pourrait y en avoir un second. Mon acteur lui ressemble beaucoup, il pourrait raviver le mythe. Ce serait un formidable vecteur de communication.

— Je reconnais là l'expertise d'une spécialiste en RP de cinéma ! Mais ce que vous me dites m'inquiète, je crois avoir rencontré votre future star. Ne sortait-il pas avec Kathryn Merteuil ?

— Oui, c'est bien lui. Vous êtes d'accord, il a une vraie personnalité.

J'avais repris espoir. Si Sean le connaissait, c'était déjà un premier pas. J'ai vite déchanté en entendant le rire grave de mon interlocuteur.

— Ça, vous pouvez le dire ! De tous les amants de Kathryn que j'ai rencontrés, c'est le seul qui ait réussi à la rendre folle de colère. Je ne sais pas ce qu'il lui a fait, mais c'était suffisamment grave pour qu'elle prononce son bannissement à vie de la Cité des Anges.

— Mais c'est injuste, il ne lui a rien fait, il…

Il a levé la main pour m'interrompre.

— Je connais bien Kathryn et je ne jette pas la pierre à votre protégé canadien. Mais cela n'a aucune importance de déterminer la responsabilité de chacun. La sentence est finale.

Sa dernière phrase m'a désespérée.

— Mais elle ne peut quand même pas l'empêcher de tourner !

— Juridiquement, non, mais pratiquement elle en a les moyens. Elle est depuis près de trente ans dans le milieu de l'entertainment à Los Angeles. Elle a travaillé avec tous les studios, tous les agents. Elle possède le carnet d'adresses le plus complet qu'on puisse avoir. Si vous étiez J. J. Abrams ou David Benioff[1], elle ne prendrait pas le risque de s'opposer à votre choix d'embaucher votre acteur. Mais, dans votre cas, elle se fera un plaisir de vous écraser. Non seulement vous ne produirez pas votre série, mais votre combat vous aura inscrite sur la liste des gens gênants. Hollywood ne vous confiera plus de film à promouvoir.

— Mais c'est un système mafieux !

— Non, c'est un problème pratique pour les cadres dans ce métier. Il y a tant de sollicitations, tant de projets et si peu de temps pour les analyser qu'il faut le plus souvent aller au plus simple. Dans votre cas, l'évocation de votre nom sera associée à la possibilité d'un problème. Et à Hollywood, on aime les choses simples qui permettent de gagner beaucoup d'argent et on évite de se mettre mal avec un avocat.

---

1. J. J. Abrams est l'un des producteurs de *Star Wars VII* et de *Mission impossible* ; David Benioff est producteur pour *Game of Thrones*.

La discussion m'avait déprimée, j'ai pris mon nouveau médicament recommandé par le docteur Sean, un breuvage doré et pétillant.

J'ai appelé brièvement le bureau. C'était le premier jour de Jason et je n'étais pas là pour l'accueillir ! Il n'avait même pas les clés ! Il avait dû se heurter à une porte close. Ma pauvre Laure, si tu perds ta conscience professionnelle, alors tu n'auras plus rien dans ta vie. J'ai appelé quand même en désespoir de cause. Dès la deuxième sonnerie, une voix a répondu :

— Agence Masson & Delacour, bonjour.

J'étais sous le choc.

— Jason ?

— Oui, Laure ?

— Vous êtes au bureau ?

La question était d'une bêtise incommensurable vu qu'il venait de répondre au téléphone, mais elle reflétait mon manque de sommeil et de lucidité tout autant que mon incrédulité.

— Oui, Laure ?

— Tout va bien ? Vous êtes installé ?

— Très bien. À la suite de son appel, je suis allé chez Ophélie chercher les clés. Elle m'a prévenu que vous ne seriez pas là aujourd'hui, au moins la matinée, en raison de votre séminaire...

Ophélie ! Mon amie avait sauvé l'agence et ma personne du ridicule. Jason a poursuivi :

— Elle m'avait préparé un dossier et m'a donné ses instructions.

— Et pour l'ordinateur ? Elle a pris le sien ? Vous n'en avez pas ?

— Elle m'en a commandé un autre, la dernière version du MacBook Pro. Je suis ravi, il est magnifique !

Sa remarque m'a énervée ; d'abord, il avait eu une façon très gay de se réjouir (il m'arrive parfois de développer des soupçons de pensées homophobes !), mais j'étais surtout jalouse de son nouveau jouet : le mien a déjà six mois et ce n'est pas la dernière version !

— OK, rien d'autre ?

— Il y a eu un certain nombre d'appels et de demandes de rendez-vous. Mais rien d'urgent. J'ai tout réglé : je vous ai forwardé les mails les plus importants avec des commentaires et des questions. Les rendez-vous sont dans votre agenda électronique. On peut voir tout cela demain. Vous serez de retour ?

Sa question m'a un peu irritée.

— Bien sûr, je ne vais pas passer ma vie en séminaire. Merci, Jason, on se voit demain.

Plus tard, Julia m'a proposé de piquer une tête. Le problème du maillot de bain a été résolu par une visite rapide dans son dressing. Si on additionne la taille de sa chambre, de sa salle de bains et de son dressing, on doit arriver à une surface équivalente à celle de l'appartement de David ! Ça donne une idée de la valeur de la maison et de la fortune de Sean. Je n'aurais pas dû être surprise, car le fait qu'il soit un ami proche de Michael Brown aurait dû me mettre la puce à l'oreille.

Quand j'ai vu les habits qui traînaient partout dans les trois pièces, je n'ai pu m'empêcher une remarque :

— Il s'est passé quoi, là ? Ce sont les flics qui ont fait une perquisition ou un drogué qui cherchait de l'argent ?

Elle m'a lancé un regard froid.

— Tu es une marrante, toi, tu le sais ? Tu n'as jamais eu de problème pour choisir une tenue ? Hier, je n'avais rien à me mettre, c'était l'enfer !

J'ai pris dans ma main quelques robes qui étaient à mes pieds : Tom Ford, Versace et Vera Wang, que des marques ! N'en jetez plus ! Je vois que la fille à papa a fait chauffer la carte bleue du côté de Rodeo Drive !

Je lui avais lancé une petite pique, elle s'est vengée au moment du choix du maillot.

— Je ne sais pas si tu trouveras un maillot qui pourra t'aller : tu as moins de poitrine que moi, mais en revanche tu as des hanches plus épaisses et ta taille est moins fine que la mienne.

En clair, elle me traitait de « pot à tabac ». Quelle peste ! Je suis contente de ne pas avoir à fréquenter cette fille pourrie gâtée qui se croit sortie de la cuisse de Jupiter. Étant l'invitée, je n'ai pas réagi, même quand elle m'a désigné un tiroir au fond du dressing.

— Tu peux choisir ceux là-bas, je ne les mets plus. Comme ça, si tu les déformes, ce n'est pas grave. Je te conseille un maillot une pièce, ce sera plus flatteur pour toi.

Ça va, on a compris, miss « Je suis gaulée comme une déesse et je le sais ». La plongée dans son stock de maillots résidus m'a rendu le moral. Je n'ai pas suivi son conseil et j'ai fouillé dans les deux pièces jusqu'à ce que je tombe sur la merveille que j'avais repérée dans le numéro spécial maillots de bain de *Sport Illustrated*. Le magazine avait été rapporté du boulot par David. Au début, ça m'avait salement énervée de voir toutes ces bombes, grandes, fines, avec des seins énormes.

J'ai cherché querelle à mon mec sur le sujet, lui reprochant de mater ces images indécentes. Il m'a dit qu'il le recevait gratuitement et qu'il l'avait ramené pour moi. Pour moi ? *My foot !* (Pour dire « mon œil », les Américains utilisent « mon pied », chacun sa culture !) Je l'ai quand même feuilleté. La plupart des maillots étaient immettables si on n'a pas vingt ans et si on ne fait pas du 85-60-85. Et encore, il est recommandé d'avoir au moins des bonnets C et des longues jambes ! Mais j'ai repéré un modèle dont la poitrine était plus modeste et plus proche de la mienne. C'était un mannequin portugais, brune sublime du nom de Sara Sampaio. Je m'étais focalisée sur elle et j'avais trouvé une photo magnifique prise sur la fameuse Route 66. Le maillot était élégant et pas trop provocant, avec une douce couleur or pâle. Le problème est que je ne connaissais pas la marque et que, le lendemain, quand j'avais voulu relever le modèle pour pouvoir le commander, le magazine avait disparu. Quand j'avais interrogé David, il m'avait dit qu'il l'avait jeté. Je l'avais engueulé. Il était devenu furieux. Il faut reconnaître que je m'étais fâchée le premier jour en raison de la présence du magazine dans la maison et le lendemain à cause de son absence. Mais David devrait être capable de s'adapter à la psychologie féminine. Comme François Ier l'avait fait graver sur le vitrail d'une fenêtre de sa chambre au château de Chambord : « Souvent femme varie, bien fol est qui s'y fie ».

Bref, toujours est-il que je n'avais jamais retrouvé ce maillot avant de le découvrir miraculeusement dans le dressing de la chipie anglaise. Quand elle m'a vue avec le maillot dans la main, elle a essayé de me décourager en me disant que ça ne m'irait pas du tout. Elle a persisté en m'indiquant un maillot noir une pièce qui aurait convenu pour une nageuse russe, mais en aucun cas pour moi. Je ne me suis pas laissé faire et c'est avec beaucoup de plaisir que j'ai reçu l'avis de Sean au bord de la piscine.

— Laure, quelle apparition ! Vous êtes sublime ! Ce maillot vous va divinement, vous pourriez le présenter sur un podium de haute couture.

Je n'ai pas pu le remercier, sa peste de fille m'a devancée :

— Papa, elle ne pourrait pas le présenter, c'est un vieux maillot.

Si je l'étrangle ou la noie dans la piscine, ai-je une chance de plaider la légitime défense ? Mais le père est venu à mon secours :

— Ma fille, la vraie classe, c'est justement de prendre un vêtement ancien et de le remettre à la mode.

J'ai jeté un regard victorieux à Julia, qui m'a répondu en me tirant la langue. Non, mais elle a quel âge mentalement ?

J'ai décidé de l'ignorer et je me suis plongée dans l'eau de la piscine. J'ai fait quelques longueurs d'une brasse paresseuse. Sean m'a rejointe et j'ai relancé le sujet qui me tenait tant à cœur :

— Et si vous me donniez votre appui ? Vous m'aviez dit que, si je changeais d'avis et que je souhaitais développer un film, vous m'aideriez.

— C'est vrai et je tiendrai ma parole, mais là, c'est trop difficile. Vous accumulez les handicaps. Je suis un facilitateur, pas un faiseur de miracles !

Nous avons fait une longueur sans rien ajouter puis j'ai abattu ma dernière carte :

— Je pourrais vous laisser faire le casting... au moins féminin.

Il a explosé de rire.

— L'offre est alléchante, mais je me dois de refuser. Contrairement à ce que sous-entendait Charlie, je ne mélange pas le business avec le fun.

Cette fois, c'était foutu, il ne me restait qu'à choisir entre revenir à ma vocation première – les RP cinéma – ou faire une série sans Alexandre. Dans les deux cas, mon pauvre Canadien était cuit. Dans ce contexte, la production m'attirait beaucoup moins.

Sean est sorti de la piscine pour travailler un peu. Je suis restée seule. J'ai pris une autre coupe et je me suis approprié un matelas gonflable qui flottait à proximité. Avec son appui-tête intégré et son repose-pieds, il me paraissait parfait pour me relaxer. J'ai profité du soleil, mes paupières se sont faites lourdes, et c'est là que je me suis assoupie.

Je ne sais pas combien de temps la petite Anglaise m'a laissée me reposer avant de me vider de mon matelas pour me réveiller de la façon la plus cruelle possible. Si mes connaissances sur les mécanismes du sommeil sont bonnes, ce ne devait pas être très long, car sinon je ne me serais pas souvenue aussi précisément de mon cauchemar.

Une fois que, sur ma chaise longue, j'ai eu démêlé le vrai du faux, j'ai retrouvé ce qui m'avait inspiré ce mauvais rêve. La thématique de la prison, c'est simple, c'était l'épisode d'*Orange is the New Black* regardé dans la salle de télévision par quelques invités qui fumaient un joint. Je n'aurais pas dû rester avec eux, car aux vapeurs de l'alcool se sont ajoutées les fumées aux effets hallucinogènes. La gardienne, c'était la version monstre de Kathryn Merteuil : blondes aux cheveux courts toutes les deux et, ce qui m'a permis de faire le lien, c'était le strabisme. Bien sûr, l'avocate californienne avait une classe et une beauté réelles, à l'opposé du physique de la gardienne, mais c'est ainsi que fonctionnent les cauchemars : ils réinterprètent la réalité. En l'occurrence, la laideur du caractère de l'ancienne maîtresse d'Alexandre s'était transformée en laideur physique ! Je n'étais pas mécontente de mon analyse, Freud aurait été fier de moi.

Plus tard, alors que je songeais à partir, Sean m'a proposé de dîner sur la terrasse avec lui. J'ai d'abord voulu refuser, mais plusieurs éléments m'ont retenue. D'une part, plus personne ne m'attendait chez Charlie, mes amis étaient partis. Et d'autre part, le plus important, Julia avait rejoint des amis à Santa Monica, ce qui promettait une soirée plus agréable. Alors, j'ai accepté.

Nous sommes restés sur la terrasse tandis que la nuit tombait. Un parasol chauffant au gaz nous a permis de profiter de la douceur de l'automne californien. Sean m'avait en plus proposé un cardigan en cachemire.

Il a fait un barbecue. Il s'est révélé un chef remarquable. Poisson, crevettes, viandes diverses et légumes, les mets étaient simples mais délicieux. La conversation avait les mêmes qualités. J'ai découvert un être raffiné, cultivé, qui faisait honneur à son pays par une utilisation parcimonieuse de l'humour british.

J'ai beaucoup ri. J'aurais presque pu être séduite, la faible luminosité réduisant la différence d'âge. À la fin du dîner, il a allumé un cigare.

— Laure, cigare et cognac, un simple barbecue et la présence d'une jolie jeune femme à mon côté : je suis un homme comblé.

Il a laissé passer un moment avant de faire des confidences surprenantes pour un insulaire, leur réserve étant légendaire : à croire que les Écossais sont différents des Anglais sur ce point.

— Vous avez fait la connaissance de ma fille. Qu'en pensez-vous ?

J'aurais dû lui dire que c'était une gosse pourrie gâtée par l'argent, mais je ne m'en suis pas senti le droit. Je ne pouvais pas non plus mentir, alors j'ai pesé mes mots :

— Elle est très jolie...

— Oui, elle tient de sa mère.

— Elle est intelligente et elle a de la repartie...

— Mais ?

J'ai gardé le silence, c'est lui qui a continué :

— Le reste, c'est la conséquence de mon divorce. Je l'ai très peu vue pendant des années. Elle a fréquenté une des plus prestigieuses *boarding schools* d'Angleterre, Charterhouse, dans le Surrey. Elle y a fait des études brillantes et a suivi des cours de théâtre, mais elle y a aussi fait les quatre cents coups. J'ai dû faire intervenir à plusieurs reprises des personnes haut placées au gouvernement et même des proches de la reine pour qu'elle ne soit pas renvoyée. Au moment de rentrer à l'université, elle a exprimé le désir de venir habiter avec moi et de poursuivre ses études en Californie. Elle a pu intégrer l'UCLA, mais elle gâche ses possibilités. La seule

chose qui la fasse rêver et qui la motive, c'est de devenir actrice. Elle a été influencée par ma propre carrière.

— C'est un bon métier, actrice. Avec vos contacts, ça
devrait faciliter les choses…

Il a eu un air songeur.

— En théorie, oui. Mais vous avez pu apprécier
son caractère. Si je lui apporte un rôle sur un plateau
d'argent, elle risque de tout faire foirer, et le seul résultat sera de me brouiller avec celui qui l'aura prise pour
me faire plaisir.

— Peut-être faut-il lui accorder plus de crédit que
cela. Si vous essayiez…

— Je l'ai fait, pour un tout petit rôle. Ce fut une catastrophe, ils ont dû retourner les scènes avec une autre
actrice. Ça a dû leur coûter un bras…

Il y a eu un instant de silence avant qu'il ne m'interroge à nouveau :

— Mais vous, Laure, vous vous entendez assez bien
avec elle, non ?

Comment dire, Sean ? En dehors du fait qu'elle m'a
traitée de grosse, qu'elle m'a noyée et qu'elle s'est opposée à moi dès que vous étiez impliqué dans la conversation, eh bien, oui, en dehors de tout cela, on s'est très
bien entendues.

On ne dit jamais la vérité dans ces moments-là.

— Oui, relativement. On s'est parlé.

— C'est bien, c'est déjà beaucoup.

Il est allé nous préparer des espressos. Quand il est
revenu, il a changé de sujet. Il a parlé des séries dont
il s'était occupé, avec des anecdotes sur les tournages.
C'était passionnant et ça donnait une envie folle de se
jeter dans l'aventure.

— Laure, je suis comme vous. J'ai changé d'avis. Je suis prêt à me lancer dans la production et j'accepte votre proposition.

Je n'en croyais pas mes oreilles. J'ai failli lui sauter au cou, mais il m'a retenue dans mon élan.

— Attendez, Laure, j'accepte votre proposition dans son entier.

Il a fait une pause.

— C'est-à-dire que vous m'avez offert de choisir le cast féminin. Je vous ai dit que je ne le souhaitais pas, car je ne mélange pas business et intérêt personnel, mais je vais également modifier ma position sur le sujet. Je ne veux pas être responsable de l'ensemble du casting féminin, je veux juste avoir le droit de choisir un des rôles principaux, pas forcément le premier...

Cette fois, c'est moi qui l'ai interrompu :

— Julia, vous voulez que je prenne Julia dans ma série.

Il n'a rien dit. J'ai réfléchi. Ajouter à tous les problèmes inhérents à la réalisation d'une série le caractère imprévisible et difficile de la jeune Anglaise, c'était de la pure folie. Et puis je me suis dit que décider, comme je l'avais fait, de changer de métier uniquement parce que j'avais passé quelques heures avec un apprenti acteur dont je voulais faire une star, c'était encore plus dingue. Et si je voulais imposer Alexandre, pourquoi Sean ne pourrait-il pas faire la même chose avec son unique fille ? Ma décision a été prise en quelques secondes.

— Sean, vous avez un deal !

Je lui ai tendu la main, qu'il a saisie pour conclure notre pacte. Et puis il s'est levé et m'a prise dans ses bras. Je sentais dans ce geste l'émotion qui l'étreignait.

Après, nous avons trinqué avec une autre bouteille de Moët, rosé cette fois. La série va être produite par deux alcooliques !

Dans le taxi qui me conduisait à mon nouveau chez moi – la maison de Charlie –, je me suis dit que je pouvais ajouter une suite à la maxime de François Ier : « Parfois homme varie, bien heureuse est celle qui en bénéficie ».

S'il est le symbole de la Renaissance au xve siècle en France, pour moi, la véritable renaissance a commencé par ce beau soir de novembre à Los Angeles, Californie !

Chapitre 11

Recherche Alexandre désespérément

En me levant le matin suivant, j'avais du mal à croire que je m'engageais dans cette nouvelle voie. Ma première tâche a été d'informer mes proches.

C'est Jason qui a été mon cobaye. Si j'espérais une réaction, j'ai été déçue. À croire que, si le stoïcisme a été inventé par les Grecs et les Romains, il a été adopté par les Asiatiques.

— Très bien. Qu'allons-nous produire ? Vous avez un projet ? Je peux le lire ?

— Pas encore. J'ai l'idée globale, mais pas les détails.

— Vous voulez me la pitcher ?

Cette perspective ne m'enchantait pas ; j'avais créé mon concept en quelques secondes pour impressionner un jeune acteur qui me plaisait. Jason, lui, avait travaillé chez un agent ; il devait avoir l'habitude de lire des dizaines de pitchs et il risquait de voir la faiblesse de la proposition.

— Je veux surfer sur le succès de *Teen Wolf* et faire un clin d'œil aux fans des *X-Men*. Sans oublier une ambiance *Gossip Girl*, mais plus au niveau de l'université que du lycée.

— Donc l'histoire d'étudiants aux capacités spéciales qui s'aiment et se combattent sur un campus.

— Exactement !

— Vous avez trouvé un titre ?

Je lui ai redonné le titre qui avait impressionné Alexandre : *Mysteria Lane*. Il n'a pas bronché et je me suis demandé s'il avait compris la référence.

— Jason, c'est une référence à *Desperate Housewives*.

— J'avais saisi, avec l'introduction de cette notion de mystère. C'est intéressant, mais il faudra vérifier que juridiquement c'est possible. On ne rigole pas avec le copyright à Hollywood.

Il m'a un peu énervée sur le coup.

— Je n'en ai pas l'intention. Ce projet n'est pas une blague.

— Ce n'est pas ce que j'insinuais. C'est juste que les chaînes ne prendront aucun risque.

Il ne s'était pas écoulé une minute et il y avait déjà des tensions au sujet de la série ! Et avec mon unique collaborateur. Si je prenais toutes les remarques négativement, alors il est clair que j'allais dans le mur. Ça m'a calmée.

— Jason, vous avez raison, excusez-moi. On va dire que c'est le titre de travail. De toute façon, on décidera en temps et en heure.

Il a fait un petit signe de tête d'assentiment. Le téléphone a mis fin à notre échange.

— Laure, c'est Sean Branson pour vous.

— Passez-le-moi. Bonjour, Sean, comment allez-vous ?

Le son de sa voix m'a fait du bien, je me suis sentie moins seule, moins désemparée.

— Bien, Laure, et vous ? J'ai réfléchi à la direction que vous devez prendre. Le plus important est de ne pas laisser tomber les contrats que vous avez en cours. Honorez vos engagements, mais n'en prenez pas de nouveaux. Le développement de la série va vous prendre de plus en plus de temps. Pour le reste, nous pouvons nous retrouver au déjeuner pour en discuter.

— Merci, Sean, j'apprécierais.

— 13 heures au Cecconi's ?

— Parfait.

— À propos, vous avez prévenu votre associée ?

— Non, je m'apprêtais à le faire.

Je me suis aperçue en raccrochant que je détestais recevoir des conseils : j'avais l'impression que mon indépendance était remise en cause. Défaut difficilement compatible avec le fait de se lancer dans un business dont on ne sait rien.

Quand Ophélie a décroché, j'avais le cœur qui battait à cent à l'heure. Elle était à Londres pour faire la connaissance de sa future belle-famille. Le départ pour Johannesburg n'était prévu que pour la semaine suivante. Après cinq minutes où la conversation s'est focalisée sur elle, elle a pu me demander des nouvelles.

— Et toi, Laure, ça va ? Tu es bien rentrée l'autre soir ?

Vu ce que j'allais lui annoncer sur l'évolution de l'agence Masson & Delacour, je n'avais pas envie de m'étendre sur mes frasques.

— Très bien.

— Tu as retrouvé ta voiture ?

— Formidable, tu avais raison, c'était mieux que je rentre en taxi.

201

— Et le bureau, Jason ?

— Parfait. Merci de lui avoir donné tes clés et de lui avoir procuré un ordinateur.

Il y a eu un silence.

— Vas-y, Laure, accouche. C'est quoi, le problème ? J'espère que tu n'as pas explosé la maison, Charlie y tient beaucoup.

Merde, comment a-t-elle pu se rendre compte que j'ai un truc sérieux à lui annoncer ?

— Non, non, la maison est en parfait état.

— Alors, c'est quoi ?

— Mais pourquoi penses-tu qu'il y a un problème ?

— Laure, ce n'est pas une distance de huit mille kilomètres qui m'empêche de sentir ce genre de choses. Quand tu es d'accord avec tout ce que je dis, je commence à devenir suspicieuse. Et quand tu me remercies pour avoir procuré à Jason le dernier MacBook Pro, alors que je sais très bien que tu dois détester savoir que le tien est de la génération précédente, je n'ai plus de doute, je sais que tu as quelque chose à m'annoncer. Tu as couché avec Sean ?

J'ai hurlé mon innocence :

— Non ! Comment peux-tu penser une chose pareille ? Et David ?

— Ça aurait été une façon de tourner la page. Et il est assez beau dans son genre.

— Il ne s'est rien passé avec Sean, mais je lui reconnais une certaine classe. Enfin, il y a bien quelque chose avec lui, mais ce n'est pas sexuel...

J'ai senti l'attention de mon amie redoubler. Je me suis lancée :

— Nous allons produire une série.

Pendant quelques secondes, le silence à l'autre bout du fil était tel que j'ai cru que la ligne avait été coupée.

— Toujours cette histoire à propos de ton acteur canadien ?

Résumé comme ça, mon projet semblait dérisoire.

— Oui… et non. Ophélie, beaucoup de choses ont bougé autour de moi : David est à Paris pour le *New York Times*, toi avec l'amour de ta vie à l'autre bout du monde pour un tournage. Pourquoi resterais-je la seule personne sans rêve ? Moi aussi, j'ai envie de m'accomplir dans ma vie, je ne peux pas rester à vous regarder vivre et voir le temps passer passivement.

Ophélie a encore pris son temps avant de répondre :

— Je comprends, Laure, et j'espère que tu vas réussir. Vu l'évolution de ma vie ces deux dernières années, je suis la dernière à avoir le droit de te restreindre dans tes choix. Promets-moi juste de faire attention à toi. Et si tu as un souci quelconque, tu m'appelles, d'accord ?

Après la réserve tout asiatique de Jason, le soutien mesuré d'Ophélie m'a minée. J'ai senti que c'était la force de notre amitié qui lui avait fait prononcer ces paroles sur un projet qu'elle n'approuvait pas foncièrement.

Avec David, ce fut pire. C'était le premier jour de la COP 21 à Paris et il couvrait l'événement pour son journal. Il avait des appels à passer avant de boucler son article. Il a dû m'accorder moins de deux minutes et je ne sais même pas s'il a vraiment compris ce que je lui annonçais. Ou alors il s'en foutait, et ce n'était pas une meilleure nouvelle.

Il n'était parti que depuis quelques jours et déjà la distance dans notre relation devenait proportionnelle à la distance entre les deux villes.

C'est Sean qui m'a rendu le sourire quand je l'ai rejoint au restaurant. Il n'a pas recommencé son baisemain, mais il s'est levé pour me tirer ma chaise avant que le serveur ne le fasse. Ce charme un peu suranné a produit son effet. Je perçois maintenant l'Écossais comme un véritable gentleman. Contrairement à ce que je croyais, sa relation avec les femmes ne se résume pas à les mettre dans son lit. Quand il m'a interrogée sur mes pensées, je lui ai avoué avec candeur que j'avais changé d'opinion sur lui.

Il a froncé les sourcils.

— Laure, ne soyez pas trop positive à mon propos. J'ai un lourd passif avec les femmes. Vous en avez eu un aperçu l'autre jour... Et puis je ne peux me permettre d'avoir une relation ambiguë avec mon associée. Je ne veux pas penser que je puisse vous plaire.

Il a prononcé son laïus avec beaucoup de douceur. Une relation ambiguë ? Je me suis demandé si mes propos exprimaient l'idée d'une possible liaison. Cet examen intérieur m'a révélé qu'il avait raison, que son physique de cinquantenaire me paraissait moins vieux, que ses yeux bleus et son regard chargé d'humour me l'avaient rendu attirant.

Si on considère que, moins de quarante-huit heures plus tôt, je m'étais jetée dans les bras de Michael, c'était assez inquiétant. Est-ce que j'étais déjà en train de tourner la page David ? Et pourquoi aller ainsi vers des hommes dont l'âge était proche de celui de mon père ? Freud aurait conclu que j'avais besoin de la figure paternelle pour me rassurer dans une période troublée. Il aurait eu raison, ce n'est pas pour rien que c'est la big star de la psychanalyse depuis un siècle.

Après cette entrée en matière très personnelle, nous nous sommes concentrés sur nos délicieux plats de pâtes en échangeant sur tout et sur rien : *small talk*, comme on dit en américain.

Au dessert, il est entré dans le vif du sujet :

— Laure, je vois trois problèmes à résoudre dans votre projet. Le premier, c'est qu'il vous faut trouver une société de production qui accepte de coproduire avec vous en tant que producteur exécutif. Vous n'avez pas l'expérience ni le personnel pour assurer la production d'une série.

— Et moi, quel sera mon rôle ?

— Vous, vous serez producteur délégué, c'est-à-dire que vous vous occuperez de monter le projet financièrement, de développer le concept et de le commercialiser. Vous serez aussi responsable juridique du projet et détentrice des droits.

— Ça me va. Et on fait comment pour trouver le producteur exécutif ?

— Je vais m'en occuper. Le deuxième point, c'est de trouver un script existant ou un scénariste qui puisse développer une série qui corresponde à ce que vous cherchez. Là, pas de miracle, il va falloir beaucoup prospecter. Vous devez contacter en premier lieu la Writers Guild of America.

— D'accord. Et votre dernier point ?

— Votre acteur, il est au courant de votre projet ?

Là, il y a eu un grand blanc. Je me suis retrouvée comme une petite fille qui doit avouer à son papa qu'elle

205

a oublié son cahier de maths à l'école et qu'elle ne pourra pas réviser pour l'interro du lendemain.

— C'est-à-dire qu'il connaît le projet, mais… il ne sait pas que je vais vraiment le produire. Il croit que c'est juste une lubie de ma part.

Sean m'a fait un clin d'œil.

— Jusqu'à hier, on ne peut pas dire qu'il avait tort ! Bon, il vous faut absolument aller le trouver et lui faire signer un précontrat. S'il n'est pas partant, il vous faudra revoir votre casting.

Il m'a alors lancé un regard laser qui m'a transpercée.

— Laure, il sera surtout impératif de vous interroger sur vos motivations : s'il refuse, vous vous lancez quand même dans l'aventure ?

— Il va accepter : je n'ai aucun doute.

Il n'a pas insisté.

Le déjeuner terminé, j'avais l'impression que ma nouvelle vie commençait, que les dés étaient jetés, et j'espérais le double six. J'étais gonflée à bloc et j'aurais presque été capable de jurer que, si Alexandre me lâchait – chose improbable –, je serais capable de produire une série avec un autre acteur.

Au bureau, j'ai tout de suite pu me rendre compte de l'efficacité de Jason.

— J'ai pris la liberté de contacter la Writers Guild of America. Ils vont m'envoyer une liste de leurs membres qui pourraient convenir.

— Parfait. Occupez-vous de récupérer des scripts. Faites une première sélection. Si vous voyez un style d'écriture qui vous plaît ou un script proche de la thématique que je souhaite traiter, vous me l'indiquerez et nous organiserons un rendez-vous. Moi, je vais contacter l'acteur qui jouera le premier rôle dans la série.

Dit comme ça en une phrase, c'était simple. Je pensais appeler Guillermo comme je l'avais déjà fait et, cette fois, le convaincre de me donner le numéro d'Alexandre. Malheureusement, la ligne de Guillermo émettait un message inquiétant : « Le numéro que vous essayez de joindre n'est pas attribué. »

Les quinze jours suivants ont été les plus durs à supporter de ma vie, et ma patience a été mise à rude épreuve. Impossible de trouver Guillermo. Je suis même retournée à East Los Angeles, mais les occupants de la maison ont juste pu me dire que Guillermo était reparti au Mexique.

De son côté, Jason abattait un travail dingue et avait lu une centaine de scripts, mais le résultat n'était pas convaincant. Il m'avait quand même fait une sélection des dix meilleurs en me disant qu'il ne pensait pas que j'y trouverais mon bonheur, mais qu'il préférait avoir mon avis. J'aurais aimé qu'il ait tort, mais j'ai malheureusement dû constater qu'il avait un bon œil pour détecter un talent d'écriture. Pour le développement d'une activité régulière, c'était une bonne nouvelle de savoir que nous avions recruté quelqu'un d'aussi capable. Dans l'immédiat, ça ne servait à rien...

Jason m'a suggéré de passer une annonce dans les journaux canadiens. J'ai failli accepter, mais qu'écrirais-je ? J'ai pensé à Rosanna Arquette qui poursuit Madonna dans le film *Recherche Susan désespérément*. Devrais-je copier l'annonce : « Recherche désespérément jeune acteur sosie de James Dean se prénommant Alexandre » ?

La probabilité qu'il la lise était infime et, même si c'était le cas, je risquais de le mettre dans une colère terrible qui compromettrait définitivement mes chances. Il ne fallait pas oublier que notre dernier contact au commissariat ne pouvait être qualifié de cordial...

Quand j'ai exprimé pourquoi je renonçais à son idée, Jason a hoché la tête avec gravité.

— Je suis désolé, mais les connexions entre les communautés coréenne et canadienne sont faibles. Et avec les Mexicains, c'est pire. Il n'est pas gay, par hasard, votre James Dean ?

— Non, non, il est straight.

— Dommage, j'aurais eu une chance de vous aider.

Je n'ai presque pas entendu sa dernière remarque. Moi, j'avais une connexion avec les Mexicains, et pas n'importe laquelle. Je connaissais la plus célèbre actrice d'origine mexicaine. Carolina Sanchez, une femme dont le talent exceptionnel lui avait permis de remporter un Oscar.

Le problème, c'est que, même si je l'avais rencontrée à de nombreuses reprises, mon lien avec elle n'était pas des plus simples. C'était l'ex-femme de Michael Brown et son divorce était lié à un scandale sexuel qui avait impliqué Ophélie[1].

Mais, perdue pour perdue, j'ai décidé de tenter le coup. Il m'a fallu d'abord joindre mon amie pour avoir le numéro de Michael. Elle s'est montrée soupçonneuse.

— Pourquoi veux-tu son numéro ? Tu veux encore lui sauter dessus ?

Merde, Michael avait cafté ! J'ai tenté de nier.

— Mais je n'ai jamais...

---

1. Voir la trilogie *Movie Star*.

— Ne te fatigue pas, Michael l'a dit à Charlie. Ils ne se cachent rien entre frères.

J'ai contre-attaqué :

— Mais, toi, à ce que je sache, tu n'es pas leur sœur ? Comment es-tu au courant ?

— J'ai entendu que ton nom était mentionné dans la conversation. J'ai demandé à Charlie de m'expliquer. Au début, il a refusé, alors j'ai dû employer les grands moyens...

— C'est-à-dire ?

— Nous étions au lit. Je suis descendue entre ses jambes et... enfin tu vois le tableau.

Je voyais très bien, trop bien. Ophélie a continué ses explications :

— Je lui ai dit que, s'il ne me racontait pas, ma jolie bouche le délaisserait. En disant ça, je lui ai fait le regard que tu m'as appris. Tu sais, le petit regard innocent, genre sainte-nitouche qui demande : « Est-ce que ça vous plaît, monsieur ? »

J'étais scandalisée par l'attitude de mon amie. La beauté d'Ophélie se caractérise par une très belle bouche, très grande, et des yeux sublimes. Combiner ces deux éléments dans une fellation ne laissait aucune chance à la victime.

— Mais tu n'as pas le droit d'utiliser quelque chose que je t'ai appris contre moi !

Elle a ri, ravie de son bon tour.

— À la guerre comme à la guerre ! Merci, en tout cas. Il a bien essayé de résister, mais, dès que ma bouche a reculé, il s'est empressé de me parler.

— Tu n'es pas sympa !

— En revanche, je me dois de te remercier. Tu as mis du piment dans ma vie de couple !

Sur cette remarque, elle a explosé de rire.

— Bon, Ophélie, tu me le donnes, ce numéro ?

— D'accord, je demande à Charlie.

Quelques minutes plus tard, j'avais le numéro de mobile d'un des hommes les plus célèbres et les plus beaux du monde. Vu qu'il m'avait tournée en ridicule auprès de mon amie, j'aurais pu le publier sur Internet, ce qui aurait eu pour effet de saturer son portable d'appels de fans hystériques. Mais Michael ne méritait pas ça et j'avais besoin de lui.

Il a décroché à la deuxième sonnerie.

— *Yes ?*

J'ai noté qu'il ne déclinait pas son identité, contrairement à l'habitude américaine. Certainement une protection conseillée aux stars.

— Michael, c'est Laure. Laure Masson, vous savez ?

— Laure, même si vous ne m'aviez pas dit qui vous étiez, votre charmant accent vous aurait trahie. Cet accent, seules deux jeunes femmes de ma connaissance le possèdent et la deuxième est actuellement en Afrique avec mon frère. C'est amusant que vous vouliez m'appeler, je parlais de vous à Charlie, hier.

J'ai eu envie de lui dire que j'étais au courant et qu'il aurait pu s'abstenir, mais j'ai préféré en venir au but de mon appel.

— Michael, j'ai une demande un peu particulière, j'aurais besoin de l'aide de Carolina Sanchez.

Il a explosé de rire.

— Et vous pensez que je suis la bonne personne pour vous obtenir une faveur ? Alors que nous sommes en pleine procédure de divorce ? Nous ne nous sommes pas parlé depuis plusieurs mois, ce sont nos avocats qui s'en chargent pour nous.

— Alors, c'est foutu ?

Il a dû sentir le désespoir dans ma voix.

— C'est si important ? OK, je vais voir ce que je peux faire, je vous rappelle.

Moins d'une heure plus tard, il a tenu sa promesse.

— Laure, je ne peux pas vous donner son numéro de téléphone, sinon elle risque de mettre le mien sur Internet par mesure de rétorsion.

Je me suis gardée de lui dire que j'avais eu la même idée.

— Mais je sais qu'elle sera chez notre agent commun dans une heure. Il donne une party avec ses acteurs.

— Mais, vous, vous n'y allez pas ?

— Nous nous partageons la soirée. Elle y va entre 18 heures et 19 h 30, et moi, j'y vais à 20 heures. Vous voyez, dans un divorce d'acteurs, on n'organise pas la garde des enfants, mais, en revanche, on fait très attention à équilibrer le temps passé avec son agent. On pourrait appeler ça une garde partagée d'agent !

— Et elle a accepté de me voir pendant cette heure et demie ?

— Non, elle ne sait rien, Emmanuel l'avertira au dernier moment.

Bêtement, je me suis demandé qui était cet Emmanuel dont il parlait. Michael a senti mon trouble.

— Emmanuel Bernstein, mon agent. Voyons, Laure, vous le connaissez, j'espère ?

Quelle conne ! Comment ne pas connaître un des cinq agents les plus influents de Hollywood ? J'avais réussi à me décrédibiliser auprès de Michael en moins de cinq minutes : un début brillant dans le monde de la production.

— Bien sûr, Michael, c'est que je n'ai pas l'habitude qu'on l'appelle par son prénom.

— Bon, pas de gaffes, vous avez intérêt à vérifier son curriculum avant d'aller le trouver. Il n'est pas facile et il est très susceptible : c'est une véritable diva.

— Et il a accepté de m'aider ?

— Non, il a cédé sous la pression que je lui ai mise. J'ai la chance d'être l'acteur le plus rémunéré de son agence et je suis donc celui qui finance indirectement la plus grande partie de sa belle villa et de sa Ferrari. Vous voyez, il y a parfois des avantages au fait que les salaires des hommes et des femmes ne soient pas alignés. Si ça avait été le cas, vous n'auriez jamais pu voir Carolina...

Dans son ton moins amical que d'habitude, j'ai senti le combat qu'il avait mené. J'ai répondu la première chose qui m'est venue à l'esprit :

— Je suis française, je ne suis pas féministe.

C'était stupide, ça n'avait aucun sens, mais ça l'a détendu.

— Tiens, je croyais au contraire que toutes les Françaises l'étaient.

— Non, nous aimons trop la galanterie. En tout cas, Michael, je vous remercie pour ce service inestimable. Je ne sais comment je pourrais m'acquitter de cette dette.

Il a eu un petit rire.

— Si je n'étais pas dans une relation monogame, j'aurais pu vous communiquer un numéro de chambre au Shutters on the Beach.

— Mais je croyais que je ne vous plaisais pas ?

— Détrompez-vous, je vous trouve très sexy. Mon ex-avocat, Robert, m'a parlé de la nuit qu'il a passée avec vous. Je crois qu'il ne s'en est jamais remis[1].

Quand je pense que, pour moi, ça avait été une des plus ennuyeuses de ma vie et qu'il figure en bonne place dans mon classement des pires amants, je me suis dit que les impressions divergent beaucoup selon les individus.

Il a repris :

— Une nuit où Ophélie et moi discutions après avoir fait l'amour, elle m'a dit que je m'éclaterais plus avec vous sexuellement.

— Elle a dit ça ?

Un tel compliment dans la bouche de mon amie sur un sujet aussi personnel alors qu'elle était avec l'homme de sa vie (enfin, celui qu'elle croyait être l'homme de sa vie), c'était très surprenant.

— Mais, dans sa bouche, c'était un reproche...

OK, je comprends mieux, le récit de Michael prend plus de sens.

— Elle a peut-être raison, mais nous ne le saurons probablement jamais.

— Probablement... Ah ! Laure, il y a en revanche une chose que vous devez me promettre. Quand vous verrez Carolina, quoi qu'elle vous dise, vous ne devez pas réagir. Même si elle vous insulte, vous devez garder votre calme. J'ai promis à Emmanuel que vous aviez le flegme d'une vieille Britannique.

Me faire insulter sans même pouvoir renvoyer une petite pique ? Avec mon caractère méditerranéen, c'était une gageure, mais je devais au moins ça à Michael.

---

1. Voir *Movie Star, Saison 2 – Venise*.

— Je m'y engage. Je me mordrai les joues si nécessaire.

— Parfait, allez-y à 18 h 30, je vous texte l'adresse.

Et voilà comment on réussit la première étape. Mais,
pour prendre une métaphore cycliste, j'avais juste réussi
l'épreuve en plaine. Carolina, c'était l'équivalent d'une
journée en pleine montagne avec le franchissement de
trois cols hors catégorie !

À 18 h 25, j'étais devant la villa de M. Bernstein, au
cœur de Beverly Hills. Vu la taille et la beauté de la
bâtisse, je me suis dit qu'être agent est une belle profession à Hollywood quand on a sous contrat des acteurs
oscarisés.

J'avoue que, quand j'ai sonné, j'avais le palpitant qui
battait à 180 pulsations-minute. J'ai donné mon nom à
une sorte de majordome et on m'a conduite dans un
long couloir qui menait à un jardin intérieur et à une
piscine. J'apercevais les invités avec leurs coupes de
champagne et les tables recouvertes de petits fours. Mais
pas question de tout cela pour moi : mon guide m'a fait
entrer dans un petit bureau. Dommage, un peu de Ruinart aurait diminué mon niveau de stress.

J'ai attendu au moins un quart d'heure, mais ça m'a
semblé le triple. Soudain, la porte s'est ouverte. Ce n'est
pas Carolina mais Emmanuel Bernstein qui est arrivé.
Il a vite refermé la porte derrière lui, comme si j'étais
un objet de honte. Il est entré tout de suite dans le vif
du sujet :

— Bon, que les choses soient claires. Je vous permets de rencontrer Mme Sanchez uniquement par amitié pour Michael…

Je me suis dit que, pour lui, l'amitié semblait très liée au portefeuille. Il a continué :

— Je sais qui vous êtes, votre lien avec miss Delacour. Il est donc possible, voire probable, que Carolina ne soit pas enchantée de vous rencontrer. Je ne connais pas le motif de cette entrevue et je ne désire pas le connaître, mais je vous conjure de ne pas la froisser.

— Oui, Michael m'a donné des instructions à ce sujet.

— Il a bien fait, mais je vais vous le redire autrement. Si votre entrevue provoque un problème et affecte ma soirée, je vous conseille de réserver un aller simple pour Paris dès demain car, sinon, je me ferai un plaisir de vous pourrir la vie à Hollywood dans ces vingt prochaines années. C'est clair ?

— Limpide.

Et sans autre forme de procès, il a quitté la pièce. Quel sombre con arrogant ! Cette première rencontre était assez traumatisante : mon corps tremblait alors que je n'avais pas encore affronté la belle Mexicaine.

La nouvelle attente n'a pas contribué à calmer mes nerfs. Quand la porte s'est à nouveau ouverte, j'ai fait un bond de huit mètres. Cette fois, c'était bien Carolina. Elle était très belle dans sa robe blanche avec une petite veste assortie. Si j'avais eu une critique à formuler, je lui aurais reproché son décolleté beaucoup trop imposant. Quand on a une grosse poitrine, il vaut mieux la révéler avec finesse pour éviter la vulgarité. Et cette recommandation est encore plus importante pour une femme qui dépasse la quarantaine, car la poitrine est un révélateur de l'âge. Comme souvent, remarquer cette faiblesse chez mon interlocutrice m'a permis de retrouver mon calme.

Elle a eu un petit sourire en me voyant, mais c'était un sourire froid et ironique.

— Laure, quelle surprise de vous trouver là ! Je pense même qu'en dehors d'Ophélie vous êtes la dernière personne à qui je pensais reparler un jour.

Ça commençait bien... Je ne me suis pas dégonflée.

— J'imagine. Voilà, je ne prendrai pas trop de votre temps. J'ai un service à vous demander. J'ai besoin de joindre un acteur mexicain, Guillermo Ruiz. Il est au Mexique et je n'arrive pas à le localiser.

Le regard de braise qui avait séduit Michael Brown et des dizaines de millions de spectateurs s'est posé sur moi et elle a eu un air dubitatif.

— Et c'est pour ça que vous me dérangez ? Vous me prenez pour un détective privé ou pour votre assistante ?

— Je vous assure, mon assistant et moi-même avons fait l'impossible, nous n'arrivons pas à le trouver.

— Et, à supposer que je le puisse, quelle raison aurais-je de vous aider ?

La question à 1 million de dollars. J'y avais réfléchi avant cette entrevue et je n'avais pas trouvé de réponse satisfaisante.

— Aucune. Je pourrais m'en remettre à votre foi catholique pour faire appel à votre générosité ou citer le dicton populaire « Un bienfait n'est jamais perdu », mais ce ne sont pas de bonnes raisons.

— Alors, on en reste là ? Bonne chance dans votre recherche.

Elle avait la main sur la poignée de la porte. Dans deux secondes, elle allait disparaître et toutes mes chances de retrouver Alexandre avec elle.

— Un Oscar, un deuxième Oscar.

Elle s'est retournée.

— Pourquoi ? Vous comptez remplacer Cheryl Boone Isaacs[1] ? Ou vous avez un petit ami informaticien qui est capable de modifier les résultats des votes ?

— Non, c'est juste une analyse clinique de la situation. Vous êtes une actrice formidable qui a cent fois mérité son Oscar, mais le temps passe et vous avez de nombreux handicaps, dont celui d'être une femme.

Elle m'a coupée avec ironie :

— Vous savez, être une femme, ça aide pour gagner l'Oscar de la meilleure actrice... Mais continuez, je suis curieuse de savoir où vous voulez en venir.

J'ai décidé de prendre plus de risques.

— Vous êtes d'origine mexicaine et vous avez dépassé les quarante ans. Depuis votre Oscar, il y a sept ans, combien de rôles intéressants vous ont été offerts ? Un, deux maximum ? C'est la grande différence avec Michael Brown, qui va continuer à recevoir des tas de propositions. Il n'est pas meilleur acteur que vous, mais c'est un homme. Un homme blanc de surcroît.

— Vous savez que votre discours n'est pas très PC[2] ?

— Peut-être, mais vous savez que j'ai raison.

— C'est possible. J'ai cependant du mal à voir en quoi ça nous rattache à notre sujet du jour.

C'était le moment du grand saut spatio-temporel, j'avais intérêt à me montrer persuasive.

---

1. Présidente de l'Academy of Motion Picture Arts and Sciences, qui organise les Oscars.

2. *Politically correct* ; façon de parler qui consiste à adoucir excessivement ou changer des formulations qui pourraient heurter un public catégoriel, en particulier en matière d'ethnies, de cultures, de religions, de sexes.

— C'est en relation directe, Carolina. Parce que je me lance dans la production. Je vais produire ma première série cette année. Dans deux ans, trois au maximum, je produirai mon premier film. Et je ne ferai pas de blockbusters avec des super-héros. Non, je raconterai des histoires d'hommes et de femmes, de femmes surtout, dont le destin saura séduire et émouvoir le public américain et l'Académie des Oscars. Me rendre service aujourd'hui, c'est vous donner la possibilité de gagner votre deuxième Oscar dans quelques années.

Wouah ! Le *sales pitch*[1] le plus ambitieux de ma vie. J'avais mis une telle intensité dans ces quelques secondes que j'étais vidée. La question était de savoir si elle allait adhérer. Elle m'a fixée un moment. Je n'ai pas détourné les yeux. Elle a finalement repris la parole :

— Vous vous rendez compte de l'énormité de ce que vous venez de dire ? Vous n'avez encore rien produit et vous vous projetez dans une chasse aux Oscars...

— Et pour vous, fille d'immigrés, quelle était la probabilité que vous fassiez la carrière que vous avez faite ?

— Vous avez raison, c'était encore plus aléatoire. Donc votre raisonnement est de dire que, si j'ai accompli mon rêve, vous pouvez réaliser le vôtre. Pourquoi pas ? Vous avez un cran et une détermination assez admirables. Je vais le chercher, votre Guillermo, et, si je vous le trouve, vous me procurerez un rôle pour mon deuxième Oscar. Nous sommes bien d'accord ?

— C'est ça.

Elle s'est retournée pour partir. Je l'ai arrêtée à nouveau.

---

1. « Argumentaire de vente ».

— Eh ! je ne vous ai pas donné mes coordonnées !

Elle a eu un rire sarcastique.

— Mais qui ne connaît pas la célèbre agence Delacour & Masson ?

Sur ces paroles, elle a quitté la pièce sans que je puisse lui dire que l'agence s'appelait, en fait, « Masson & Delacour ».

Un employé de maison m'a raccompagnée à la porte sans tarder, comme si ma présence dans la maison était toxique.

Une fois dans la rue, j'étais dans l'état de la conductrice qui vient d'éviter un accident grâce à une réaction rapide et pleine de sang-froid : j'avais les jambes qui flageolaient. Impossible de prendre la voiture pendant plusieurs minutes. Je me suis assise sur le capot et j'ai réfléchi. Si j'étais capable de convaincre Carolina, dans cette mission suicide, je pouvais tout réussir. Ça m'a donné un moral d'enfer. Ce n'est que dans mon lit que les doutes sont revenus.

Et si elle ne le trouvait pas ? Si elle changeait d'avis ? C'était ma dernière chance de trouver Alexandre. Si cette piste se révélait vaine, je n'aurais qu'à m'avouer vaincue et me lancer dans cette production sans la motivation supplémentaire de faire quelque chose de bien pour une personne méritante.

Si la nuit a été difficile, la journée suivante l'a été dix fois plus. J'admire Jason d'avoir pu supporter ma mauvaise humeur. Je lui sautais à la gorge sous n'importe quel prétexte. Comme je lui avais expliqué la situation, il est resté stoïque pendant plusieurs heures.

Vers 13 heures, après une énième remontrance, il a réagi avec beaucoup de calme :

— Laure, il y a une séance d'abdos-fessiers à 13 h 30 dans votre club de gym. Je vous conseille d'y aller.

J'ai répondu avec agressivité :

— Pourquoi ? Je suis grosse et flasque ?

— Non, mais, si l'après-midi se passe comme la matinée, non seulement vous ne trouverez pas votre acteur, mais en plus vous allez perdre votre assistant. Je vais déjeuner, je vous laisse.

Scotchée, je n'ai pas su quoi répondre. J'ai décidé de faire ce qu'il avait suggéré. Le conseil était excellent, j'ai raffermi mon état d'esprit et mes muscles par la même occasion.

À mon retour, Jason m'a tendu un Post-it : le numéro de Guillermo !

— L'assistant de Mme Sanchez a appelé il y a dix minutes. Il m'a dit que Guillermo travaille dans l'équipe d'organisation du Dakar. Il est à Buenos Aires en ce moment.

— Le Dakar, la course d'autos dans le désert ?

— Oui, c'est un rallye-raid.

— Mais qu'est-ce qu'il fout dans la capitale argentine ? Dakar, c'est en Afrique, pas en Amérique du Sud !

Les Asiatiques ont beau avoir la capacité de garder un visage impénétrable, j'ai cru déceler une lueur de pitié dans ses yeux.

— Laure, le Dakar se déroule en Amérique du Sud depuis 2009.

— Mais c'est débile, ils auraient pu changer le nom.

Il n'a pas commenté. J'ai cru devoir me justifier.

— Je ne peux pas être experte dans tous les domaines ! Le sport, ce n'est pas mon truc. Et vous, vous avez été candidat à « Qui veut gagner des millions » ?

— Non, à « Jeopardy ».

Je ne sais pas si c'était factuel ou de l'humour coréen. Je n'ai pas cherché à savoir.

— L'assistant a dit autre chose ?

— Oui, il avait un message de Carolina Sanchez pour vous. Elle a dit que, si le rôle était vraiment bon, elle se contenterait d'un salaire de 10 millions de dollars.

Là, je savais que ce n'était pas de l'humour mexicain.

— Il est quelle heure à Buenos Aires ?

— Il y a cinq heures de décalage, il est 19 h 45.

— C'était aussi une question à « Jeopardy » ?

— Non, j'ai vérifié sur Internet. Vous voulez que je vous l'appelle ?

— Merci, je préfère l'appeler directement. Sinon, j'ai peur qu'il ne le prenne mal.

J'ai bien fait. La conversation a été très courte, mais très pénible. Il a été glacial. Il m'a réexpliqué qu'Alexandre ne voulait plus entendre parler de Hollywood et de moi en particulier. J'ai expliqué mon projet et j'ai pu finalement lui extorquer un maigre renseignement. Il m'a dit qu'il n'avait pas le nouveau numéro de l'acteur, mais que celui-ci lui avait dit qu'il avait le projet de rejoindre la troupe du Cirque du Soleil.

C'était peu, mais je n'ai pu obtenir mieux.

Jason a anticipé la prochaine action.

— Le siège du Cirque du Soleil, c'est à Montréal. C'est le même fuseau horaire que New York. Il est 17 h 45 là-bas. Vous voulez que je les appelle ?

Il est top, mon assistant ! Après le difficile échange avec Guillermo, j'étais contente de déléguer. Je l'ai écouté franchir les barrages, de la standardiste aux différents interlocuteurs qui avaient l'air d'avoir plus envie de rentrer chez eux que de nous aider. Au bout d'une dizaine de minutes, il a pu obtenir une personne qui travaillait dans les ressources humaines. Elle ne donnait pas l'impression d'être très compréhensive, mais, avec beaucoup de douceur, Jason l'a conduite où il voulait. Elle a rallumé son ordinateur et était prête à nous donner les coordonnées d'Alexandre. On allait enfin savoir où il se trouvait !

Pendant que la machine chargeait son système d'exploitation, Jason m'a fait passer un Post-it. Dessus, il y avait une question simple : « Quel est le nom de famille d'Alexandre ? »

Plus basique comme question, il n'y avait pas. Et pourtant, je ne connaissais pas la réponse...

Il est difficile d'imaginer le sentiment de solitude que j'ai éprouvé à ce moment-là. J'étais en train de bouleverser le cours tranquille de ma vie, j'avais remué ciel et terre pour quelqu'un dont je ne connaissais même pas le nom de famille !

Les secondes s'écoulaient sans que je sache quoi faire. C'était la bérézina ! Et soudain, j'ai entendu la « charmante » interlocutrice de Jason lui demander le nom et le prénom de la personne qu'il recherchait.

Jason a commencé une réponse timide :

— Il s'appelle Alexandre...

— Et son nom de famille ?

— Il m'échappe. Peut-être pouvez-vous faire une recherche par le prénom ?

La réponse a fusé, acerbe :

— Vous plaisantez, nous avons plus de quatre mille employés, dont plus de mille trois cents artistes !

J'ai senti qu'elle allait raccrocher, mais Jason a eu une inspiration géniale.

— Vous avez dû le remarquer, il ressemble à James Dean.

— Cabot ! Alexandre Cabot ! Comment ne pas se souvenir de lui ? Un si beau garçon. Et si gentil…

Immense soulagement, elle le connaissait !

— Vous avez ses coordonnées ?

— Il ne travaille pas avec nous. Nous n'avons pas besoin de personnel pour l'instant. C'est dommage, un si joli garçon. Mais, avec un physique pareil, il ferait mieux de faire du cinéma. Il nous a laissé son numéro de portable et aussi le nom de la société pour laquelle il est parti bosser. Il s'agit de Grand Nord Découverte.

Après avoir obtenu les numéros de téléphone, Jason l'a remerciée chaleureusement.

Je me suis précipitée pour faire une recherche sur Internet. Ce nom bien ronflant était celui d'une petite agence de voyages spécialisée dans les expéditions dans le nord du Canada. Les photos ne faisaient pas envie. Il devait faire un froid de gueux. Il faut être dingue pour aller en vacances là-bas ! Et Alexandre qui décide de jouer les guides touristiques dans ces contrées inhospitalières… Heureusement que j'allais le rapatrier fissa pour les températures douces de la Californie.

J'ai tenté de le contacter par téléphone, mais je n'ai pas obtenu de réponse. J'ai laissé un message lui enjoignant de me rappeler.

Le reste de l'après-midi a été l'opposé de la matinée. Tout me souriait. David m'a envoyé un SMS me disant qu'il rentrait et qu'il aimerait dîner avec moi le lendemain. Ma bonne étoile se manifestait enfin.

Plus tard, j'ai appelé Ophélie pour la tenir au courant. Elle a remarqué mon ton chantonnant.

— Tu as l'air de bonne humeur.

— *Yes*, je suis gaie comme une pie.

— Comme un pinson. L'expression, c'est soit « curieuse comme une pie », soit « gaie comme un pinson ».

Toujours rabat-joie, celle-là. Mais, là, elle pouvait me dire ce qu'elle voulait, mon moral était en béton.

— Pie, pinson, merle, tu choisis l'oiseau qui te plaît. J'ai retrouvé Alexandre et je vois David demain.

— Tu vas choisir lequel ?

— Ophélie ! Je te l'ai déjà dit, Alexandre, c'est un intérêt d'ordre professionnel.

— J'avais l'impression que tu n'étais pas indifférente...

— La productrice que je suis a décelé le potentiel de ce garçon, c'est tout. Mon homme, c'est David, et il sera dans mes bras. C'est pour ça que je suis gaie.

Je me suis mise à fredonner :

— « *Je suis gaie comme un Italien, quand il sait qu'il aura de l'amour et du vin.* »

Mon amie, qui elle n'a aucun sens artistique, s'est mise à gémir :

— Stop, Laure ! Nicole Croisille, c'est une référence du XXᵉ siècle. Et tu n'as pas sa voix...

J'ai pris des nouvelles du tournage de son fiancé et nous nous sommes quittées.

En rentrant chez moi, j'avais toujours la pêche malgré l'absence de nouvelles d'Alexandre. Je lui ai laissé un nouveau message, où j'en ai dit un peu plus. Sans donner trop de détails, j'ai annoncé que j'avais « d'excellentes nouvelles ». C'est un garçon intelligent, il comprendra et ne tardera pas à me rappeler.

Une fois au lit, j'ai zappé sur les différentes chaînes de télévision. Coïncidence incroyable, je suis tombée sur la rediffusion du film *Recherche Susan désespérément*, auquel j'avais pensé quelques jours avant. J'en avais entendu parler, mais je ne l'avais jamais vu. Je me suis laissé embarquer par cette jolie comédie où l'on suit Rosanna qui, en cherchant la mystérieuse Susan, trouve finalement l'amour. Bien sûr, dans ce genre de film, la fin est heureuse, ce qui n'est pas toujours le cas dans la vie réelle.

Mais, aujourd'hui, fiction et réalité se rejoignent et *Recherche Alexandre désespérément* a eu aussi droit à son happy ending !

Chapitre 12

Allumer le feu

Johnny Hallyday, ça ne devrait pas être ma came, ce n'est pas de ma génération. Mais mon père était fan et il m'a passé le virus. Quand j'étais adolescente, je n'écoutais que chez moi, pour éviter le jugement des autres. Mais maintenant j'assume. Il y a beaucoup de titres que j'aime : *Les Portes du pénitencier*, *L'Envie*, *Je te promets*...

Quand je suis dans ma voiture pour aller au bureau, j'adore écouter *Allumer le feu*. Ça me donne la pêche, un peu comme *Eye of the Tiger*. Ce matin, il m'a fallu les écouter trois fois de suite pour me remonter le moral : les deux messages à Alexandre sans obtenir de réponse, ce n'était pas bon signe.

J'étais prête à lui laisser un nouveau message, mais Jason m'en a dissuadée. Il a raison. Ce n'est pas en le harcelant que je vais obtenir un résultat positif.

Cette triste journée pouvait peut-être se transformer en soirée plus festive grâce aux retrouvailles avec David. Il m'avait donné rendez-vous dans un restaurant italien, Angelini Osteria, sur Beverly Boulevard. Un dîner en tête à tête dans un restaurant que j'avais envie de découvrir depuis un moment avec mon amoureux, on ne peut rêver mieux pour éliminer les soucis du boulot.

Je suis repassée à la maison me changer. Je ne sais pas si c'était à cause des circonstances de notre séparation, mais c'était presque comme un premier rendez-vous. J'ai choisi une jolie robe noire et j'ai sorti mes Louboutin. Il s'agit du modèle Sharpstagram, avec des talons de dix centimètres. Je ne les mets que très rarement, mais elles me donnent une allure folle.

En les sortant de leur boîte, je me suis rappelé dans quelles circonstances l'avocat de Michael me les avait offertes[1]. C'était comme la madeleine de Proust, des souvenirs me sont revenus à l'esprit : le yacht, Michael, la Sardaigne, Charlie, Ophélie… Quel beau moment ! Soudain, j'ai réalisé que David et moi étions déjà « en pause ». En réalité, c'était plus une rupture qu'une pause. C'est à ce moment-là qu'il était sorti avec Sarah. Et maintenant, il était avec elle à Paris.

C'est curieux, le phénomène de la mémoire. Vous prenez un objet, il vous amène des souvenirs qui vous procurent un sentiment de bien-être et, l'instant d'après, un mal-être profond ! Repenser à son ex m'a fichu un coup de bourdon. Pour un peu, j'aurais annulé le dîner. Mais j'avais mis tant de soin à me préparer que ça aurait été dommage. Un coup d'œil dans la glace me l'a confirmé.

— Laure, ma grande, tu es juste sublime ! Tu as bien fait de mettre ce soutien-gorge push-up, il te fait une poitrine qui va le faire jouir à la seconde !

Il arrive que je me parle à voix haute, surtout pour m'encourager ou me féliciter. Bien sûr, je ne le fais que

---

1. Voir *Movie Star, Saison 2 – Venise*.

quand je suis seule. Est-ce un signe de schizophrénie ? Non, je pense qu'on fait tous ça. Pour revenir à mes dessous, j'avais aussi sorti porte-jarretelles, bas et une culotte hyperclasse. Si, avec cette tenue de combat, je n'arrivais pas à rallumer la flamme...

Je suis arrivée au restaurant avec trente-cinq minutes de retard. David m'attendait à la réception. Il avait mis un costume et une cravate : c'était chou, parce qu'il n'en met jamais, ce que l'on réalise quand on voit la façon dont le nœud est fait.

Il m'a prise dans ses bras, mais nous ne nous sommes pas embrassés.

— Bonjour, David, je suis désolée du retard. Tu ne t'es pas installé à la table ?

— Ils n'ont pas voulu tant que tu n'étais pas là. J'espère qu'ils pourront nous placer.

Renseignements pris, ils avaient donné la table. Il faudrait attendre quarante-cinq minutes pour en avoir une autre. Mauvais début de soirée... David a essayé de rester zen, mais je sais que c'est un maniaque de la ponctualité et il déteste les contretemps. Il m'a interrogée sur ce que je souhaitais faire.

— Tu préfères attendre ou tu veux qu'on cherche un autre endroit ?

— Si ça ne t'ennuie pas, attendons.

Reprendre notre relation dans ces conditions, c'était très difficile. Comme je sentais David très tendu, je lui ai parlé de son boulot en évitant de mentionner sa collègue. Il m'a raconté Paris, les terribles attentats du 13 novembre. Quand il m'en a parlé, il avait la voix qui tremblait.

— Tu comprends, ils n'ont aucune limite et ils s'attaquent à notre civilisation. Ils ont ciblé une salle de concert où se produisait un groupe américain et le Stade de France. Tu te rends compte, s'ils avaient pu pénétrer dans l'enceinte...

Je lui ai pris la main : il y a des moments où un geste est préférable à tout commentaire. Il a continué :

— L'attaque précédente, moins d'un an avant, visait des journalistes et un supermarché kasher. Avec ces barbares, on a l'impression de retourner quatre-vingts ans en arrière avec la montée du fascisme.

Pour David, c'est un sujet sensible. Ses arrière-grands-parents ont réussi à quitter l'Allemagne en 1933, mais d'autres membres de sa famille n'ont pas eu cette chance.

Le sujet était trop noir pour une soirée comme celle-ci. J'ai enchaîné avec la COP 21. David a eu d'abord du mal à retrouver son allant. Mais l'environnement est une question qui le passionne. Il m'a expliqué que tous les participants avaient fait des propositions de réduction de gaz à effet de serre. Malheureusement, ces accords n'étaient pas contraignants et il redoutait que ce ne soient que des paroles en l'air. C'est au sujet d'Obama que David a été le plus dur.

— Tu vois, il a encore un an de mandat, j'espérais qu'il serait capable de décisions plus fortes. Il m'a déçu.

Venant d'un fervent supporter du premier Président noir, ces paroles avaient un poids encore plus grand.

Ces discussions très sérieuses nous ont permis de ne pas voir le temps passer. Quand le maître d'hôtel nous a conduits à notre table, j'ai regardé ma montre, trente-cinq minutes s'étaient écoulées.

Comme nous étions affamés, nous nous sommes concentrés sur le menu. Pour moi, le choix n'a pas été difficile : *insalata tricolore* et *whole mediterranean branzino*, du bar dans une croûte de sel servi avec des légumes sautés.

La conversation est devenue plus légère : cinéma, lecture et tous les sujets culturels qui nous rapprochent. J'ai raconté la soirée de fiançailles d'Ophélie et de Charlie. Enfin, pour être exacte, je me suis contentée de la première partie. Le reste, il valait mieux le passer sous silence... Enfin, nous avons parlé de mon projet. Il m'a posé plein de questions pour me montrer son intérêt, ce qui était gentil, vu que ce n'est pas un fan de séries.

Le poisson était délicieux, le chardonnay californien lui donnait une dimension supplémentaire, la discussion était fluide comme auparavant, la soirée était bonne.

Elle est devenue magnifique au moment du dessert. J'avais choisi une *affogato al caffe*, une glace à la vanille avec un shot d'espresso, quand David a posé devant moi un petit écrin. J'ai posé la question réflexe stupide.

— C'est pour moi ?

Honnêtement, étant donné qu'il n'y avait que nous deux à table... Imagine qu'il réponde : « Non, c'est juste pour te montrer une bague que je veux offrir à une autre fille. » Mais David n'est pas un mufle.

— C'est de la période Art déco, des années 1930. J'espère que tu vas aimer.

J'ai pris l'écrin dans ma main et je l'ai ouvert avec délicatesse. À l'intérieur, une bague en or blanc sertie de saphirs, d'un diamant et de roses de diamant.

— J'adore !

Je me suis levée pour aller l'embrasser. D'abord mes lèvres sur les siennes, puis ma langue a cherché à aller plus loin. Mais David est bien trop réservé pour partager un bon french kiss dans un lieu public. Dommage…

Moi, je n'avais rien pour lui, c'était un peu embarrassant. Je me suis excusée pour aller aux toilettes. Quand je suis revenue, je me suis mise debout face à lui.

— Moi aussi, j'ai un cadeau pour toi. Donne-moi ta main.

Il s'est exécuté. J'y ai glissé un petit morceau de tissu. Quand il s'est rendu compte qu'il s'agissait de ma culotte, j'ai cru qu'il allait s'étrangler. Il s'est empressé de la faire disparaître dans la poche intérieure de sa veste. Il a ensuite vidé son verre de chardonnay cul sec.

Le serveur m'ayant apporté mon dessert, j'ai pris un peu de glace dans ma cuillère. La bienséance veut que l'on avale la totalité du contenu de la cuillère, mais je préférais une méthode plus suggestive. Mes lèvres se sont refermées avec sensualité sur l'ustensile que j'ai sucé délicatement sans quitter David du regard. Il en est devenu écarlate. J'ai continué ma manœuvre de séduction en paroles.

— J'aimerais rejouer avec toi une scène de film…

— Laquelle ? Celle où Meg Ryan simule un orgasme et impressionne Billy Crystal ?

— *Quand Harry rencontre Sally* ? Bonne suggestion, mais je n'ai jamais eu besoin de simuler avec toi. Non, je pensais à un autre film, *American Pie 3*. Tu connais ?

— De nom. Mais tu sais, moi, les comédies pour teenagers, je ne suis pas fan. J'ai peut-être vu des extraits du premier opus.

— Tu as tort, la première trilogie est très amusante. Enfin, ça correspond à mon humour. Au début du 3, les deux héros sont ensemble au restaurant et elle décide de passer sous la table pour lui faire une petite gâterie. Tu crois que c'est faisable ?

Il a eu un air terrifié, preuve qu'il me connaît bien.

— Laure, tu plaisantes, tu ne vas pas faire ça ?

— J'avoue que je suis assez tentée, mais, si on se fait prendre, le scandale sera énorme, non ?

— Plus que cela, on dormira en prison !

— Pas la meilleure façon de fêter nos retrouvailles.

— Non, la pire.

— Et si je fais ça, on ne risque rien, qu'en penses-tu ?

Mon pied droit s'est débarrassé de sa chaussure. Je me suis allongée légèrement sur ma chaise pour que ma jambe puisse atteindre la chaise de mon partenaire. La pointe de mon pied s'est posée sur sa cuisse puis est remontée lentement. David a réagi dans l'instant.

— Laure, non ! Laure, tu ne peux pas faire ça.

— Relax, personne ne peut nous voir.

— Ce genre de pratique ne fait pas partie de mes fantasmes, arrête !

— Si ce que je sens sous mon pied est ce que je crois et si ce n'est pas une barre d'acier que tu as glissée dans ton caleçon pour m'impressionner, alors je peux t'affirmer que tu ferais bien d'ajouter cette pratique à la liste de tes fantasmes, car ton corps dément les affirmations de ton cerveau.

Il n'a rien dit. Il se concentrait sur les sensations qu'il ressentait sous la nappe.

— David, je vais te prouver ma dextérité avec mes pieds.

— Ce n'est pas possible.

— On va voir...

Mon gros orteil s'est associé avec le deuxième pour tenter de saisir la fermeture éclair du pantalon de mon compagnon. Après avoir tâtonné quelques instants, j'ai réussi à la saisir et à la descendre.

— Laure, le mot « dextérité » vient du latin *dextera*, qui veut dire « main droite ». La dextérité du pied, c'est une impossibilité linguistique.

— Et en latin, comment dis-tu « se faire branler avec le pied » ?

J'avais, en effet, réussi à me glisser dans l'ouverture de sa braguette et je caressais le membre en fusion.

— Laure, tu sais que j'ai horreur des vulgarités, tu le sais.

— Ça reste à prouver. C'est ton côté schizophrène, le syndrome Jekyll et Hyde, l'hypocrisie protestante dans toute sa splendeur en matière de sexe...

— Je suis juif !

— Tu vois, c'est une autre preuve de ta schizophrénie. Tu ne fais même pas honneur au personnage de Philip Roth, qui lui assume ses obsessions sexuelles.

— C'est quoi, ces stéréotypes ? Ce n'est pas parce que l'on est juif que l'on doit suivre le modèle de *Portnoy*[1] !

Je dois reconnaître à David un certain self-control : être capable d'une conversation structurée alors que son sexe cherche à s'enfuir de sa prison, ça mérite une médaille.

---

1. *Portnoy et son complexe*, de Philip Roth. Un roman subversif mais aussi plein de tendresse amère sur la population juive américaine des années 1950.

À ce moment-là, le serveur est venu aux nouvelles.

— Tout va bien, madame, monsieur ?

J'ai eu soudain l'idée saugrenue de faire jouir David avec le serveur juste à côté. Je trouvais ça fun, lui pas. Il a saisi mon pied avec sa main pour éviter l'irréparable. Comme il était occupé, c'est moi qui ai répondu.

— Très bien, un vrai plaisir.

— Un digestif ? Un limoncello ?

— Pour monsieur, c'est une excellente idée.

— Et vous, madame, vous préféreriez une boisson non alcoolisée ?

— Oui, je pense bien à quelque chose, mais vous n'en vendez pas.

— Dites-moi, nous avons un large choix. C'est français ? Du cognac ?

— Non, c'est un produit new-yorkais, mais récolté par des Français.

Il avait l'air très intéressé mais ne voyait pas du tout à quoi je faisais référence. David, lui, me tordait le petit orteil pour me forcer à stopper. Il m'a fait si mal que j'ai gémi, ce qui a surpris le serveur.

— Madame, vous allez bien ?

— Oui, c'est juste une crampe, l'effet du vin blanc.

— Ah ! je comprends. Je vous rapporte le limoncello.

Dès son départ, je me suis fait engueuler.

— Tu es inconsciente ! Tu ne peux pas échanger ainsi sur la fellation avec le personnel du restaurant !

— Mais il était à cent lieues de comprendre.

— Et si je ne t'avais pas arrêtée, tu t'apprêtais à dire quoi ?

— Je pense que je lui aurais dit que cette boisson contenait beaucoup de sels minéraux.

— Tu es folle, tu es complètement folle !

— Avoue que je suis unique et que je te plais comme ça...

J'ai pris le borborygme qui est sorti de sa bouche pour un acquiescement.

Si on excepte l'heure suivante, qui a consisté à payer le restaurant – c'est David, en gentleman, qui s'en est chargé – et à retourner à deux voitures jusqu'à son domicile, la totalité de la nuit a été une exploration du *Kama-sutra*. Je pense que le mot « exploration » est même impropre. Dans notre cas, on pourrait parler de réécriture.

Il avait à peine allumé la lumière du salon que je me suis jetée sur lui pour l'embrasser. Mes lèvres contre les siennes, nos langues qui jouent ensemble... Ah ! le baiser est un art à part qui mériterait un ouvrage à lui tout seul. J'adore le sexe, mais il perd la moitié de son intérêt quand on n'aime pas la façon dont son partenaire embrasse : rien ne remplace le plaisir d'une bonne pelle !

L'intensité était telle que je l'ai poussé en arrière jusqu'au canapé. Quand nos deux bouches se sont séparées, j'étais dans un état d'excitation extrême. Lui aussi. Comme je voulais éviter une éjaculation précoce qui aurait ruiné mon orgasme, j'ai adopté l'attitude la plus pragmatique : j'ai décidé de faire ce que David n'avait pas voulu au restaurant. Cette fois, il n'a pas essayé de m'arrêter. Après lui avoir enlevé son pantalon, j'ai libéré le monstre de sa cage. Je me suis agenouillée pour « dompter » la bête. Au bout de quelques minutes, il a commencé à se crisper. J'ai senti que la fin du chemin était proche. Il a essayé de me ramener à lui, mais je ne l'ai pas abandonné. Quelques secondes plus tard, c'est un tsunami de plaisir qui s'est répandu dans ma bouche !

J'ai toussoté, j'ai craché à un point tel que David s'est inquiété. Moi, j'ai trouvé ça rassurant à deux titres : cela montrait son désir pour moi, et la quantité du liquide séminal prouvait aussi qu'il n'avait pas utilisé son engin depuis longtemps.

Pour le deuxième round, il allait falloir patienter vingt minutes. Mais je savais que ce ne serait pas du temps perdu... David a fait un geste romantique : il s'est levé et il m'a prise dans ses bras. Comme si j'étais une jeune mariée, il m'a fait franchir le seuil de la chambre et m'a posée, avec beaucoup de délicatesse, sur le lit. Il est venu m'y rejoindre et nous avons recommencé à nous embrasser comme deux collégiens. Après ce début prometteur, je me suis relevée pour enlever ma robe. En voyant mes beaux dessous noirs, ses yeux se sont mis à briller. Surtout que ma culotte était dans la poche intérieure de sa veste et que mes porte-jarretelles soulignaient ma nudité. Quand je me suis mise debout directement au-dessus de sa tête, j'ai cru qu'il allait faire une crise d'apoplexie. Il a fait pression sur mes mollets pour que je m'agenouille au-dessus de lui. Ses attentions pour moi ont eu pour résultat de me faire gémir puis crier quand l'orgasme s'est déclenché. Je me suis jetée en arrière. Il m'a laissé moins d'une minute pour récupérer avant de repartir à l'assaut. Je me suis dit que c'était trop tôt, que j'avais besoin d'un peu de temps, mais j'avais tort. Quelques minutes plus tard, deuxième orgasme !

Le reste de la nuit, David a décidé de le consacrer à battre un record. Pas un record du *Guinness Book* (quoique je n'ai pas vérifié !), mais il a voulu vérifier si je pouvais faire mieux que mon amie Gabrielle. C'est une amie canadienne qui travaille au *Journal de Montréal* et qui doit avoir la quarantaine. Quand elle était venue nous voir, elle nous avait parlé du mec qui lui avait procuré quatorze orgasmes en cinquante-cinq minutes. Et tout ça avec une seule éjaculation ! Et encore, il avait voulu qu'elle atteigne vingt, mais elle avait dit stop par épuisement. David était très sceptique sur la véracité de ce témoignage. J'avais défendu mon amie, mais il lui avait fallu vérifier sur Internet pour la croire. La lecture d'une déclaration d'un médecin sexologue l'avait stupéfié.

— Laure, il dit que les femmes peuvent théoriquement répéter leurs orgasmes à l'infini.

— Tu savais bien que les femmes sont multiorgasmiques.

— Oui, mais je pensais qu'il y avait un maximum. Le médecin assure qu'il n'y a pas de normes, que cela peut aller jusqu'à cinquante !

Toujours est-il qu'il s'est mis dans l'idée de faire mieux que Gabrielle et son mec. Autant le dire tout de suite, nous n'y sommes pas arrivés. À neuf, j'ai dit stop et il n'a pas protesté. Comme lui en était à sa quatrième éjaculation, je crois qu'il avait atteint le point où la douleur peut remplacer le plaisir.

Mais quelle importance ? Le sentir en moi, pendant que nos yeux et nos bouches échangent des pensées d'amour, c'est tout ce dont j'ai besoin.

Au petit matin, j'étais trop épuisée pour arriver à m'endormir. J'ai repensé à Johnny et je me suis dit que mes copines qui me trouvent ringarde n'ont rien compris. Il suffit d'écouter les paroles d'*Allumer le feu*.

Il suffira d'une étincelle
Oui, d'un rien, d'un geste
Il suffira d'une étincelle
Oui, d'un mot d'amour
Pour, pour, pour
Allumer le feu.

David et moi avons trouvé l'étincelle et, ce soir, nous avons rallumé la flamme de notre amour.

Chapitre 13

L'Âge de glace

Je suis tellement méditerranéenne dans mon comportement que je n'ai jamais supporté les températures en dessous de 10 °C. Je n'aime pas trop aller au ski et j'ai même du mal à regarder les films qui traitent du sujet. Par exemple, *Le Jour d'après*, où les héros sont confrontés à une nouvelle ère glaciaire, je ne peux pas. Et pourtant, il y a Jake Gyllenhaal, que je trouve très mignon. Ophélie s'était moquée de moi quand je lui avais expliqué que même *L'Âge de glace* me frigorifiait.

Pour moi, vivre à Paris était déjà difficile six mois par an. Los Angeles, pour ça, c'est top.

Les jours suivant la soirée de retrouvailles avec David, la température extérieure a oscillé entre 13 et 20 °C. Dans notre couple, elle n'est pas descendue en dessous de 100 °C : c'était chaud bouillant. Je ne suis pratiquement pas allée dans la maison de Charlie, juste pour changer mes tenues. J'étais de retour à Santa Monica comme si nous ne nous étions jamais quittés.

C'était top : dîners au restaurant, films au Chinese Theatre, séries HBO confortablement installés dans le lit, sans oublier un échange physique soutenu...

Et puis il y a eu la soirée de Noël. J'étais reconnaissante à David d'être là ; sa présence atténuait mon chagrin de ne pas pouvoir partager ce moment privilégié avec mes parents et mon petit frère. Je suis rentrée tôt du bureau pour faire un FaceTime avec eux. Ces quelques minutes d'échange avec ma famille ont été très belles, mais j'étais très triste, surtout en voyant l'air de chien battu de mon père. Il n'a pas dit grand-chose, mais j'ai eu l'impression que c'était lui qui avait le plus de mal à supporter mon absence.

En début de soirée, David est rentré. Il a rapporté un petit sapin et tout ce qu'il faut pour le décorer. J'ai retrouvé un plaisir d'enfance en accrochant les boules et les guirlandes. Il y avait même un petit Père Noël avec son traîneau que j'ai mis au sommet du petit arbre. J'ai remercié David pour cette attention :

— David, tu es un amour. C'est parfait. Enfin, presque. Il manque la crèche et les santons.

— Les quoi ?

— Les santons, ce sont des petites figurines en argile très colorées qui représentent la scène de la nativité. C'est très populaire chez moi, en Provence. Chaque année, quand j'étais petite, j'installais la crèche. Je refusais que mon frère touche aux santons, sous prétexte qu'ils sont très fragiles. Mon père achetait chaque année deux ou trois nouveaux personnages. Au début, je n'avais que l'Enfant Jésus, la Vierge Marie, Joseph, les rois mages ainsi que l'âne et le bœuf. Puis, au fur et à mesure, se sont ajoutées toutes les figurines qui représentent les métiers traditionnels d'un village provençal. Si tu veux, un jour, tu viendras passer Noël chez moi, en Provence.

— J'aimerais beaucoup.

Vers 19 heures, le traiteur a livré un grand plat de fruits de mer : huîtres, langoustines, crevettes et crabe. David m'a proposé d'aller me changer avant de prendre l'apéritif. Ma nostalgie de la France a diminué sous la douche : j'avais pu parler à ma famille et j'allais pouvoir partager ce moment avec mon amoureux en dégustant des fruits de mer. J'ai pris mon temps pour me préparer, notamment dans le choix de mes dessous. J'ai failli mettre ma guêpière, mais je me suis dit que ce n'était pas la tenue la plus confortable pour dîner. Alors, je suis revenue vers une tenue plus classique qui avait fait ses preuves : un ensemble avec porte-jarretelles et bas. Pour dissimuler ce que David découvrirait en fin de soirée, j'ai choisi une robe bleue que je n'avais jamais mise et j'ai noué mes cheveux avec un ruban assorti, comme aiment le faire les lycéennes américaines. À part les petites chaussettes blanches, je ressemblais comme deux gouttes d'eau à Kathleen Turner dans *Peggy Sue s'est mariée*.

Quand je suis revenue dans le salon, David était en train de texter et il ne m'a pas vue tout de suite. J'ai dû faire volontairement du bruit pour qu'il se retourne. Il m'a regardée, mais pas comme je l'imaginais. Il avait une expression bizarre qui m'a inquiétée.

— Ça va ?

Il s'est ressaisi et m'a fait un sourire. Mais son attitude n'était pas rassurante.

— Ça va. Regarde sous le sapin, je crois que le Père Noël est passé.

— Wouah, génial ! Attends, je vais chercher mon paquet.

Je lui ai rapporté un grand sac et j'ai insisté pour qu'il soit le premier à ouvrir son cadeau. Quand il a vu la marque Church's sur la boîte, j'ai compris tout de suite combien il était content. David est un fan de chaussures, il a une petite collection et il est maniaque sur leur entretien. Une fois, j'avais pris l'initiative de cirer une paire et je me suis fait écharper, car je ne savais pas « comment faire » et je risquais « d'abîmer le cuir ». Autant vous dire que, depuis ce jour-là, je n'avais plus approché la collection sacrée.

Après avoir ouvert la boîte, il s'est précipité pour m'embrasser.

— Merci, Laure, j'adore !

— Avant de me remercier, essaie-les. Si ce n'est pas la bonne taille, tu peux les changer.

Il est allé chercher un chausse-pied pour ne pas risquer d'abîmer l'arrière des chaussures. La taille était parfaite, David avait le sourire d'un enfant qui vient de recevoir une PS4.

Ensuite, c'était mon tour. Le paquet était aussi grand que celui de David et le nom de la marque a fait bondir mon cœur : Longchamp ! En général, les hommes ne peuvent pas comprendre la passion des femmes pour les sacs. Ils acceptent que leur épouse en ait jusqu'à quatre différents, et après ils bloquent. On a droit à des remarques, genre « à quoi ça sert d'en avoir autant alors que tu ne peux en utiliser qu'un à la fois ? ». Un jour, avec un petit ami golfeur, j'ai essayé de faire un parallèle avec le nombre de clubs dans son sac. Il m'a dit que ça n'avait rien à voir parce que chaque club a une utilisation particulière suivant la distance et le type de coup. J'aurais pu lui expliquer combien la comparaison était judicieuse et pourquoi, pour nous aussi, chaque sac correspond à un type de sortie ou de tenue portée. Mais je n'ai pas gâché de salive en vain : parfois, les hommes sont des primates qui ne comprennent pas la complexité et la subtilité féminines...

Le Longchamp, c'était un Pliage Héritage bleu : quel cadeau ! Je me suis jetée sur David pour l'embrasser. Le problème (enfin, en est-ce un ?), c'est que mon baiser de remerciement a mis le feu. Le simple contact entre nos lèvres a été suivi par un beau ballet entre nos langues. À partir de là, la situation est devenue incontrôlable. Je me suis accrochée à lui et j'ai senti son sexe grossir dans son pantalon. Il a essayé de m'arrêter.

— Laure, le dîner.

— Il ne risque pas de refroidir...

Cet argument a mis fin à ses hésitations. De toute façon, je ne lui ai pas laissé le choix. Je l'ai forcé à s'allonger par terre et j'ai vite enlevé ma culotte. Cette fois, je n'ai pas pris le temps de le déshabiller. Je me suis contentée d'ouvrir sa braguette et je me suis vite rendu compte que, vu son excitation, tout était superflu. Je me suis mise à califourchon et j'ai placé son sexe à l'entrée du mien. J'ai pris mon temps pour le faire pénétrer en moi, puis, doucement, j'ai commencé un lent va-et-vient qui m'a arraché des gémissements. Même après plusieurs jours de sexe sans interruption, cette relation, le soir de Noël, avait une dimension particulière. J'ai senti l'orgasme monter en moi et j'ai guidé mon amour.

— David, David, viens. Je t'en supplie, viens.

Son orgasme a déclenché le mien. J'ai crié et je me suis effondrée sur lui. J'ai mis une minute à récupérer puis je me suis relevée. Il a tenté de m'avertir :

— Non, Laure, attends !

C'est vrai, j'aurais dû réfléchir ; dans cette position, le résultat de sa jouissance risquait de tacher ses vêtements. Ça n'a pas manqué : il avait du sperme sur son corps, mais aussi sur son caleçon et sur son pantalon. J'ai explosé de rire. Lui était grincheux.

— Merde, Laure, ce n'est pas drôle, tu aurais pu faire attention !

— Ça va, tu prends une douche et tu te changes, ce n'est pas la fin du monde.

Moi, je n'avais pas ce problème. Il m'a suffi de faire un tour rapide dans la salle de bains pour retrouver mon look immaculé.

Quand je suis ressortie pour laisser la place à David, il finissait d'écrire un SMS. Une minute plus tard, il y a eu un bip sur son iPhone. Je ne sais pas pourquoi, mais j'ai eu le réflexe d'aller voir. D'habitude, je respecte sa vie privée et je ne supporterais pas qu'il regarde mes textos, mais là, j'ai jeté un coup d'œil. C'était un message de Sarah, son ex devenue sa collègue, qui disait : « De toute façon, elle va le prendre très mal. » Ce message énigmatique m'a énervée et a titillé ma curiosité.

Je ne sais pas si c'était une chance ou une malchance, mais, comme David venait juste de l'utiliser, son iPhone n'était pas bloqué. Alors, j'ai enfreint mes principes et j'ai ouvert la conversation qu'il avait eue avec elle. Le premier message était d'elle :

« *Hello*, David, je ne te manque pas ? »

« Bien sûr que tu me manques. »

« Tu pourrais être avec moi Chez Castel. Tu fais quoi ce soir ? »

« Je fête Noël avec Laure. »

« Noël ! Je n'y crois pas ! David, c'est une fête chrétienne et tu es juif. Tu te rends compte qu'ils célèbrent la naissance de Jésus ? Quand tu penses qu'ils ont choisi un Juif comme messie, c'est dingue. Tu épouses le point de vue des goys ! »

« C'est pour lui faire plaisir. »

« Tu lui as offert un cadeau ? »

« Un sac Longchamp. »

« Je croyais que c'était la bague... »

« La bague, c'était le cadeau des retrouvailles. »

« Ah ! elle ne se fait pas chier ! C'est le sentiment de culpabilité qui te fait la gâter autant. Elle t'a remercié, au moins ? »

« Bien sûr. »

« Je voulais dire sexuellement... Au niveau pipe, elle n'a aucune chance de m'égaler. Elle n'a pas la bouche assez grande pour te prendre complètement. D'ailleurs, personne ne peut se comparer à moi. Tu n'es pas d'accord ? »

« Vous êtes incomparables. »

« Je suis d'accord, personne ne peut m'égaler. Heureusement que je t'aurai bientôt pour moi. Tu lui as dit ? »

« Pas encore, je ne veux pas gâcher la soirée. »

« Tu es comme tous les mecs, tu es lâche. »

« Non, je suis diplomate. »

« De toute façon, elle va le prendre très mal. »

Cet échange a brisé mon cœur en quelques secondes. Je n'arrivais pas à le croire, David me trompait avec cette garce. Mais était-ce vraiment une surprise ? Je m'étais méfiée dès notre première rencontre. Ophélie s'était moquée de moi, mais elle avait tort et j'avais raison. Pour mon plus grand malheur... J'ai relu tous les

SMS pour chercher à voir s'il n'y avait pas un quipro-quo, mais il n'y avait aucune ambiguïté. Les derniers échanges annonçaient qu'il allait me quitter pour elle.

Comme beaucoup avant lui, David s'était trahi à cause de la technologie. Combien Apple et Samsung ont-ils désespéré de personnes avant moi ? C'est une statistique que personne n'a jamais publiée... D'un autre côté, ce ne sont pas les responsables de l'adultère, ils n'en sont que le messager. Mais, dans la Grèce ancienne, on tuait le porteur de mauvaises nouvelles. J'ai adopté la même posture : quand David est réapparu, dans un nouveau costume, je lui ai balancé son iPhone qui a rebondi sur son épaule avant de s'écraser par terre. Il m'a regardée, médusé, puis il s'est penché pour ramasser son portable. Ce n'est que quand il a vu la vitre cassée qu'il a réagi.

— Mais tu es malade ! Qu'est-ce qui te prend ?

— Sale con ! Tu t'éclates bien avec ta salope à Paris ? Tu comptais m'annoncer quand que tu me quittais pour elle ? Demain, après une nuit d'amour ? Enfin, d'« amour », le terme est mal choisi, il faudrait plutôt dire de « baise », puisque tes sentiments pour moi n'étaient visiblement pas sincères.

Il a jeté un coup d'œil à son iPhone et il a compris.

— Laure, ce n'est pas du tout ce que tu peux ima-giner.

— Qu'est-ce que je peux imaginer ? Qu'elle te fait des pipes « incomparables » parce qu'elle a une bouche plus grande que la mienne ?

À ce moment, la fureur a fait place au désespoir et je me suis mise à pleurer. David s'est approché de moi pour me prendre dans ses bras, mais je n'aurais pas supporté. J'ai hurlé :

— David, ne me touche pas !

Il a stoppé son avance.

— Je t'assure qu'il n'y a rien entre elle et moi.

— J'ai pourtant lu qu'elle te manquait.

— Oui, mais comme une amie, dix fois moins que tu ne me manques quand je suis loin de toi.

— Et quand elle fait référence à un « sentiment de culpabilité », je suppose qu'elle parle de vos parties de Scrabble ?

— Non, c'est parce qu'il y a quelque chose que je devais te dire et que je n'ai pas eu le courage de t'annoncer.

— Elle a au moins raison sur ce point : tous les hommes sont lâches. Je pensais que tu étais une exception... Mais je vais te soulager de cette mission que tu n'as pas osé remplir. Je te facilite le travail, c'est moi qui te quitte.

Sa réaction m'a surprise. Il aurait dû être soulagé et il a semblé, au contraire, être frappé par la foudre.

— Laure, tu ne peux pas faire ça... Je n'ai jamais eu l'intention de me séparer de toi.

Son ton était sincère, sa voix brisée semblait prouver sa sincérité. J'ai douté un instant.

— Et c'est quoi, cette news dont tu repoussais l'annonce à demain ?

— Je dois repartir en France. Le journal veut que je sois là pour couvrir le Nouvel An. Ils pensent qu'il y a de forts risques d'attentat pendant les fêtes.

— Tu pars quand ?

— Demain soir.

— Et tu l'as appris ?

— Hier matin.

249

— Pourquoi ne me l'as-tu pas dit hier soir en rentrant ?

Il a eu un regard de chien battu. Il a essayé de me prendre la main, mais je la lui ai refusée. L'idée d'un contact m'était insupportable.

— J'ai eu tort, mais je craignais que cela ne ruine notre soirée de Noël.

— En l'occurrence, tu as eu plutôt raison... Tu vas donc passer le réveillon avec Sarah ?

— Oui, mais pas comme tu l'entends. Juste entre amis. Laure, je te le jure, il n'y a rien entre nous. Nous sommes amis, c'est tout.

— *Whatever*... ça ne change pas grand-chose.

En un instant, je me suis sentie lasse, vidée. À la fatigue physique provoquée par un manque de sommeil et une activité sexuelle démentielle s'ajoutait le dégoût provoqué par ce vaudeville grotesque.

David, au contraire, a retrouvé son énergie.

— Mais si, c'est différent. Je t'aime, je ne veux pas être avec une autre.

— Au soir du 31, tu seras avec une autre. Et moi, je serai seule...

Mes larmes de fureur, qui s'étaient arrêtées pendant notre échange, ont ressurgi, mais cette fois avec moins de violence. David était hésitant, il ne savait pas quoi faire. Moi, si. Je suis allée dans la chambre rassembler les quelques affaires qui s'y trouvaient. David m'a suivie sans rien dire.

Quand je me suis approchée de la porte d'entrée, il a fait une dernière tentative :

— Laure, c'est ridicule, je t'aime. Je sais que mon départ est triste, mais on ne peut pas se quitter comme ça.

— David, même si tu n'es pas avec elle aujourd'hui, tu le seras peut-être demain.

J'ai vu qu'il s'apprêtait à réfuter cette hypothèse. Je l'ai interrompu d'un geste de la main.

— Même si elle n'est qu'une amie, comme tu le prétends, on se retrouve dans la même situation qu'il y a un mois quand tu es parti la première fois. Sauf que, maintenant, nous avons expérimenté les retrouvailles : quelques jours de passion, de sexe, pour finalement retrouver la solitude et la tristesse. Je ne veux pas de cette vie-là, je ne veux pas d'un mec qui habite à des milliers de kilomètres et qui s'éclate avec une autre pendant que je regarde une vidéo en engloutissant une pizza qui me fait devenir une grosse dondon. Tu ne sais même pas quand et si tu quitteras Paris un jour. La séparation est préférable. Si on doit se retrouver plus tard, qu'il en soit ainsi, *so be it*.

J'ai franchi la porte, il m'a rattrapée.

— Et ton sac ? Tu ne le prends pas ?

— Non, il sera à jamais lié à cette soirée de Noël pourrie. Tu peux le rendre demain, Bloomingdale's devrait être ouvert. Je garde la bague en souvenir de toi, de cette semaine qui s'annonçait merveilleuse.

— Et les chaussures ?

Il voulait faire bien les choses, aborder tous les problèmes, mais ce matérialisme, alors que nos sentiments venaient d'exploser, m'a exaspérée.

— Tu en fais ce que tu veux ; tu les gardes, tu les rends, tu les jettes dans la mer, j'en ai rien à foutre !

Je me suis mise à courir pour rejoindre ma voiture. Conduire avec les yeux embués n'a pas été une sinécure, mais je suis quand même arrivée chez Charlie. Je me suis servi un whisky avec du Coca et je suis allée sur la terrasse. La température devait être voisine de 13 °C, mais je frissonnais. Je me suis allongée sur une chaise longue et j'ai pleuré longtemps, bien emmitouflée dans deux plaids.

Le 24 avait été une journée merdique, le 25 ne s'est pas révélé mieux. Seule bonne nouvelle de la journée, Jason a une piste pour un scénariste. Enfin, encore mieux, il en a peut-être trouvé deux. Ils ont à leur actif trois scénarios pour des téléfilms et, quand ils étaient plus jeunes, ils ont écrit une fanfiction sur les *X-Men*. Ça s'appelait *X-Men University*. C'est ce qui a retenu l'attention de Jason, la proximité de leur création avec le sujet de ma série. Je lui ai demandé de prendre rendez-vous avec eux. Avec un peu de chance, le problème du scénario est en passe d'être résolu.

Pour le reste, David a essayé de me joindre sans arrêt. Je n'ai répondu ni à ses SMS ni à ses appels. Vers midi, il m'a envoyé un texto pour me prévenir qu'il arrivait pour que l'on puisse s'expliquer. Je lui ai répondu qu'il n'y avait pas besoin d'explications supplémentaires, que tout était dit. Sa réponse a tenu en un mot : « J'arrive. » Ça m'a fait sourire, un sourire triste. À sa place, je n'aurais pas annoncé ma visite. C'est son côté old school qui l'a perdu : par moments, la politesse n'est pas un atout.

J'ai appelé Sean pour savoir si on pouvait se voir. Il était enchanté de m'entendre et il m'a invitée chez lui. Dans l'opération, j'allais profiter d'un double bénéfice : j'échappais à David et je pourrais m'épancher sur une épaule bienveillante. Ça ne s'est pas passé aussi simplement. Si mon ex s'est bien heurté à une porte close ou, pour être plus exacte, s'il est tombé sur un Jason qui a menti avec aplomb pour assurer qu'il ne savait pas où j'étais, Sean n'a pas été aussi compatissant qu'espéré.

Après m'avoir offert le café, il m'a demandé où nous en étions dans notre série.

— J'ai trouvé deux scénaristes qui ont écrit un script qui correspond à ce que je veux faire.

— Vous les avez rencontrés ?

— Non, pas encore. Mon assistant ne m'a parlé d'eux que ce matin.

Il a eu une moue contrariée.

— Donc vous n'avez pas pu lire leur travail ?

— Je l'ai pris avec moi. Je vais commencer ce soir.

— Et votre fameux acteur, vous l'avez signé ?

— Non, mais je l'ai retrouvé, ça n'a pas été simple.

— OK, mais a-t-il accepté de jouer dans la série ?

— Euh, je n'ai pas pu lui demander, il ne répond pas à mes textos et il ignore mes appels.

Sean a élevé la voix :

— Alors, allez le voir. Prenez votre voiture.

— Il est au Canada.

— Vous savez réserver un billet d'avion. Laure, on parle de cette série depuis un mois et rien n'a avancé. À ce rythme, ma fille jouera une grand-mère dans votre série !

La formulation n'était pas très gentille, mais sur le fond je ne pouvais pas lui reprocher son constat. Il n'empêche qu'après la nuit épouvantable que je venais de vivre ces reproches tombaient mal. Est-ce que j'étais une ratée qui avait juste eu de la chance professionnellement

253

jusqu'à maintenant ? Les larmes me sont montées aux yeux. J'ai fait tout ce que j'ai pu pour les bloquer, mais c'est diablement difficile. Malgré mes efforts, l'Écossais a remarqué qu'il y avait un malaise.

— Laure, vous allez bien ? Je suis désolé si je vous ai froissée, mais...

Je l'ai interrompu :

— Ce n'est pas à cause de ce que vous m'avez dit ; tout cela est justifié. C'est simplement que ma vie personnelle est compliquée...

Il s'est radouci.

— Vous voulez m'en parler ? Je ne vous force pas, mais j'ai la réputation d'avoir la meilleure écoute de la côte ouest.

J'ai haussé les épaules, hésité un instant, puis je me suis lancée. Je lui ai tout raconté et j'ai vu qu'il n'avait pas menti. On pourrait se dire qu'écouter est la chose la plus simple du monde, mais c'est l'opposé. Recueillir des confidences nécessite un langage corporel hyperdéveloppé pour montrer que l'on s'intéresse, sans non plus être trop pressant. Plus j'avançais dans mon histoire, plus les yeux de l'Écossais me poussaient à continuer. Il m'a posé de rares questions, surtout sur la personnalité de David, sur notre passé commun. J'ai eu, par moments, envie de pleurer, mais j'ai réussi à me contenir. À la fin, j'ai levé les yeux pour connaître son verdict. Il est resté silencieux quelques instants.

— Vous souhaitez mon avis ?

— S'il vous plaît.

— Ce que je vais vous dire n'est que mon avis basé uniquement sur vos dires et sur ma grande expérience de la vie amoureuse.

En disant ça, il m'a fait un clin d'œil.

— Laure, je crois que vous avez pris la bonne décision. Je ne dis pas que votre ami vous a trompée. Sans aucune certitude, je pense qu'il ne l'a pas fait, et je serais enclin à le croire quand il vous dit que cette Sarah n'est qu'une collègue. Mais ce n'est pas du 100 %, peut-être du 70/30. De toute façon, votre analyse est la bonne, vous ne pouvez pas vivre cette relation à distance qui va vous ronger. Non seulement votre couple, ou ce qu'il en reste, n'y survivrait pas, mais vous n'auriez pas la tête froide pour votre projet professionnel. Ça va déjà être suffisamment difficile sans rajouter cet élément perturbateur. Vous avez beaucoup de charme, vous êtes jolie et intelligente, vous pouvez trouver plein d'hommes pour vous faire la cour.

C'était flatteur, c'était gentil, il me confortait dans la décision que j'avais prise et pourtant j'étais frustrée. Je pense qu'inconsciemment j'aurais souhaité qu'il me dise le contraire, que je devais vite aller rejoindre David et me jeter dans ses bras. Ma décision était la bonne, mais elle était difficile à assumer.

L'émotion, la fatigue m'ont fait bâiller.

— Pardon.

— Je vous en prie, vous êtes exténuée. Je vous propose d'aller vous reposer dans une chambre d'amis et vous n'aurez qu'à rester dîner avec nous. Je suis seul avec elle. Ça vous permettra d'approfondir vos relations.

La perspective de revoir Julia ne m'enchantait pas, mais un nouveau SMS de David m'informant qu'il était déçu de ne pas m'avoir trouvée dans la maison de Charlie m'a convaincue. Sean m'a conduite à l'étage, dans une très belle chambre, juste à côté de celle de sa fille. Je me suis allongée et je crois que je me suis endormie dans les trente secondes. J'ai juste eu le temps d'entrapercevoir Sean qui posait une couverture sur moi. Je n'ai pas eu la force de le remercier, mais je me suis endormie sur une note positive, sur le geste gentil d'un homme à mon égard.

Ce sont des grognements masculins qui m'ont réveillée. Puis il y a eu un hurlement de fureur émanant d'une gorge féminine.

Je me suis levée et j'ai ouvert la porte. Les bruits venaient de la chambre de Julia. J'ai reconnu sa voix.

— Salopard d'égoïste, tu prends ton pied et moi je peux me brosser !

Il y a eu un objet qui s'est fracassé contre le mur. J'ai entendu que l'homme essayait de se défendre.

— Julia, j'avais trop envie de toi. Tu es trop belle…

— Tu n'es qu'un sale puceau incapable de faire jouir une fille !

Un autre objet a cette fois touché la porte. Dix secondes plus tard, celle-ci s'est ouverte et un garçon d'une vingtaine d'années est sorti. Je n'ai jamais vu quelqu'un dans un tel accoutrement. Il essayait d'enfiler son caleçon d'une main en tenant le reste de ses affaires dans l'autre. Le détail assez dégoûtant est qu'il n'avait pas enlevé le préservatif qui pendouillait au bout de son sexe car celui-ci entrait dans sa phase de résolution, comme disent les sexologues. Dans un langage plus commun, cela veut dire que son sexe avait perdu sa forme et ne ressemblait plus à rien. Le garçon s'est précipité vers l'escalier après avoir reçu un autre projectile, en l'occurrence une chaussure. Le plus drôle, c'est qu'en passant à côté de moi aux trois quarts nu il m'a dit « Bonjour, madame ». J'ai songé que ce n'était peut-être pas un bon amant mais qu'il avait quand même une bonne éducation. Un autre projectile a rebondi sur le pauvre garçon pour achever sa course sur mon épaule. J'ai protesté :

— Eh ! Attention !

Julia s'était levée du lit, sans doute pour mieux ajuster ses tirs ou pour trouver des munitions. Elle était dans la tenue d'Ève, mais une Ève qui serait passée chez son esthéticienne pour lui demander une épilation intégrale. Elle n'était pas gênée de se retrouver nue devant moi. Son agressivité s'est retournée contre moi.

— Pourquoi tu me regardes ainsi ? Tu es gouine ? Pas de chance pour toi, je n'aime pas me faire lécher par une femme. Dommage, tu aurais pu finir le travail…

Je n'ai pas répondu et elle s'est un peu calmée. L'ironie a remplacé la fureur.

— Je ne vais pas non plus te reprocher d'admirer la fille la plus canon que tu aies jamais vue. Et encore, tu n'as rien vu, regarde mon cul.

Elle s'est tournée et s'est mis une claque sur la fesse. Le son a confirmé l'impression visuelle d'un fessier parfait sans un gramme de graisse.

J'aurais aimé moucher cette petite insolente dont l'arrogance semblait sans limites. Malheureusement, je ne pouvais que souscrire à ses propos. Son corps était tout simplement magnifique. Elle était fine avec de beaux seins, une taille de guêpe et des fesses à faire damner un saint. C'était un croisement entre Anne Hathaway et Emily Ratajkowski, c'est-à-dire le fantasme absolu pour tout homme (et même pour certaines femmes).

J'ai préféré descendre pour ne plus être taxée de mateuse. J'étais assez angoissée d'avoir accepté cette furie dans mon casting. Le point positif est que, s'il fallait une scène de nu, je n'aurais aucun problème avec elle. Au contraire, entre sa ressemblance avec Emma Watson et son corps de rêve, elle allait enflammer la toile et bien aider au démarrage de la série.

J'ai retrouvé Sean devant le barbecue, comme à son habitude.

— Vous vous êtes bien reposée ?

— Très bien. Je vous remercie également pour vos conseils. Vous avez raison, je dois passer à autre chose. Je peux vous poser une question indiscrète ?

Cela l'a amusé.

— Vous plaisantez ? Je ne demande que ça. Ma génération n'a jamais eu la chance de pouvoir jouer à « Action ou vérité ». C'est dommage, je pense que j'aurais adoré.

— Vous êtes le gentleman parfait, vous êtes beau, intelligent, *successful*. En plus, vous êtes galant et prévenant. Je ne comprends pas pourquoi vous êtes célibataire.

Il a ri.

— Justement, à cause de toutes ces qualités ! Je suscite beaucoup de convoitise auprès de la gent féminine. Comme je suis généreux – qualité que vous avez oublié de mentionner –, je fais profiter ces dames de ma personne.

— Pourquoi n'arrivez-vous pas à rester fidèle ?

Il est redevenu sérieux.

— C'est une bonne question et une question difficile. On peut l'étendre à tous les hommes et même aux femmes, car l'égalité entre les sexes progresse même dans ce domaine. Je ne sais pas, peut-être que l'être humain n'est pas monogame par nature. On se lasse, on est attiré par quelque chose de neuf. Vous en avez déjà fait l'expérience ?

J'ai réfléchi, j'ai fouillé dans ma mémoire.

— Non, je n'en ai pas le souvenir. Peut-être parce que j'ai toujours pu rompre avant de m'engager dans une nouvelle relation.

— C'est plus simple, effectivement. Vous verrez, ça se complique après le mariage.

Une voix a surgi derrière nous :

— Pour toi, on ne peut pas dire que le matrimonial a beaucoup contrarié ta vie sexuelle !

— Julia, ma chérie, tu arrives toujours au bon moment pour apporter un point de vue plein de nuances dans des conversations où tu n'étais pas conviée. À propos de partenaire sexuel, qui était ce jeune garçon que j'ai vu courir à moitié nu dans le jardin ?

— Un impuissant qui jouit en moins de dix secondes !

— Je ne relèverai pas la contradiction que tu viens d'énoncer. Ma question concernait son identité.

— C'est le fils des Greyson.

— Greyson, la vice-présidente d'Amazon ?

— Oui, ça doit être ça.

— Mais qu'est-ce qu'il fait à Los Angeles ? Le siège d'Amazon est à Seattle.

— Il étudie à l'UCLA.

— Et tu as réussi à t'embrouiller avec lui ? Tu réalises que tu te destines à la carrière d'actrice et qu'Amazon est en train de se lancer dans la production de séries ? Dans quelques années, ils pourraient concurrencer les HBO ou Netflix.

Elle l'a regardé d'un œil torve.

— *So what ?*

— Eh bien, il est possible, voire probable que ce garçon ne parle pas de toi à sa mère dans des termes élogieux.

— Il n'osera jamais parler de moi vu la honte qu'il se taperait...

— Tu ne peux pas savoir. Il est jeune, tu as peut-être heurté ses sentiments.

— OK, tu veux que je rattrape le coup ?

— Si c'est encore possible...

— Pas de problème. Je m'en occupe. Je reviens dans dix minutes.

J'avais écouté le curieux échange entre le père et la fille sans piper mot. Ayant assisté au bombardement de projectiles, je doutais qu'elle arrive à une réconciliation.

La trotteuse de ma montre n'avait pas fait huit tours qu'elle était déjà de retour.

— Dad, c'est réglé.

— Tu es sûre ?

— Écoute son SMS, tu en jugeras par toi-même : « Julia, encore une fois, excuse-moi pour tout à l'heure. Tu es une fille incroyable et je te reverrai avec plaisir. *See you soon.* Éric ».

— C'est vraiment ce qu'il a écrit ?

Sean avait l'air de douter de l'authenticité du message et, pour dire la vérité, moi aussi. Sa fille lui a montré son portable.

— Bravo, tu es une magicienne, parce qu'il avait l'air assez traumatisé tout à l'heure. Il est l'heure de dîner.

Nous nous sommes installés tous les trois et l'heure suivante a été très sympa, surtout grâce à notre cuisinier aux yeux bleus. Il nous a régalées aussi bien avec les plats qu'il avait préparés qu'avec de nombreuses anecdotes sur sa jeunesse et sur ses débuts dans le cinéma. Julia est restée très réservée. Sans doute connaissait-elle déjà ces histoires.

À la fin du dîner, quelqu'un a sonné. Sean l'a fait entrer, c'était un fleuriste qui venait livrer pour Julia vingt-quatre roses rouges sublimes ! J'étais sous le choc. Ce ne pouvait quand même pas être l'amoureux éconduit ? Je n'ai pas pu me retenir, j'ai profité de l'absence de Sean, qui répondait à un appel professionnel, pour interroger sa fille.

— Les fleurs, c'est de la part de…

Je n'ai même pas osé prononcer son nom.

— D'Éric, bien sûr.

— Comment le sais-tu ? Tu as reçu un SMS ? Il t'a prévenue ?

Elle a eu un air horrifié.

— Tu voudrais que ce garçon, en plus d'être éjaculateur précoce, soit aussi un goujat qui ruine la jolie surprise du bouquet qu'il offre à sa belle ?

J'ai eu envie de lui dire que les belles n'envoient pas leurs chaussures à la tête de leur chevalier servant.

— Il y a une carte ! Tu ne veux pas la lire ? Comme cela, tu seras sûre.

Elle m'a souri avec un petit air supérieur.

— Mais je suis sûre ! Ouvre-la, tu en meurs d'envie.

J'aurais dû refuser par orgueil, mais la petite garce avait raison, j'étais trop curieuse. J'ai pris l'enveloppe et la carte.

« Pour la plus jolie et sexy princesse de Los Angeles. Merci pour tout. Je te promets que je vais commencer

261

l'entraînement sans tarder. Je garderai à jamais ta beauté à mes côtés, Éric ».

Traumatisée par ma lecture, j'ai passé la carte à Julia sans rien dire. Elle a fait une petite grimace, preuve absolue de sa capacité à minauder.

— C'est cucul mais mignon. Il va mériter sa deuxième chance.

Je l'ai regardée la bouche ouverte. Je devais ressembler à un poisson.

— Sérieux, Julia, comment as-tu fait ?

Elle s'est rengorgée, fière de sa réussite et de mon intérêt.

— Je lui ai envoyé un message lui disant qu'il fallait qu'il s'entraîne et que je lui donnerais droit à une autre tentative.

— S'entraîner à quoi ?

Elle s'est marrée.

— Évidemment, pas au basket ni au Scrabble... Non, il faut qu'il arrive à maîtriser son éjaculation pour pouvoir me faire jouir au moins une fois. Deux, ça serait mieux, mais on ne va pas demander la lune tout de suite...

— Tu veux qu'il voie d'autres filles ?

Elle a fait une nouvelle grimace. Il semble que cette fille adore les mimiques, mais elle a la chance de rester mignonne et ça lui donne même un charme supplémentaire : décidément, certaines ont droit à toutes les chances ! En tant que fille, ça a renforcé ma jalousie à son égard, mais en tant que productrice je me suis frotté les mains. Elle allait être une actrice exceptionnelle.

— Non, ça ne résoudrait pas le problème. Il m'a dit qu'il n'avait jamais connu ce désagrément avec d'autres filles. Je le crois aisément, il n'a pas dû coucher avec beaucoup de bombes comme moi.

OK, je ne sais pas si elle aura un jour l'Oscar de la meilleure actrice, mais elle décroche déjà sans problème l'Oscar de la prétention.

— Alors, comment va-t-il s'entraîner ?

— Je lui ai fait deux selfies de moi à cette fin. Il n'a qu'à se branler en les regardant. Tu veux voir ?

J'aurais bien dit non, mais elle m'a tendu l'appareil. Je me doutais un peu que la photo n'allait pas la représenter en train de lire la comtesse de Ségur, mais là, elle avait dépassé les bornes. La première la représentait le tee-shirt relevé, sa main gauche sur son sein, et sur la deuxième elle faisait une fellation à un sextoy ! J'ai essayé de faire de l'ironie, mais elle n'a pas saisi.

— Et la troisième, où tu chevauches ton engin, tu ne l'as pas envoyée ?

— Ça va, je ne suis pas vulgaire !

Si, ma belle, ce que tu viens de faire peut être qualifié de vulgaire. Comme je ne souhaitais pas démarrer une dispute qui risquait de ne pas être résolue avant le retour du pauvre papa de la jeune nympho, j'ai décidé d'adopter une posture plus paternaliste.

— Julia, c'est très dangereux d'envoyer ce genre de photo à un tiers. S'il les publiait sur Internet ?

Si j'espérais provoquer un examen de conscience, j'ai raté mon coup.

— S'il fait ça, je le défonce ! Je raconte que c'est une tafiole éjaculateur précoce !

263

— Mais le dommage sera moins grand pour lui que pour toi. Que se passera-t-il si ces photos paraissent au moment où ta carrière va décoller ? C'est toujours dans ces moments-là que ce type de document compromettant apparaît sur la toile.

Elle a réfléchi un instant.

— Leur vidéo porno n'a pas bloqué la carrière de Paris Hilton et de Kim Kardashian.

— Difficile de les citer comme références quant à leur talent d'actrice...

— Et Jennifer Lawrence ? On lui a aussi volé des photos il y a un an.

— Elle a joué dans *X-Men* et *Hunger Games*, il ne peut rien lui arriver. Pour elle, c'est juste un désagrément, mais ça n'affecte pas sa carrière.

— Je crois que tu exagères. Les gens sont moins bloqués qu'à ton époque...

Eh ! machine, on n'a pas dix ans de différence ! C'est quoi, ton problème ? J'avais décidé de ne plus me retenir et de lui rentrer dedans, mais l'arrivée de son père m'en a empêchée. Il nous a servi des glaces pour le dessert.

— Alors, de quoi discutez-vous ?

— Laure m'explique comment était le monde avant Internet.

Je vais l'emplafonner ! Mais Sean a souri d'un air bienveillant.

— C'est gentil, le bouquet du jeune Greyson.

— Oui, c'est pour me remercier. Je l'aide dans son développement personnel. Je lui sers de coach, si tu veux, car il est assez immature.

Elle a ponctué son propos en me tirant la langue tout en me faisant un clin d'œil, profitant du fait que son père me servait un verre de bordeaux.

Et c'est elle qui traite quelqu'un d'immature ! Quelle peste ! Si la série marchait, je risquais de me la traîner pendant au moins quatre ans, plus si c'était un succès.

Ah ! Alexandre, où que tu sois, tu n'imagines pas ce que j'ai accepté pour t'obtenir un rôle dans une série ! Je crois qu'il n'y a pas eu de plus mauvais deal depuis le pacte de Faust avec le diable.

J'en avais assez, je me suis échappée dès que la politesse me l'a permis.

En rentrant, j'ai trouvé un mot de David dans la boîte aux lettres. Il me jurait qu'il m'aimait, qu'il n'avait pas de liaison avec Sarah, et il me demandait de l'excuser pour son départ inopiné. C'était gentil, peut-être sincère, mais je ne devais pas en tenir compte. Une seule chose importait, retrouver Alexandre. Soudain, une connexion s'est faite dans mon esprit : David m'avait cherchée toute la journée et m'avait laissé des messages partout, mais c'est justement ce qui l'avait perdu. Pour éviter de connaître le même problème avec le jeune Canadien, il fallait que je change de tactique : plus de messages, j'allais débarquer dans son bled au bout du monde et je saurais le convaincre de revenir.

J'ai dormi comme un bébé, certaine de bientôt résoudre mon problème numéro un. À 8 heures, j'ai appelé l'agence Grand Nord Découverte pour réserver mon voyage.

— Je souhaiterais faire une excursion dans le Grand Nord.

— Bien entendu, vous avez déjà sélectionné le circuit que vous voulez faire ?

— Euh, non, il va falloir que vous m'aidiez.

— Avec plaisir. Vous voulez faire de la motoneige, des raquettes, du traîneau à chiens, de la pêche, voir des ours ?

— Oui, tout ça me convient.

Elle a ri.

— Il va falloir que vous partiez deux semaines !

Je n'avais pas réalisé qu'il y aurait de nombreux circuits et destinations et que retrouver Alexandre n'allait pas de soi. J'ai décidé d'arrêter de tergiverser et d'être franche avec mon interlocutrice.

— En fait, je voudrais faire le tour sur lequel travaille un de vos employés, qui s'appelle Alexandre Cabot.

Le ton de la serviable Québécoise s'est refroidi.

— Nous ne pouvons communiquer ce genre de renseignement à nos clients.

OK, au diable la franchise, changeons de tactique.

— Je comprends, mais c'est extrêmement important. Je viens de France spécialement pour le voir.

— Madame, cela ne change rien, je suis désolée. Je vais être obligée de vous laisser.

J'ai crié :

— Je suis enceinte et je l'aime !

Il y a eu un silence au bout de la ligne. J'avais peut-être exagéré. Maintenant, il était trop tard pour reculer.

— Je dois lui annoncer la nouvelle.

— Pourquoi ne l'appelez-vous pas ? Il a un portable, non ?

— C'est moins romantique, ne trouvez-vous pas ?

Nouveau silence, puis mon interlocutrice s'est réchauffée d'un coup.

— Vous avez raison, ça me rappelle quand mon mari m'a demandée en mariage...

Elle a passé les cinq minutes suivantes à établir un parallèle avec sa propre histoire alors qu'elles n'avaient rien à voir. J'ai écouté avec patience, et soudain elle a voulu que je lui redonne le nom du « papa ».

— Alexandre Cabot.

— Attendez, je consulte mon ordinateur... Oh ! Vous avez de la chance, il travaille sur un circuit qui s'intitule « Aurores boréales chez les Inuits ». Vous allez voir, c'est magnifique et très romantique.

— Et c'est où ? Vers Québec ?

Elle s'est esclaffée.

— Non, mon chou, c'est beaucoup plus au nord, à Kuujjuaq.

— Pardon ?

— Kuujjuaq, c'est un village du Nunavik.

Je me suis dit que c'était parfait pour marquer beaucoup de points au Scrabble !

— C'est où ?

— À environ neuf cents miles au nord de Montréal.

— Alors, il doit faire froid ?

— Disons que ce n'est pas l'équateur... Attendez, je regarde pour vous : à l'heure où je vous parle, il fait −17°.

Une température de − 17° ! Ce n'est pas possible, je vais mourir gelée.

— Mais on peut survivre à ces températures ?

267

Elle s'est marrée encore une fois ; je devais être sa cliente la plus drôle depuis longtemps.

— Oui, il faut bien se couvrir. Ne vous inquiétez pas, on vous fournira les vêtements appropriés. Je fais la réservation ?

— Oui, allez-y.

— Votre prénom ?

— Laure.

— Nom : Cabot ?

— Non, Masson.

Elle a eu un petit commentaire espiègle :

— Un couple illégitime ; encore plus romantique.

Tout d'un coup, je me suis dit que, s'il voyait mon nom sur la liste des visiteurs pour les prochains jours, Alexandre risquait de décamper. Peut-être que cette idée était ridicule, mais j'ai décidé de ne prendre aucun risque.

— Vous pouvez mettre un faux nom ?

— Mais pourquoi ?

— Pour la surprise, ce sera mieux.

— Ah ! vous pensez à tout. Normalement, à cause des avions, ce n'est pas possible, mais je vais vous faire deux dossiers, un pour la compagnie aérienne et un pour notre circuit. Vous voulez vous appeler comment ?

Pas si facile que ça de trouver un nom de famille. J'ai d'abord songé à Cartier, puisque moi aussi j'allais partir découvrir le Canada, mais j'ai eu peur qu'Alexandre n'apprécie pas l'hommage à sa juste valeur. Alors, j'ai repensé à un nom que m'avait attribué un idiot quand j'étais en sixième. Il m'avait dit : « Masson, je vais t'appeler Charpentier ; c'est pareil, ce sont deux professions du bâtiment. » C'était stupide et c'est pourtant le nom que j'ai choisi comme pseudonyme. Tout était réglé, il suffisait de donner ma carte de crédit. Au dernier moment, j'ai eu un doute.

— Excusez-moi, la température de – 17°, il s'agit de degrés Celsius ?

Sa réponse m'a glacée au moins autant que la température annoncée.

— Non, c'est en Fahrenheit.

— Et ça fait combien en Celsius ?

— – 27 °C.

Quand j'ai raccroché, j'étais dans le brouillard. Moi qui ai du mal quand la température approche le zéro, j'allais affronter un climat qui aurait effrayé un mammouth à l'âge de glace !

Chapitre 14

L'Ours

Quand on dit de quelqu'un « c'est un ours », c'est un raccourci de « c'est un ours mal léché », ce qui n'est pas tout à fait un compliment puisqu'il s'agit d'une personne plutôt bourrue, pas très sociable, pas très souriante ni bien aimable.

En général, j'évite ce type de personnage, qui ne correspond pas à mon caractère enjoué et bienveillant. Mais parfois, on n'a pas le choix, il faut faire avec...

J'avais quatre jours pour préparer mon voyage pour Kuujjuaq. Le plus difficile a été de trouver des vêtements pour affronter le froid, car ce n'est pas un commerce très profitable à Los Angeles.

J'ai expliqué la situation à Jason et ma description de ce voyage au bout de l'enfer (mot impropre si on considère la température du lieu) a réussi à lui arracher un sourire. Il m'a félicitée de ma décision et m'a dit que ça allait permettre de lancer notre projet. Ça m'a un peu remonté le moral.

Toujours est-il que, le 29 décembre 2015 à 22 heures, j'étais à l'aéroport de Los Angeles en partance pour

Toronto sur Air Canada. Après un vol où je n'ai pu dormir que quelques heures, je suis arrivée un peu avant 6 heures pour enchaîner sur un deuxième vol à 8 heures, destination Montréal. Enfin, pour terminer ce périple, j'ai pris un dernier vol pour la petite ville de Kuujjuaq.

J'avoue avoir été surprise par l'aéroport. Ce n'était pas un bâtiment gigantesque, mais ce n'était pas non plus la cahute que j'imaginais. Un colosse avec une longue barbe nous attendait, muni d'une grande pancarte affichant le logo de l'agence. Une vingtaine de clients se sont réunis autour de lui. Il a fait l'appel. La cinquième personne, c'était moi.

— Masson, je veux dire Charpentier ?

Il m'a fait un clin d'œil de connivence. Un accueil chaleureux que j'espérais identique de la part d'Alexandre.

Nous avons pris un bus pour rejoindre notre hébergement, le Kuujjuaq Coop Hôtel. Là, il était clair que ce n'était pas le château Marmont. C'était rustique voire spartiate. Jean-Claude, le géant qui servait de GO, m'a prise à part.

— Brigitte nous a prévenus pour Alex et toi. Il n'est pas au courant. Nous allons vous donner une chambre ensemble. Vous avez le seul lit double de l'hôtel !

J'ai eu une petite goutte de sueur glacée qui a coulé entre mes omoplates. Mon stratagème et mon usurpation d'identité nous entraînaient un peu loin...

— Vous savez, Jean-Claude, s'il travaille, peut-être vaut-il mieux que nous ayons chacun notre chambre.

Il m'a fait un clin d'œil.

— Pensez-vous ! On sait que les amoureux n'aiment pas être séparés. De toute façon, ça nous arrange, l'hôtel est plein.

Catastrophe, coincée ! Il a dû se méprendre sur l'expression qu'il a lue sur mon visage, car il a essayé de me rassurer :

— Mais ne vous inquiétez pas, nous ne vous avons pas facturé la chambre dans votre forfait.

Il m'a accompagnée à ma chambre. Il a ouvert la porte et s'est retourné vers moi, très fier.

— Pas mal, non ?

La pièce était décorée avec de nombreuses guirlandes, il y avait des pétales de rose sur le lit et une grande banderole « Bonne année 2016 pour les jeunes parents ! ». Là, je me suis dit que mon acteur québécois allait faire une crise et me claquer dans les doigts. Il fallait que j'explique la situation à Jean-Claude pour trouver une solution.

Le plus urgent, c'était de virer toutes ces décorations sans vexer mon bienfaiteur.

Au moment où j'allais me lancer, j'ai reconnu une voix familière, juste dans le couloir : Alexandre ! De là où il était, il ne pouvait pas me voir.

— Jean-Claude, c'est quoi ce bordel ? On m'a attribué une chambre, mais j'ai vu qu'elle était occupée par une cliente, Mme Charpentier.

— Je sais, nous en discutions justement avec cette dame.

Il s'est avancé. Il a commencé une phrase :

— Excusez-moi, madame, je ne savais pas que vous...

Et là, il a embrassé la scène surréaliste qui s'étalait devant lui puis il m'a reconnue. Il a eu un sourire ironique.

— Laure Charpentier ! J'aurais dû comprendre, le jeu de mots n'est même pas fin ! Et les heureux parents, c'est nous, je suppose ? Mais il est où, le fruit de nos amours ?

Je n'ai rien dit, j'ai baissé les yeux. Je sentais le regard sur moi. Alexandre a continué, impitoyable :

— Ça y est, j'y suis, tu es enceinte ! Félicitations, la rondeur de ton ventre ne se remarque même pas.

Cette fois, il fallait que je me défende. J'ai levé les yeux vers lui et sa beauté m'a bouleversée. C'était comme si sa fureur décuplait la puissance de ses traits. À cet instant, j'étais convaincue que j'avais devant moi un acteur qui obtiendrait, un jour, un Oscar. Et si je me considérais célibataire, pouvais-je espérer aussi en tirer un bénéfice personnel ? L'idée m'a traversé l'esprit malgré la situation qui rendait très improbable une liaison avec lui.

— Alexandre, je peux t'expliquer...

Il ne m'a pas laissé trois secondes.

— Il n'y a rien à expliquer. Laure, je croyais avoir été assez clair avec toi. Je ne veux plus avoir affaire à toi, je ne veux même plus te parler.

Jean-Claude a essayé d'intervenir :

— Mais, Alexandre, elle a fait tout ce chemin pour te voir. C'est une marque d'amour, même si elle n'est pas enceinte...

Il a réussi à stopper le jeune acteur qui l'a regardé, stupéfait, avant d'exploser de rire.

— Ah ! je ne peux pas t'en vouloir pour ces propos. Je me suis fait avoir dans les mêmes largeurs, moi aussi. Tu n'as pas compris, c'est une mythomane ! Elle n'est pas plus ma petite amie qu'elle n'est enceinte. Je ne l'ai croisée que quelques heures dans ma vie, une des pires soirées de ma vie. Elle me harcèle ! Bon, je vous laisse, je vais essayer de me trouver une autre piaule.

Sur ces paroles, il a quitté la pièce. Le géant, lui, s'est tourné vers moi.

— C'est vrai, ce qu'il a dit ?

J'ai poussé un grand soupir et je l'ai regardé droit dans les yeux.

— Non. Mais, si on le voit de son point de vue, la réponse est oui. C'est compliqué.

— OK, j'ai un quart d'heure à tuer avant le déjeuner. Vous avez intérêt à être convaincante, car sinon je vais adopter une solution radicale pour le problème de chambre. Il vous faudra trouver un ours polaire pour vous réchauffer, car il fait froid la nuit...

Son regard n'était pas méchant et je pensais que ce n'était qu'une menace en l'air, mais, pour ne pas prendre de risque, j'ai expliqué ma quête dans le détail. J'ai ensuite cherché à savoir dans ses yeux si mon histoire avait été concluante.

— Vous comprenez pourquoi j'ai dû inventer cette histoire ? Je n'avais pas le choix.

— Je ne sais pas, il y avait sûrement une autre solution. Ce n'est pas terrible de nous avoir tous abusés de cette façon.

— Mais, Jean-Claude, regardez Alexandre, son charisme, son physique, son charme. Il ne peut pas passer à côté d'une carrière d'acteur, c'est sa destinée. J'ai beaucoup de respect pour ce que vous faites, mais, s'il devait rester organisateur de voyages touristiques, ce serait un terrible gâchis.

Il a hoché la tête sans rien dire et a quitté la pièce. L'avais-je vexé ? Possible... Il faut avouer que mes commentaires sur son métier pouvaient ne pas lui avoir fait plaisir. Quelle conne ! Il me suffisait de dire qu'Alexandre avait le potentiel d'être un grand acteur sans me lancer dans des comparaisons douteuses.

Je me suis assise sur le lit. Je me sentais lasse, un mélange d'épuisement physique lié au périple en avion et de fatigue morale. J'ai regardé le programme : déjeuner puis rencontre avec des anciens du village avant d'aller voir les aurores boréales. La brochure précisait que voir ces dernières n'était pas garanti, leur formation résultant d'un processus météorologique compliqué. Avec ma chance, il était évident que l'on n'allait rien voir.

À ce moment-là, si ça avait été possible, je serais retournée direct à Los Angeles. Peut-être même que ma destination aurait été la maison de mes parents pour être entourée de gens qui m'aiment.

Le look de la salle à manger ne m'a pas reboostée. Quelques petites tables carrées en bois avec quatre chaises. En plus, j'étais la dernière... J'ai cherché une place libre et j'en ai vu une à la table d'Alexandre. Je n'ai pas hésité ; perdue pour perdue...

— Je peux ?

— Allez-y, j'ai terminé.

Il ne m'avait même pas regardée ! Et il avait préféré laisser la moitié de son plat de résistance et se passer de son dessert. Décidément, la situation n'était pas brillante. Jean-Claude a essayé de me réconforter :

— Laisse tomber. Pour l'instant, il est en *crisse*, ça va se tasser.

— En quoi ?

— En *crisse*, il est fâché. Avec le temps, il va se calmer et tu pourras lui parler.

J'ai eu envie de lui dire que dans quarante-huit heures je serais partie, mais à quoi bon ? Il ne pouvait rien pour moi en dehors de ces paroles réconfortantes.

J'ai avalé mon repas sans rien dire. Ce n'était pas une qualité cinq étoiles, mais pouvais-je espérer mieux dans cet endroit reculé ?

Alexandre est revenu pour nous donner les consignes pour l'après-midi.

— Vous allez passer dans le local technique et on vous donnera des vêtements adaptés à la température. Ensuite, nous rejoindrons à pied un foyer pour y rencontrer des anciens du village. Ils vous parleront de leur expérience et vous pourrez leur poser des questions. Allons, dépêchons-nous, il serait préférable de pouvoir partir avant la nuit.

J'ai jeté un coup d'œil à ma montre : 14 h 30 ! Il plaisante ou quoi ? On ne va quand même pas mettre trois heures à se préparer !

Dans les faits, nous étions prêts vingt minutes plus tard. À la sortie de l'hôtel, j'ai senti le froid me saisir malgré mes protections. Pourtant, j'avais un masque et seule la zone du visage autour des yeux était exposée. Le plus dur, c'était la respiration, mes poumons n'appréciant pas beaucoup cet air glacé.

Nous avons dû marcher moins de dix minutes, mais le soleil a eu le temps de se coucher ; il n'était même pas 15 heures. Quel pays !

J'étais contente de trouver la chaleur du foyer. Alexandre s'est occupé de servir des boissons chaudes pour tous ses clients. Chacun a eu droit à un sourire et un petit commentaire amical. Enfin, pour être exacte, tout le monde sauf moi. Ça commençait à devenir franchement lourd.

J'ai eu du mal à m'intéresser aux histoires des anciens. Attaques de loups, chasse à l'ours, au caribou, voyage en traîneau… Deux heures qui, dans un autre contexte, auraient pu capter mon attention, mais qui étaient trop éloignées de mes préoccupations.

Après, il a fallu encore subir les questions des touristes et prendre une autre boisson chaude avant le retour à l'hôtel. Jean-Claude a pris la tête du groupe pour rentrer. Comme Alexandre restait en arrière pour ranger le buffet, j'ai décidé que l'aider serait une bonne occasion de casser la glace (expression appropriée dans un pays où la température se rapproche des – 30 °C !).

J'ai ramassé les verres qui traînaient un peu partout et je suis allée les mettre dans le sac-poubelle qu'il tenait dans la main. Seul avec moi, séparé par ce petit morceau de plastique, il ne pouvait plus m'ignorer. Il a levé les yeux vers moi, mais son regard n'avait rien d'amène.

— Laure, où faudra-t-il que j'aille pour que tu me foutes la paix ? Je pensais être assez loin.

— Si tu veux le savoir, je ne suis pas venue par plaisir. Il fait un froid de gueux dans ton patelin et, si tu avais répondu à mes appels ou à mes SMS, je serais en train de prendre un verre de champagne sous les palmiers californiens au bord d'une piscine.

— Je ne t'ai pas répondu car je n'ai rien à te dire. Tu aurais pu t'éviter ce déplacement pénible.

— Je n'avais pas le choix ! J'avais une nouvelle importante à t'annoncer, une nouvelle qui va changer ta vie.

Avec un tel teasing, j'étais certaine d'attirer son attention. J'ai laissé passer un peu de temps pour qu'il me relance. En vain… Ce mec commençait à m'énerver !

— Alex, tu ne veux pas savoir pourquoi j'ai fait un tel périple ?

Il m'a regardée avec un petit sourire ironique.

— Je n'ai pas besoin de te le demander, je connais la réponse.

— Ah ! et quelle est-elle ?

— Tu viens m'annoncer que tu es l'égale de Marie.

Là, j'avoue que j'étais perdue.

— Marie ? Je ne connais pas de Marie.

— Tu n'es pas allée au catéchisme ?

— Si, mais je ne vois pas le rapport.

— Le rapport, c'est justement que nous n'en avons pas eu...

— Écoute, Alexandre, ta façon énigmatique de me parler est encore plus difficile à suivre que quand tu t'adresses à moi en québécois.

— Nous n'avons pas eu de rapports... sexuels !

— Merci, je sais. Le rapport avec Marie ?

— C'est simple, tu portes mon enfant sans avoir péché avec moi, comme la Vierge Marie qui a enfanté Jésus sans avoir connu le plaisir de la chair.

En l'écoutant, j'ai regardé son visage et ses yeux et j'aurais aimé que ses paroles fussent fausses. Alexandre, que j'aimerais pécher avec toi ! Que tu es beau, même quand tu es en colère !

En même temps, son dédain et sa mauvaise blague m'avaient aussi énervée.

— Tu es bête ! Il fallait bien que j'invente une excuse pour pouvoir te localiser.

— Laure, pourquoi crois-tu que je me sois installé au Québec ?

— Parce que tu étais découragé d'attendre un rôle qui ne venait pas.

— Exactement ! Mais surtout parce que je voulais échapper à tous ces vautours californiens qui te font miroiter la proximité de l'oasis alors que tu meurs de soif. Ils t'abreuvent d'espoir en te regardant crever...

— Belle image, très poétique. Tu me ranges dans la catégorie de ces charmants volatiles ?

— À ton avis ?

Là, il commençait à me courir sur le haricot. Ce n'est pas qu'il avait foncièrement tort, mais j'étais fatiguée et j'en avais marre de son ironie mordante. Je crois que sa beauté rendait ses piques plus acérées. J'ai perdu mon calme.

— Tu m'emmerdes, Alexandre ! Je viens de passer un mois à bouleverser le cours tranquille de ma vie pour créer une série qui permettrait de lancer ta carrière...

— Je ne t'ai rien demandé. Enfin, si, je veux que tu me laisses en paix.

— Mais, Alexandre, c'est une opportunité unique ! Je sens que tu es fait pour être acteur et j'ai fait tout ça pour toi.

— Merci, je suis flatté. Et tu veux quoi en retour ? Coucher avec moi comme l'autre psychopathe ?

Là, l'injustice de son propos m'a fait craquer.

— Va te faire foutre ! Tu n'es qu'un ours, reste dans ta tanière de glace, j'en ai soupé de toi.

— Moi, un ours ?

Je ne lui ai pas répondu, j'en avais assez. J'ai mis mon anorak et je suis sortie, ne prêtant pas attention à ses paroles.

— Laure, attends, tu ne peux pas rentrer seule à l'hôtel, il faut que je vienne avec toi.

Je ne l'ai pas écouté. Je ne pensais pas qu'il serait difficile de retrouver mon chemin. Après tout, il ne devait y avoir que cinq cents mètres à parcourir.

J'ai été encore surprise par le froid. La température devait avoir chuté de plusieurs degrés. J'ai entendu la porte du foyer claquer derrière moi. Tiens, mon jeune acteur vérifiait la maxime « Suis-moi je te fuis, fuis-moi je te suis ». J'ai décidé de ne pas me préoccuper de lui.

— Laure !

Je l'ai ignoré.

— Laure !

Son ton était plus pressant, je me suis retournée. Il avait l'air inquiet.

— Un ours...

Ah ! mon attaque avait porté, j'ai décidé de poursuivre sur mon avantage.

— Exactement, un ours, c'est ce que tu es. Un ours mal léché...

Il m'a interrompue :

— Non, derrière toi, un ours ! Ne bouge pas !

J'ai tourné lentement vers la droite et j'ai vu un ourson. Il avait renversé une poubelle et il fouillait les détritus, sans doute à la recherche de nourriture. Il avait la taille d'un gros chien et il était très mignon. J'ai toujours adoré les animaux, surtout les bébés.

— Oh ! Alex, il est trop chou. Tu crois que je peux le caresser ?

Il ne m'a pas répondu, il avait l'air très stressé.

— Ne fais pas un geste ! Tourne doucement la tête de l'autre côté.

J'ai obéi sans réfléchir à ses instructions. Et là, je l'ai vue. Un monstre, une montagne ! Une ourse gigantesque qui avançait à petits pas, à moins de dix mètres de moi. Elle ne venait pas directement vers moi, mais c'était quand même terrifiant. J'ai repensé en une fraction de seconde aux histoires d'attaques d'ours racontées par les anciens et j'ai regretté de ne pas avoir été plus attentive. Les histoires de trappeurs déchiquetés par les griffes de cet animal surpuissant me revenaient dans toute leur atrocité, mais je n'arrivais pas à me remémorer les conseils qui nous avaient été prodigués en cas de rencontre fortuite. Qu'avaient-ils dit ? Qu'il fallait d'abord savoir si l'ours vous avait remarqué. Bon, à la distance où la bête était, il n'y avait pas de doute. Enfin, on ne sait jamais, ça dépendait du sens du vent. Ils sont marrants ! Comment se préoccuper du sens du vent dans un moment pareil ? L'ourse a commencé à secouer sa tête de droite à gauche. Dans mon souvenir, ce n'était pas bon signe… Soudain, elle s'est levée sur ses pattes arrière et s'est mise à renifler l'air. Elle devait faire quatre mètres de haut ! Enfin, j'exagère, mais elle était hyperimpressionnante, au moins deux mètres, et un poids de plus de trois cents kilos. Là, c'était certain, elle m'avait vue. C'était quoi, le conseil, dans ce cas-là ? S'identifier comme humain, parler d'une voix grave était la première consigne. Ça m'a paru complètement idiot. Je vais faire quoi ? Je vais essayer de prendre la voix de Lauren Bacall ou d'Anna Mouglalis ? « Bonjour, madame l'ourse, permettez-moi de me présenter. Je m'appelle Laure Masson. Je suis une touriste. Ne vous préoccupez pas de moi, je ne fais que passer. Vous pouvez piller ces poubelles, elles ne m'appartiennent pas. »

Ridicule ! En plus, quand j'ai la trouille, ma voix devient suraiguë. Deuxième conseil : agiter les bras autour de sa tête. Grotesque ! Lui faire un grand « coucou » ne me paraissait pas le meilleur moyen de lui échapper. La dernière consigne était de ne pas courir. Ça tombe bien, c'était justement ce que je m'apprêtais à faire ! J'ai réfléchi avant de me lancer : ce conseil est valide quand on est au milieu de la banquise sans aucun abri, mais, pour moi, la situation était différente. Je devais être à moins de cinquante mètres de l'entrée du foyer, où je pourrais trouver refuge.

Quand l'ourse a reposé ses pattes avant sur le sol, j'ai compris que c'était ma dernière chance d'échapper à une mort atroce. Je me suis retournée pour sprinter, mais, avant d'avoir pu faire la première foulée, je me suis retrouvée emprisonnée par les bras musclés d'Alexandre. Dans un autre contexte, cela aurait été un des moments forts de ma vie sentimentale, mais la présence des griffes et des crocs meurtriers à proximité ne m'a pas permis d'en profiter. Malgré tout, être avec Alexandre me rassurait.

— Laure, passe derrière moi. On va reculer très doucement et elle va peut-être nous laisser tranquilles.

La fuite, une solution qui me convenait tout à fait. La difficulté, c'était de garder une allure lente. Alexandre me tenait la main quand nous avons fait les premiers pas. Il s'est adressé à l'ourse. Il a adopté un ton ferme et énergique, mais sans crier, et on sentait qu'il forçait sur la tonalité grave.

— Allez, va-t'en ! On ne te veut pas de mal, occupe-toi de ton petit. Sois sympa, pars.

En même temps, il agitait son bras gauche avec frénésie : il connaissait manifestement la procédure à adopter en cas de rencontre malencontreuse.

L'ourse s'est mise à renifler, à grogner, puis elle a fait des bruits avec sa mâchoire. Mon protecteur m'a expliqué ces signes.

— Elle est nerveuse à cause de son petit. Ne la regarde pas dans les yeux, ça la pousserait à attaquer.

Ne pas la regarder dans les yeux ? Comment on fait pour la surveiller alors ? Les ours sont susceptibles ? C'est dingue ! J'ai quand même baissé la tête et je l'ai regardée sous ma capuche. Ça n'a pas dû lui plaire quand même, elle a baissé les oreilles.

— Ce n'est pas bon signe. Il est fort probable qu'elle charge. Tu vas continuer à reculer dans la direction du foyer et moi je vais faire diversion.

Dans un film, j'aurais refusé qu'il se sacrifie pour moi, j'aurais exigé d'affronter le danger avec lui. Mais, en face de cet animal redoutable, je n'ai rien dit et j'ai assumé ma peur et la lâcheté qui en résultait. Alexandre s'est séparé de moi et il s'est orienté vers la gauche. Se faisant, il se rapprochait de l'ourson. Cette manœuvre accompagnée par ses cris et ses mouvements de bras a réussi à détourner l'attention de l'ourse. J'ai pu commencer à reculer.

Mes yeux ne quittaient pas le jeune Canadien et l'ourse à moins de dix mètres. Soudain, sans avertissement, l'animal s'est mis à charger. Il était lourd mais puissant et, en une fraction de seconde, il s'est retrouvé à moins de deux mètres d'Alexandre. J'embrassais la scène du regard, tout semblait se passer au ralenti. J'ai vu que mon guide ne bougeait pas, qu'il restait solide dans l'attente de la confrontation. L'ourse s'est arrêtée en face de lui et a poussé un grognement terrible. J'ai compris que c'était le dernier rugissement avant l'attaque finale.

Et puis il y a eu ce cri dans la nuit :

— Alexandre, à terre !

J'ai vu une silhouette qui tenait une sorte de bombe aérosol dans la main. Dès qu'Alexandre s'est baissé, j'ai vu que le mystérieux intervenant propulsait un gaz vers l'ourse. Celle-ci a poussé un nouveau grognement, mais qui s'apparentait plus à un cri de douleur. La projection a dû durer une dizaine de secondes puis l'ourse a reculé et s'est échappée péniblement, suivie par son petit.

Jean-Claude, parce que c'était lui, est allé relever son camarade.

— Ça va ?

— Ça va, en dehors du fait que tu viens de m'asperger de gaz au poivre rouge !

— Tu préférais le combat à mains nues contre ton ours ?

— Non, mais là, je suis aveugle.

— On va te ramener à l'hôtel. Laure, vous pouvez venir m'aider ?

J'ai accouru pour le soutenir. Il avait les yeux fermés et les larmes coulaient sur son visage. J'ai pris un mouchoir et je les ai essuyées ; j'avais peur que le froid ne les fasse geler. Il a souri.

— Tu vois, Jean-Claude, cette jeune Française a quand même réussi à m'émouvoir...

C'était plus amusant que méchant, mais le grand Canadien a préféré sortir son joker :

— Écoutez, tous les deux, j'ai eu assez d'émotions aujourd'hui entre vos faux bébés et vos vrais ours ! En plus, je dois gérer le groupe sans toi ce soir. Je vais donc vous laisser régler ça entre vous.

Quelques minutes plus tard, nous avons installé Alexandre dans ma chambre. Enfin, dans notre chambre « matrimoniale », toujours décorée pour nos « retrouvailles ». Il a fallu l'aider à enlever ses vêtements. Le boss canadien a pris la direction des opérations.

— Laure, allez chercher toutes les serviettes que vous pouvez et empilez-les comme pour faire un oreiller sur le lit. Alex, tu te mets torse nu et tu t'allonges.

Quand je suis revenue et que j'ai vu sa musculature magnifique, j'ai eu une bouffée de chaleur. J'ai pu le mater sans vergogne, car le pauvre était aveugle. Le moment sympa, c'est quand je l'ai aidé à se soulever pour glisser les serviettes sous sa tête. J'en ai profité pour toucher ses muscles dorsaux.

Quelques minutes plus tard, Jean-Claude est revenu avec une bouteille d'eau de cinquante centilitres avec un bouchon spécial pour la course. Il avait aussi du Maalox. Il a ouvert deux sachets qu'il a versés dans l'eau. Ça a donné un liquide d'un blanc laiteux, qui ne donnait vraiment pas envie. Le Canadien m'a indiqué ses consignes.

— Laure, je vais vous demander de verser ce liquide dans les yeux d'Alexandre. Je vais lui tenir la paupière ouverte.

— Mais, Jean-Claude, le Maalox, ce n'est pas pour les yeux, c'est un médicament pour le ventre ! Je connais, mon père en prend depuis des années à cause de ses brûlures d'estomac.

— Laure, c'est un antiacide. Je vous assure que ça va le soulager. Faites-moi confiance. Je lui tiens la paupière ouverte et vous projetez le liquide en appuyant sur le plastique pour qu'il y ait de la pression.

Quand nous avons commencé l'opération, je me suis rendu compte que je ne pourrais jamais faire infirmière. J'ai été incapable de regarder l'œil d'Alexandre. J'ai clos les miens et j'ai versé le liquide au jugé. Visiblement, le résultat n'était pas terrible, car je me suis fait engueuler par Jean-Claude.

— Laure, soyez à ce que vous faites, vous en mettez partout sauf dans son œil ! Vous préférez qu'on inverse les rôles ?

J'ai décliné. Lui tenir l'œil ouvert, ça devait être pire. Je me suis armée de courage et j'ai fait le job. Pour le second œil, ça m'a paru plus facile. Le grand Canadien s'est enquis du résultat auprès de son cadet.

— Alors, tu souffres moins ?

— C'est beaucoup mieux, mais je vais rester un moment les yeux fermés. Et j'ai mal à la gorge.

— C'est normal, le gaz attaque aussi les voies respiratoires.

— Charmant, ton produit !

— Plains-toi ! Sans ma bombe, tu aurais goûté aux griffes de l'ours, et je ne crois pas que le résultat aurait été terrible. Tu n'as pas vu la bande-annonce du nouveau film d'Inarritu, *Le Revenant* ?

— Non.

— Eh bien, Leonardo DiCaprio manque d'y laisser sa peau. Presque comme toi, une mère avec ses deux petits.

Alexandre a eu un petit rire ironique.

— Je vais demander des droits d'auteur.

— Tu pourrais. Bon, j'y vais. Je dois m'occuper de nos clients pendant que tu te prélasses.

— Laisse-moi vingt minutes et je te rejoins.

Le colosse est parti dans un grand rire.

— Non, tu en as déjà fait assez pour ce soir. Je te laisse aux bons soins de ta « femme ». Laure, refaites la même mixture et faites-la-lui boire. Ça ne vous ennuie pas ?

Est-ce que ça me gêne de rester seule avec ce jeune mec hypercanon allongé torse nu sur son lit ? C'est ça, la question ? Laissez-moi réfléchir... Bon, Jean-Claude, ne vous inquiétez pas, je vais faire un effort. Mais c'est pour vous que je le fais.

En vrai, j'ai dû masquer ma joie en adoptant le ton le plus neutre possible.

— Allez-y, Jean-Claude, je m'occupe de lui.

Il m'a fait un clin d'œil.

— Pas trop non plus, hein ? Bon, je vous laisse, les amoureux.

Et il a claqué la porte, nous laissant seuls. Je suis allée remplir la bouteille pour préparer la potion magique. Je me suis assise à côté d'Alexandre.

— Ouvre la bouche.

Je lui ai soutenu la nuque pendant que je le faisais boire. Après, il m'a fait un sourire incroyable.

— Pourquoi ai-je l'impression de jouer un remake du film *Misery*[1] ?

---

1. Ce film de Rob Reiner, d'après le roman éponyme de Stephen King, raconte l'histoire d'un romancier qui, après un accident, est secouru par une infirmière. Cette dernière, fan de l'écrivain, va le séquestrer.

— Peut-être parce que, comme James Caan, tu es totalement à ma merci. Mais la comparaison avec Kathy Bates n'est pas flatteuse : elle doit faire deux fois mon poids !

— Elle a obtenu l'Oscar de la meilleure actrice pour ce rôle...

— Je ne parle pas de son talent, je parlais juste de nos apparences physiques.

— OK, tu es plus *cute*. Mais aussi vraiment *tannante*.

Cute, je n'ai pas eu de mal à comprendre, c'était comme en anglais, ça voulait dire « mignonne ». J'aurais préféré « jolie » voire « ravissante », mais je pouvais me contenter de l'adjectif choisi. En revanche, j'étais plus inquiète de la signification de l'autre qualificatif.

— Ça veut dire quoi ?

— Irritante, qui harcèle...

— Ce n'est pas très gentil !

— Tu avoueras que tu peux mériter ce terme, non ?

J'ai réfléchi un instant.

— Peut-être... Mais j'avais une excellente raison : Alexandre, c'est la chance de ta vie, tu...

Il m'a interrompue :

— Tu vois, tu recommences. Et moi, je ne peux pas soutenir une conversation avec toi, car j'ai encore la gorge en feu.

— Tu veux encore du Maalox ?

— Non, je ne suis pas fan du goût à la menthe synthétique. Tu n'as pas d'autre médicament ? Un spray pour soigner les angines ou même une pastille ?

Je l'ai regardé. Même les yeux fermés, il était magnifique. J'ai eu une impulsion subite.

— Moi, j'aime bien le goût de menthe.

Et, sans autre warning, j'ai posé ma bouche sur la sienne. Ses lèvres se sont entrouvertes pour laisser entrer ma langue. Il m'a embrassée doucement avant d'éloigner sa tête.

— C'est quoi, ça ?

— C'est mon médicament, garanti d'origine française.

— Et c'est efficace ?

— Oui, à condition d'en prendre la dose suffisante.

— Je te laisse juge, c'est toi qui connais la posologie.

Wouah, il me donnait carte blanche ! Je me suis allongée sur son torse et j'ai recommencé à l'embrasser. C'était divin : non seulement le mec est torride, mais il pratique l'art du french kiss avec un talent équivalent à celui d'un Claude Monet peignant ses *Nymphéas* !

On s'est embrassés pendant une éternité comme deux collégiens. Puis je me suis rappelée que j'étais une jeune femme de presque trente ans et plus une gamine de quinze et ma main a commencé a explorer son torse. Quand mon ongle a joué avec son téton, ses baisers se sont faits plus agressifs. Sa main est venue dans mon dos puis elle s'est glissée dans mon pantalon. Il n'a pas pu avancer plus loin que le début de mes fesses qu'il a caressées avec amour. Là, j'ai senti qu'on partait dans une direction dont on ne revient pas. C'était un peu *Voyage au bout de l'enfer* version sexe. J'ai eu une fraction de seconde d'hésitation à cause de David, mais mon corps a pris possession de la partie rationnelle de mon cerveau pour lui dire de la mettre en veilleuse. J'étais dans un état d'excitation incroyable. Il faut dire que, sous ma cuisse, je sentais une bosse dans son pantalon. Je salivais (façon de parler) à l'idée d'ouvrir sa braguette et d'en sortir son sexe. Faire l'amour à un mec aussi canon, aussi bien foutu, ça ne m'était jamais arrivé. Certes, j'avais eu quelques mecs assez mignons et d'autres qui avaient suffisamment fréquenté les salles de gym pour exhiber des abdos en plaquettes de chocolat, mais, un vrai beau mec comme Alexandre, je peux dire sans peine que je n'avais jamais eu la chance de goûter. Si on veut établir une échelle, les plus beaux mecs que j'avais eus valaient 15/20 et on pouvait attribuer un 19/20 à mon Canadien. Même Ophélie n'avait pas eu une chance pareille malgré les deux frères Brown. C'est subjectif, mais j'aurais donné 18/20 à Michael et 17,5/20 à Charlie.

Ma main s'est glissée entre nos corps pour déboutonner mon pantalon et baisser le zip de ma fermeture éclair afin de laisser plus de latitude à sa main. Alexandre n'a pas laissé passer l'occasion et ses doigts ont agrippé ma fesse. Par réflexe, je lui ai mordu la lèvre. J'ai aussi écarté les jambes pour profiter au maximum du moment où ses doigts toucheraient mon intimité. Il avançait à la vitesse d'un escargot qui a décidé de prendre une route départementale au lieu d'emprunter l'autoroute. C'était insupportable, c'était délicieux, je ne savais plus. Je me suis mise à gémir par anticipation tout en continuant à l'embrasser. J'imaginais sans mal ce qui allait se passer : sa main allait atteindre mon sexe et, dans l'état d'excitation où j'étais, il allait sans aucun doute me conduire à mon premier orgasme rien qu'en me caressant. Tant mieux, ça me permettrait d'évacuer l'excès de tension sexuelle et je pourrais profiter plus sereinement des orgasmes suivants. Il était tellement beau que je me suis dit que j'allais d'abord le chevaucher. Comme cela, il n'aurait rien à faire, et moi, je pourrais admirer son torse et son visage... Sa main est arrivée à l'orée du chemin qui menait à mon plaisir.

C'est toujours dans ces moments d'harmonie parfaite qu'un grain de sable vient tout foutre en l'air. Cette fois, ça a été le bruit de quelqu'un qui frappe vigoureusement à la porte accompagné par une voix de stentor.

— Alexandre, je peux entrer ? Tu vas mieux ?

J'ai eu juste le temps de me redresser. Alexandre a dit « entrez » et le boss a ouvert la porte. En un coup d'œil, il a apprécié la situation.

— Bon, j'ai l'impression que tu vas mieux. Vous avez réussi à trouver un terrain d'entente pour oublier vos petits différends, tant mieux. Désolé de vous interrompre, mais je vais finalement avoir besoin de toi pour le dîner, Alexandre. On joue de malchance, Catherine a une migraine ophtalmique et je n'ai que toi pour la remplacer. Rejoins-moi dans cinq minutes.

Et il est reparti. Son intervention avait été soudaine et d'une perspicacité remarquable.

— Alex, comment a-t-il pu deviner ? Il est médium ou quoi ?

Il s'est marré.

— Je pense que ça se lit un peu sur nos visages. Mais je crois surtout qu'il n'avait pas besoin d'être Sherlock Holmes pour tirer les bonnes déductions en voyant ton pantalon ouvert...

Merde, quelle conne !

— Ah ! je suis désolée !

— Ne t'en fais pas, je crois que ça l'amuse. Il est difficile à choquer. Et puis, comme cela, il n'aura pas l'impression d'avoir perdu son temps en décorant la chambre.

— Tu veux dire quoi ?

— Que si on n'a pas de bébé, on peut toujours s'entraîner à en faire... Comme le disait un ami : « Faire des bébés, c'est le seul sport où je préfère l'entraînement à la compétition. »

J'ai ri, mais mon rire était un peu nerveux : il m'annonçait un programme qui allait faire fondre la banquise.

Il est revenu sur un territoire plus sérieux.

— Laure, tu peux m'aider pour mes yeux ? Tu peux aller me chercher de l'eau pure dans la salle de bains pour les rincer ?

C'est ce que j'ai fait. Quand j'ai pu plonger à nouveau dans ses yeux bleus magnifiques, l'émotion s'est ajoutée à l'excitation. L'hôtel n'était peut-être pas terrible, mais deux nuits avec cet apollon si gentil allaient me le rendre inoubliable !

Il m'a laissée en me précisant que j'avais une bonne quarantaine de minutes avant le dîner. Comme j'étais sous tension équivalente à celle produite par une centrale nucléaire de mille mégawatts, j'ai décidé de prendre un bain. L'eau chaude m'a fait du bien, mais ça n'a pas effacé le souvenir de ce qui venait de se produire. Je l'avais tellement embrassé que j'avais les lèvres gonflées. J'ai passé mes doigts sur ma bouche et, telle la madeleine de Proust, j'ai ressenti ces baisers à nouveau. C'était trop. Au lieu de me calmer, ma nudité dans cette eau chaude ne faisait que faire monter la pression. J'ai laissé ma main suivre le chemin emprunté par celle d'Alexandre. Mais, cette fois, il n'y avait pas Jean-Claude pour interrompre sa progression. Très vite, j'ai pu constater l'état dans lequel mon Canadien m'avait laissée. Pour une jeune femme qui utilise régulièrement son sextoy comme moi (en l'occurrence mon Rabbit chéri), se masturber avec sa main paraît old school et peut même être difficile. Mais, dans l'état où j'étais, il m'a suffi de fermer les yeux et d'imaginer le corps d'Alexandre pour obtenir un orgasme qui méritait un bon 8/10 sur l'échelle du plaisir.

Cette petite séance m'a fait du bien. Ce n'était pas aussi satisfaisant que de jouir sous les baisers et les caresses d'Alexandre, mais ce programme-là allait arriver dans quelques heures. Quand on est certain que l'on va faire l'amour avec un être exquis, l'attente fait partie du plaisir.

Je suis ensuite allée dîner. J'étais encore la dernière et tout le monde s'est arrêté de manger pour me regarder. Et là, ils ont fait un truc incroyable : ils se sont levés et m'ont applaudie ! J'étais surprise, j'ai tourné mon regard vers Jean-Claude, qui m'a fait un clin d'œil.

— Et n'oubliez pas le rôle d'Alexandre qui a offert son corps pour protéger cette jeune femme !

Nouvelle salve d'applaudissements pour l'intéressé qui a levé la main pour prendre la parole.

— Sans oublier notre boss, ici présent, qui a gazé l'ourse pour la faire fuir... et qui a ruiné mes yeux par la même occasion !

Une femme d'une cinquantaine d'années est intervenue :

— De si beaux yeux, c'est quand même dommage !

— Ne vous inquiétez pas, ça va mieux. J'ai eu droit aux services d'une infirmière très compétente.

Il m'a désignée du bras, déclenchant d'autres applaudissements. Toutes ces démonstrations d'enthousiasme...

on aurait pu se croire à une soirée du Club Med. Il a quand même réussi à me faire rougir.

La suite a été moins amusante, car je n'étais pas à la même table que mon beau Canadien. J'ai dû raconter mon aventure avec force détails. De temps en temps, je croisais le regard d'Alexandre, et ses yeux bleus et son beau visage me donnaient des papillons dans le ventre et provoquaient d'autres sensations plus bas…

Après le dîner, nous sommes partis en direction des chambres en compagnie d'une touriste extrêmement bavarde. Je n'ai pas pu échanger avec Alex avant qu'il ne lui ait souhaité bonne nuit au seuil de sa chambre.

Après avoir ouvert la nôtre, je me suis retournée vers lui pour lui parler de ce qui s'était passé avant le dîner, mais je n'ai pas eu le temps de placer un mot qu'il avait déjà sa langue dans ma bouche. J'ai été extrêmement surprise de ce déchaînement de passion, mais je n'ai pas mis longtemps à réagir. Je me suis lancée à mon tour dans ce ballet de langues, c'était chaud bouillant. Il m'a plaquée contre la porte et ses mains ont saisi mon visage pour diriger nos baisers. Sa bouche a ensuite migré vers ma joue, puis mon oreille et mon cou. Sa main s'est glissée sous ma chemise et il a caressé ma hanche. Ce n'est pas la zone la plus érogène, mais sa main sur ma peau nue m'a fait gémir. Il a eu un petit rire sardonique.

— Je vois que madame est très sensible. Peut-être n'aurons-nous pas même le temps de rejoindre le lit. Et si nous faisions l'amour debout ? Qu'en penses-tu ?

Ce que j'en pense ? Que du bien ! Mais arrête de parler et arrache-moi mes vêtements : je veux te sentir en moi !

Je n'ai rien dit, espérant y arriver plus vite. Mais mon Canadien est un cérébral, il a continué son jeu.

— À moins que tu ne préfères quelque chose de plus bestial ? Comme ça, par exemple ?

Il m'a retournée sans ménagement et m'a plaquée contre la porte, puis il a pesé de tout son poids contre moi, m'écrasant contre le bois. Je sentais son corps puissant, mais surtout son érection contre mes fesses.

— Alexandre, tu fais ce que tu veux, je te donne mon corps. Mais, je t'en supplie, fais quelque chose, sinon je vais exploser !

Il a ri puis il a mis sa tête contre la mienne pour un autre baiser enfiévré. Sa main a défait le bouton de mon pantalon.

Il faut croire que ce foutu bouton est un signal d'alarme secret car, au moment précis où Alexandre a eu ce geste, une main a frappé à la porte.

— Alexandre, il y a un problème avec deux moto-neiges. Désolé, mais j'ai besoin de toi.

Jean-Claude ! Notre mauvais génie... Alexandre a poussé un grand soupir avant de répondre.

— J'arrive, une minute.

Quand les pas se sont éloignés, il m'a posé un petit baiser sur la bouche avant de se reculer.

— OK, on reprendra plus tard. Couche-toi, ne m'attends pas, ça peut durer longtemps.

Une minute plus tard, il était sorti. Là, c'était carrément frustrant. J'étais dans le même état que deux heures plus tôt, mais je n'allais pas me livrer à une deuxième séance d'onanisme. J'ai donc suivi son conseil et je me suis préparée pour la nuit. Ma seule hésitation a été ma tenue : pyjama ou tenue d'Ève ? J'ai choisi de ne pas dormir nue. Qu'il ait à me déshabiller ne pouvait que renforcer le côté érotique de notre relation. Et puis, malgré notre flirt poussé, je ne le connaissais pas assez ; j'ai eu une poussée de pudeur comme une adolescente.

Je pensais qu'il serait difficile de m'endormir après les émotions de la journée, mais il n'en a rien été. Je suis tombée comme une masse.

J'ai été réveillée par une lumière à l'extérieur de l'hôtel qui venait éclairer notre chambre. Je me suis retournée et il était là, à côté de moi. L'image d'un ange. De son visage émanait une sérénité incroyable. J'ai passé un temps fou à le regarder. J'hésitais à le réveiller, il avait l'air si paisible. Mais il était trop beau et nous avions déjà manqué deux occasions. J'ai approché mon visage et j'ai déposé un baiser sur ses lèvres. Pas de réaction. Alors, ma langue a redessiné le contour de ses lèvres. Si j'espérais susciter une réaction positive, j'en ai été pour mes frais. Il a juste froncé les sourcils sans même ouvrir les yeux, comme si c'était un mauvais rêve. Bon, l'affaire était plus difficile que prévu. J'ai décidé d'employer les grands moyens : j'ai pris son visage dans mes mains et, cette fois, je lui ai fait un vrai baiser.

Quand le prince embrasse la Belle au bois dormant alors qu'elle a dormi cent ans, elle réalise immédiatement ce qu'il lui arrive et récompense son amoureux en se jetant dans ses bras. Je trouve que c'est une histoire formidable. Pourquoi faut-il que la vie ne soit pas aussi simple ? Mon beau Canadien n'a pas eu la même réaction que la jolie princesse. Au lieu de se jeter dans mes bras, il s'est retourné violemment en lâchant :

— Je suis mort, merde, j'ai besoin de dormir !

Une seconde plus tard, il s'était rendormi, me laissant comme une conne face à son dos. J'ai eu beaucoup de mal à retrouver le sommeil. J'ai dû réussir, car c'est la voix d'Alexandre qui m'a réveillée. Son ton avait radicalement changé.

— *Hello*, jolie Française, c'est l'heure d'aller visiter le village inuit.

Je l'ai regardé, il avait un grand sourire, comme si notre pénible échange de la nuit ne s'était pas produit. Il a dû lire ma contrariété sur mon visage, car il m'a interrogée :

— Ça va ? Tu n'es pas loquace, ce matin.

— La nuit n'a pas été celle que j'espérais...

Il s'est marré.

— Pour moi non plus ! Je n'ai rejoint le lit qu'à 3 heures du matin. Je n'ai pas eu le courage de te réveiller, tu avais l'air si paisible.

— Toi aussi, vers 5 heures...

— Et tu n'as pas été tentée par un petit câlin ?

Le dialogue devenait surréaliste. Avait-il oublié ce qu'il m'avait sorti ? Pour en être sûre, je lui ai raconté ma pitoyable « attaque » et sa violente réaction. À la tête qu'il faisait, j'ai compris qu'il ne s'en souvenait pas.

— Laure, je suis désolé. Je ne me rappelle pas du tout cet échange. C'est affreux, je ne sais pas comment je vais pouvoir me faire pardonner.

Il était si touchant et si beau que mon ressentiment s'est envolé dans la seconde.

— J'ai une idée. Pendant que je file dans la salle de bains me brosser les dents, tu te dépêches d'enlever tes vêtements et tu te glisses dans le lit. Tu fais semblant de dormir et tu me laisses te réveiller...

— Un jeu de rôles ! Génial, une excellente façon de transformer un mauvais souvenir.

À cet instant, mon esprit a élaboré plusieurs scénarios, dont le plus romantique était de couvrir son beau visage de baisers et le plus chaud de commencer par m'attaquer au trésor dans son caleçon.

— C'est d'accord ? On y va ?

Il s'est marré.

— On y va, mais pas au lit. Tu as juste le temps de prendre une douche avant le petit déjeuner.

Je ne voyais pas ce qu'il y avait de drôle. J'ai changé d'angle d'attaque.

— La douche, on peut la prendre ensemble, ça ne durera que cinq minutes. Et pour le petit déjeuner, je sais ce que je vais prendre...

J'ai provoqué un autre rire. Je ne savais pas que j'avais ce talent comique.

— J'imagine sans peine ! Mais il te faut vraiment avaler quelque chose de chaud...

Jusque-là, on est d'accord...

— Et pour la douche, je crois que la prendre avec une jolie femme comme toi durerait au moins une demi-heure.

J'ai eu envie de lui dire que je pensais qu'avec un mec aussi canon que lui je pourrais atteindre la jouissance en moins de cinq minutes, mais il ne m'en a pas laissé le temps.

— Vas-y, ma belle, dépêche-toi.

Une seconde plus tard, j'étais seule dans ma chambre. Que ce mec était exaspérant ! Toutes ces occasions loupées commençaient à me taper sur les nerfs. Et ces Inuits à qui il voulait que je rende visite ! Moi, je ne pensais qu'à deux choses : qu'il accepte le rôle dans la série et qu'il me procure une dizaine d'orgasmes pour soulager ma frustration.

Le début de la matinée a été très pénible. J'ai commencé par partager mon petit déjeuner avec une bavarde impénitente d'une soixantaine d'années qui m'a expliqué la civilisation inuite en détail. La seule chose qui a pu la faire changer de sujet, c'est quand Alexandre est venu nous dire que le briefing avait lieu cinq minutes plus tard dans le hall. Elle a alors consacré ces trois cents secondes qui nous restaient pour nous sustenter à me faire l'apologie de mon Canadien : il était si gentil, si poli (je lui aurais bien relaté l'épisode de la nuit précédente pour la faire changer d'avis) et si beau ! Pour ce dernier point, nous étions d'accord. Elle a tout de même dit quelque chose de gentil :

— Une jolie petite Française comme vous ! Vous pourriez faire un beau couple avec lui.

Elle est remontée dans mon estime, mais avant que je puisse approuver elle s'est reprise :

— Il est peut-être quand même trop jeune pour vous, non ?

Énervée comme je l'étais, j'ai préféré ne pas répondre.

Pour le briefing, je n'ai écouté que d'une oreille. Jean-Claude a expliqué qu'on allait prendre des motos des neiges pour aller je ne sais où. Puis, après avoir vérifié que nous avions bien notre tenue grand froid avec le masque, il nous a fait sortir pour nous montrer le fonctionnement des machines. Quand j'ai vu ces engins énormes, je me suis dit que je ne pourrais jamais en piloter un. Heureusement, c'était prévu, il y avait des pilotes pour chacun des touristes.

Jean-Claude s'est approché de moi.

— C'est moi qui m'occupe de vous.

Mon regard s'est tourné, comme par réflexe, vers Alexandre, qui se trouvait vers une autre moto avec ma bavarde du petit déjeuner : elle devait être ravie, la veinarde ! Le grand Canadien m'a souri.

— J'espérais susciter un petit peu plus d'enthousiasme. Accordez-moi quelques minutes.

Je l'ai vu se diriger vers Alexandre et sa passagère. Ils ont échangé quelques secondes puis mon beau Canadien est venu me rejoindre.

— C'est moi qui vais être ton pilote. Tu es contente ?

Plus que ça, j'étais ravie, mais, encore sous le coup du ressentiment, je suis restée sobre.

— Je vais faire avec.

Il a explosé de rire.

— Comme si je n'avais pas vu ton regard de cocker qui a réussi à émouvoir le cœur tendre de mon boss !

Être comparée à un chien, ce n'était pas ma tasse de thé. Décidément, mon charme n'empêchait pas ce blanc-bec de s'exprimer avec une certaine insolence. J'ai décidé de passer outre.

— Et ta passagère, comment a-t-elle pris la chose ?

— Pas très bien, mais il lui a dit que nous étions fiancés.

— Elle l'a cru ?

— Visiblement.

Mon humeur s'est améliorée quand je suis montée derrière Alexandre. Malgré l'épaisseur de nos tenues, j'étais heureuse de me serrer contre lui. Et le voyage lui-même était sublime. Nous glissions à grande vitesse sur de vastes étendues de neige. C'était une sensation incroyable et, malgré le bruit, nous arrivions à parler. Mon guide m'a ainsi montré des bœufs musqués et des caribous.

— Si on a de la chance, on apercevra peut-être aussi des loups.

— Merci, j'ai déjà fait connaissance avec une ourse. Je considère que j'ai eu ma ration de rencontres dangereuses dans le Grand Nord.

— Mais les loups ne sont pas dangereux !

— Tu diras ça à Pierre !

Une fois arrivés à Fort Chimo, nous avons repris notre discussion.

— Laure, c'est qui ce Pierre qui a eu une mauvaise expérience avec les loups ?

— Tu ne connais pas *Pierre et le loup* ?

— Le conte pour enfants ?

— Oui, le conte musical de Prokofiev où chaque instrument représente un personnage.

— Je me rappelle, ma mère me le faisait écouter quand j'étais petit.

— Moi aussi !

Il m'a souri et j'ai eu une montée de tendresse pour ce mec. Qu'est-ce qu'il est beau ! Je n'ai pu m'empêcher de lui exprimer mon admiration.

— Ah ! Alexandre, si tu regardes la caméra comme tu me regardes, toutes les femmes du monde de sept à soixante-dix-sept ans vont succomber à ton charme !

Il m'a fait un clin d'œil.

— Après soixante-dix-sept ans, mon charme n'opère plus ?

— Je ne sais pas, j'ai dit ça comme ça. Je crois que c'était la devise publicitaire du journal *Tintin*.

— Donc, si je comprends bien, tu n'as pas renoncé à cette folie de me voir endosser le costume d'acteur ?

— Alexandre, c'est taillé pour toi !

Il m'a regardée d'un air songeur.

— OK, on en reparlera plus tard.

Comme cette fois il ne m'avait pas rembarrée, je me suis dit que tout espoir n'était pas vain. Mais quand il a dit « plus tard », je n'imaginais pas qu'il me faudrait attendre la journée entière pour que l'occasion se présente.

Il faut dire que le programme a été assez chargé. D'abord, nous avons visité le poste de trait de Vieux Fort-Chimo, où était apparu le commerce de la fourrure au début du XIXe siècle, puis nous avons fait un bond de cent vingt ans pour visiter l'épave d'une frégate de la Seconde Guerre mondiale. C'était intéressant, mais pas suffisamment pour me faire oublier la conversation cruciale que je devais avoir avec mon Canadien.

Nous avons eu des sandwichs pour déjeuner avant de rentrer à Kuujjuaq, où nous avons assisté à un concert étonnant. Nous nous sommes installés dans la salle où nous avions rencontré les anciens la veille.

Alexandre s'est assis à côté de moi. Je l'ai interrogé :

— C'est beau, les chants inuits ?

Il a souri.

— Ce n'est pas l'air de la Reine de la Nuit, mais ça a le mérite d'être original…

Deux femmes inuites sont montées sur l'estrade. Elles se sont prises par les avant-bras et ont commencé par émettre des sons de gorge. Je me suis dit qu'elles auraient pu se chauffer la voix avant de monter sur scène. Au bout de deux minutes, une s'est mise à rire et elles ont arrêté. La salle a applaudi et les deux femmes ont fait un petit signe de tête en guise de remerciement.

Je n'en croyais pas mes yeux, ou plutôt mes oreilles.

— C'est ça, le concert ?

— Oui, on appelle ça des chants de gorge.

— Des chants ?

— En fait, il s'agit plutôt de jeux, car tu as assisté à un match entre ces deux femmes.

— Tu me dis que c'est la version inuite de « The Voice » avec une battle ?

Il s'est marré.

— Exactement. Mais sans les coachs !

— Je ne suis pas fan. Je préfère la version originale.

— Écoute bien les prochaines chanteuses et essaie d'apprécier leur interprétation non seulement du chant des oiseaux mais aussi du vent et du bruit des vagues.

J'ai été attentive pour pouvoir être objective dans mon jugement.

— Alors ?

— Pour être honnête, je n'ai pas risqué le mal de mer en écoutant leurs vagues et leur vent...

Je l'ai encore fait rire. Il faut que je fasse attention, à force il va me prendre pour un clown.

Nous sommes rentrés à l'hôtel pour y réveillonner. J'ai eu du mal à réaliser que c'était le premier Nouvel An que je passais loin de ma famille. Pour une première, j'aurais pu imaginer être avec David, Ophélie, Charlie et même Michael à une soirée où les stars se seraient bousculées. Brad Pitt se serait précipité vers moi pour me parler. Angelina aurait piqué une crise, elle l'aurait menacé de divorcer[1].

Au lieu de ça, je me trouvais au milieu d'une quinzaine de touristes dans une salle de restaurant un peu tristounette. Heureusement, il y avait la présence d'Alexandre, dont la beauté surpassait, selon mes critères, celle de l'acteur d'*Ocean's Eleven*. Il a encore dîné à ma table et son humour m'a aidée à oublier le menu très décevant pour une date aussi spéciale. Comme il avait l'air de bonne humeur, et parce que je ne voyais pas quand je pourrais trouver un moment pour lui parler, j'ai pris le risque de réaborder le sujet tabou en prenant à témoin les deux femmes qui étaient assises avec nous.

— Mesdames, j'ai besoin de votre avis sur une question vitale que je suis venue poser à Alexandre et sur laquelle il n'a toujours pas donné de réponse…

Celle que j'avais surnommée « la bavarde » m'a interrompue :

— Laure, je suis de votre côté. La réponse est évidente, mon cher Alexandre, il vous faut dire « oui ». Cette jeune femme a peut-être quelques années de plus que vous, mais à notre époque ce n'est plus un problème. Comme l'espérance de vie des femmes est supérieure à celle des hommes, vous pouvez partager une vie heureuse pendant les soixante prochaines années.

Cette perspective m'a fait rêver : être dans les bras musclés de cet apollon pendant soixante ans ? Je signe tout de suite, amenez-moi le contrat !

---

1. Ils se sont effectivement séparés depuis, mais Laure n'a eu aucune responsabilité dans cette affaire.

Cette possibilité de paradis sur terre m'a distraite l'espace d'un instant, et je n'ai pas eu le temps de lui expliquer sa méprise car elle avait déjà pris à témoin sa voisine.

— Qu'en pensez-vous, Lucie ? Ne trouvez-vous pas que ces deux jeunes gens forment un beau couple ?

— Magnifique, Renée, ils sont faits l'un pour l'autre !

J'ai regardé Alex, il avait l'air abasourdi. Mais il a vite repris le contrôle de la situation.

— Voyez-vous, mesdames, le problème n'est pas aussi simple que cela. Je suis de religion catholique très traditionnelle et Laure est protestante. Elle ne veut pas changer de foi.

Les deux femmes sont restées silencieuses un instant avant que Lucie propose une solution :

— Mais vous ne pouvez pas faire un mariage interconfessionnel ?

Alex les a regardées avec beaucoup de sérieux avant de répondre :

— Oui, ce serait possible, à condition d'obtenir l'annulation du mariage.

Il a provoqué un sentiment de désarroi chez ses interlocutrices.

— Quel mariage ?

— Laure a déjà été mariée.

— Ah bon ?

— Oui, avec une femme.

Cette dernière révélation a accablé les deux touristes : la situation était trop compliquée pour qu'elles proposent une solution.

Pendant cet échange, j'avais retenu mon fou rire, mais j'ai finalement eu pitié d'elles et je leur ai avoué la vérité :

— Ne l'écoutez pas, il se moque de vous. Alexandre et moi n'allons pas nous marier.

— Parce que vous êtes déjà mariée à une autre femme ?

Décidément, je ne sais pas si elles étaient crédules ou si c'est sa beauté qui les impressionnait, mais il fallait leur mettre les points sur les « i ».

— Non, je ne suis pas mariée, ni à une femme ni à un homme. Le sujet que je voulais vous soumettre, qui est aussi la vraie raison de ma présence à Kuujjuaq, est mon projet d'engager Alexandre, qui est un acteur, pour une série que je vais produire.

Elles m'ont regardée d'un air suspicieux.

— Alexandre, un acteur ? Et vous allez produire une série ?

Visiblement, j'étais moins crédible que mon Canadien.

— Oui, c'est très sérieux, mais monsieur n'est pas sûr de vouloir ranger sa tenue de grand froid pour la remplacer par des vêtements de star.

Cette fois, j'avais obtenu l'attention de mes interlocutrices, et même mieux que ça, leur adhésion.

— Alexandre, vous devez accepter ! Être acteur dans une série, c'est formidable ! Vous ne pouvez pas refuser !

Renée a surenchéri en apportant un argument imparable :

— En plus, Lucy et moi pourrons vous regarder et, quand vous serez devenu une star, nous pourrons dire à nos amies que nous vous avons rencontré. Il faudra d'ailleurs nous signer un autographe, car sinon personne ne nous croira.

— Mieux, on va faire un selfie ! Laure, ça ne vous ennuie pas de faire une photo de nous avec Alexandre ?

— Avec plaisir, Lucy.

Quand je me suis retournée vers Alexandre, il faisait une tête pas possible, mais il était trop gentil et bien élevé pour refuser.

En plus, pour l'instant, il n'était pas une star. Il n'était qu'un accompagnateur de voyages touristiques qui ne pouvait pas refuser ce plaisir simple à deux clientes.

Après cette photo, Alexandre a été appelé par Jean-Claude pour l'aider, ce qui lui a permis d'éviter d'avoir à me donner une réponse.

Dix minutes plus tard, nous étions tous dehors pour voir ce spectacle supposé prodigieux. Nous sommes allés près de la rivière et nous avons commencé à attendre. L'organisation avait prévu d'immenses braseros pour éviter que l'on gèle sur place. Malgré cette précaution et nos tenues spéciales, je n'étais pas réchauffée. Je me suis approchée d'Alexandre.

— Tu ne veux pas me prendre dans tes bras pour que j'aie moins froid ?

Il m'a regardée avec un sourire.

— Ça fait partie du contrat ?

— Du contrat d'accompagnateur dans des contrées inhospitalières ? Oui, je pense qu'il doit y avoir un règlement ou une loi sur le sujet.

— Non, je parlais du contrat d'acteur.

— Ça veut dire que tu dis oui ?

— Non, je n'ai pas dit ça. Je me renseigne sur les obligations qui en résultent.

Après nos échanges houleux sur le sujet, j'ai décidé de lui envoyer une petite pique :

— Tu le sais bien, tu l'as dit toi-même, tu seras obligé de coucher avec ton producteur. Tu as de la chance, ton producteur est une productrice, très charmante et d'une sensualité envoûtante.

— Génial ! Tu me la présentes quand ?

Je lui ai balancé un grand coup de coude dans les côtes.

— Aïe !

— Arrête, je sais que c'est du chiqué. Avec la couche de vêtements que nous portons, tu n'as rien dû sentir. Bon, pour te faire pardonner, ouvre les bras pour que je me blottisse contre toi.

— Mais les autres touristes vont crier au favoritisme.

— Je crois qu'une grande majorité d'entre elles sont déjà persuadées que nous sommes ensemble. Allez, dépêche-toi, je caille vraiment.

Il a obtempéré. Être dans les bras de ce mec canon changeait les perspectives de la soirée ! J'étais beaucoup plus patiente et j'ai même apprécié les explications de Jean-Claude sur les aurores boréales.

— Nous sommes donc sur les rives de la rivière Koksoak. Savez-vous, d'ailleurs, la signification du nom de la bourgade où nous résidons, Kuujjuaq ?

Mon ami canadien m'a glissé la réponse à l'oreille et je me suis empressée de la donner.

— Ça signifie « la grande rivière ».

— C'est exact, mais ne comptez pas sur moi pour vous féliciter, vu que la réponse vient de vous être soufflée par un membre de l'équipe qui est en train de ruiner mon speech.

Tout le monde a ri. Le grand Canadien a ensuite expliqué le processus de formation des aurores boréales. J'avoue que j'ai décroché et j'ai profité de ma position privilégiée en écoutant d'une oreille distraite : orage magnétique, ionisation, particules électrisées...

J'ai interrogé Alexandre :

— Il parle d'atome excité, de queue de la magnétosphère et je crois qu'il a aussi mentionné la partie cul, tu crois que c'est une métaphore pour nous ?

Il a ri discrètement.

— Particule, pas partie cul ! Tu es une vraie obsédée. Tu es la preuve que la réputation des Françaises n'est pas usurpée.

Pendant une seconde, je me suis demandé si c'était un compliment ou s'il fallait que je réponde. J'ai choisi la première option. De toute façon, je n'aurais rien pu dire, car Alexandre m'a mis la main sur la bouche pour me faire taire. Son chef commençait à s'énerver.

— Si nos deux tourtereaux au fond de la classe veulent bien arrêter de batifoler, je pourrai peut-être terminer mon exposé...

Nous n'avons pas moufté, lui donnant l'occasion de continuer :

— Donc, je disais que les aurores boréales ont été observées depuis l'Antiquité. Elles étaient vues comme des serpents ou des dragons dans le ciel. Les Inuits croient qu'il s'agit des âmes des morts qui jouent à la balle avec des crânes de morses. Voilà, l'explication est donnée, il reste à espérer que nous aurons de la chance ce soir. Si c'est le cas, il vous faudra faire un vœu.

Alexandre s'est penché vers mon oreille.

— Tu as une idée ?

— Je crois que c'est évident, non ?

— Pas tant que ça. Moi, je t'imagine hésiter entre deux choix aussi séduisants l'un que l'autre.

Il m'a surprise.

— Ah bon ?

— Oui, que j'accepte de devenir acteur pour toi ou que tu passes une nuit torride avec moi. C'est ce que l'on peut appeler un choix cornélien.

— Je ne voyais pas les choses comme ça...

— C'est un vrai dilemme digne d'une pièce de Shakespeare : désir ou raison, l'hémisphère droit de ton cerveau contre le gauche. Vas-tu être capable de renoncer à connaître la jouissance prodiguée par mon corps parfait pour pouvoir produire ta série ?

Il plaisantait, il n'y avait pas de doute. Il n'empêche que la question était pertinente et que je n'étais pas certaine que la raison l'emporte... J'ai préféré contre-attaquer :

— La nuit d'amour, tu me l'as déjà promise, on ne revient pas là-dessus.

— Je ne me rappelle plus.

— Comme tu ne te souviens pas avoir été un goujat la nuit dernière.

Il a fait une grimace trop craquante.

— Touché.

— Et puis, si tu savais le plaisir physique que tu vas retirer de l'expérience, cette nuit serait ton vœu, pas le mien.

Cette remarque l'a encore fait marrer.

— Si tu le dis, mais je te préviens que mes standards sont plutôt élevés. Mais c'est original, c'est la première fois qu'une femme pense que je tirerai plus de plaisir qu'elle d'une nuit commune.

La phrase pourrait paraître le signe d'une arrogance, mais, vu la façon dont il l'a énoncé, c'était un simple constat. Ça m'a d'ailleurs un peu stressée : je n'ai jamais douté de mes qualités en matière de galipettes, mais, étant donné le plaisir que j'escomptais tirer de mon beau Canadien, il faudrait que je sois à mon maximum pour être à la hauteur.

— Donc tu es d'accord pour faire la série ?

— Si l'aurore boréale survient et si la nuit est conforme à ce que tu m'as promis, je vais y réfléchir.

Quel toupet ! J'étais scandalisée.

— Tu plaisantes ? Tu fais ta Peau d'âne ?

— Ma quoi ?

— « Peau-d'âne », le conte de Charles Perrault, tu connais ?

— Oui, mais je ne vois pas trop le rapport.

— Pour éviter d'avoir à épouser son père, elle multiplie les conditions impossibles : d'abord il doit lui faire fabriquer une robe couleur du temps, puis une couleur de la lune, et enfin une couleur du soleil. Enfin, désespérée, elle lui demande la peau de l'âne qui fait la fortune du royaume.

— Très belle histoire, je me souviens du film avec Catherine Deneuve et Jean Marais et de la magnifique musique de Michel Legrand. Pour répondre à ta comparaison, veux-tu dire que me faire passer une nuit inoubliable est aussi difficile pour toi que de fabriquer une robe couleur du temps ?

— Non, mais…

— Je pense que ce serait à moi, l'âne, de prendre une telle décision sans y réfléchir, tu ne crois pas ? Tu devrais apprécier mon évolution : il y a vingt-quatre heures, retourner à Los Angeles était inenvisageable. Ce n'est plus le cas, je réfléchis maintenant à ta proposition.

Il n'avait pas tort, peut-être fallait-il que je lui laisse un peu d'espace, que j'arrête de lui mettre la pression.

Nous sommes restés silencieux un long moment. Je commençais presque à m'assoupir. Soudain, Alexandre a tendu le bras pour m'indiquer un endroit dans le ciel.

— Regarde, ça commence, tu vas pouvoir faire ton vœu.

J'ai vu une lumière verte dans le ciel. C'était joli, mais rien de très spectaculaire. Pas de quoi faire un tel voyage ! Mon Canadien a dû sentir ma déception.

— Attends, sois patiente, ce n'est que le début.

Il avait raison : la lumière s'est déplacée, comme s'il s'agissait de la trajectoire d'une soucoupe volante martienne (en raison de la couleur). Puis d'autres lignes sont apparues, parallèles à la première, une sorte de course d'ovnis dans le ciel. On pouvait croire que cela ne s'arrêterait pas. Les lignes ont disparu pour être remplacées par une grande forme ovale, comme si le vaisseau mère des extraterrestres était en train d'atterrir. Pour finir, une lumière violette a souligné la verte, un véritable feu d'artifice naturel. La magnificence de ce spectacle était telle que j'ai applaudi.

— Alexandre, j'adore, c'est sublime !

— Je te l'avais dit.

— Donne-moi un acompte pour mon vœu.

Avant de lui laisser le temps de répondre, je me suis hissée sur la pointe des pieds pour l'embrasser. Il n'a pas résisté, bien au contraire. Ses lèvres se sont ouvertes pour laisser passer ma langue. Ce baiser, dans cette lumière unique, c'était un moment divin. Il a duré longtemps et aurait pu s'éterniser si Jean-Claude ne nous avait pas interrompus.

— On rentre, les enfants. Finalement, j'ai l'impression que vous avez trouvé une solution au problème de la chambre commune.

Son ton bourru n'a pas réussi à dissimuler la gentillesse de son propos. J'ai fait part de mon impression à Alexandre :

— C'est une vraie crème, ton boss.

— Oui, c'est un véritable *teddy bear*. Tu connais l'expression ?

— Non.

— Un ours en peluche ; c'est une personne qui agit un peu brutalement, qui apparaît comme dure et même effrayante, mais qui est en fait douce et attentionnée.

— Ça lui correspond bien.

Ça a été le seul échange que nous avons eu sur le chemin du retour pour deux raisons. D'abord, la touriste bavarde est venue discuter de l'impact de l'exploration spatiale sur les connaissances en matière d'aurores boréales. Elle a insisté sur les phénomènes similaires que l'on avait observés autour de Jupiter et de Saturne. Mon camarade québécois écoutait avec beaucoup de patience.

Et puis, je me suis mise à l'écart de cet échange, car je voulais profiter de ces instants particuliers qui précèdent le moment où l'on va faire l'amour avec quelqu'un pour la première fois. C'est un état unique, mélange de nervosité et d'excitation. J'adore cette sensation et elle était renforcée par la beauté de mon amant, par sa personnalité et aussi par les perspectives de notre avenir commun. J'étais, en effet, persuadée qu'après cette nuit il ne pourrait pas renoncer à un rôle dans ma série.

À l'hôtel, il y avait la possibilité de rester dans la salle de restaurant pour attendre la nouvelle année avec du champagne et des biscuits. Alexandre m'a demandé ce que je voulais faire.

— Tu veux rester ici jusqu'à minuit ou tu préfères aller dans la chambre ?

J'ai fait une grimace.

— Toute seule ou avec toi ? Si tu peux venir, j'aimerais mieux que nous soyons seuls pour le baiser de minuit.

Il s'est marré.

— Qu'est-ce qu'il a de spécial, le baiser de minuit ? Il est mieux que celui de tout à l'heure ?

Je l'ai regardé avec un petit air ingénu.

— Disons qu'il n'est pas adressé à la même partie de ton corps... et que tu ne risques pas de l'oublier.

Pour la première fois, j'ai vu qu'il avait du mal à déglutir : j'avais réussi à troubler mon beau Canadien.

— OK, il faut que je voie avec Jean-Claude s'il est d'accord pour que je m'éclipse.

Il m'a laissée pour aller voir le *teddy bear*. Au bout de quelques secondes, celui-ci s'est levé pour me rejoindre.

— Laure, je vais enfreindre une règle d'or en matière de professionnalisme, mais je vous dois bien ça après l'épisode de l'ours et les nombreuses fois où je vous ai enlevé Alexandre au mauvais moment.

Je me suis jetée dans ses bras pour l'embrasser.

— Merci, Jean-Claude, vous êtes une perle !

— C'est ce que je n'arrête pas de répéter à ma femme, mais elle n'est pas convaincue. Bon, allez, filez tous les deux !

Nous sommes partis sans demander notre reste. J'ai juste vu du coin de l'œil le regard envieux de la « bavarde ».

315

Arrivés dans la chambre, nous avons repris notre baiser comme si personne ne nous avait interrompus la veille. Au bout de cinq minutes, j'étais excitée comme une puce. J'ai commencé à aider Alexandre à enlever ses vêtements avant qu'il ne m'interrompe.

— Je vais d'abord prendre une douche. Les vêtements grand froid sont très efficaces contre les basses températures, mais ils me font transpirer. Tu veux m'accompagner ?

J'ai d'abord pensé que ce serait une bonne idée, mais la salle de bains, avec sa lumière très crue, sa peinture écaillée et sa taille minuscule, ne correspondait pas à l'idée d'un endroit romantique.

— Je crois que je vais t'attendre. Ça ne te gêne pas ?

— Pas du tout, j'en ai pour cinq minutes.

Il a enlevé sa chemise et le voir torse nu m'a fait douter un instant de ma décision. Quand la porte s'est refermée, je me suis demandé s'il fallait que je me déshabille ou que je le laisse officier. Dans l'anticipation de l'événement à venir, je me suis dit que je ferais mieux d'éteindre mon téléphone pour éviter que quelqu'un ne m'appelle juste à minuit ou que des SMS de bonne année ne viennent déranger le rythme de notre union. J'ai pris mon portable, que j'avais laissé en charge dans la chambre. Merde, quatorze appels en absence depuis 20 heures : tous de David ! J'ai écouté ma messagerie. Il m'avait laissé quatre messages pour savoir où j'étais. Que fallait-il faire ? Pourquoi cet empressement ? Y avait-il un problème ? Il ne donnait aucune indication. Ça pouvait être pour me souhaiter une bonne année, mais le nombre d'appels rendait cette hypothèse improbable. Mais ce n'était vraiment pas un moment propice pour le rappeler. Il était préférable d'attendre le lendemain. Alors que je m'apprêtais à éteindre mon appareil, la sonnerie a retenti : c'était lui ! Je ne pouvais pas ne pas le prendre, j'ai décroché.

— Oui, David ?

— Laure, je te cherche depuis des heures ! Tu n'as pas répondu à mes appels.

— J'avais laissé mon portable pour qu'il se charge. Pourquoi m'appelais-tu ?

— Pour passer le réveillon avec toi.

— Comment ça ?

— Je suis rentré cet après-midi à Los Angeles. Je me suis échappé de Paris pour te voir et pour célébrer ce moment spécial avec la seule femme que j'aime.

Il m'a laissée sans voix. Enfin, presque :

— Tu es à Los Angeles ? Mais pourquoi ne m'as-tu pas prévenue ?

— Parce que je n'étais pas certain de pouvoir réussir à venir... Je ne suis là que pour vingt-quatre heures, je repars demain soir. On peut se voir ?

Ce n'est pas vrai, la vie est trop compliquée !

— David, je ne suis pas à L.A. !

— Tu es où ?

— À Kuujjuaq, dans le nord du Canada.

Il y a eu un long silence.

— Donc je ne te verrai pas. Tu es allée le rejoindre ?

Il n'a pas prononcé le prénom d'Alexandre, mais je ne lui ai pas fait l'affront de lui demander de qui il voulait parler.

— Oui.

— Il est avec toi en ce moment dans la chambre ?

— Non, enfin pas vraiment, il est dans la salle de bains.

Cette nouvelle a fait baisser le ton de sa voix.

— Vous êtes ensemble ?

Dans la terminologie de David, je savais qu'il me demandait si nous avions couché. Donc je pouvais répondre négativement, même si j'avais déjà embrassé mon Canadien. Enfin, ce n'était pas non plus une réponse honnête.

— Non.

— Non, mais il est quand même dans la salle de bains de ta chambre à 23 heures. Écoute, Laure, je ne vais pas te retenir plus longtemps, la situation est déjà assez vaudevillesque. Je voulais juste te dire que je t'aime et que je n'ai pas couché avec Sarah à Paris. Et quoi qu'il se passe ce soir entre ton acteur et toi, je ne veux pas te perdre. Au revoir, Laure.

— Au revoir, David.

L'appel avait été court mais assez perturbant pour que j'aie besoin de m'asseoir sur le lit. Quand j'ai levé la tête, j'ai vu Alexandre qui me regardait, l'air inquiet.

— Ça va ?

— Ça pourrait aller mieux. Je n'avais pas remarqué que tu avais terminé. Tu as entendu ?

— Non, juste la fin. David, c'est ton mec ?

— Oui. Non, mon ex. Enfin, pour être honnête, je ne sais pas.

Je l'ai regardé, debout devant moi. Il était en caleçon noir, l'image du mec parfait musclé comme il faut. Un peu Jamie Dornan, mais en plus beau. J'ai vu sous le tissu une forme qui montrait que la douche n'avait pas freiné ses ardeurs.

Normalement, j'aurais tiré profit de la situation : mes deux mains auraient dégagé le membre brûlant de sa

318

prison et j'aurais utilisé ma bouche pour lui démontrer mes talents. Parfois, je pousse la générosité jusqu'à l'amener à l'orgasme. Comme je suis une fille bien éduquée, quand je sens mon amant se déverser dans ma bouche, je ne me précipite pas dans la salle de bains ni ne recrache discrètement dans les draps. Je sais aussi rester presque immobile pour ne pas irriter le membre en fusion qui ne demande qu'à s'assoupir. Mais, avec un mec aussi beau qu'Alexandre, je ne l'aurais gardé en bouche qu'une minute ou deux pour être certaine de pouvoir l'accueillir pour qu'il jouisse en moi et provoque mon orgasme.

Mais, ça, c'était avant. Avant que le coup de téléphone ne ruine mon envie. Alexandre s'est aperçu de la situation. Il s'est assis à côté de moi et il m'a prise dans ses bras. On n'a rien dit pendant plusieurs minutes. Au bout d'un moment, j'ai constaté avec tristesse que la bosse dans le caleçon d'Alexandre avait disparu. Ça m'a fait réagir.

— Je suis vraiment désolée, je ne vais pas pouvoir coucher avec toi. C'est idiot, parce que je ne sais pas si je suis encore avec David, mais je n'ai pas le cœur à faire l'amour avec quelqu'un d'autre alors qu'il a fait douze heures d'avion simplement pour passer le réveillon avec moi. Même si ce quelqu'un est un homme aussi beau, aussi intelligent, aussi charismatique que toi.

— Tu as oublié d'ajouter « un excellent acteur destiné à une grande carrière ».

J'ai souri tristement.

— C'est vrai.

— Tout compte fait, c'est peut-être mieux ainsi. Tu ne vas quand même pas coucher avec le premier acteur qui accepte de signer avec toi pour cette nouvelle série exceptionnelle !

Le sens de ses propos a mis quelques secondes à arriver à mon cerveau.

— C'est vrai ? Tu ne déconnes pas ? Tu acceptes ma proposition ?

— Oui, et ton prix est le mien. Je te fais confiance. Je signe sans connaître le montant de mes émoluments.

Je lui ai sauté dans les bras.

— Merci !

Je n'ai pu dire que ce simple mot pour exprimer ce que je ressentais. Vingt minutes plus tard, nous étions tous les deux couchés côte à côte dans le lit. Comme je ne pouvais pas dormir et que les câlins étaient maintenant exclus, j'ai voulu satisfaire ma curiosité.

— Alex, quand as-tu pris cette décision ?

— Sous la douche.

— Qu'est-ce qui t'a décidé ?

— Peut-être l'aurore boréale... Ce soir, elle était sublime. C'était la première de mes deux conditions.

— Mais la deuxième, la nuit la plus exceptionnelle de ton existence ?

Il a ri.

— Mais elle va l'être ! Dormir avec une jeune femme dans le même lit sans qu'il se passe quoi que ce soit, c'est une situation unique. En général, sans forfanterie, la gent féminine a du mal à se retenir de poser les mains sur mon corps...

— Je n'ai pas de mal à l'imaginer.

Mon amertume a provoqué un nouveau rire.

— Ce n'est pas grave, je serai moi aussi un *teddy bear* pour toi, quelqu'un avec qui tu dors sans avoir de relation sexuelle avec lui, juste pour le confort d'avoir une autre personne dans ton lit.

À minuit, nous nous sommes embrassés comme deux vieux amis, avec une simple bise pop.

— Bonne année, Laure. Beaucoup de succès dans tes projets professionnels et une vie amoureuse harmonieuse.

J'ai trouvé l'expression délicate et bien pensée.

— Merci, Alexandre. À moi de te souhaiter de rencontrer le succès auquel tu es destiné et aussi de faire battre le cœur de millions de femmes aussi fort que tu as fait battre le mien.

Ensuite, j'ai eu du mal à m'endormir. J'ai repensé à cette escapade incroyable qui avait finalement le résultat escompté.

J'avais eu de la chance dans mon entreprise, mais j'avais fait mieux que le film de Jean-Jacques Annaud *L'Ours*. Il avait un ours, j'en avais eu trois. D'abord, il y avait eu Alexandre, l'ours mal léché, qui m'avait envoyée balader. Puis il y avait eu l'ourse, la vraie, avec son petit, qui aurait pu m'enlever la vie ou celle de mon jeune acteur. Enfin, il y avait le *teddy bear*, l'ours en peluche qui dormait en toute amitié avec moi après avoir accepté de signer un contrat pour ma nouvelle série, une série qui allait peut-être changer ma vie et la sienne.

Chapitre 15

Un fauteuil pour deux

— Vous connaissez le film de John Landis avec Dan Aykroyd et Eddie Murphy, *Un fauteuil pour deux* ?

Je l'ai déjà dit, j'ai horreur de ce genre de question. Ce n'est pas récent, je me faisais déjà toute petite quand les profs au collège et au lycée cherchaient à interroger un élève. Plus tard, je ne pouvais pas regarder « Qui veut gagner des millions ? » avec un ami, car je ne supportais pas qu'il cherche à me tester sur mes connaissances. J'ai même eu un petit ami que j'ai dégagé pour cette raison.

La question posée par Sean ne m'a donc pas amusée, mais j'ai utilisé une tactique de politicien pour dissimuler mon ignorance :

— C'est un film des années 1980 ?

— Oui, du début de la décennie.

— Sean, je ne veux pas paraître désagréable, mais je vous rappelle que je n'étais pas née.

Il s'est excusé.

— C'est vrai, j'oublie toujours votre jeunesse. Peut-être à cause de votre maturité…

J'ai accepté le compliment avec plaisir sans le commenter. Il a continué :

— Bref, ce que je voulais dire en dehors de vous recommander cette comédie, c'est que, concernant vos deux scénaristes, il y en a un de trop.

— Mais on ne va pas faire une série avec un seul scénariste ?

— Non, mais vous devez commencer avec une équipe réduite pour le pilote et varier les profils. Ces deux personnes n'ont pas beaucoup d'expérience dans les séries et il semble imprudent de les prendre toutes les deux.

— D'accord, mais comment vais-je choisir ?

— Ça, ma chère Laure, c'est le travail de producteur. Bienvenue dans un monde impitoyable.

Deux heures plus tard, j'avais rendez-vous avec Simon Herzog et Brad Killarney. Le premier était un petit brun avec un regard vif derrière des lunettes rondes. Le second était un grand rouquin. C'est grâce à lui que nous avons brisé la glace.

— Je suis d'origine irlandaise.

Son compère s'est moqué de lui :

— Tu sais, si ton nom ne suffisait pas à dénoncer ton origine, je pense que ta couleur de cheveux serait un indice suffisant.

Pendant les vingt minutes suivantes, j'ai parlé de mon projet et du lien avec leur fanfiction. Brad est resté silencieux durant toute la durée de mon exposé. Simon, au contraire, a posé plein de questions très pertinentes. J'ai tout de suite adoré son esprit alerte et sa repartie. Quand il m'a fallu poser le problème du choix de l'un d'entre eux, j'avais pris ma décision à 95 %.

— Simon et Brad, je voulais vous rencontrer tous les deux, mais je dois vous dire que je ne peux prendre que l'un d'entre vous.

C'est Simon qui a répondu le premier :

— Mais vous comptez nous acheter la fanfiction que nous avons écrite ? Parce que ça, c'est une œuvre commune.

— Je ne peux pas vous l'acheter. Les fanfictions sont tolérées tant qu'elles restent des fanfictions. Vous ne pouvez pas les transformer en œuvres, car vous empiétez sur le copyright de l'œuvre originelle.

— Mais vous nous voyez à cause de cette fanfiction ?

— Oui, c'est elle qui m'a prouvé que vous pouviez traiter de ce genre de projet. Mais je ne veux pas que vous preniez quoi que ce soit dans votre fanfiction pour nourrir *Mysteria Lane*. Cela créerait des problèmes terribles avec la 20th Century Fox. Pour revenir à mon choix, il faut que je détermine lequel de vous deux me semble avoir l'écriture et la personnalité pour la création d'une telle série.

Simon m'a à peine laissé le temps de terminer :

— La réponse est simple, la meilleure écriture, c'est Brad, c'est le plus littéraire, mais, en ce qui concerne la personnalité, c'est indubitablement moi.

Il était tellement sûr de lui qu'il m'a fait rire.

— Et comment ce que vous venez de me dire peut m'aider pour mon choix ?

— C'est simple, il faut prendre Brad comme scénariste...

Je n'étais pas très satisfaite, puisque mon choix se portait plutôt sur Simon.

— Vous vous sacrifiez pour votre ami. C'est un choix qui vous honore, plutôt rare à Hollywood. Mais je suis au regret de vous dire que ce choix me revient.

Il m'a regardée droit dans les yeux avec un air de défi.

— Et si je vous dis que je ne suis pas intéressé ?

— Alors, vous vous mettez hors jeu et je prendrai certainement Brad.

Son regard s'est adouci en une fraction de seconde.

— Désolé, Laure, je ne voulais pas paraître brusque. Mais ce que je vous ai dit est exact, ce qui ne signifie pas que je ne veux pas participer au projet.

— Je ne vous suis plus…

— Prenez Brad comme scénariste et moi comme showrunner[1].

Quelle proposition surprenante ! Je suis restée coite un moment pour réfléchir.

— Mais vous avez l'expérience du rôle ?

— Pratiquement.

— Ça veut dire quoi dans les faits ?

— Sur la dernière série sur laquelle j'ai travaillé pour CW, j'ai remplacé le showrunner sur les trois derniers épisodes, car il est tombé malade. Le résultat a été plus que concluant.

Son arrogance aurait pu paraître pénible, mais son charisme faisait passer la pilule. Elle en devenait presque amusante.

---

1. Le showrunner est le véritable homme-orchestre d'une série télévisée. Son rôle est celui de scénariste mais aussi de producteur. Il a la mainmise sur toute la production, du plateau de tournage jusqu'au montage si nécessaire.

— C'est quoi « un résultat plus que concluant » ?

— Le show a été reconduit pour la prochaine saison.

— Mais vous n'êtes pas resté ?

— Non, le showrunner allait revenir et je ne voulais pas être le numéro deux alors que j'ai la stature d'un numéro un.

— Vous êtes très sûr de vous...

— Je connais ma valeur et j'ai eu des résultats.

— Je peux appeler ce fameux showrunner ?

— Bien sûr. J'espère qu'il aura l'honnêteté de reconnaître ce que j'ai apporté à sa série.

— Parce que vous vous êtes quittés en mauvais termes ?

— Disons qu'il sait que la série est devenue meilleure grâce à moi et ce n'est pas facile à vivre quand on a un ego.

Plus tard, dans la voiture, je ne savais pas trop quoi penser de la proposition de Simon. C'était un garçon indiscutablement brillant et charismatique, mais son inexpérience et son arrogance ne parlaient pas pour lui.

Sur le chemin du retour, j'ai appelé deux contacts que Simon m'avait donnés comme référence pour son travail de showrunner. Le premier était le réalisateur de l'avant-dernier épisode de la série en question.

Il a été très louangeur, m'indiquant que Simon avait beaucoup d'autorité dans un sens positif, ce qui permettait de régler les problèmes rapidement. Il l'a qualifié d'incisif et de novateur. C'était une confirmation de ma première opinion. Quand je lui ai demandé s'il y avait des points négatifs, il n'en voyait aucun. Ce garçon avait été ébloui par mon candidat showrunner.

Le second appel était plus important, puisqu'il s'agissait du président de Forever Young Entertainment, qui produisait cette série. Il n'était pas joignable, mais son assistante m'a promis qu'il me rappellerait « incessamment sous peu ». À Hollywood, cette phrase ne veut pas dire grand-chose et j'étais un peu inquiète.

Pour me fortifier le moral, une fois arrivée à la maison, je me suis préparé un gin-tonic et j'ai décidé d'appeler Alexandre. Cela faisait moins d'une semaine que nous nous étions séparés, mais il me manquait déjà. Nous avons échangé des SMS, mais c'était la première fois que j'allais entendre sa voix.

— *Hello*, Alexandre.

— Eh ! mais ne serait-ce pas ma productrice préférée ?

— Si, c'est bien elle, la plus charmante productrice de Los Angeles.

— Tu m'ôtes les mots de la bouche.

— Je ne te dérange pas ? Je sais que ça ne se fait pas d'appeler à 22 h 30, mais j'avais envie d'entendre ta voix.

— Attends, je dis aux deux jeunes femmes qui sont en train d'embrasser mon corps musclé d'arrêter un instant, parce que ça me déconcentre.

— Très drôle...

— Elles sont très sympas et très jolies, des jumelles de vingt-cinq ans : une première pour moi.

— Alexandre, merci de m'épargner tes fantasmes basiques de macho, ça devient lourd.

— OK, miss Laure n'est pas d'humeur à plaisanter. Non, tu ne me déranges pas. Comment vas-tu ? Tu as réglé tes problèmes sentimentaux ?

C'était surprenant comme question de la part d'un garçon qui avait failli être mon amant. Est-ce que ça voulait dire qu'on entrait dans un nouveau type de relation qu'on appelle « amitié » ?

Sur le sujet de l'amitié homme-femme, je partage l'opinion de Billy Crystal dans le film *Quand Harry rencontre Sally*. Il dit qu'un homme « ne peut pas être ami avec une femme qu'il trouve attirante, car il voudra toujours avoir une relation sexuelle avec elle ». Être ami avec mon acteur canon me semblait assez irréaliste et ça me gênait un peu de lui raconter mes soucis avec David. Mais, comme il avait subi les conséquences de notre conversation téléphonique du Nouvel An, je ne pouvais pas ne pas lui répondre.

— J'ai réussi à croiser David à l'aéroport de Los Angeles. Nous avons eu une demi-heure pour prendre un café.

— Donc tout est réglé ?

— Non, il est toujours à Paris et moi en Californie. Je préfère te parler d'autre chose, si ça ne t'ennuie pas.

— Avec toi, aucun sujet ne m'ennuie.

C'était un compliment *fake*, mais ça m'a fait plaisir. Je lui ai raconté ma rencontre avec les deux scénaristes et mon dilemme. Il a fait preuve d'une écoute formidable alors que je déblatérais sur mes problèmes. C'est finalement un signal d'appel qui m'a forcée à interrompre notre conversation.

— Allô ?

— Laure Masson ? Calvin Roberts. Vous m'avez appelé ?

C'était le président de Forever Young Entertainment !

— Bonsoir, merci de me rappeler. Je voulais vous parler de Simon Herzog. J'envisage de le prendre comme showrunner. Qu'en pensez-vous ?

— Ma réponse va être simple : il est formidable, une future star.

Le ton était sans équivoque, il en pensait chaque mot. J'aurais presque pu raccrocher dans l'instant, mais j'ai tenu à avoir plus de précisions.

— Vous pouvez m'en dire plus ?

— Quand mon showrunner est tombé malade, il a repris le poste au pied levé alors qu'il n'était qu'un des scénaristes. Non seulement il a réussi à imposer son autorité à ses pairs, mais il a apporté une nouvelle impulsion à la série. Son côté révolutionnaire a été salutaire. Sans lui, je ne sais pas si nous aurions signé pour une autre saison.

— Il a des défauts ?

— Qui n'en a pas ?

— Vous pouvez m'en citer quelques-uns ?

J'ai senti que je l'énervais.

— Écoutez, on ne fait pas d'omelette sans casser des œufs. Simon est assez radical dans ses choix scénaristiques. Il a été « nourri » par *Game of Thrones*, ce qui influence ses décisions.

— Vous voulez dire qu'il vous a supprimé quelques personnages importants dans votre série ?

Il s'est marré.

— Deux, et il a laissé le héros entre la vie et la mort à la fin du dernier épisode ! Et encore, j'ai dû le forcer à prendre cette décision, car il me l'aurait achevé sans état d'âme. Le résultat a été un *cliffhanger*[1] formidable qui a lancé ma deuxième saison.

---

1. Un *cliffhanger* (expression anglophone) désigne, dans la terminologie des œuvres de fiction, un type de fin ouverte destinée

— Et vous trouvez ça positif ?

— Mais, ma chère, il faut vivre avec son époque ! Si vous ne vous adressez pas à l'audience de *Downton Abbey*, il vous faut vous adapter à votre public. Vous savez le temps que les jeunes consacrent aux réseaux sociaux ? C'est ça, votre défi, qu'ils abandonnent leur portable pour regarder votre série.

Il est toujours intéressant d'échanger avec un professionnel, et Calvin Roberts m'éclairait sur cette industrie nouvelle pour moi. Je pense que j'avais assez d'éléments, mais j'ai posé une dernière question :

— Merci pour toutes ces précisions. Pour terminer, pourquoi ne pas l'avoir gardé ?

— Je peux vous dire que je ne souhaitais que cela ! Mais ce jeune homme aime le pouvoir et il exigeait le poste de numéro un. Avec le retour de mon showrunner principal, je ne pouvais lui offrir ce qu'il demandait. Mais, avec les audiences qui sont maintenant en baisse, je peux vous dire que je le regrette fortement.

Je suis ressortie de cet entretien boostée à mort : le choix du showrunner était décidé à 99 %. Malgré l'heure tardive, j'ai voulu partager la bonne nouvelle avec Sean. Il a un peu douché mon enthousiasme.

— Certes, l'appréciation de Calvin Roberts est un point positif, mais vous devriez demander un autre avis.

— Mais j'ai celui du réalisateur !

— Oui, mais lui ne compte pas vraiment, car il a eu son job grâce à votre Simon. Il n'est pas illogique qu'il

---

à créer une forte attente. Il y a *cliffhanger* quand un récit s'achève avant son dénouement, à un point crucial de l'intrigue, quitte à laisser un personnage dans une situation difficile, voire périlleuse.

lui soit redevable et qu'il chante ses louanges. Essayez de contacter le showrunner que Simon a remplacé.

— Mais je ne sais pas s'il voudra me parler ! Et puis il peut être partial.

— Tout le monde est partial, l'objectivité n'existe pas.

J'ai accepté de suivre le conseil de Sean, mais c'était plus par respect pour mon associé que par une réelle conviction personnelle.

Le lendemain, j'ai réussi à obtenir le numéro du showrunner et je l'ai appelé. Comme dans 99 % des cas, je suis tombée sur un répondeur. Je n'ai pas été très explicite dans mon message et j'ai juste indiqué que je téléphonais de la part de Calvin Roberts.

Je n'ai pas eu de nouvelles ce jour-là ni le suivant et j'ai presque oublié mon appel. Deux jours plus tard, mon assistant m'a dit que Simon et Brad voulaient me voir.

Je les ai invités chez moi (enfin, chez Charlie). C'était une belle journée de l'hiver californien avec une température proche des 20 °C. Simon était en tenue branchée mais décontractée. Brad portait le même genre d'habits, mais il ne dégageait pas du tout la même impression : on avait le sentiment qu'il s'était changé après avoir rentré le bétail à l'étable. Non, ma description est méchante et exagérée : son look était juste moins cool que celui de son ami.

Une fois son verre (de Coca) en main, Simon est entré dans le vif du sujet :

— Laure, nous avons travaillé, Brad et moi, sur votre série ces derniers jours et je pense que nous tenons quelque chose. Voilà notre pitch : une université américaine a été créée par le gouvernement pour l'éducation de tous les individus qui ont des capacités paranormales. Le président de l'université disparaît dans des conditions mystérieuses. Un nouveau président est nommé. Il n'a, lui, aucune capacité paranormale, mais il est d'une grande intelligence. Le poste est à risque, mais il l'a accepté, car il est divorcé et sa fille vit avec sa mère. Seulement, le problème, c'est que sa fille et son ex se brouillent à mort et que sa fille le rejoint. Elle qui est une « simple humaine » va se trouver en contact avec tous ces êtres spéciaux pas toujours animés des meilleurs sentiments. Alors…

Pendant trente minutes, il m'a raconté une histoire fantastique. C'était moderne, c'était romantique, c'était chaud, juste à la limite du convenable. J'étais enthousiasmée, c'était ce dont j'avais rêvé, mais en mieux !

— Alors, Laure, qu'en pensez-vous ? Vous aimez ?

Je n'ai pas pu dissimuler mes sentiments.

— J'adore !

— Tant mieux, parce que vous ne pourrez pas faire mieux et que cette histoire nous appartient.

J'ai froncé les sourcils.

— Je ne comprends pas ce que vous voulez dire…

— Que comme nous avons écrit cette histoire, vous ne pouvez plus la mettre à l'écran sans nous engager.

J'étais interloquée. Quel toupet ! Soudain, il a explosé de rire.

— Je vous charrie ! Vous allez devoir vous habituer à mes blagues si nous travaillons ensemble.

Son arrogance m'énervait.

— Et qu'est-ce qui vous dit que je vais vous offrir un contrat ?

— Laure, vous nous avez dit que vous adoriez et j'ai lu sur votre visage que ce n'était pas une exagération.

Vous et moi avons une connexion intellectuelle qui m'a permis de saisir exactement votre concept et de le transformer en une histoire passionnante. Je parle à la première personne, mais cette création est le fruit de ma collaboration avec Brad. C'est lui qui a eu 80 % des idées.

Avec un petit sourire, j'ai décidé de lui dégonfler sa grosse tête.

— Donc, je le prends à 80 % et vous à 20 %, c'est ça ?

Ça ne l'a pas troublé.

— Ce n'est pas si simple. Ce qui fait le succès d'une série, c'est d'avoir un showrunner capable de sélectionner les bonnes idées et d'éliminer les autres. Sans vouloir offenser Brad, il a eu aussi une tonne d'idées qui étaient à chier. Mon travail, c'est de trancher, de garder ce qui est bien et d'éliminer le reste. Comme vous dites en français, *séparer le bon grain de l'ivraie.*

Il avait raison, je le savais, mais je n'aimais pas trop ses manières.

— Jolie expression, même si, comme 99 % des Français, je ne l'ai jamais utilisée. Elle n'est pas très moderne. Brad, vous souscrivez à ce qu'a dit votre camarade ?

Le grand rouquin a eu l'air gêné.

— Vous allez penser que je manque de personnalité si je vous confirme ce que Simon vous a expliqué, mais c'est la description précise de notre façon de travailler. Les idées me viennent spontanément et je les laisse couler sans chercher à savoir si elles sont bonnes ou non. Je fais confiance à Simon pour les sélectionner et les ordonner. Cette méthode de travail est très fructueuse. Je ne mets pas de barrières, car je sais qu'il y a un garde-fou. Comme j'ai confiance en sa compréhension viscérale du monde des séries, je suis plus créatif. Je ne sais pas si je suis clair...

— Vous êtes limpide, Brad. Vous ne vous exprimez pas beaucoup, mais quand vous le faites c'est très pertinent.

Je l'ai fait rougir, ce qui a rendu ses taches de rousseur encore plus visibles. Simon a repris la parole :

— Laure, je sais que je peux apparaître comme *pushy*[1]...

— Au moins, vous vous en rendez compte.

— Et arrogant...

— Oui, ça aussi.

— Mais c'est parce que j'ai une foi totale dans ce projet et dans ma capacité à en faire une série référence dont on reparlera encore dans vingt ans. Et cette conviction, je serai capable de la transmettre aux chaînes que nous allons pitcher. Vous n'aurez pas à chercher quelqu'un pour vous financer, ce sont les chaînes qui se battront pour acquérir votre série.

Était-ce l'expression de l'enthousiasme, de la passion ou d'un manque de modestie ? Sans doute un mélange. Mais, moi, j'étais convaincue. Je l'avais poussé dans ses retranchements et il n'avait pas cédé d'un pouce. Certes, l'animal ne devait pas être facile à dompter, mais je recherchais plus un tigre qu'un petit chien à sa mémère.

J'ai inspiré un grand coup.

— Banco, vous êtes pris tous les deux : Brad comme scénariste et Simon comme showrunner. Je vais demander à mon avocat de préparer les contrats.

---

1. « Insistant ».

Ils m'ont serré la main, Brad avec l'œil brillant et Simon avec un grand sourire satisfait. J'ai ajouté un denier point :

— En ce qui concerne les acteurs, deux sont déjà retenus.

Simon a réagi dans l'instant.

— Avant que le scénario ne soit écrit ? Ce sont deux stars qui permettent à la série de se monter ? On peut connaître leurs noms ?

J'étais un peu gênée d'avouer la vérité.

— Leurs noms ne vous diraient rien, ils n'ont jamais tourné. Mais c'est effectivement un impératif imposé par les producteurs.

Simon a ricané.

— Deux jeunes femmes « fortement recommandées » par des producteurs, on sait ce que ça veut dire. C'est aussi vieux que Hollywood. Mais j'espérais que ce genre de pratique avait disparu.

J'ai rougi, car je ne pouvais nier que l'attrait physique d'Alexandre avait conditionné la création de la série, mais je ne pouvais pas avouer mes turpitudes à ce jeune blanc-bec.

— Détrompez-vous, la jeune femme est la fille du producteur.

— Elle est jolie ?

— C'est un *understatement*[1], elle est beaucoup plus que ça. C'est une bombe avec une personnalité affirmée. Vous avez déjà écrit quelques scènes osées. Avec elle pour les interpréter, vous allez faire passer *Game of Thrones* pour une série de Walt Disney.

---

1. « C'est peu de le dire. »

Ma réponse lui a visiblement beaucoup plu.

— Et l'autre ?

— C'est un homme, un Canadien. Le sosie de James Dean. Il a une présence incroyable, il va faire un tabac.

— Ça devrait le faire. Mais il serait bien de les rencontrer le plus vite possible. Ça nous permettra de modeler les personnages en fonction des acteurs déjà retenus.

— Pas de problème. J'arrange ça.

J'ai ouvert une bouteille de champagne et nous avons trinqué. Jamais je ne me suis sentie plus proche de réussir mon incroyable pari. Et, contrairement à ce que m'avait dit Sean à propos d'*Un fauteuil pour deux*, j'avais été capable de créer une deuxième place pour composer une équipe scénaristique incroyable.

Chapitre 16

Coup de foudre à Notting Hill

OK, tout le monde connaît le film avec Julia Roberts et Hugh Grant. Il n'est pas aussi bien que *Quatre mariages et un enterrement*, mais c'est quand même un bon film.

En ce qui concerne les événements que je vais relater, le titre est un peu inexact. Je pense qu'il faudrait le mettre au pluriel ; en revanche, nous étions bien sur une colline, celle qui surplombe l'hôtel Château Marmont, à Los Angeles, loin du Notting Hill de l'Ouest londonien. Pour être très précise, tout s'est passé au 8312 Hollywood Boulevard, chez Charlie.

La magnifique maison avec sa vue dégagée est devenue une annexe du bureau. J'aime y avoir des rendez-vous, notamment sur tout ce qui concerne le côté créatif de mon projet.

Comme promis, j'avais organisé la rencontre entre les acteurs principaux et les auteurs, Simon et Brad. Cela faisait trois semaines que les deux compères avaient signé leur contrat et ils avançaient à pas de géant dans l'écriture. Ils venaient de me remettre un premier draft de la bible[1] et le résultat avait réussi à impressionner Sean, ce qui était bon signe. Ils étaient en début d'écriture du pilote quand Simon avait voulu commencer le casting. J'avais un peu tiqué.

— Simon, ne vaudrait-il pas mieux finaliser la bible et le scénario du pilote ?

— La bible est terminée.

— Peut-être que l'écriture du pilote va entraîner quelques changements. Ça arrive, non ?

— Oui, mais uniquement quand le showrunner n'a pas de vision. Ça n'arrivera pas pour *Mysteria Lane*. L'écriture du pilote suivra précisément les éléments contenus dans la bible.

— Et pourquoi voulez-vous faire le casting maintenant ?

— Parce que la personnalité des acteurs retenus peut aider pour l'écriture des dialogues. Et puis il me semble que je ne suis pas le premier à choisir des acteurs. Certains ont même obtenu un rôle avant qu'il ne soit écrit…

Quelle arrogance ! Il me renvoyait à la gueule Alexandre et Julia !

On ne peut pas dire que son attitude s'était améliorée depuis la signature de son contrat. Il avait déjà fait

---

1. Dans la terminologie des séries télévisées, la bible est le document de travail qui réunit l'ensemble des informations fondamentales concernant une série. Conçue très tôt dans le développement de celle-ci, elle sert de référence à l'ensemble de l'équipe de production, notamment aux scénaristes dans l'écriture des épisodes, et assure ainsi la cohérence du résultat final. La bible réunit en particulier les principales indications sur l'univers et les personnages de la série (biographies, profils psychologiques, habitudes vestimentaires, évolutions possibles des protagonistes, etc.).

sa diva pour renégocier certaines clauses, au point qu'il avait fait craquer mon avocat. Ce dernier lui avait dit que même un Spielberg ou un Scorcese n'avaient pas des demandes aussi extravagantes, mais Simon lui avait répondu qu'il n'était ni l'un ni l'autre et qu'il demandait uniquement ce qui lui permettrait de « pouvoir exercer son métier sereinement ». À un moment, il y avait eu un blocage sur le sujet de la clause de départ. Nous proposions une indemnité de 200 000 dollars si nous devions nous séparer de lui et lui exigeait un dédommagement de 1 million de dollars. Il m'était évidemment impossible d'accepter un tel montant et, sans l'intervention de son agent, nous n'y serions pas arrivés. Il avait tenu à avoir le dernier mot.

— Laure, de toute façon, cette clause est inutile, car mon travail sera tellement bon que vous ne pourrez pas vous passer de moi.

La lutte pour obtenir sa signature m'avait épuisée, j'ai décidé d'être accommodante.

— Je n'en doute pas, Simon, c'est pourquoi cette clause n'est pas importante pour vous.

— Mais, refuser de m'accorder ce montant, c'est un signe de défiance difficile à accepter.

J'ai stoppé là, aucune réponse n'aurait pu le satisfaire.

Depuis, tout était un combat et il ne supportait que très peu la contradiction.

Pour le casting, j'ai fini par craquer et lui accorder le choix de deux personnages « essentiels pour la série », à savoir le président de l'université et une jeune femme dont le personnage joué par Alexandre doit tomber amoureux.

La directrice de casting avait réuni une trentaine de candidats rescapés de la présélection. J'étais venue autant par curiosité pour le processus que pour voir comment Simon allait s'y prendre.

Il a été très bien, très professionnel. Il leur expliquait en deux mots leur personnage et le contexte de la scène. Pendant qu'ils jouaient, il restait très concentré et attentif, à l'opposé des producteurs que l'on voit dans les films passer leur temps à manger ou à regarder leur iPhone.

Certes, il n'a pas été très chaleureux avec les candidats dont la lecture ne lui convenait pas, mais il est resté courtois.

Le matin a été consacré à la recherche du président de l'université, un humain de grande intelligence. Nous avons commencé à voir les acteurs un par un. Sur les cinq premiers, c'est amusant, mais après ça devient vite répétitif. Au quinzième, je commençais à craquer. Au vingt-cinquième, si on m'avait fourni un fusil à pompe, j'aurais tiré dans le tas. Le pire, c'est que je ne voyais pas beaucoup de différences entre les bons candidats. Pour les mauvais, c'était plus facile.

Et puis, quand le vingt-huitième a auditionné, il s'est passé quelque chose. Sa lecture était moyenne et Simon l'a interrompu. Mais, au lieu de le remercier pour que l'on puisse passer au suivant, il lui a demandé de rejouer la scène en lui donnant des indications de mise en scène. Il l'a encore stoppé au bout de trois phrases pour lui donner d'autres indications. Ce n'est qu'à la cinquième lecture qu'il l'a laissé terminer sa scène. Une fois l'acteur parti, il s'est tourné vers moi.

— C'est lui.

— Attendez, c'est lui que vous voulez ?

— Il est parfait.

— Mais vous lui avez fait rejouer la scène cinq fois !

— Oui, il y a des choses qui m'énervent dans son jeu, mais il est le personnage.

— Il n'est pas un peu terne pour être le président d'une université exceptionnelle ?

— Vous imaginez qui dans le rôle ?

— Je ne sais pas, plus un homme du genre Michael Brown.

Il m'a regardée avec un sourire.

— Vous pouvez avoir Michael Brown et vous avez oublié de me le dire ? Banco, je prends.

J'ai eu envie de lui dire que, Michael Brown, je pouvais l'avoir. Dans la réalité, je pouvais l'avoir... au téléphone pour cinq minutes, mais certainement pas dans ma série !

Les derniers candidats ont été expédiés et on pouvait sentir que ce n'était pas dû à leur prestation.

Après un rapide sandwich, nous nous sommes attaqués au rôle de Cécile. C'est dans la série un personnage clé qui a le pouvoir d'apaiser les tourments et de guérir. Autant dire que, dans une université où se côtoient des individus aux pouvoirs terrifiants, elle est d'une importance vitale. Le problème est que son pouvoir dépend de sa pureté et que la perte de sa virginité la rendrait au statut de simple mortelle. Elle tombe, bien entendu, amoureuse de Valerian, le personnage qu'Alexandre doit jouer. Quand Simon et Brad m'ont parlé de la vierge Cécile qui doit résister à Valerian, je me suis dit qu'elle n'avait aucune chance vu la beauté de mon Canadien !

Quand j'ai voulu connaître la source de l'inspiration, ils m'ont surprise en me disant que c'était une adaptation de l'histoire de sainte Cécile morte en martyre. Cette jeune femme avait réussi à persuader son mari de respecter sa virginité, car elle appartenait à Dieu. Celui-ci avait accepté et ils avaient vécu dans la chasteté.

Moi, quand j'entends ce genre d'histoire, j'oscille entre admiration et sentiment d'horreur. Ce qui est clair, c'est que ce n'est pas pour moi !

Ayant déjà une jeune femme châtaine dans le casting, Simon n'avait pas voulu choisir entre une Cécile blonde et brune. C'était surprenant, compte tenu du caractère tranché de mon showrunner, mais ça a permis d'avoir un après-midi moins monotone. Les jeunes femmes se sont succédé à un rythme moins rapide que pour le rôle de président de l'université. Il faut dire que toutes celles qui n'étaient pas éliminées par une lecture peu convaincante étaient ensuite interrogées pour savoir si elles acceptaient de jouer nues à l'écran. À part une, toutes ont accepté sans problème. C'est ce qu'on doit appeler la génération HBO, des actrices qui savent que les meilleures séries ne peuvent exister sans scènes « chaudes ».

La dixième candidate était une grande brune de style espagnol. C'était un compromis entre Catherine Zeta-Jones et Eva Green, sauf qu'elle avait des yeux très sombres. Elle avait un look un peu bizarre, entre gothique et baba cool.

Simon lui a expliqué ce qu'il attendait d'elle et elle a commencé à jouer. Elle avait une présence étrange, tout en retenue. Simon l'a remerciée pour sa prestation mais ne lui a pas posé de questions, ce qui signifiait qu'elle était éliminée. Moi, je trouvais ça un peu rapide.

— Simon, cette fille est intéressante, il faut approfondir la question.

— Son jeu est un peu fade. Il y a aussi quelque chose qui me gêne dans sa personnalité.

— On peut la revoir ?

Il a soupiré.

— C'est une perte de temps, mais si ça peut vous faire plaisir... Patty, rattrape la candidate précédente.

L'assistante a mis cinq minutes à ramener la jeune femme. Pendant que nous attendions, j'ai pensé à l'émission de télé « La Nouvelle Star ». Le jury n'arrêtait pas de se déchirer sur les candidats et parfois, eux aussi, ils offraient une deuxième chance. À l'époque, j'avais toujours trouvé ça factice, un truc pour augmenter les audiences, mais je vivais aujourd'hui la même expérience !

Quand elle est arrivée, je dois reconnaître que Simon l'a accueillie sans que l'on puisse imaginer une seconde qu'il n'en voulait pas.

— Veuillez nous excuser, Arwen, nous avons peut-être été un peu rapides avec vous. Nous souhaiterions en connaître un peu plus sur vous. Vous pouvez nous dire l'origine de votre prénom ?

— Elfique.

J'ai cru avoir mal entendu.

— Pardon ?

Simon s'est marré et c'est lui qui m'a expliqué :

— Arwen, la femme d'Aragorn dans *Le Seigneur des anneaux*. Je peux admettre que vous n'ayez pas lu le roman, mais vous pourriez connaître l'adaptation de Peter Jackson au cinéma. Ça craint, pour une productrice : la trilogie a quand même obtenu dix-sept Oscars !

— Je n'ai pas dit que je n'avais pas vu les films, mais vous m'excuserez de ne pas retenir le nom de tous les personnages après une quinzaine d'années !

— OK, ne prenez pas la mouche, je vous charrie. Donc, c'est bien ça, vos parents sont des fans de Tolkien.

— Mon père, pas ma mère.

— Arwen, j'ai une question importante : est-ce que vous pensez pouvoir jouer des scènes dénudée ?

Elle a eu une hésitation évidente.

— Je ne l'ai pas encore fait. Mais je suppose que ça dépend de quel genre de scène il est question.

Simon a été pris au dépourvu, ce qui est rare chez lui.

— Qu'est-ce que vous voulez dire ?

— Si on voit mon personnage mettre sa chemise de nuit ou prendre une douche, ça ne devrait pas me poser de problème. En revanche, s'il s'agit de faire l'amour avec un autre acteur…

Mon showrunner n'a pu retenir un petit sourire.

— Vous savez, ce n'est pas une production X, vous allez faire semblant, jouer…

Elle est restée silencieuse, les yeux fixés sur le sol. C'était étrange, Simon l'a relancée :

— C'est comme pour tout, vous allez vous servir de votre expérience personnelle pour simuler une relation sexuelle…

Elle l'a interrompu et l'a regardé droit dans les yeux.

— Justement, je n'ai aucune expérience personnelle…

J'ai retenu la question qui me brûlait les lèvres : « Comment ? Vous êtes vierge ? » Je dois avouer que Simon a fait preuve d'un sang-froid remarquable.

— Ça n'a aucune importance, au contraire. Le personnage de Cécile doit conserver sa virginité pour garder ses pouvoirs psychiques.

— Donc elle ne couchera avec aucun garçon ?

Il a eu un sourire mystérieux.

— Je ne peux pas vous dévoiler la série, mais ça ne se fera certainement pas dans la première saison. Si on suit le modèle de *Twilight*, Bella et Edward ne couchent ensemble que dans le quatrième volet. Je ne vous promets pas que nous serons capables de faire patienter les téléspectateurs aussi longtemps, mais vous devriez avoir un peu de temps devant vous. Mais vous avez déjà embrassé un homme ?

Elle a eu un sourire charmant.

— J'ai même fait plus. Je ne suis pas une gourde, non plus !

À la suite de cet échange, Simon l'a fait rejouer la scène à trois reprises, comme il l'avait fait pour le président. J'en ai déduit que c'était la bonne.

La fin des auditions m'a confirmé mon impression : Simon avait arrêté son choix.

Finalement, j'étais satisfaite pour un des deux rôles. J'ai essayé de lui en retoucher un mot.

— Vous êtes certain de vouloir John pour le rôle du président ? Je ne le trouve pas extraordinaire.

— Je vous accorde que son premier passage n'était pas terrible. Mais il s'est bien amélioré, non ? Je le connais, j'ai déjà travaillé avec lui, c'est un bosseur, il va incarner le rôle parfaitement.

Ah ! il le prenait parce que c'était une connaissance. Était-ce un renvoi d'ascenseur ou une vraie confiance dans cet acteur ? C'est toujours délicat d'imaginer qu'il choisisse quelqu'un par copinage. Il a dû sentir mes doutes.

— Laure, faites-moi confiance. Je ne prendrais pas le risque d'embarquer dans ce projet quelqu'un dont je ne serais pas certain à 100 %. Je ne prendrais même pas mon frère s'il ne remplissait le rôle qu'à 90 %. Cette série est la chose la plus importante dans ma vie, ce qui me rend incorruptible dans mes choix.

Je l'ai regardé droit dans les yeux et j'y ai lu une détermination sans faille.

— Très bien, ce sera donc John.

— Et vous avez pu constater que j'étais ouvert aux suggestions, puisque j'ai accepté votre proposition de revoir Arwen pour finalement la retenir.

— C'est vrai. Je suis curieuse, qu'est-ce qui vous a fait changer d'avis ?

— La première fois, je la trouvais un peu cruche, maladroite, avec un corps qui ne correspondait pas à sa personnalité. Quand elle nous a avoué sa virginité, j'ai compris d'où venait son trouble et je pense que ce sera un moteur formidable pour construire le personnage de Cécile.

L'analyse était exacte, le choix se justifiait et Simon pouvait se targuer d'être capable de garder un esprit ouvert. J'aurais pu aussi le féliciter de son attitude avec les jeunes femmes toutes plus magnifiques les unes que les autres. Certaines avaient clairement essayé d'obtenir le rôle par un flirt à peine dissimulé et il était resté de marbre. Pourtant, certaines avaient une sensualité qui m'avait touchée alors que je n'étais pas la cible. On aurait pu croire Simon homosexuel, mais c'était juste l'expression de son professionnalisme. Bonne nouvelle, j'avais recruté le Eliott Ness[1] de Hollywood.

Ce samedi après-midi, j'avais donc réuni les quatre acteurs choisis, Julia, Alexandre, Arwen et John, avec Simon et Brad. J'étais un peu stressée, car je me demandais si la mayonnaise allait prendre.

Pour ne rien arranger, j'avais reçu un appel dérangeant en fin de matinée.

— Bonjour, Bruce Dulop à l'appareil.

— Pardon, je ne vois pas qui vous êtes…

— Bruce Dulop, je suis le showrunner que Simon Herzog a remplacé. Vous avez cherché à me joindre.

— Ah oui ! Je me souviens, mais c'était il y a quelques semaines. À propos de Simon.

— Que voulez-vous savoir ?

— Je voulais connaître votre avis sur son travail.

— Comme scénariste, il est créatif, mais sa personnalité inhibe ses collègues.

— Et comme showrunner ?

Il a eu un rire sarcastique.

— Si je vous dis que c'est le Attila des séries, vous allez croire que je suis jaloux de lui par rapport à son travail pendant mon absence.

J'avoue que ça avait été ma première réaction, mais, par politesse, j'ai nié :

— Non, j'entends votre argument. Mais n'a-t-il pas permis le renouvellement de la série ?

---

1. Chef des Incorruptibles, la brigade qui lutta pour faire respecter la prohibition aux États-Unis dans les années 1920 et mit en prison le criminel le plus célèbre de l'époque, Al Capone.

J'ai senti que je l'avais irrité.

— C'est ce qu'il clame partout, mais il n'a fait qu'accentuer des décisions scénaristiques qui étaient déjà prises avant que je ne m'absente. Et puis il a ajouté la mort d'un personnage essentiel pour le futur de la série. Depuis, nous souffrons de cette perte et l'audience s'en ressent. C'est pour cela que je l'appelle Attila : là où il passe, les éléments clés de votre scénario sont piétinés et ne repousseront jamais.

Je n'ai pas su trop quoi dire. Visiblement, il en avait gros sur la patate. C'est lui qui a repris :

— Vous envisagez de l'engager ?

— Nous venons de signer. Il va être le showrunner de ma nouvelle série.

— Eh bien, bonne chance ! Peut-être aurez-vous une bonne surprise…

Cet appel m'avait perturbée et mon humeur s'en ressentait. J'avais beau me dire que l'opinion de Bruce Dulop reflétait juste la jalousie d'un aîné envers un junior plus talentueux que lui, son avis venait contredire les éloges que j'avais entendus pour l'instant sur mon showrunner. Mais, de toute façon, le contrat était signé et nous étions liés pour le meilleur et pour le pire. Comme dans un mariage.

Pour ma garden party, j'avais encore l'incroyable chance d'avoir comme premier invité le soleil, avec une température de plus de 20 °C. Sont arrivés à l'heure exacte Simon et Brad, qui n'ont précédé John que de cinq minutes. Les deux scénaristes avaient leur look habituel et John était en costume avec une chemise blanche, comme un cadre d'une société d'assurances.

Il ne faut pas juger les gens sur leur tenue, mais j'avoue que je ne trouvais toujours pas en lui la classe du personnage qu'il devait incarner.

Ils ont commencé à discuter tous les trois jusqu'à l'arrivée d'Arwen. Elle était en jean avec une chemise de cow-boy. Sa tenue n'avait rien de spécial, mais elle mettait néanmoins en valeur sa silhouette. À ce moment-là, mon côté féminin a pris le dessus sur mon rôle de productrice et j'ai eu une pincée de jalousie pour cette fille. Quand j'ai pensé que nous allions encore accueillir Julia, la petite bombe atomique, je me suis sentie vieille et mal foutue... Pourquoi je ne fais pas, moi aussi, un 85 C ?

À ce moment-là, j'ai reçu un SMS d'Alexandre qui m'avertissait que son avion avait eu du retard et qu'il venait juste d'atterrir à Los Angeles. Là, j'ai réalisé que mon beau Canadien allait se retrouver au milieu de ces deux filles magnifiques. Le métier de productrice est ingrat...

Simon, avec beaucoup de délicatesse, a inclus Arwen dans le groupe et il a mis fin à la discussion passionnante pour savoir si les Clippers pourraient se qualifier pour les play-offs et si on pouvait mettre fin au cauchemar des Lakers qui perdaient match après match[1].

Ils se sont mis à discuter de la série et Simon leur a donné quelques indications. J'ai averti tout le monde qu'Alexandre aurait du retard.

C'est John qui a évoqué la dernière personne manquante.

---

1. Les Los Angeles Lakers et les Los Angeles Clippers sont les deux franchises de NBA (basket-ball) de la ville.

— La jeune femme que nous attendons, c'est bien celle qui doit jouer ma fille, n'est-ce pas ?

— Elle ne devrait pas tarder à arriver.

Par précaution, je l'ai textée et elle m'a répondu qu'elle arrivait dans le quart d'heure. Ce n'est finalement qu'une demi-heure plus tard qu'elle a sonné.

Quand je lui ai ouvert, j'ai failli m'étrangler en voyant sa tenue. Si on regardait ses chaussures, on pouvait être surpris qu'elle porte des rangers qu'elle avait dû trouver dans des surplus de l'armée. En ce qui concerne le jean noir, les multiples « lacérations » qui montraient des bouts de jambe me semblaient superflues, mais la jeune génération s'est entichée de ce genre de pantalon. Ce qui avait provoqué ma stupéfaction, c'était son haut. C'était un petit top marron qui avait la particularité d'être décolleté presque jusqu'au nombril ! Seuls des lacets semblaient pouvoir éviter que la poitrine de Julia surgisse inopinément. Il n'en reste pas moins qu'il était impossible d'ignorer l'anatomie flatteuse de la jeune Anglaise.

Il faut reconnaître que c'était joli, mais beaucoup trop sexy pour une rencontre professionnelle.

Elle ne m'a pas laissé le temps de dire quoi que ce soit. Elle m'a fait une accolade et est entrée sans attendre. Elle a suivi le bruit des voix et, quand elle a débarqué dans le jardin, les conversations se sont arrêtées dans l'instant.

— Salut, je suis Julia. Désolée d'être en retard, mais je n'avais rien à me mettre et j'ai dû passer rapidement sur Rodeo Drive.

J'ai regardé ses interlocuteurs. On ne pouvait pas deviner ce que pensait Arwen, mais les trois hommes étaient clairement sous le choc de cette apparition. Le plus troublé était sans conteste Brad, dont le teint s'apparentait à la couleur écarlate d'une Ferrari.

Sans surprise, c'est Simon qui s'est ressaisi le premier.

— Si le résultat de votre shopping est ce que je vois sur vous, je ne peux qu'approuver votre retard.

— C'est si gentil. Vous êtes...

— Pardon, je suis Simon Herzog, le showrunner. Et voici Arwen, Brad et John.

Elle s'est approchée du groupe mais s'est tournée ostensiblement vers Simon.

— J'avoue que vous me soulagez d'un grand poids. Je craignais que mon top ne soit trop sexy voire déplacé pour cet événement. J'espère que vous m'excuserez, mais je suis une novice, je n'ai jamais tourné dans une série.

Si le verbe « minauder » n'avait pas existé, il aurait fallu l'inventer juste pour Julia ! C'était à vomir et j'espérais que Simon n'allait pas gober son jeu. Mais les hommes sont parfois décevants...

— Julia, vous êtes superbe. John, n'es-tu pas fier d'avoir une « fille » aussi ravissante ?

— Tu as raison. C'est presque à se demander si elle est vraiment de moi. C'est volontaire, c'est une surprise que vous avez prévue pour le téléspectateur, un *cliffhanger* à la fin de la saison 1 ?

— Non, mais ce n'est pas une mauvaise idée. Nous allons en reparler avec Brad.

Ils ont continué à discuter tous ensemble. L'ambiance restait bon enfant, mais on sentait que le centre de gravité de la conversation se situait autour du duo Julia-Simon. C'était une excellente nouvelle : si les deux grosses personnalités de l'équipe pouvaient s'entendre comme larrons en foire, le pari était presque gagné.

En parlant de forte personnalité, une manquait à l'appel : Alexandre. Il est arrivé un quart d'heure plus tard. Quand je l'ai vu, mon cœur s'est mis à battre à 150 pulsations-minute. Avec ses Ray-Ban et sa veste de cuir, il était la réincarnation vivante de James Dean.

— Alexandre ! Tu es magnifique.

— Tu voulais James, je te livre James. Ça le fait ?

— Plus que ça, j'ai failli faire un arrêt cardiaque.

— Ne t'inquiète pas, j'ai été formé aux techniques du secourisme. Je suis le roi du bouche-à-bouche.

Cette blague un peu pourrie a réussi à faire monter mon palpitant à 180. J'avais aussi la bouche un peu sèche. J'ai senti que j'avais besoin d'un alcool fort.

— Viens, Alexandre, je vais te présenter.

Mon Canadien est entré, très cool, et a enlevé ses lunettes pour saluer le groupe. Cette nouvelle arrivée a moins perturbé le groupe que la précédente, peut-être grâce à son attitude. Au moins en apparence... Car, en réalité, une jeune femme avait tressailli l'espace d'une seconde avant de reprendre un air impassible. Contrairement à ce qu'on aurait pu penser, il s'agissait de Julia et non d'Arwen. Si je n'avais pas été très attentive, je n'aurais pas remarqué le trouble de la jeune Anglaise.

Nous étions tous là, il était temps de travailler. Nous avons créé un demi-cercle et Simon a pris la parole debout devant l'assistance. Une fois de plus, j'ai assisté à son show : quand on l'écoutait, la série prenait vie. D'ailleurs, personne ne bougeait, nous étions tous subjugués par son récit. À la fin, nous avons tous applaudi. Enfin, pas tous, Julia s'est abstenue puis a lancé :

— Simon, je peux te poser une question ?

— Bien sûr.

— Donc si je comprends bien les mécanismes amoureux de la série, mon personnage, Dakota, est amoureuse de Valerian, joué par Alexandre. Mais celui-ci est obnubilé par Arwen...

— Tu veux dire par Cécile, interprétée par Arwen.

— Oui, pardon. Donc il est désespérément amoureux de Cécile, mais celle-ci ne peut céder à ses avances, car si elle perdait sa virginité elle perdrait ses pouvoirs.

— Exactement, et elle est partagée entre son désir pour le beau Valerian et son sens du devoir, car elle est consciente que ses pouvoirs sont d'une importance vitale pour la communauté.

— Et Dakota se console avec le frère de Valerian, c'est ça ?

— Oui, lui est amoureux, elle non.

— L'acteur n'est pas choisi pour ce rôle, n'est-ce pas ?

— Non, il a un rôle moins important, on le castera plus tard.

— Je peux vous donner mon avis ?

— Bien sûr.

— Votre histoire n'est pas du tout crédible. Ça ne tient pas la route.

Simon s'est crispé, mais il s'est efforcé de rester calme.

— La crédibilité n'est pas importante dans les histoires paranormales : ça fait partie du genre.

— Non, je ne vous parle pas du genre, je parle des histoires de couples. Penser que Valerian peut rester focalisé sur une vierge effarouchée alors qu'il pourrait coucher avec une bombe... Désolée, je n'achète pas.

Ou alors, il faut prendre une fille moins canon que moi pour jouer Dakota.

J'ai senti l'affaire mal partie. Simon était tout à fait en droit de dire qu'elle avait raison et qu'il aurait bien pris une autre actrice si elle ne lui avait pas été imposée. Et moi, quelle serait alors ma réponse ? Mais le jeune showrunner a alors montré sa finesse et sa personnalité :

— Au contraire, tu es parfaite, Julia. Ton analyse est bonne, mais la conclusion est fausse. Les spectateurs vont se demander pourquoi, comme tu le disais, Valerian ne couche pas avec cette fille sublime et intelligente – un élément que tu as oublié – et reste à attendre qu'une autre se donne à lui. Ça va être une interrogation insupportable qui va garder notre public d'épisode en épisode.

La tirade avait radouci la jeune Anglaise.

— Je trouve ça quand même tiré par les cheveux.

Brad a essayé d'ajouter un nouvel argument :

— C'est comme pour *Cinquante nuances de Grey*, l'héroïne, Anastasia, est vierge, alors que c'est une jeune fille moderne et magnifique de vingt et un ans. L'invraisemblance n'a pas empêché le succès du livre et de l'adaptation cinématographique.

Quand Julia s'est tournée vers le scénariste, on aurait cru une reine interrompue par un manant. J'ai senti que le pauvre allait passer un sale quart d'heure, qu'il allait payer pour la frustration qu'avait générée la réponse pleine d'intelligence de Simon.

— Brad, tu as lu *Cinquante nuances de Grey* ? C'est toi qui as choisi mon prénom dans la série ? Je comprends maintenant, Dakota pour Dakota Johnson ! C'est l'expression d'un fantasme ! Tu rêves de m'accrocher à une grande croix en bois verni en forme de X, c'est ça ? Et la fessée, tu l'imagines plutôt à main nue ou avec un martinet ?

Mon pauvre Irlandais ne savait plus où se mettre, son visage nous a montré toutes les couleurs de l'arc-en-ciel, pour finir sur la teinte camion de pompiers. Cette fois, c'était à moi d'intervenir.

— Julia, pas tant d'agressivité, s'il te plaît. C'est un nom de travail, je ne pense pas qu'il ait une signification particulière. Simon ?

— Bien sûr, tu as raison, Laure. Julia, nous pouvons changer ce prénom si tu le souhaites.

L'Anglaise reste silencieuse, ses yeux lancent des éclairs. C'est Alexandre qui intervient avec un ton très doux :

— Je ne sais pas ce que vous en pensez, mais il y a un prénom que j'aime beaucoup, qui m'évoque la beauté ainsi que l'intelligence. Peut-être refuseras-tu, car il est proche du tien : il s'agit de Julie. Il me fait penser à Julie Andrews, actrice dont j'étais amoureux quand j'avais dix ans et que je regardais *Mary Poppins* ou *La Mélodie du bonheur*.

Dans les quelques secondes qui suivent, il est impossible de deviner comment la tigresse va réagir. Puis un sourire apparaît sur son visage.

— J'ai vu ces films quand j'étais petite en Angleterre. Je suis fan. Je pense que Julie est une excellente idée. À moins que vous ne trouviez que c'est trop sage pour une fille avec un physique aussi explosif que le mien.

Ça a été au tour de Simon de calmer les esprits.

— Non, Julia, au contraire, c'est excellent. Ce contraste entre ta sensualité naturelle et ce prénom est un moteur pour la série. C'est bien, tu ne trouves pas, Brad ?

Le pauvre Brad, encore sous le choc de l'attaque, a émis un vague grognement en signe d'approbation. Je pense que, si on lui avait proposé « Maléfique », « Autoroute » ou « Jésus », il aurait donné son accord.

Ce problème réglé, il y a eu peu d'autres questions. La bible était précise, avec une direction claire, et il n'y avait que des détails à régler.

Au moment où je m'apprêtais à clôturer la réunion, Julia a encore demandé la parole.

— Simon, si j'ai d'autres points, je peux t'en parler ultérieurement ? Je ne veux pas déranger tout le monde.

— Bien sûr, quand tu veux, je suis à ta disposition.

— Merci.

Le tigre s'était transformé en petit chaton. Bonne nouvelle, la jeune femme n'était pas aussi sûre d'elle qu'on pouvait le croire. Son père en aurait été surpris, mais, avec un peu d'autorité, on arrivait à la remettre dans le droit chemin.

Simon et Brad devaient s'échapper rapidement pour assister à une projection. John a proposé à Arwen de l'emmener, car la jeune femme était venue en taxi. Je les ai raccompagnés à la porte. Quand je suis revenue dans le jardin, Julia et Alexandre étaient en train de discuter tranquillement, un verre à la main. Alors qu'ils étaient éclairés par la lumière du soleil qui commençait à descendre à l'horizon, j'ai eu la vision du couple parfait : la jeunesse et la beauté incarnées ! Le calme d'Alexandre semblait contaminer Julia et lui donner un charme supplémentaire. La vérité m'a frappée aussi violemment qu'un camion américain lancé à pleine vitesse sur l'autoroute. Julia avait raison : ces deux-là étaient faits pour être ensemble et, si cela n'arrivait pas dans la série, cela se passerait dans la vraie vie. J'avais beau ne pas être vraiment célibataire, j'ai eu l'impression d'avoir laissé passer ma chance avec le séduisant Canadien.

Au bout d'un moment, je me suis approchée d'eux. Julia s'est retournée vers moi.

— J'ai texté mon père. Il est impatient de connaître Alexandre, dont tu lui as tant vanté les qualités. Nous devons le retrouver chez moi.

Le coup de la présentation ! La vérité, c'est que le loup ramène l'agneau dans sa tanière ! J'ai pensé à la fable de La Fontaine :

Un Agneau se désaltérait
Dans le courant d'une onde pure.
Un Loup survient à jeun qui cherchait aventure,
Et que la faim en ces lieux attira.

Il faut avoir un peu d'imagination pour voir Alexandre en petit animal sans défense, mais je n'ai eu, en revanche, aucune difficulté à voir le côté prédateur de la jeune Anglaise. Pas la peine de me faire un dessin sur les événements à venir. Mais je ne pouvais pas m'opposer, il n'était pas illogique que Sean veuille rencontrer le jeune acteur star d'une série dont il était coproducteur. Et puis, même, je ne pouvais pas empiéter sur leur vie privée : beaux, presque du même âge, pourquoi ne passeraient-ils pas la nuit ensemble ? À la place de Julia, hésiterais-je une seconde ? Non, même pas un millième de seconde.

J'ai essayé de faire bonne figure.

— C'est une excellente idée. Tu vas voir, Alexandre, Sean est un mec formidable.

Je ne dois pas être très bonne actrice, car Alexandre a eu l'air de percevoir mon humeur maussade.

— Tu ne veux pas venir avec nous ? Après tout, tu m'as recruté.

— Merci, j'attends mon avocat dans une demi-heure.

Ce n'était pas une invention de ma part, il devait venir me parler d'un problème qu'il jugeait urgent. Mais, de toute façon, je n'y serais pas allée. Rien de pire que de tenir la chandelle.

Quelques minutes plus tard, ils sont partis dans la Mercedes de la jeune Anglaise, un coupé SLK. Au moment où la voiture a démarré, Alex m'a fait un petit signe de la main. Son regard était un mélange de gentillesse et de pitié, tout ce dont j'ai horreur !

La demi-heure suivante a été un moment très difficile dans ma vie. J'ai rangé le bazar dans le jardin, seule, très seule. Je me suis demandé comment il se faisait que je me retrouvais seule à bientôt trente ans. C'était exagéré, puisqu'en vérité je n'ai pas encore soufflé mes vingt-neuf bougies, mais dans ces moments-là on noircit toujours le tableau.

Soudain, j'ai eu envie d'appeler David, qui était le plus proche de ce qu'on pouvait appeler mon « petit ami ».

Il devait être 13 heures à Paris, une heure raisonnable pour appeler un samedi. La sonnerie a duré longtemps avant que j'entende une voix au téléphone. Pour être exacte, j'ai d'abord entendu beaucoup de vacarme, puis une voix féminine :

— Allô ?

Je me suis demandé un instant si je n'avais pas fait un faux numéro.

— Je pourrais parler à David ?

— Un instant, je l'appelle.

C'était une Française qui avait répondu, mais elle n'avait pas identifié que j'étais une compatriote. Elle a voulu faire de l'humour, croyant que je ne comprenais pas bien la langue de Molière.

— David, encore une de tes groupies américaines qui te demande ! Les Françaises ne te suffisent pas ?

J'ai entendu de nombreux rires, féminins dans leur grande majorité.

Ma tristesse s'est évanouie, remplacée par une fureur violente. Une voix familière m'est parvenue :

— Laure ?

— Oui, David ? Tout se passe bien ?

J'ai compris qu'il avait demandé à ses camarades du jour de faire silence, mais les nombreux « chut, chut ! » et les rires étouffés ne rendaient pas la situation moins insupportable.

— Je t'entends mal, il y a beaucoup de bruit ici. Donne-moi un instant, je sors.

J'ai patienté une vingtaine de secondes.

— Laure, tu m'entends mieux ?

Question un peu stupide, vu que c'est plutôt lui qui avait des difficultés à cause du bruit environnant.

— Ça pourrait aller mieux.

— Qu'est-ce qui ne va pas ?

— Être seule comme une conne à Los Angeles pendant que mon mec fait la fête à Paris entouré de filles, ça te paraît une bonne réponse ? D'abord, c'est qui, ces filles ?

— Des amies françaises de Sarah.

— Et vous faites quoi ? Vous êtes où ?

— À La Coupole, c'est une brasserie vers Montparnasse…

— Merci, ce n'est pas parce que j'ai dit que je me sentais conne qu'il faut y rajouter inculte. Je connais La Coupole. Vous mangez des fruits de mer ?

— Oui.

— Et c'est quoi, la grande occasion ?

Je l'ai senti gêné.

— C'est une sorte d'enterrement de vie de jeune fille.

— Pardon ? Comment ça, une « sorte » ? C'en est un ou pas ?

— Oui, mais ce n'est pas organisé de façon classique, car il y a des mecs, pas seulement des filles.

— Des mecs ? Combien ?

— Deux.

— En plus de toi ?

Il a soupiré.

— Non, moi y compris.

— Et combien de filles ?

— Je dirais une dizaine.

— Ça va, la vie est belle ! Et vous restez avec elles juste pour le déjeuner ou vous les accompagnez jusqu'au bout de la nuit ?

— Je crois que l'idée de nous inviter, c'était qu'on leur serve de gardes du corps pour qu'elles ne soient pas emmerdées par des mecs.

— Je vois. Et elles ont quel âge ?

— Ça varie…

— Mais, la future mariée, tu connais son âge ?

— Je crois qu'elle a vingt-quatre ans.

— Donc si j'émets l'hypothèse qu'elles ont entre vingt-deux et vingt-six ans, je suis dans la plaque ?

— Oui, mais, tu sais, ça ne me touche pas.

— Le problème c'est que, moi, ça me touche !

J'étais restée calme pendant notre échange, mais le barrage a cédé d'un coup et les larmes ont coulé sur mes joues. David s'en est rendu compte.

— Laure, tu pleures ? Il ne faut pas, ces filles sont des copines, elles ne sont rien pour moi.

— Mais tu vas passer une journée à t'éclater avec elles, et moi, je suis seule dans ma grande maison. Je ne mérite pas ça.

Mes pleurs ont redoublé.

— Laure, je vais venir te voir. Tu as vu, je suis venu pour le Nouvel An...

— Pour quel résultat ? Trente minutes dans un café sans aucune décision. Ça ne peut pas continuer, David.

— Mais je t'aime et je rentrerai bientôt. C'est une période un peu délicate.

— « Un peu délicate » ! J'aime ta terminologie raffinée ! Remarque, peut-être qu'à ta place je dirais la même chose, entourée d'une dizaine de filles surexcitées : « Laure, je suis dans une position délicate. » Je ne peux plus le supporter. David, j'ai besoin que tu fasses quelque chose pour moi.

— Oui, quoi ?

— Dis-moi que c'est fini entre nous, que c'est trop compliqué. Moi, je n'arrive pas à rompre.

— Mais je ne peux pas te dire ça !

— Si tu m'aimes et que tu n'es pas un monstre d'égoïsme, tu feras ce que je te demande. Peut-être que, dans le futur, nous pourrons nous remettre ensemble – après tout, nous avons déjà survécu à une séparation –, mais pour l'instant il faut que tu me permettes de vivre ma vie. Je ne peux pas passer mon temps à t'attendre...

Il y a eu un grand silence.

— Laure, tu es certaine ?

Je n'ai pas eu la force de répondre. Je l'ai laissé tester la profondeur de sa générosité.

— Si c'est ce que tu veux, j'accepte notre séparation. J'espère que tu seras heureuse, mais sache que je t'aime et qu'il est probable que je revienne te chercher.

Je l'ai remercié et nous avons mis fin à cette conversation difficile. En raccrochant, j'ai pleuré deux fois plus. Cette fois, j'étais officiellement célibataire, et l'homme qui m'avait tapé dans l'œil était en train de passer une soirée romantique dans une immense villa avec piscine avec une jolie fille d'une vingtaine d'années.

Je me suis servi un gin-tonic avec une proportion d'alcool supérieure à l'habitude. J'ai d'ailleurs grimacé en avalant la première gorgée : c'était très fort, mais c'est ce dont j'avais besoin pour digérer ma séparation.

Je me suis allongée sur une chaise longue, perdue dans mes pensées. C'est un léger accent italien qui m'a ramenée dans le monde réel.

— Laure ?

J'ai sursauté.

— Marco ? Vous m'avez fait peur ! Qu'est-ce qui vous prend de surprendre ainsi vos clients ? Vous en avez trop, vous vouliez que j'aie une crise cardiaque ?

L'homme que j'avais à mon côté était fluet, pas très beau, mais il respirait l'intelligence et il avait cette élégance que l'on acquiert du côté de Milan. Il a ri.

— J'ai sonné, mais vous n'avez pas répondu. Alors, comme c'était ouvert... Mais, si j'avais été un tueur de la Mafia, j'aurais plutôt choisi un lacet pour vous étrangler.

Il a fait le geste pour illustrer son propos. Il avait beau sourire, il était inquiétant.

— Si je comprends bien, j'ai plutôt intérêt à payer vos factures.

— C'est préférable.

Après cette entrée en matière enlevée, nous nous sommes mis au travail. Il avait un certain nombre de contrats à relire et quelques problèmes à régler.

Au bout de deux heures, il a refermé son parapheur. Dans quelques minutes, il allait partir et je pourrais retourner à mon tête-à-tête avec ma nouvelle meilleure amie, la bouteille de gin.

Avant de partir, il a hésité un instant.

— Laure, je dois vous parler d'un autre problème. Enfin, ce n'est pas un problème, c'est plutôt une faiblesse juridique au niveau du droit de la propriété intellectuelle.

J'avoue que j'en avais un peu marre de tous ces contrats.

— Oui, quoi encore ?

— Nous n'avons pas acquis les droits de la fanfiction de Simon et Brad.

— Je sais, nous étions d'accord pour dire que ce n'était pas nécessaire ni même possible, car cela serait un plagiat des *X-Men*. C'est pour cela que nous avons inclus dans les contrats de scénariste qu'ils avaient l'interdiction absolue de reprendre des éléments appartenant à 20th Century Fox.

— Je vois que vous avez le dossier bien en tête. Il reste une zone grise. S'ils reprennent des idées originales de la fanfiction – donc qui ne sont pas sous

365

copyright de Fox – pour *Mysteria Lane*, théoriquement, nous ne sommes pas complètement protégés.

J'étais sciée.

— Mais Simon et Brad sont sous contrat avec nous ! Ils ne peuvent quand même pas se plagier eux-mêmes puis nous attaquer pour violation de copyright : ce serait dingue !

Il a souri.

— Je suis d'accord avec vous, c'est improbable, mais pourriez-vous leur faire signer un addendum à leur contrat pour spécifier qu'ils ne doivent reprendre aucun élément de la fanfiction pour la série ?

— Si vous voulez, mais je trouve ça ridicule.

— C'est mon travail d'avocat de vous mettre en garde.

— C'est ça, le problème, avec les avocats américains : vous imaginez des problèmes et il faut vous payer des fortunes pour les résoudre.

— Laure, c'est mon job d'attirer votre attention sur tout ce qui peut mettre en danger votre société. Maintenant, si vous pensez que je vous escroque...

J'ai senti qu'il était blessé. Merde, déjà que je perdais mes amis et mes petits amis, si j'éloignais aussi mes partenaires professionnels... De plus, j'avais une confiance totale en Marco. Il m'avait été présenté par Luca Maldini, l'avocat de mon amie Ophélie pour sa difficile affaire qui l'avait opposée à Michael Brown l'année précédente[1].

— Marco, je vous présente mes excuses, je ne voulais pas vous offenser. Je ne changerais pas d'avocat pour un empire. J'ai juste eu une journée difficile. Envoyez-moi

_____

1. Voir *Movie Star, Saison 3 – Hollywood*.

votre document, je leur ferai signer. Maintenant que nous en avons terminé avec les problèmes professionnels, vous voulez un verre ? Après tout, nous sommes samedi, nous avons le droit aussi à notre week-end !

— Merci, Laure, je suis invité à dîner. Je dois déjà avoir une heure de retard, ma femme va m'assassiner. Vous ne savez pas ce que c'est, le mariage !

Je me suis dit qu'il ne pouvait pas avoir plus raison, et mon sentiment de tristesse et de solitude s'est accru.

— Non, je n'ai pas cette chance...

Il a dû sentir mon mal-être.

— Laure, une jeune femme aussi intelligente et charmante que vous... les prétendants doivent se bousculer !

— Vous n'avez pas vu, ils font la queue à la porte...

Il a ri comme si c'était la meilleure blague du jour. Puis il m'a laissée, m'a délaissée, et j'ai retrouvé la bouteille de gin. Après le premier verre, je me suis sentie partir doucement. Je me suis raisonnée, il fallait me forcer à m'arrêter, car il n'y a rien de plus triste qu'une ivresse solitaire. Quand je pense que j'avais proposé à Alexandre de dormir à la maison et qu'il avait accepté ! Et maintenant, il était chez Julia et il y avait fort à parier qu'il y passerait la nuit. Pour quelle raison ne profiterait-il pas du corps parfait de la jeune Anglaise ? Comme en plus elle n'avait pas froid aux yeux, il risquait de ne pas s'ennuyer... Mais, de mon côté, je ne pouvais pas me plaindre. Quel producteur ne rêverait pas d'une telle idylle pour lancer sa série ? Imaginez : le sosie d'Emma Watson tombe dans les bras du nouveau James Dean ! Génial, les tabloïds vont se régaler.

La joie n'était que théorique et j'ai rempli un nouveau verre de gin-tonic, mais je ne l'ai pas englouti tout de suite. Je l'ai regardé longuement avant de commencer à lui parler :

— Il ne reste que toi et moi. Toi qui prétends me vouloir du bien alors que tu vas m'entraîner plus profondément dans la déprime. En fait, tu es comme les sirènes qui attiraient les navigateurs pour que leurs bateaux s'écrasent contre les récifs. Mais je ne suis pas aussi faible qu'Ulysse : je n'ai pas besoin de me faire attacher au mât pour ne pas succomber à la séduction de l'alcool qui glisse dans ma gorge. D'abord, pourquoi aurais-je besoin de boire ? Pour oublier quoi ? Marco vient de le dire, je suis une jeune femme belle et intelligente...

— Je suis entièrement d'accord avec lui.

Je me suis retournée, surprise par cette interruption inopinée.

— Alexandre ! Qu'est-ce que tu fais là ?

Il s'est marré.

— Quel accueil ! Je croyais que tu serais contente de me voir. Je te rappelle que tu m'as invité à dormir chez toi. Je croyais que tu m'avais gardé une chambre d'amis.

— Mais, comme tu étais parti avec Julia, j'ai supposé que tu ne rentrerais pas.

— Ça, je reconnais que ce n'était pas gagné d'avance. Pour reprendre ta métaphore, on peut dire qu'elle a mis autant de volonté à me retenir que Calypso avec Ulysse...

Sa phrase m'a fait frémir, parce qu'elle prouvait qu'il avait assisté à la totalité de mon monologue d'ivrogne, mais aussi parce que je pouvais imaginer la scène.

— Elle ne pouvait t'offrir l'immortalité...

— Mais elle pouvait m'offrir l'amour.

— Elle l'a fait ?

— À ton avis ?

Me rappelant la jeune femme dans sa chambre avec le pauvre jeune homme, je n'avais aucun doute.

— OK, je préfère ne pas savoir. On en revient à ma question précédente : comment se fait-il que tu sois là ?

— Si j'étais prétentieux, je te dirais qu'elle s'est endormie après plusieurs orgasmes, mais ce n'est pas la vérité.

J'ai fait la grimace.

— Et c'est quoi la vérité ?

— C'est qu'après avoir joué avec elle pendant plus de deux heures, je n'avais pas envie de partager le théâtre de nos ébats pour y dormir.

En clair, il retournait voir mamie – moi – pour passer une bonne soirée en toute amitié après avoir satisfait ses besoins de mâle. Et moi, j'étais supposée accepter sans broncher ? Je devais faire une drôle de tête, car il a mis les deux mains en avant en signe de défense.

— OK, Laure, je te dois une confession.

— Laquelle ?

— Je n'ai pas posé mes lèvres ou toute autre partie de mon anatomie sur la sienne.

Je n'en croyais pas mes oreilles.

— Tu veux dire que vous n'avez pas couché ensemble ?

— Sans se toucher, ça aurait été difficile ! À moins de pratiquer l'amour tantrique... Mais ce n'est pas mon truc, je suis old school dans ce domaine.

— Mais pourquoi ?

— Tu le sais, tu l'exprimais tout à l'heure, il y a à Los Angeles « une jeune femme belle et intelligente ». Tu parlais de toi, non ? J'ai dit que j'étais d'accord. Par contre, je ne suis pas certain d'avoir compris à qui s'adressait ta tirade. J'avais l'impression que tu t'adressais à ton verre…

Je l'ai regardé et j'ai vu dans ses beaux yeux bleus une telle gentillesse que je n'ai pas répondu à sa moquerie. J'étais stupéfaite.

— Elle s'est offerte à toi et tu as préféré revenir vers moi ?

Il m'a souri.

— Alors que je ne suis même pas certain d'obtenir un baiser si le fantôme de ton copain rôde toujours.

— Ne t'inquiète pas, j'ai fait appel aux Ghostbusters[1], ils ont aspiré le fantôme.

Il a eu un regard étonné.

— Alors, tu es officiellement célibataire ?

— Célibataire certifiée conforme !

Et là, sans plus attendre, je me suis jetée dans ses bras. Il a beau être costaud, j'ai failli le renverser sous le coup de la surprise. Ma bouche s'est écrasée sur la sienne pour dissiper la frustration de ma journée. Cinq minutes, puis dix, notre baiser s'éternisait. C'est lui qui s'est reculé le premier.

— Wouah ! Je me souvenais que tu embrassais divinement, mais j'étais en dessous de la réalité. Tu es une femme exceptionnelle. Je suis content que tu sois venue me chercher là-haut, dans le Grand Nord.

Embrasser un homme aussi beau, c'était une sensation très excitante, mais l'entendre dire une chose aussi gentille, c'était un sentiment plus fort.

---

1. Les « chasseurs de fantômes » du film *SOS fantômes*, sorti en 1984 puis en 2016.

— Merci, Alexandre, le baiser n'est pas non plus un art qui t'est étranger. Mais, cette fois, je veux en connaître plus à ton sujet. Cette fois, il n'y aura pas d'appel malencontreux ni de coup à la porte pour gâcher notre soirée. Cette fois, je vais t'avoir pour moi toute la nuit.

— Je l'espérais.

— C'est vrai ?

— Oui. Je me suis même arrêté pour faire des achats en route...

— C'est quoi ?

— Ce n'est pas romantique, mais ça va nous être très utile.

— Des préservatifs, tu as acheté des préservatifs !

Il a souri avec un petit air contrit.

— Tu ne m'en veux pas ? Tu ne me trouves pas présomptueux ?

— Tu plaisantes ? J'adore ! Je préfère ça mille fois à un bouquet de fleurs. Tu as pris la boîte de vingt-quatre ?

— Non, je crois qu'il y en a douze.

J'ai froncé les sourcils.

— Douze ! On va avoir du mal à tenir jusqu'à lundi matin...

— On verra, nous n'avons pas encore utilisé le premier.

— Tu as raison, viens, je t'emmène dans ma tanière.

Je l'ai pris par la main, comme à l'école primaire pour traverser la rue. J'avais gardé la même chambre qu'à mon arrivée, quand j'étais hébergée par Charlie. Le départ de mes deux amis aurait pu me conduire à récupérer la leur, plus spacieuse, mais je ne m'en étais

371

pas senti le droit. J'étais sous les combles, avec une vue époustouflante sur Los Angeles.

Quand nous sommes entrés, nous étions dans la pénombre et le spectacle des lumières de la ville, en bas de la colline, était fantastique. Alexandre a recommencé à m'embrasser longuement. La plupart du temps, je fermais les yeux pour ressentir plus fort le plaisir que me donnaient ses lèvres. Quand il a quitté ma bouche pour plonger dans mon cou, j'ai regardé la vue et je me suis dit que c'était ça, un vrai moment de bonheur. J'ai commencé à gémir et il a ri.

— Je crois que je vais aller prendre une douche avant que nous ne puissions plus nous arrêter.

— C'est déjà trop tard, nous avons dépassé le point de non-retour.

— Mais je n'ai même pas eu le temps de me changer après mon long voyage. Il est possible que mon odeur corporelle en ait été affectée…

— Alexandre, je m'en fous, tu pourrais avoir passé la nuit avec une Inuite partie en expédition pendant trois mois ou même avec une ourse célibataire, je ne te lâche pas avant que tu ne m'aies procuré au moins deux orgasmes !

— Ce n'est pas un peu raciste, ta comparaison entre l'Inuite et l'ourse ?

— Oui, peut-être, mais je n'en peux plus. Dans cinq secondes, je t'arrache tes vêtements.

— Cinq secondes, c'est long…

Effectivement, il en a fallu moins de deux pour que l'on se déshabille mutuellement. C'était frénétique plus que romantique. Quand son pantalon s'est retrouvé au sol, ma main n'a pu s'empêcher de plonger dans son caleçon pour saisir l'objet désiré. Nous avons gémi tous les deux et sa bouche est venue rejoindre la mienne. Il ne m'a pas laissée le caresser longtemps, une preuve de prudence pour garantir le plaisir qu'il comptait me donner. Il m'a débarrassée du petit bout de tissu qui protégeait mon intimité. Sa main a à peine survolé mon sexe, juste assez pour ressentir mon excitation extrême. Il m'a soulevée, m'a prise dans ses bras pour me déposer avec beaucoup de délicatesse sur le grand lit. Allongée, je l'ai regardé enlever son caleçon. Dans la pénombre, je ne voyais qu'une silhouette en ombre chinoise, mais même en noir et blanc je voyais sa beauté. Quand il a mis son préservatif, debout devant moi, j'ai su que le grand moment était enfin arrivé et que toutes mes frustrations allaient être englouties par une vague de plaisir.

Il a embrassé mes genoux puis il a écarté mes jambes pour se positionner contre moi. Il m'a donné un long baiser, comme pour me demander la permission de franchir la prochaine étape. C'est ma langue qui lui a signifié mon accord. J'ai alors senti sa main positionner son sexe à l'entrée du mien. Il m'a pénétrée aussitôt, et ce seul geste était un reflet fidèle de ce qu'il était : attentionné et décidé à la fois. La sensation était si forte que je n'ai pu retenir un gémissement. Mes jambes se sont refermées spontanément autour de sa taille et, à partir de là, je me suis laissée porter vers l'orgasme. Contrairement à l'image idéale de l'orgasme simultané des deux amants, mon bel Alexandre est arrivé au bout du voyage avant moi. Mais il a gardé assez de vigueur pour rester en moi et attendre que je le rejoigne. En fait, ressentir son plaisir a déclenché le mien. Son corps s'est tendu tel un arc et il s'est abattu sans retenue sur moi. Son corps qui s'abandonnait sur le mien, c'était la plus belle preuve du désir qu'il avait pour moi. J'ai beau être sûre de moi en matière de sexualité, être capable de donner une telle jouissance à un homme aussi unique, ce n'est pas rien.

J'ai passé les dix minutes suivantes la tête sur son torse musclé à m'étonner que la perception du bonheur puisse varier autant en aussi peu de temps. Il y a moins d'une heure, j'étais en train de désespérer de la vie, un verre de gin à la main. Alex m'a tirée de mes réflexions philosophiques.

— Cette fois, je peux aller prendre ma douche ?

— Je t'accorde que ce ne sera pas un luxe.

— Je t'avais prévenue ! C'est toi qui l'as voulu.

— Oui, et je ne regrette rien. Donc je te donne la permission, à condition que tu me laisses une petite place avec toi...

— Mais tu es insatiable !

— Tu n'as pas idée.

Sous la douche, j'ai connu une autre sorte de plaisir. J'ai pris le gel douche dans ma main et j'ai lavé toutes les parties de son corps, avec un plaisir particulier pour ses pectoraux et ses fesses. J'ai eu aussi une joie inédite quand je lui ai fait son shampoing. Je pense que c'était dû à son beau visage qui me regardait pendant que je m'occupais de son cuir chevelu. Il m'a souri avec un air coquin.

— Je pense que c'est mon tour...

Quand il a versé le gel sur mes épaules et que celui-ci a commencé à glisser sur ma poitrine, j'ai vu qu'il suivait des yeux le chemin du liquide bleu sur mon corps. J'ai eu soudain du mal à déglutir. Il s'est aperçu de mon trouble et, avec un sourire amusé, il m'a glissé une phrase en anglais :

— *Are you a dirty[1] little girl ?*

C'était curieux qu'il me parle en anglais, mais j'ai répondu en un instant :

— *Yes, very dirty.*

— *We'll have to do something about it[2]...*

Quand sa main est venue chercher le gel sur ma peau, j'ai frémi. Elle est montée sur mes seins et les a caressés, s'attardant sur la partie la plus sensible. Le but du trajet était connu, mais il a fait de longs détours qui n'ont fait qu'augmenter mon excitation. Il m'a montré que ses doigts étaient, eux aussi, capables de me donner un orgasme. Pour me donner un tel plaisir, il avait titillé mon C avant de trouver mon point G et, vu l'intensité de ma jouissance, je ne serais pas surprise qu'il ait découvert un point H voire I !

Il a dû me soutenir, car mes jambes ne me retenaient plus pendant l'orgasme.

J'ai eu du mal à sortir de la douche. Il a pris la serviette et, avec beaucoup de délicatesse, m'a essuyée. Puis il m'a encore prise dans ses bras pour me ramener dans la chambre.

— Eh ! je peux marcher !

— Ce n'est pas l'impression que tu donnais tout à l'heure... Tu n'aimes pas être dans mes bras ?

---

1. Double sens de *dirty* en anglais, à la fois « sale » dans le sens de manque de propreté et « cochonne » en matière de sexualité.
2. « On va devoir y remédier... »

Bonne question : je me suis aperçue que j'avais protesté par principe, sans réfléchir à ce que je ressentais.

— Si, tu as raison. En fait, j'adore.

Une fois sur le lit, il m'a embrassée en me caressant le dos. Ce mec est d'une incroyable sensibilité ! Après un long échange, ma main est descendue le long de son corps pour vérifier si je pouvais espérer un regain de forme. Et je n'ai pas été déçue. J'ai soudain eu envie de lui donner un plaisir particulier et ma bouche a quitté la sienne pour commencer à descendre au niveau de son torse. Il m'a interceptée.

— Eh ! tu vas où ?

— Je pense que tu as une idée, non ?

Il a souri.

— Oui, mais je voulais d'abord m'occuper de toi.

— On a eu la même idée en même temps ?

— Visiblement.

— Qui commence ? Toi ?

Il m'a fait un petit sourire coquin.

— Personne n'est obligé d'être en premier : on peut le faire version Gainsbourg-Birkin.

— Tu parles de « l'année érotique » ?

— De quoi d'autre ?

Quinze minutes plus tard, on pouvait ajouter un orgasme à son compte et deux au mien. Là, j'ai ressenti un petit coup de fatigue et je me suis assoupie dans ses bras.

À 11 heures du matin, je me suis forcée à sortir du lit. Par curiosité, j'ai regardé dans la boîte de préservatifs : il en restait six sur douze. Beau score pour une seule nuit !

J'ai préparé des pancakes pour le petit déjeuner en attendant qu'Apollon se réveille. Je me sentais bien, détendue comme je ne l'avais pas été depuis longtemps. Et pourtant, malgré la beauté de mon partenaire et l'intensité de nos rapports, je ne pensais pas être folle amoureuse. L'amour est une alchimie curieuse : j'avais obtenu le plus bel homme de la terre, intelligent et attentionné de surcroît, et il avait réussi à conquérir mon corps, mais pas mon cœur ! Peut-être était-ce trop tôt après ma rupture, peut-être fallait-il que je laisse du temps pour que des sentiments profonds puissent se reconstruire en moi.

Sans doute faut-il renommer cette journée. Contrairement à ce que j'aurais pu imaginer, il n'y a pas eu de coup de foudre à Los Angeles. Enfin, il y en a eu un, mais il était si bien dissimulé que personne n'a rien remarqué.

Chapitre 17

Sex Friends

Je ne sais pas si ce serait prétentieux de ma part de dire que je suis aussi jolie que Natalie Portman. En revanche, Alexandre, lui, est mille fois plus canon qu'Aston Kutcher. Je n'ai jamais vu le film *Sex Friends*, qui réunit ces deux acteurs, mais depuis quelques semaines j'expérimente le concept.

Ma relation avec mon jeune Canadien n'est pas du tout ce que j'imaginais. C'est un véritable amour, il est gentil, intelligent et plein d'humour. Au lit, on s'éclate, on expérimente plein de choses et je fais une collection d'orgasmes. Je suis plus proche de lui que de tous les amants que j'ai eus depuis mes quinze ans. De tous à l'exception d'un... La relation avec David était la plus forte que j'ai connue de toute ma vie. J'arrive à penser à lui sans tristesse, mais je ne peux l'oublier et mes sentiments pour Alexandre ne peuvent égaler ceux que j'avais pour mon journaliste. Pourtant, je suis certaine d'avoir pris la bonne décision. Depuis notre séparation, je suis plus sereine et je reprends goût à la vie.

Je sors, je vais au cinéma, au restaurant, et j'avoue que j'aime sentir les regards jaloux des jeunes femmes quand elles me voient avec Alexandre. Je lui ai fait remarquer, ce soir, au restaurant.

— Tu as vu toutes ces filles qui te reluquent ?

Il m'a fait son regard de star.

— Je suis habitué.

— Quelle prétention, je n'y crois pas !

— Mais je ne fais que souscrire à ce que tu viens de dire.

Pas faux, mais il pourrait faire preuve d'un peu plus de modestie.

— D'accord, mais ce n'est pas pareil quand c'est moi qui le dis.

— Il y a aussi des hommes qui te matent...

— Ah bon ? Je n'ai pas remarqué.

— Tiens. Celui-là, à la table à gauche, près du pilier.

Je n'ai rien vu dans la direction qu'il indiquait, sauf un couple de personnes âgées. J'ai eu un doute.

— Tu ne veux quand même pas parler du vieux monsieur avec la cravate jaune ?

— Si, c'est bien lui, il a l'air de t'apprécier.

— Mais il a au moins soixante-dix ans !

— Il a quand même le droit de te trouver à son goût. Il n'est pas si mal conservé. Si jamais, un jour, toi et moi stoppions notre relation, tu pourrais chercher un peu de réconfort dans ses bras...

Je lui ai balancé un grand coup de pied dans le tibia.

— Aïe ! Ça fait super mal !

— Bien fait, tu l'as mérité.

— Et si tu me blessais à quelques jours du début du tournage ?

— L'assurance est là pour ce genre de problème.

— Même si c'est le résultat d'une agression venant de la productrice ?

— Je ne peux imaginer qu'il n'y ait pas une clause qui permette de remettre un acteur insolent dans le droit chemin. Il...

Il m'a interrompue :

— Tiens, quand on parle d'acteur insolent...

J'ai suivi son regard et j'ai vu arriver Julia, accompagnée de Simon. Incroyable de penser que ces deux-là dînaient ensemble quelques heures après leur terrible affrontement.

Pourtant, la journée paraissait bien partie. J'avais reçu le script du pilote quelques jours plus tôt et sa lecture m'avait comblée. Pas de doute, Simon et Brad avaient beaucoup de talent et la série s'annonçait comme le succès de l'année. Même Sean, qui aurait pu être blasé après tant d'années à Hollywood, était enthousiaste.

Simon avait casté les autres acteurs et la troupe était au complet. Il avait aussi trouvé un réalisateur confirmé pour tourner cet épisode dont dépendait le futur de la série. Pour que tout le monde fasse connaissance, il m'avait demandé si je serais d'accord pour organiser une lecture du pilote avec tout le monde.

— Mais, Simon, je n'aurai jamais assez de place dans mon jardin !

Il s'était marré.

— On invitera seulement les acteurs principaux, les mêmes que l'autre fois plus Ian, qui joue le rôle du petit frère de Valerian. Et puis, bien sûr, Richard, le réalisateur.

Je m'étais laissé convaincre et, cet après-midi, nous nous sommes donc retrouvés tous ensemble dans mon jardin qui devenait le décor de *Mysteria Lane*.

Simon et Brad sont arrivés les premiers, mais ils avaient à peine eu le temps d'entrer que le coupé Mercedes de Julia était déjà là. J'ai vu le sourire amusé de mon showrunner quand Julia est descendue de la voiture de luxe. Il faut dire que, entre les Ray-Ban aux verres fumés, le short en jean qui s'arrêtait à un niveau que la morale réprouve et le petit haut blanc, c'était assez spectaculaire. Pas très élégant mais très sexy. Si son top ne laissait que deviner le début de son décolleté, en revanche, il dévoilait le nombril et tout le haut du corps au-dessus de la poitrine, grâce à deux bretelles qui retombaient négligemment sur ses bras. Comme quoi, on peut inventer de nombreuses manières d'être affriolante...

Mais, cette fois, elle avait de la concurrence en matière de charme. Je ne veux pas parler de ma personne, même si j'avais une classe folle dans mon tailleur-pantalon. Non, la surprise est venue d'Arwen, qui s'était mise en valeur, contrairement à la première fois. Tout de noir vêtue, elle était somptueuse dans un pantalon hyperajusté et un haut simple ras du cou avec, elle aussi, des épaules nues. Ses cheveux étaient tirés par une queue-de-cheval haute qui magnifiait son beau visage.

La satisfaction du jour a été suscitée par Ian Sulton, qui devait jouer le rôle de Viktor, le demi-frère de Valerian. J'ai découvert un beau garçon sympathique et intelligent. Certes, il n'était pas aussi charismatique qu'Alexandre, mais ce serait son pendant idéal.

Quand tout le monde a été assis sur les chaises que j'avais installées en cercle, nous avons commencé. Brad a distribué les scripts pendant que Simon exposait comment nous allions procéder. Il a expliqué qu'il fallait lire chaque scène en entier avant de faire des remarques, car toute interruption précipitée empêcherait d'avoir une vraie idée de la pertinence de la scène dans son intégralité.

Au début, ça a été très sympa, drôle même, quand j'ai dû interpréter l'assistante du président de l'université. Il semble que j'avais pris un petit ton pincé qui a provoqué l'hilarité générale. John – qui joue le rôle du président – n'a pu réprimer un fou rire et il a été incapable de dire son texte. Nous avons essayé trois fois de suite, mais, dès que j'ouvrais la bouche, tout le monde se remettait à rire. Simon a alors décidé de passer à la scène suivante pour ne pas perdre de temps.

Tout s'est bien déroulé pendant plus de deux heures. Chacun semblait à l'aise dans son rôle, même si je ne pouvais m'empêcher de trouver le personnage du président un peu fade. Et puis il y a eu les deux scènes de la fin, qui ont mis le feu aux poudres. L'action se déroulait à la fête de rentrée de l'université. Valerian (Alexandre) tombe amoureux de Cécile (Arwen), mais celle-ci se refuse à lui sans explication. Plus tard dans la série, on apprend qu'elle n'est pas indifférente au charme de Valerian mais qu'elle ne veut pas perdre ses pouvoirs qui dépendent de sa virginité. Julie (personnage interprété par Julia), qui a assisté de loin à l'échange entre Valerian et Cécile, cherche à profiter de la situation, mais le jeune homme la rejette.

Alexandre et Arwen ont fait une première lecture, mais Simon ne les a pas trouvés à l'aise et il leur a demandé de recommencer. La deuxième tentative n'a pas été plus convaincante que la première.

Julia est intervenue :

— Simon, je t'avais dit que c'était bizarre comme scène.

Le showrunner a ignoré la remarque.

— Arwen, Alexandre, vous pouvez vous lever et la jouer vraiment ? Je sais que vous ne connaissez pas le texte, mais faites pour le mieux en lisant.

Cette version a commencé à ressembler à quelque chose. Richard les a encouragés :

— C'est bien, mais essayez de vivre la situation. Pouvez-vous me faire le baiser avant qu'Arwen ne repousse Valerian ?

La jeune femme n'a pas eu l'air enchantée.

— Vous pensez que c'est indispensable, Richard ? C'est déjà assez difficile de faire un acte aussi intime sur un plateau. Alors, dans un jardin en plein après-midi…

— Je pense que ce serait dommage de ne pas essayer, car cette scène est cruciale pour lancer la série. Simon, qu'en penses-tu ?

— Tu as tout à fait raison. Arwen, de toute façon, tu devras tourner cette scène, donc c'est une bonne répétition.

La jeune femme était ébranlée, mais elle n'arrivait pas à donner son accord.

— Je ne sais pas…

— Arwen, c'est un baiser lèvres contre lèvres, pas un french kiss.

Il y a eu un silence, silence qu'a meublé Julia par une remarque désobligeante à mi-voix :

— Elle n'est pas capable de faire une bise pop et on essaie de nous faire croire qu'un homme pourrait la préférer à moi. Ce n'est plus du fantastique, c'est de la science-fiction !

J'ai décidé d'intervenir à voix basse mais avec fermeté.

— Julia, tais-toi ! Tu ne facilites pas les choses.

Quand j'ai tourné la tête, j'ai vu qu'Alexandre parlait à l'oreille d'Arwen. Personne n'a entendu ce qu'il lui disait, mais elle a semblé se décontracter et elle a même souri.

— D'accord, je veux bien essayer.

Tout le monde s'est détendu, à l'exception notable de Julia, qui a croisé les bras et froncé ses jolis sourcils.

La scène a gagné en émotion au moment où Alexandre s'est penché pour déposer un doux baiser sur les lèvres d'Arwen. Un large sourire est apparu sur les visages de Richard, Simon et Brad.

— Génial, ça marche parfaitement ! Merci, Arwen et Alexandre, pour votre interprétation, c'était très touchant.

Julia a marmonné quelques mots dans sa barbe :

— Si j'avais su que je m'embarquais dans une série pour adolescents frustrés...

Arwen a dû entendre, car elle a fusillé la jeune Anglaise du regard avant de se tourner vers Simon.

— On peut la refaire une dernière fois ? Je pense que je peux faire mieux.

Simon et Richard n'allaient pas refuser et ils n'ont pas eu à le regretter... Arwen s'est lâchée dans son interprétation et Alexandre s'est mis à l'unisson. Il y a eu le baiser de Valerian à Cécile, puis cette dernière s'est reculée et, quand elle lui a dit qu'ils n'avaient pas de futur ensemble, c'était poignant. Nous n'étions plus dans mon jardin mais comme transportés par une force invisible dans le parc de l'université. Et puis, comme pour se faire pardonner, Cécile l'a embrassé à son tour.

C'était comme au ralenti, ses lèvres se sont ouvertes et sont venues chercher celles d'Alexandre-Valerian. C'était d'une sensualité incroyable qui m'a troublée. Il a fallu que j'attende qu'ils se séparent pour redescendre sur terre. J'ai alors vérifié le script : ce baiser ne faisait pas partie de la scène, c'était une improvisation d'Arwen ! C'est Simon qui a réagi le premier.

— Brad, tu as vu ? Ce deuxième baiser est la plus jolie marque d'un amour impossible. On rejoint les plus grands mythes. Il y a eu Roméo et Juliette, il y aura maintenant Cécile et Valerian !

La comparaison avec les héros de Shakespeare était très exagérée, mais il faut reconnaître que la jeune femme avait réussi à donner une dimension incontestablement nouvelle à cette scène. Le scénariste était aussi enthousiaste que son comparse.

— Je suis d'accord, c'est beaucoup plus fort comme ça. Je rajoute le baiser d'Arwen, enfin je veux dire de Cécile.

C'est à ce moment-là que j'ai regardé Alexandre et que j'ai noté qu'il avait l'air ailleurs. Son regard lointain m'a fait un pincement au cœur. Était-ce dû à ce baiser ? Dans la mesure où j'avais été troublée en tant que simple spectatrice, je pouvais imaginer sa réaction en tant qu'acteur.

Enchaîner avec la scène finale n'a pas été simple. Alexandre a eu du mal à se reconcentrer, ce qui a passablement énervé Julia.

À deux reprises, le jeune Canadien a perdu le fil et a demandé à recommencer la scène. L'Anglaise ne l'a pas loupé :

— Alexandre, merde, tu déconnes ! Ce n'est quand même pas un smack qui peut te mettre dans cet état ! Tu es puceau ou quoi ?

L'attaque a fait sourire le jeune homme.

— Désolé, ma chère. Je te promets de faire mieux cette fois-ci.

La troisième interprétation était bien meilleure et a satisfait aussi bien le réalisateur que les deux scénaristes. Mais Julia, elle, a laissé parler sa frustration.

— Non, ça ne va pas du tout. Alexandre est trop distant, ce n'est pas réaliste.

Encore une fois, c'est le showrunner qui a défendu la scène et la façon de l'interpréter du Canadien.

— Julia, je crois que c'est l'avantage de faire une lecture. Contrairement au tournage, nous avons joué les scènes dans l'ordre de l'histoire et l'on s'aperçoit que le personnage de Valerian, troublé par Cécile, ne peut plus être séduit par Julie. La façon de jouer d'Alexandre est excellente, car on ressent combien les assauts de ton personnage sont vains. C'est ce qui est fort dans votre scène, c'est son côté pathétique...

En entendant ce mot, le visage de la jeune Anglaise est devenu rouge et j'ai cru qu'elle allait avoir une attaque d'apoplexie.

— Pathétique ? Moi, pathétique ?

Elle n'arrivait pas à digérer le qualificatif. Simon a essayé de déminer la situation.

— Pas toi, ton personnage. Ton interprétation est magnifique.

— Ce qui est pathétique, c'est votre scène qui essaie de faire croire qu'un mec moderne peut se mettre dans un état pareil parce qu'une vierge vient de lui faire un bisou ridicule. D'abord, vous en connaissez beaucoup de filles vierges à vingt ans ? À moins qu'elles ne soient moches, ça n'existe plus. Et même les moches...

C'est la douce Arwen qui a répondu :

— Tu te trompes, c'est tout à fait possible.

— Dans une secte ? Au fin fond du désert ?

— Non, même ici, à Los Angeles.

— Ça m'étonnerait beaucoup.

— J'en connais une.

— Et c'est qui, cet oiseau rare ?

J'ai senti que la confrontation allait trop loin, qu'Arwen allait partager sa vie privée plus que nécessaire.

— C'est moi.

Elle a prononcé ces deux mots avec simplicité. Ils ont provoqué un choc autant chez ceux qui étaient au courant que chez les autres. Même Julia est restée muette quelques instants avant de relancer le débat :

— OK, je comprends mieux le côté surréaliste de cet après-midi. Il n'empêche qu'à mon avis la fin de l'épisode serait plus forte si Valerian embrassait également Julie et qu'il soit alors partagé entre un désir charnel et un amour platonique. Vous ne croyez pas ?

Il y a eu un silence. Simon a fait preuve de diplomatie.

— Tu sais, je ne suis pas sûr que ce serait mieux, mais, si tu veux faire un essai, je suis d'accord. Vous n'avez qu'à improviser.

Il y avait un surcroît de tension dans le groupe, mais Alexandre m'a fait passer un message, en écarquillant les yeux au maximum, qui signifiait quelque chose comme : « C'est l'horreur, je ne sais pas où on va ! » Ça a eu le don de me faire sourire.

Il a néanmoins joué le jeu quand il s'est agi de refaire la scène. Les échanges ont suivi le script jusqu'au refus de Valerian de sortir avec Julie. Là, l'actrice est partie en pleine improvisation :

— Un baiser, tu dois au moins me donner un baiser.

On ne peut pas dire que l'Anglaise n'était pas convaincante. Elle semblait même vivre la scène, à un tel point que l'on ne savait plus qui de la femme ou du personnage s'exprimait. Sans doute un peu des deux.

Alexandre-Valerian n'avait pas l'intention de lui faciliter la tâche.

— Julie, cela n'a pas de sens, je suis amoureux de Cécile.

— Mais cette fille ne veut pas de toi. Elle a néanmoins accepté de t'embrasser. Tu ne peux pas me refuser ce qu'elle t'a offert.

Valerian a fait un sourire charmant.

— D'accord, un baiser pour sceller notre amitié.

Je peux vous dire que ce qui a suivi était tout sauf un baiser pour « sceller une amitié ». S'il y avait eu un lit dans mon jardin, ils auraient copulé sur place. J'aimerais pouvoir dire que c'était le seul fait de Julia, mais ce ne serait pas un reflet objectif des événements.

Julia a bien amorcé le mouvement en mettant ses bras autour du cou du Canadien tout en écrasant sa bouche sur la sienne, mais, quand la langue de la jeune femme a voulu annexer le palais de son partenaire, j'ai constaté, avec horreur, qu'il avait oublié le panneau « Défense d'entrer ». Au contraire, il a accepté un french kiss. Certes, il y a rapidement mis fin, mais j'étais un peu dégoûtée.

Ils ont terminé leur impro par quelques échanges puis ont attendu le verdict de Simon et de Richard. C'est ce dernier qui a émis le premier commentaire :

— Julia, ton interprétation est sans faille, mais je préfère la version du script. C'est bizarre de voir la fille du président se conduire ainsi, comme une femme fatale. Simon ?

— Je suis d'accord. Je n'achète pas l'idée d'un Valerian qui accepte un baiser aussi chaud avec Julie alors qu'il est sous le choc de son amour déçu pour Cécile. Et puis, en ce qui concerne le spectateur, c'est la même chose. Trop de baisers tuent le baiser !

J'ai regardé Julia et j'ai vu que l'orage grondait. Elle s'est efforcée de rester calme.

— Alexandre, qu'en as-tu pensé ? C'était bien, non ?

— Toi, tu étais très bien, mais je suis d'accord avec Richard et Simon. Le script originel marche mieux.

C'était une excellente réponse et j'étais fière de la maturité de mon protégé. Il aurait fallu que l'on en reste là, mais l'Anglaise était inarrêtable.

— Tu ne trouves pas que notre baiser ajoute à la tension de la fin d'épisode ?

— C'est inutile, le baiser avec Cécile apporte toute la sensualité dont nous avons besoin.

C'était la phrase de trop.

— Qu'est-ce que tu dis ? Un petit bisou avec une vierge effarouchée égale notre baiser ? Il m'a pourtant semblé que tu ne rechignais pas ! Je me trompe ou c'est ta langue qui a joué avec la mienne ? Ça m'a paru assez réel, non ?

Sur un plan factuel, je ne pouvais lui donner tort. Le baiser m'avait paru très convaincant. Mais Alexandre n'allait pas lui accorder la réponse qu'elle attendait.

— Je suis un excellent acteur de composition. D'ailleurs, comme tu étais collée à moi, tu as dû sentir que tu n'avais provoqué aucun émoi…

— Alors, tu es gay ! Ou impuissant, ou même les deux. À moins qu'elle ne soit si petite qu'on ne la sente pas à travers le jean. C'est ça, n'est-ce pas ? Elle est minuscule et ça te donne un complexe qui te pousse à fantasmer sur les vierges parce que ce sont les seules qui n'ont pas de point de comparaison !

Simon est intervenu avec fermeté :

— Julia, ça suffit, tu dépasses les bornes. J'ai accepté de faire un essai pour voir s'il y avait une meilleure fin pour l'épisode et il s'avère que ce n'est pas le cas. On en reste donc à la version originelle.

À ce moment-là, Julia a balancé un grand coup de pied dans une petite table, faisant voler les verres.

— Allez tous vous faire foutre avec votre série de merde ! Vous la tournerez sans moi !

Et elle nous a laissés en plan. L'ambiance en avait pris un coup. J'étais moi-même sous le choc. Alexandre arborait un petit sourire énigmatique. C'est Simon qui a remis les choses à leur place.

— Merci à tous. Ne vous inquiétez pas pour ce petit incident, je parlerai à Julia et je peux vous assurer qu'elle sera là lundi pour le premier jour de tournage. Cela ne doit pas assombrir cette journée qui a été un vrai succès. Cette lecture a conforté notre opinion sur beaucoup de points du scénario et la superbe improvisation d'Arwen enrichit encore notre série.

Son speech avait reboosté toute l'équipe et tous avaient quitté ma villa le sourire aux lèvres. En ce qui concerne Simon, j'étais contente de l'avoir pris comme showrunner. C'était un vrai meneur d'hommes et son charisme allait être très utile pour contrôler les différentes personnalités du cast.

Malgré ça, quand Alexandre m'a montré l'arrivée de Julia et de Simon au restaurant, je n'ai pu m'empêcher d'être inquiète. La salle était, en effet, remplie aux trois quarts de gens du show-biz et je n'avais aucune envie qu'elle refasse une scène qui deviendrait le gossip de Hollywood pour la semaine. En tout cas, sa tenue était très sage, un bon signe.

— Alexandre, tu penses que Simon va réussir à l'amadouer ?

— Ou à la dompter, le mot est peut-être plus approprié. À moins que ce ne soit elle qui l'envoûte ?

— Aucune chance, ce mec est incorruptible. Ce n'est pas le cas de tout le monde...

— Tu parles de qui, de Richard ? Aucun risque, il est gay.

— Ah bon ? Je n'avais pas remarqué. Mais ce n'est pas de lui que je voulais parler, c'est de toi.

Il m'a regardée et la chaleur de ses yeux bleus m'a donné un coup de soleil. Je lui aurais donné le Bon Dieu sans confession.

— Moi ? Qu'est-ce que j'ai fait ?

— Tu l'as embrassée.

— J'avais plutôt l'impression que c'était elle qui avait provoqué l'action.

— Peut-être, mais j'ai vu que tu l'avais aussi embrassée. Avec la langue, si tu veux des détails...

Il a pris un air dégoûté.

— Mais c'est répugnant, ce que tu racontes.

— Je ne te le fais pas dire. Pourquoi l'as-tu fait ?

Il m'a souri.

— Tu veux la vérité ?

— S'il te plaît.

— Parce que je voulais voir si cette petite bombe connaissait la science du baiser.

— Et le verdict ? C'était bien ?

— Non, ce n'était pas bien…

J'avoue que j'étais contente d'entendre cette réponse. Non que je sois vraiment jalouse, mais quand même. J'aurais dû le laisser finir…

— Ce n'était pas bien, c'était excellent !

Il a pris le deuxième coup de pied de la soirée, mais celui-ci était dix fois plus violent que le premier.

— Laure, tu es folle ! Tu m'as fait super mal !

— Bien fait ! La prochaine fois, je vise la partie sensible de ton anatomie.

— Tu serais la première à pâtir des conséquences…

— Ce n'est pas grave, j'assumerai.

Il m'a fait un regard de velours.

— Mais ses baisers, aussi chauds soient-ils, ne sauraient me la faire préférer à toi. Ce ne sont pas des paroles en l'air, je te l'ai déjà prouvé.

— Et tu pourrais me le prouver encore, non ?

— Il n'y a pas d'amour, rien que des preuves d'amour…

— Exactement !

Je me suis dépêchée de payer avec ma carte de la société. Je ne tenais pas à rester un instant de plus dans le même restaurant que cette jeune folle de Julia et je comptais bien tester la fougue amoureuse du jeune Canadien.

Six orgasmes plus tard (quatre pour moi et deux pour lui), nous avons fait une pause. Je me sentais bien, détendue et heureuse. Alexandre m'a proposé de m'apporter un verre. Que rêver de mieux qu'un amant qui vous apporte jouissance, réconfort, et un plateau au lit ?

— Un saint-émilion ? Tu l'as trouvé dans la cave de Charlie ?

— Laure ! Tu me crois donc dépourvu de toute éducation ? Sache que je l'ai acheté grâce à l'avance que tu m'as versée sur mon contrat. J'ai pensé à toi quand je suis allé dans le magasin de vin. Un bordeaux pour ma productrice française.

— Je te prie de m'excuser. Je vais le savourer avec un plaisir décuplé. Pour en revenir à la scène à laquelle nous venons d'assister, sur la confrontation entre Julia et Simon, je ne sais pas ce qui va en résulter.

— Simon a du caractère, mais Julia est imprévisible. C'est une gosse pourrie gâtée, une petite peste. Dommage que tu aies été obligée de la prendre.

— Si je n'avais pas accepté, tu ne serais pas là pour me parler...

Il m'a fait un clin d'œil.

— J'ai parfois l'impression que ce n'est pas ma conversation que tu recherches en priorité.

Je l'ai regardé de la tête aux pieds.

— Pas faux, mais pas non plus exact. Je serais folle de ne pas profiter d'un mec canon comme toi, mais j'apprécie beaucoup ta compagnie...

— Tu « apprécies ma compagnie ». Ça semble assez pauvre comme déclaration d'amour, non ?

J'ai réfléchi un instant ; je ne savais pas trop quoi répondre. Il m'a souri, un sourire plein de douceur.

— Ne t'inquiète pas, j'ai compris depuis un moment que tu n'étais pas amoureuse de moi...

Je l'ai interrompu :

— Je ne sais pas pour l'amour, mais je peux t'affirmer que j'ai de vrais sentiments pour toi.

— Je sais cela aussi. Tu m'aimes bien, tu me considères comme un ami.

— Un ami avec qui je couche ? Tu veux dire que tu es mon sex friend ?

— Je n'aime pas le terme ; je préfère ami-amant.

Ami-amant, j'ai tout de suite adopté ce mot. Il définissait bien la relation que j'entretenais avec Alexandre.

— J'adore ! C'est peut-être ce dont j'ai besoin en ce moment, d'un ami-amant, surtout s'il possède des pectoraux comme les tiens...

— Là, tu me traites plus comme un homme-objet !

— Pardon. Et toi, ça ne t'embête pas que l'on soit amis-amants ?

Ça l'a amusé.

— Tu te demandes si je suis contrarié parce que tu ne m'aimes pas ? Je t'ai dit de ne pas te tracasser à ce sujet, je ressens la même chose pour toi. Et puis nous allons avoir des désirs différents dans les prochaines années, dus à notre différence d'âge.

— Attention à toi ! Tu prends des risques : tu es nu à côté de moi et la partie la plus fragile de ton anatomie est très exposée.

— Non, mais cette fois je suis sérieux. Tu vas bientôt ressentir le besoin d'avoir des enfants et tu attendras de ton compagnon qu'il en devienne le géniteur puis le père. Et moi, j'ai encore dix ans avant de penser à fonder une famille.

Sa remarque a entraîné une intense réflexion. Moi, avoir des bébés ? Mais avec qui ? Soudain, j'ai réalisé que j'aurais pu en avoir envie avec David. Mais inutile de se retourner vers un passé sur lequel j'avais fait un trait. J'ai décidé de changer de sujet pour échapper à la nostalgie.

— Mais, tu sais, Julia présente aussi des avantages…

Il a explosé de rire.

— J'ai noté ! Difficile d'ailleurs d'échapper à ses « avantages », qu'elle met en valeur par des décolletés vertigineux et par des shorts dont la longueur est minimale.

— Je ne parlais pas de ça, obsédé ! Julia a sauvé la situation en ce qui concerne le financement du pilote et potentiellement de la série tout entière.

— Comment ça ?

— Je ne t'en ai pas parlé, car je ne voulais pas te mêler à mes problèmes de productrice, mais les pitchs aux différentes chaînes de télé ne se sont pas très bien passés. Simon a pourtant été brillant, mais il semble que, cette année, personne ne s'intéresse à une série paranormale. Après les networks, nous avons vu les chaînes du câble. Je n'espérais rien de notre rendez-vous chez HBO, mais je pensais qu'un Showtime ou au moins un Starz pourrait être intéressé. Il n'en a rien été.

— Et Netflix ?

— Nous les avons vus aussi. Sans plus de succès. Chez Amazon, ils aimaient bien le concept, mais ils avaient déjà bouclé tout leur budget de développement pour cette année. Ils m'ont proposé de nous revoir l'année prochaine, mais ils ne pouvaient s'engager à le prendre.

— Et vous avez fait quoi ?

— J'étais assez désespérée. Je suis donc allée chez Sean pour voir s'il pouvait nous faire un tour de magicien et sauver la situation. À défaut de magicien, j'ai trouvé la fée Clochette…

— Tu parles de Julia ? Parce que, si c'est le cas, je dois te dire que je n'avais jamais fait le rapprochement entre la petite fée amie de Peter Pan et notre actrice anglaise.

— OK, la comparaison n'est peut-être pas pertinente, mais elle a vraiment sauvé le coup. Quand j'ai raconté à Sean ma rencontre avec Amazon, Julia était en train de lire *Vogue* sur une chaise longue. Après que son père a exprimé son incapacité à me fournir une quelconque assistance, elle est intervenue pour me dire qu'elle pouvait les inciter à changer leur décision. Elle a dit qu'il lui suffisait d'envoyer un SMS pour nous donner une nouvelle chance. Trois minutes plus tard, elle a reçu une réponse. Elle m'a fait un clin d'œil et a lancé : « C'est parti ! » Elle nous a laissés pour réapparaître dans une tenue affolante.

— Encore plus sexy que ce qu'on a vu ?

— Le même genre, mais plus habillé : une robe rouge hyperdécolletée avec un dos nu, très courte, qui s'arrêtait juste sous les fesses.

— Joli ?

— Je dirais plutôt spectaculaire. Et très très chaud. Comme, pendant qu'elle se changeait, j'avais réalisé qu'elle allait voir Éric Greyson, le fils de la vice-présidente d'Amazon, je lui ai demandé si elle ne craignait pas que sa tenue ne fasse qu'aggraver le problème dont il souffrait.

— Il a quelle maladie ?

J'ai ri.

— Rien de sérieux, le garçon est éjaculateur précoce, au moins avec Julia. Mais elle m'a dit que son plaisir passait derrière sa mission. Là-dessus, elle a pris mon numéro de portable puis elle est partie. À partir de 18 h 50, j'ai reçu une série de SMS. Tu veux que je te les lise ?

— Si tu veux. Ça vaut le coup ?

— Disons que ça illustre le côté déjanté du personnage. Voici le premier, à 18 h 51 : « Arrivée sur place. Suis dans l'ascenseur. »

— Pas passionnant.

— C'était signé « Ethan Hunt ».

— Ethan Hunt ? Comme le héros de *Mission impossible* ?

— Exactement.

— Elle est dingue ! Comment tu as réagi ?

— Comme j'ai pu.

Il a dû voir la gêne sur mon visage. C'est mon grand problème, je ne sais pas cacher ce que je ressens.

— Vas-y, lis-moi ta réponse. Et ne mens pas, je le verrais tout de suite.

— OK, j'ai répondu : « Bonne chance, monsieur Hunt. »

Il a eu un regard suspicieux.

— C'est tout ?

— Non, j'ai rajouté une phrase, mais c'était uniquement pour rentrer dans son jeu. « Si vous ou l'un de vos

agents étiez capturés ou tués, le département d'État nie-
rait avoir eu connaissance de vos agissements. »

Il a explosé de rire.

— Je n'y crois pas ! On se demande qui est la plus
allumée de vous deux.

— Si tu le prends comme ça, j'arrête de te raconter.

— Tu en es incapable, tu as trop envie de continuer.

J'ai horreur des hommes qui lisent en moi comme
dans un livre ouvert. J'ai donc repris mon récit.

— Deuxième message, à 19 h 10 : « Première explosion au bout de deux minutes. Même pas eu le temps de
m'occuper du missile. Dois remettre sujet en confiance
pour succès mission. »

— Le décolleté était responsable.

— Bien sûr. Troisième SMS, à 19 h 36 : « Deuxième
missile a atteint son but en huit minutes. Mission en
bonne voie. »

— Elle a passé son temps à le chronométrer ? Ce
n'est pas trop romantique...

— Tu n'avais pas remarqué que ce mot ne fait pas
partie de son vocabulaire ? Troisième SMS, à 20 h 15 :
« Sujet au téléphone avec son père. Une prime énorme
l'attend s'il réussit. » Là, j'ai eu un moment d'inquiétude. Si elle distribuait des pots-de-vin, ça devenait dangereux. Je lui ai répondu : « Département d'État pas en
mesure de donner cash au sujet. »

— Et sa réponse ?

— « Ha Ha. Prime bien supérieure à quelques milliers de dollars. Changement de destination pour le
prochain missile qui explosera dans ma bouche. Ethan
Hunt ne recule devant aucun sacrifice pour réussir sa
mission. »

— Je suppose qu'elle a réussi ?

— SMS suivant : « Vous avez rendez-vous demain au siège d'Amazon, à Seattle, avec Mme Greyson. Mission accomplie. Ethan Hunt. Prochain missile arrive sur la rampe de lancement. Terminé. »

— Elle est incroyable ! Et la mère vous a signé la série comme ça ? Pour les beaux yeux de son fils ?

— Non, ça n'a pas été aussi simple. On a dû pitcher à nouveau et l'équipe créative d'Amazon a dû confirmer qu'ils aimaient le projet et qu'ils ne nous avaient pas retenus à cause d'un problème de budget et pas d'un problème artistique. Alors, ensuite, Mme Greyson a débloqué un budget supplémentaire.

— Elle n'a pas fait d'allusion à son fils ou à Julia ?

— Si. À la fin de la réunion, quand son équipe a eu quitté la salle, elle nous a dit qu'elle faisait ça pour lancer « la carrière de la petite amie de son fils » et que la participation de celle-ci à la série était une condition essentielle du contrat. Ce qui veut dire que si, pour une raison ou pour une autre, elle quitte la série le contrat est rompu.

— Et si Julia et son fils se séparent ?

— Je préfère ne pas y penser.

— Tu es consciente qu'ils ne sont d'ailleurs pas vraiment ensemble ?

— Oui. J'en ai parlé à Julia. Je lui ai demandé ce qu'Éric était pour elle.

— Et ?

— Elle m'a dit qu'ils étaient des sex friends.

Il m'a souri.

— Comme nous, en quelque sorte ?

— Je croyais que nous étions amis-amants ?

— Tu as raison.

Je l'ai regardé, j'ai admiré son visage pour la millième fois et j'ai regretté de ne pas l'aimer. Mais ces choses ne se commandent pas. J'ai décidé de profiter quand même de mon statut.

— Tu peux me réexpliquer une fois de plus la différence ?

Il a utilisé sa bouche, son sexe, tout son corps jusqu'à tard dans la nuit pour me convaincre qu'être amis-amants est bien plus agréable qu'être sex friends !

Chapitre 18

Psychose

Incontestablement l'un des chefs-d'œuvre d'Alfred Hitchcock, c'est aussi son film le plus effrayant. Sans vouloir faire de spoiler, il y a trois moments clés.

Le premier, c'est la célèbre scène de la douche où le personnage interprété par Janet Leigh est tué à coups de couteau. C'est une des plus grandes scènes de l'histoire du cinéma et il aura fallu sept jours au maître du suspense pour tourner ces quarante-cinq secondes d'angoisse. En dehors du caractère innovant de la façon de présenter ce meurtre, il faut noter que l'héroïne est supprimée dans la première partie du film. Comme quoi, quand on s'extasie sur *Game of Thrones* sous prétexte que cette série est capable de tuer ses héros très tôt dans le récit, on s'aperçoit que Hitchcock avait fait la même chose plus de cinquante ans avant.

Le deuxième, c'est quand le détective entre dans la vieille maison et monte l'escalier. Le moment est très angoissant, renforcé par la musique de Bernard Hermann. Quand il arrive sur le palier, une porte s'ouvre et une vieille femme vient le poignarder.

Enfin, le troisième, et c'est mon plus gros spoiler, c'est quand on découvre que la vieille femme n'est en fait que son fils qui s'est travesti et a donc commis les deux précédents meurtres.

Déjà, quand on est un spectateur confortablement installé devant sa télévision, l'enchaînement de ces trois événements est assez traumatisant. Alors, imaginez quand ça vous arrive dans la vie réelle…

Quand j'ai pris ma douche, ce lundi matin, il y a bien eu une silhouette qui s'est approchée de moi, mais ce n'était pas un tueur fou, juste Alexandre ; et sa seule arme était le gel douche qu'il a utilisé sur mon corps. Si ça n'avait pas été le premier jour de tournage, je crois que nous aurions encore fait l'amour.

L'arrivée sur le plateau a été pour moi un grand moment d'émotion. Simon était là, avec Richard et Brad. Il n'avait pas du tout l'air stressé et m'a fait un clin d'œil. Une assistante est venue m'accueillir et m'a conduite à ma chaise. Et là, tenez-vous bien, j'ai lu sur le dossier : « Laure Masson, Executive Producer ». Je crois que je n'ai jamais été aussi fière de ma vie !

Vingt minutes plus tard, tout était prêt pour tourner la première scène entre le président et sa fille, c'est-à-dire une scène entre John et Julia. On dit qu'il est important de bien réussir cette première scène, que c'est ce qui donne un élan à toute l'équipe. Le fait que le plan de tournage ait prévu de commencer avec l'acteur que je considérais comme le talon d'Achille du casting et l'actrice la plus incontrôlable m'a un peu fait flipper.

John est arrivé sur le plateau suivi de Julia. Si l'acteur avait l'air détendu, ce n'était pas le cas de la jeune

Anglaise. Elle était très belle, mais elle avait le teint blême. Une autre raison de craindre le pire...

L'assistant réalisateur a levé les mains.

— Vérifications finales... Silence sur le plateau... Moteur son.

— Le son, ça tourne.

— Moteur image.

— Ça tourne.

Le second assistant réalisateur est entré dans le champ avec le clap.

— *Mysteria Lane*, scène 5, prise 1.

Richard a tapé dans la main de Simon avant de lancer le mot mythique :

— Action !

John a prononcé la première réplique et le dialogue avec Julia a commencé. Malheureusement, la jeune Anglaise a fait une erreur de texte dès sa troisième phrase.

— Coupez ! On reprend tout de suite. En place... Action !

Richard avait enchaîné pour éviter que les acteurs ne gambergent, mais cette manœuvre habile n'a pas empêché Julia de refaire une erreur. La troisième prise est allée jusqu'au bout, mais j'ai compris qu'elle ne pourrait pas être gardée, car Julia avait accroché sur deux mots. La quatrième et la cinquième n'ont pas été couronnées de succès. Je commençais à me demander si l'inexpérience de la jeune actrice n'allait pas tous nous couler.

Simon a glissé un mot dans l'oreille de Richard. Celui-ci a hoché la tête avant de s'adresser à l'équipe :

— On prend un break de dix minutes.

Simon est allé voir Julia et ils sont partis en direction de la loge de l'actrice. Je me suis demandé si elle allait pouvoir se reprendre dans un laps de temps aussi court. Je me suis dit que, si on reprenait le tournage dans moins d'une heure, on aurait de la chance. Peut-être que changer le plan de tournage aurait été plus judicieux.

Je me suis trompée et, moins de six cents secondes plus tard, Julia était en place. Elle avait l'air plus détendue.

— *Mysteria Lane*, scène 5, prise 6.

— Action.

John a engagé le dialogue et, cette fois, Julia a été impeccable. Mais il était écrit qu'il serait difficile de mettre cette première scène dans la boîte : John a écorché la réplique finale ! Il s'est excusé et Julia lui a fait un charmant sourire pour lui dire que ce n'était rien. Moi, ça commençait à me rendre dingue : Julia avait enfin réussi à dire son texte, et c'est l'acteur soi-disant expérimenté qui nous avait plantés. Et qu'allait-on faire si Julia était à nouveau incapable de jouer sa partition ?

Mais mon inquiétude s'est révélée injustifiée. À la prise suivante, les deux acteurs ont livré une prestation très propre. J'ai poussé un soupir de soulagement. Richard a même demandé deux prises supplémentaires en donnant des instructions subtiles d'interprétation.

À la fin de la dernière prise, j'ai entendu une voix familière derrière moi :

— Alors, madame la grande productrice, que pensez-vous de votre jeune interprète ?

— Sean ! Vous êtes là depuis longtemps ?

— Non, je n'ai vu que les deux dernières prises. Tout s'est bien passé ?

— Julia était un peu nerveuse au début, ce qui est normal, mais, vous l'avez vu, elle est magnifique.

Il m'a souri.

— Je sais qu'un père n'est jamais objectif, mais je dois avouer que je suis assez fier d'elle. Et son partenaire, vous êtes certain qu'il a assez de charisme pour interpréter le rôle du président de l'université ? C'est quand même un des rôles récurrents clés pour la vie de la série.

Merde, il avait le même doute que moi ! J'ai décidé de pratiquer la langue de bois.

— Simon le connaît et il est persuadé que c'est l'homme de la situation. De plus, c'est un acteur d'expérience, ce qui est important, car nous avons un cast très jeune.

— Tant mieux. Julia m'a dit qu'elle avait eu des doutes sur le showrunner...

Je l'ai interrompu :

— Oui, ils ont eu des petites divergences d'opinion sur le script...

— Mais ce matin elle m'a avoué qu'elle s'était trompée et qu'il était très bien, très à l'écoute et très compétent.

Incroyable, Simon est un génie ! Ou peut-être un hypnotiseur... Un miracle obtenu après un simple dîner au restaurant !

Après le déjeuner, c'était au tour d'Arwen et d'Alexandre d'entrer en scène. Le plan de tournage était rude pour les deux jeunes gens, car ils allaient commencer directement par la scène décisive, celle où Valerian déclare sa flamme à Cécile avant d'essuyer un refus de sa part.

Ils sont apparus et, au lieu de se mettre au milieu du plateau, ils sont allés directement voir Richard et Simon. Ils avaient l'air décontenancés et même un peu contrariés. J'ai tendu l'oreille quand Alexandre s'est adressé aux deux hommes :

— Dans le script que l'on nous a remis ce matin, la scène ne contient plus le second baiser, celui que vous aviez trouvé formidable lors de la répétition chez Laure.

Richard n'a rien dit, mais il s'est tourné vers Simon, désignant ainsi le responsable de cette décision. Celui-ci ne s'est pas défilé.

— C'est exact. Après mûre réflexion, j'ai préféré la version originelle écrite par Brad.

— Mais je ne comprends pas. Même Brad trouvait l'improvisation d'Arwen géniale. Brad ?

Le scénariste rouquin est resté de marbre, refusant d'ouvrir la bouche. On avait l'impression qu'il n'était pas forcément d'accord avec son boss. C'est d'ailleurs Simon qui a repris la parole. Il a pris un ton paternaliste, sympathique mais ferme :

— C'était une excellente suggestion, Arwen, qui nous a beaucoup plu sur le moment. Mais, en revoyant l'architecture de la série sur la saison entière, je peux vous dire qu'il vaut mieux revenir au texte écrit par Brad. Vous n'avez pas une vue complète des événements à venir dans les épisodes suivants, donc vous devez me faire confiance.

Les deux acteurs ont réfléchi un instant, puis ils ont hoché la tête. Moi-même, qui m'apprêtais à intervenir, je me suis ravisée. Si j'avais fait appel à un showrunner, c'était pour prendre ce genre de décision.

Alors que les techniciens étaient en train de finaliser les éclairages et que les maquilleuses faisaient un dernier raccord maquillage sur Arwen et Alexandre, quelqu'un est venu s'asseoir à côté de moi.

— Alors, ça se passe bien ? Ils n'ont pas encore commencé ?

— Julia ! Tu n'es pas rentrée chez toi ? Tu n'as plus de scène aujourd'hui.

— Non, je suis si heureuse de travailler dans cette série que je veux m'imprégner un peu plus de l'ambiance. Je veux aussi voir le jeu d'Alexandre pour pouvoir me préparer pour demain.

Une métamorphose totale ! La petite peste pourrie gâtée s'était transformée en comédienne consciencieuse. Elle avait déjà été exemplaire le matin, malgré ses débuts difficiles. En productrice responsable, je l'ai félicitée :

— Bravo, Julia, tu as raison, Alexandre et toi allez faire un tabac.

Elle n'a pas eu le temps de me répondre, car l'assistant réalisateur a demandé le silence. Arwen et Alexandre ont réussi la scène parfaitement dès la première prise. Quand le Canadien s'est penché vers sa partenaire, j'ai eu l'impression que l'action se déroulait au ralenti. Elle a fermé les yeux et, dans un mouvement conjoint, leurs lèvres se sont entrouvertes. Leur baiser avait la couleur de l'éternité... J'avoue que ça m'a touchée et je n'exclus pas qu'une pointe de jalousie féminine se soit mêlée à mes émotions de spectatrice. En ce qui concerne mon côté productrice, il ne pouvait que se réjouir : la ménagère américaine voire européenne allait s'enthousiasmer pour ce beau couple.

Je me suis tournée vers Julia.

— C'était bien, non ?

Elle avait l'air également d'avoir été prise par l'interprétation, car elle n'a rien dit. Mais c'est toujours quand tout semble aller pour le mieux qu'un grain de sable vient gâcher la fête. En l'occurrence, c'est l'assistant réalisateur qui a joué les rabat-joie.

— Problème de son. Il faut la refaire.

La deuxième prise a été aussi bonne, presque meilleure si c'est possible. Le baiser m'a semblé encore plus touchant. Mais, au moment même où Arwen allait y mettre fin, un projecteur a lâché. Deux prises interprétées avec brio gâchées par des incidents techniques. J'étais à nouveau sur les nerfs. J'ai vu que Richard était également contrarié. En revanche, les deux acteurs ne paraissaient pas du tout souffrir de la situation et ils discutaient avec entrain en attendant le changement de lampe.

Si j'avais été superstitieuse, je me serais rappelé le dicton « jamais deux sans trois ». Après la perte du projecteur, c'est un plomb qui a lâché, plongeant le plateau dans la pénombre en plein baiser. La scène était foutue une fois de plus. J'ai alors eu la curieuse impression qu'Arwen et Alexandre avaient prolongé leur baiser une fraction de seconde de plus que nécessaire. Peut-être que ma perception était faussée par la défaillance des éclairages. Je n'ai pas eu le temps de me poser la question, car ma voisine anglaise a montré que son tempérament volcanique était toujours présent sous le vernis du professionnalisme.

— Ça fait chier, ces merdes techniques ! Ils ne peuvent pas avoir du matériel neuf ? C'est quoi, ce bordel ? Je me tire !

Je partageais un peu son énervement sur le fond, mais je trouvais sa réaction outrancière. Richard a commencé à se demander si ses acteurs n'allaient pas être lassés par tous ces contretemps. Alexandre s'est chargé de le rassurer.

— Moi, pour une scène qui se termine par un baiser avec une jeune femme aussi charmante qu'Arwen, je suis prêt à faire cent prises si c'est nécessaire. Même si ce n'est pas nécessaire, d'ailleurs…

C'était gentil, même galant. Mais certains ou certaines auraient pu trouver ce commentaire exagéré voire inapproprié et je me suis immédiatement tournée dans la direction où se trouvait Julia. Elle était au fond du studio et je ne savais pas si elle avait entendu Alexandre ou non. J'espérais qu'elle ait été trop éloignée : la situation était déjà tendue, il n'était pas utile de mettre de l'huile sur le feu.

Simon a d'ailleurs eu le même sentiment, car il a recadré le Canadien.

— Alexandre, merci de garder ce genre de commentaire pour toi et de rester concentré sur ton job.

L'acteur l'a regardé et il était impossible de lire ce qu'il pensait dans son regard.

— *Yes, sir.*

Les prises suivantes n'ont connu aucun problème et les acteurs ont réussi à reproduire l'excellence de leur interprétation.

Le soir, Alexandre a cuisiné. C'est lui qui officie deux soirs sur trois. Un homme qui a des talents de chef en plus d'un physique exceptionnel devrait être considéré comme un être à part, un joyau à préserver à tout prix.

J'avais acheté une bouteille de champagne pour célébrer cette journée à l'issue très positive.

J'aurais bien ouvert la bouteille pour montrer que les rôles pouvaient être inversés dans notre « couple », mais le bouchon m'a résisté.

— Alexandre, tu peux m'aider ?

Pour lui, ça a été un jeu d'enfant. Il m'a tendu une coupe.

— On boit à quoi ?

— À ton premier jour de tournage, à ta brillante interprétation et à ce couple mythique qui est en train de naître.

Il avait l'air préoccupé, moins alerte que d'habitude.

— Quel couple ?

— Voyons, Alexandre, celui que tu formes avec Arwen, le couple Valerian-Cécile.

Il m'a fait un pauvre sourire.

— Ah ! Valerian et Cécile, un couple qui va révolutionner l'histoire des séries américaines. À condition que Simon ne le foute pas en l'air...

— C'est ça qui te préoccupe ? Ne t'inquiète pas, c'est un garçon d'une grande intelligence, il ne va rien faire qui pourrait compromettre le succès de la série.

— Oui, je pense que tu as raison.

Il est resté absent, lointain.

— Alexandre, qu'est-ce qu'il y a ? Je ne t'ai jamais vu dans cet état.

Il m'a regardée droit dans les yeux et je n'ai pas aimé ce que j'y ai lu. C'était un mélange de culpabilité et de remords.

— Tu ne vas pas aimer ce que je vais te dire...

Quand on commence comme ça, c'est effectivement souvent le cas.

— Allez, accouche, c'est insupportable, cette attente.

— C'est à propos d'Arwen.

J'ai eu comme un coup de pic à glace au cœur.

— Tu es tombé amoureux ! Ce n'est pas vrai, dis-moi que ce n'est pas vrai ! Alexandre, vous avez joué une scène, vous avez échangé un baiser. Tu ne peux pas tomber amoureux pour si peu.

Il s'est essayé à faire un peu d'humour.

— Mais nous avons eu droit à cinq prises, donc à cinq baisers.

— Merci, j'étais là, j'ai vu. C'est une remarque qui n'est pas drôle et qui manque cruellement de tact.

— Tu as raison, excuse-moi.

— Donc le champagne, c'est pour fêter non seulement cette journée de tournage, mais aussi notre statut d'amis-amants ? Que va-t-il advenir de notre relation ? On va vers la relation producteur/acteur classique ?

Il a fait une grimace.

— J'aimerais bien garder le mot « ami ». Qu'en penses-tu ?

— C'est difficile de te répondre dans l'instant. Laisse-moi digérer la nouvelle.

Nous avons terminé nos coupes puis nous sommes passés à table. Après l'excellente tarte aux pommes, je me suis sentie repue et assez calme pour reprendre la conversation sur Arwen.

— Merde, Alexandre, tu te rends compte que tu t'amouraches d'une fille qui n'a pas encore goûté aux plaisirs du sexe ?

Il a eu l'air penaud.

— Je sais, mais ce n'est pas un choix, c'est arrivé comme ça.

— Incroyable, *love at first sight*[1]. Moi qui ai presque trente ans, ça ne m'est jamais arrivé.

— Même avec David ?

---

1. « Coup de foudre ».

— Même avec lui. J'ai d'abord couché avec lui à Deauville et ce n'est qu'au fil du temps que l'amour a grandi entre nous. Toi, tu as la chance de pouvoir commencer par l'amour. J'espère que tu n'auras pas à patienter trop longtemps pour le reste.

— En matière de sexualité, ces dernières semaines m'ont permis de toucher au nirvana. De ce côté-là, j'ai fait le plein de sensations pour pouvoir attendre aussi longtemps qu'il le faudra.

C'était flatteur et son sourire magnifique m'a redonné le moral.

— On s'offre une dernière nuit ? Après tout, vous n'êtes pas encore ensemble, ce ne serait pas la tromper.

Il a eu une hésitation.

— Je ne sais pas…

Moi, j'ai lu dans son regard et j'ai su.

— Laisse tomber, *bad idea*. Ce n'est pas elle que tu tromperais, mais moi, quand tes pensées flotteraient vers elle au moment même où ton corps fusionnerait avec le mien.

Plus tard, nous avons regardé *Casablanca* ensemble. Je lui ai demandé de me prendre dans ses bras. J'ai beau connaître le film par cœur, l'émotion m'a encore gagnée quand Sam chante la chanson *As Time Goes By*. Alexandre, qui dans la position où nous étions ne pouvait pas voir mon visage, s'en est rendu compte quand une larme est tombée sur sa main.

— Mais tu pleures !

— Qu'est-ce que tu crois ? Je n'ai pas un cœur de pierre, moi. Saloperie de chanson ! « *A kiss is just a kiss* », tu parles, quelle plaisanterie !

414

Il a ri gentiment mais n'a fait aucun commentaire. Il a juste resserré ses bras autour de moi.

Plus tard, vers la fin du film, j'ai encore versé une larme quand Humphrey Bogart fait sa magnifique tirade à Ingrid Bergman.

— « *We'll always have Paris.* » C'est le souvenir qui restera de leur amour. C'est beau, non ? Et nous, que restera-t-il de notre amour ?

— Si je te dis « *We'll always have Kuujjuaq* », ça le fait aussi, non ?

Il a réussi à me faire rire.

— Désolée de te contredire, ça ne le fait pas du tout.

Quelques minutes plus tard, c'est lui qui a trouvé la conclusion à cette soirée un peu particulière.

— C'était un bon choix, et la phrase finale d'Humphrey Bogart au chef de la police française est un très bon résumé de notre nouvelle relation : « *I think this is the beginning of a beautiful friendship.* »

Le début d'une merveilleuse amitié ? Après tout, pourquoi pas ?

Le lendemain matin, après une nuit seule dans mon lit – une première depuis plusieurs semaines –, je me suis réveillée d'une humeur plutôt positive, et le coup au cœur me semblait plus avoir été assené par un canif en plastique que par le couteau du tueur de *Psychose*.

Les jours suivants, j'ai passé beaucoup de temps au bureau à régler des problèmes juridiques et administratifs et je n'ai pu aller qu'à de rares moments sur le plateau pour assister au tournage. L'ambiance m'a certes un peu manqué, mais Alexandre, mon nouvel

« ami », me racontait tout chaque soir. Tout semblait rouler comme sur des roulettes.

Le jeudi, Alexandre est revenu très excité, ce qui a attisé ma curiosité.

— Que se passe-t-il ? Spielberg est venu voir le tournage et il voit en toi le futur Indiana Jones ?

— Non, quelque chose de plus formidable.

— Woody Allen ? Scorcese ? Kubrick ? Ah non, merde, ce n'est pas possible, il est mort !

— Elle m'a embrassé !

— Qui ?

— Arwen !

J'ai poussé un énorme soupir pour manifester mon agacement.

— Alexandre, ton nouveau statut d'ami ne t'autorise pas à m'imposer ces confidences d'adolescent attardé.

— Désolé, mais je n'arrive pas à me contrôler, j'ai besoin de partager mon trop-plein d'émotion.

— Le passage d'amie-amante à celui d'amie n'a donc que des désavantages : on perd la confusion des corps et en échange on a droit à celle des esprits !

— C'est joli, ce que tu dis. Tu devrais écrire. Tu n'aimerais pas être scénariste ou showrunner ?

— Non, j'aime bien le travail de productrice. Et puis je crois que l'on a ce qu'il faut en ce qui concerne l'écriture.

— Tiens, à ce propos, il y a quelques tensions entre Simon et Brad.

— Pourquoi ?

— Apparemment, Simon a demandé des modifications qui n'enchantent pas Brad.

— À quel niveau ?

— Il veut que l'on rajoute une scène pour Julia. Il trouve que le personnage est en retrait par rapport aux autres.

La nouvelle ne m'a pas alarmée, bien au contraire. Simon est un garçon pragmatique et intelligent. Il était aux deux rendez-vous chez Amazon et il sait maintenant à quel point la jeune Anglaise est cruciale pour la série.

— Ce n'est pas grave, il est normal qu'il y ait quelques frictions. Donc, demain, c'est le dernier jour de tournage de cette première semaine. Tu vas être content de te reposer quarante-huit heures.

Il a pris un air penaud.

— Je pars en week-end.

— Pas déjà avec Arwen, quand même ?

— Si.

— Tu l'emmènes où ? Elle aussi va avoir droit au cercle polaire, aux températures de – 40 °C ?

— Non, nous allons à Santa Barbara.

J'avoue que j'étais un peu verte.

— Alors, elle qui est vierge a droit aux petits hôtels romantiques au bord de la plage alors que moi c'était la banquise !

Il a essayé de m'amadouer en faisant son regard de velours.

— C'est justement parce que ton corps embrase ton partenaire qu'il me fallait trouver un endroit froid pour ne pas entrer en fusion comme un noyau atomique.

— Tes flatteries ne vont pas me faire digérer cette traîtrise. Et je suis curieuse de savoir comment se passe un week-end romantique avec une vierge. Scrabble ? Gin-rami ? N'oublie pas les cartes, ils n'en auront peut-être pas à l'hôtel.

417

— Tu n'es pas romantique pour un sou ! Que penses-tu de balades sur la plage main dans la main, de la visite du palais de justice, de l'Old Mission...

— Je vois que le planning est chargé. Et vous allez faire lit à part ?

— Ce n'est pas prévu.

— Alors, le programme, pour toi, ça va être douche froide et poche de glace. À moins que tu n'envisages une petite séance d'onanisme pour faire redescendre la pression !

Il a explosé de rire.

— C'est une idée... Mais qu'est-ce que tu es mauvaise ! Je ne pensais pas que tu pouvais avoir ce côté peste.

J'ai réfléchi un instant. Il n'avait pas tort, je ne suis d'habitude pas envieuse, mais là...

— C'est juste le sentiment de gâchis qui m'horripile. Un mec aussi canon que toi et aussi talentueux au lit...

Il m'a interrompue en effectuant une petite révérence.

— Merci pour les compliments.

— Pour une fille certes jolie, mais qui ne goûte pas aux plaisirs de la chair, c'est comme offrir une Ferrari à quelqu'un qui n'a pas le permis.

Plus tard, Alexandre m'a invitée à dîner japonais à Santa Monica pour faire passer la pilule.

Le soir, dans mon lit, je me suis interrogée sur l'ironie de la vie : je craignais que Julia ne séduise mon bel acteur alors que le danger venait d'Arwen. Il fallait que j'en prenne mon parti en projetant l'impact positif de cette histoire d'amour pour aider au lancement de la série. J'avais eu ma petite crise en découvrant cette liaison, mais j'étais loin de m'imaginer que ce n'était que la pluie fine qui précède l'ouragan.

Les nuages ont commencé à s'amonceler en fin de matinée, quand j'ai reçu un SMS. Il était succinct mais lourd de sous-entendus : « Si tu n'as rien de mieux à faire pour le déjeuner, tu devrais passer sur le plateau. Alex »

Passer pendant le déjeuner ? J'allais arriver au moment où les techniciens font leur pause. Ça ne paraissait pas judicieux, mais il faut parfois faire confiance à son intuition.

Quand je suis arrivée sur le *set*[1], j'ai cru avoir fait un retour dans le passé de quatre jours. La scène en train d'être tournée était celle à laquelle j'avais déjà assisté, où Cécile-Arwen embrasse Valerian-Alexandre avant de le rejeter.

Simon était avec Richard en train de briefer les deux acteurs. Je me suis assise à côté de Brad. C'est à lui que j'ai demandé des explications :

— Bonjour, Brad, que se passe-t-il ? Cette scène était déjà dans la boîte. Il y a eu un problème technique ?

Le scénariste ne m'a même pas regardée pour me répondre et il ne m'a même pas rendu mon salut.

— Non, Simon n'était pas content de l'enchaînement avec la scène que l'on a shootée ce matin. Alors, on retourne les deux.

— Mais c'était formidable, ce qu'on a tourné lundi !

— Il faut voir avec le chef...

Je n'avais encore jamais vu Brad aussi bougon. Simon n'avait pas l'air de meilleure humeur. Quand il est allé se rasseoir, il m'a à peine dit bonjour. Richard m'a, lui, ignorée.

---

1. Plateau de tournage.

— Action !

Voir pour la dixième fois Alexandre déclarer sa flamme à Arwen, c'était un peu pénible, mais j'étais curieuse de savoir si leur début de liaison allait se ressentir dans leur baiser. C'était déjà chaud lundi, alors maintenant on allait casser tous les thermomètres de la sensualité.

À l'arrivée, on n'a rien cassé du tout pour la bonne raison qu'il n'y a pas eu de baiser ! Au moment fatidique, quand Valerian s'est avancé, Cécile a mis sa main entre leurs deux bouches et c'est sur cette main que les lèvres du jeune homme se sont posées. J'avoue que j'ai été très surprise et j'ai trouvé cette scène moins forte que sa précédente version. Ce n'était pas l'avis de Simon.

— Très bien ! Ça fonctionne parfaitement. Mais vous pouvez y mettre plus de conviction. Surtout toi, Alexandre.

Le jeune Canadien n'a rien dit et il m'a lancé son regard impénétrable. Ils ont fait encore quatre prises, toutes réussies.

À la troisième, Julia est arrivée et s'est assise à côté de moi. Elle était d'humeur charmante.

— Bonjour, Laure, ça fait plaisir de te voir. Tu viens assister à cette grande journée de tournage ?

Enfin une personne qui était capable de rapports humains conviviaux.

— Oui, j'avais envie de voir où nous en sommes. Tu tournes cet après-midi ?

— Je fais la scène finale avec Alexandre, celle où...

Simon l'a interrompue sèchement :

— Silence, Julia, on va tourner ; c'est un studio ici, pas un salon de thé !

Le reproche était excessif et il aurait pu m'inclure dans les fautives, mais Julia ne s'en est pas offusquée. Je ne sais pas si Simon est un meneur d'hommes exceptionnel ou si c'est la jeune Anglaise qui prend du plomb dans la tête, mais je n'aurais pu imaginer qu'elle réagisse avec autant de flegme.

Une fois la scène terminée, l'assistant réalisateur a annoncé qu'il y aurait une heure de break pour déjeuner et Simon est venu nous voir. Il avait encore l'air tendu.

— Bonjour, Laure. Je ne savais pas que vous aviez l'intention de passer. Non que cela me dérange, notez-le. Vous venez d'ailleurs au meilleur moment pour voir le tournage de la scène cruciale. Si vous voulez, on peut prendre le lunch ensemble, mais ne vous attendez pas à un festin.

Il était très formel et son attitude contredisait ses propos. On avait vraiment l'impression que ma présence l'emmerdait. Je me suis dit que c'était peut-être normal de ne pas être enchanté de voir débarquer sa productrice qui ajoute une pression supplémentaire.

— Avec plaisir, Simon.

— Je dois d'abord briefer Julia pour la scène de cet après-midi. Ce ne sera pas long, je reviens dans un quart d'heure.

Sans me laisser répondre, il s'est dirigé vers les loges, suivi de son actrice. Alexandre m'a rejointe. Lui aussi avait l'air d'avoir passé une matinée difficile.

— *Hello*, Laure.

— Ça va ?

Il a fait une grimace.

— J'ai un peu l'impression que tout le monde ne pédale pas dans le même sens.

— Tu parles de cette nouvelle version de ta scène avec Arwen ?

— Oui, qu'est-ce que tu en penses ? C'est cucul, non ? L'expression m'a fait rire.

— Je ne suis pas fan. Mais peut-être que, montée, la scène sera meilleure. C'était prévu, ce *reshoot*[1] ?

— Non, c'est à la suite des scènes que j'ai jouées avec Julia ce matin. La petite peste a été insupportable et on avait l'impression qu'elle sabotait le tournage en se plaignant sans arrêt du manque de réalisme du script. Simon a été très cool avec elle – trop à mon avis – et il a demandé plusieurs modifications à Brad. À tel point que celui-ci a pété un câble et a quitté le plateau en balançant son script. Simon a dû accorder à tout le monde un break de dix minutes pour aller le chercher.

— Et le résultat ?

— Plus on changeait de choses, moins la scène était bonne. Brad a une écriture assez précise, c'est un horloger suisse. À la fin de la matinée, la scène ne ressemblait plus à rien. Simon s'est énervé et tout le monde en a pris pour son grade. Seule Julia est restée souriante dans la tourmente. On aurait presque pu croire qu'elle se réjouissait de l'échec du tournage.

— Tu es excessif. Julia a beaucoup progressé dans son attitude, elle est très cool maintenant.

— Je crois que tu te trompes... En tout cas, Simon a entraîné Brad et l'assistant réalisateur dans un coin et,

---

1. Nouveau tournage des scènes ratées. Un phénomène peu apprécié par les producteurs à Hollywood, car il est synonyme de problèmes de production et de coûts additionnels.

quand ils sont revenus, Simon a annoncé qu'ils avaient appelé Arwen et qu'on allait refaire la scène.

— Au moins, Simon a réussi à caser le tournage aujourd'hui. On ne devrait donc pas perdre plus d'une demi-journée. On limite la casse.

Il a eu un petit sourire ironique.

— Je vois que la partie artistique du métier de producteur te passionne…

— Eh ! Alexandre, n'exagère pas ! Être capable de respecter le budget est vital pour la survie de cette série. Pour gérer l'« artistique », comme tu dis, j'ai Simon et, jusqu'à preuve du contraire, il fait de l'excellent travail.

— Tiens, ton « artiste » revient avec la princesse. Je vous laisse entre vous, je ne veux pas interférer. Je préfère rejoindre Arwen.

Je me suis donc retrouvée avec l'actrice et le showrunner. Ce dernier, une fois à table, s'est excusé :

— Je suis désolé, Laure, je suis un peu fatigué par cette première semaine de tournage. Et vous savez combien il est important pour moi de faire une série qui entrera dans l'histoire.

C'est vrai qu'il avait l'air épuisé. Plus tôt, je n'avais pas remarqué les cernes sous ses yeux. Je l'ai rassuré en lui affirmant que je comprenais tout à fait et que je n'avais aucun doute sur son implication totale. Le déjeuner s'est déroulé dans une ambiance détendue.

— Et Brad ne déjeune pas avec nous ?

— Non, il doit réécrire la scène pour cet après-midi.

— Mais ce n'est pas un peu court ?

— Non, je lui ai expliqué le nouveau chemin qu'emprunte l'histoire et il ne lui reste plus qu'à coucher le dialogue sur le papier.

Ça ne me semblait pas aussi simple que ça et je doutais que la personnalité très méthodique du scénariste apprécie ce travail sous pression, mais je n'ai fait aucun commentaire, car une question me turlupinait.

— Un nouveau chemin ?

— Oui, après avoir visionné les rushes tournés cette semaine, j'ai trouvé une histoire encore plus forte.

— Ce n'est pas trop tard pour changer l'histoire ?

— Non, il s'agit juste de l'articulation des deux scènes finales, mais elles conditionnent la suite de la série. Je vous raconte ?

J'ai hésité un instant.

— Non, je vais rester au tournage. Je préfère la surprise. Pas de spoiler !

Quand je me suis installée dans mon fauteuil, j'avoue que j'étais assez impatiente de connaître cette histoire « encore plus forte ». Connaissant le talent d'écriture de Brad et le feeling de Simon pour sentir une bonne *storyline*, j'étais dans la position de la fan qui attend sans stress sa série préférée.

L'arrivée d'Alexandre sur le plateau en pleine discussion avec le scénariste a réduit mon enthousiasme. Mon Canadien avait le visage fermé et Brad n'avait pas l'air plus joyeux. Simon a ramené tout le monde dans le droit chemin.

— OK, on se met en place. Vous avez lu le nouveau script, je compte sur vous pour vous donner au maximum. N'oubliez pas que c'est la fin du pilote, c'est ce qui va donner envie au téléspectateur – et aussi à notre diffuseur – de voir la suite.

Arwen est venue s'installer à côté de moi. Je l'ai interrogée :

— Vous avez vu la nouvelle version ?

Elle a hoché la tête sans rien dire, ce qui ne présageait rien de bon. Le résultat de toutes ces têtes de croque-mort autour de moi a été que ma belle insouciance s'est envolée. J'étais à nouveau tendue comme une corde de piano.

Richard a demandé le silence et le tournage a commencé. Le début de la scène était le même, mais soudain le dialogue est devenu alambiqué entre les deux personnages.

Les rôles étaient presque inversés : Alexandre-Valerian ne se refusait plus à Julia-Julie mais l'implorait au contraire de lui accorder ses faveurs. Elle lui répondait qu'elle l'avait vu avec Arwen-Cécile et qu'elle ne pouvait être une « amoureuse de substitution ». Valerian lui faisait alors une véritable déclaration, lui disant que sa beauté était cent fois supérieure et qu'il ne désirait qu'elle. L'échange entre les deux personnages était *corny*[1], comme disent les Américaines. Et là, cerise sur le gâteau, Valerian s'est précipité sur Julie et l'a embrassée. Elle a commencé par résister avant de céder pour lui offrir sa bouche. La scène n'était pas bonne du tout et le manque d'entrain d'Alexandre pouvait faire penser que l'on était dans un film des années 1930, une époque où les acteurs s'embrassaient les lèvres bien fermées.

Richard s'est aperçu du problème.

— Coupez ! Alexandre, n'oublie pas que tu es frustré par le rejet de Cécile et que tu transfères ton désir dans ta relation avec Julie. Là, on ne ressentait rien, c'était aussi froid qu'un couple après trente ans de mariage !

---

1. « Bébête, niais, cucul ».

425

J'ai trouvé la comparaison étrange, mais je partageais son constat sur le jeu de l'acteur canadien.

Celui-ci n'a rien dit et l'assistant réalisateur a donné le signal pour la deuxième prise.

Cette fois, Alexandre a entrouvert les lèvres pour embrasser Julia. Mais quand celle-ci a commencé à faire preuve d'une passion excessive en utilisant sa jolie langue, il s'est reculé comme s'il avait été piqué par une tarentule.

— Coupez ! Ce n'est pas possible, vous jouez à quoi ? Il est si difficile de s'embrasser ? Vous aviez bien réussi chez Laure, c'est quoi le problème ?

C'est l'Anglaise qui a répondu en premier. Elle était furieuse.

— Le problème, c'est que monsieur n'ose plus depuis qu'il s'est amouraché d'une jeune femme qui vient le surveiller sur le tournage.

Je ne sais pas si Julia avait été témoin du début de l'aventure entre Arwen et Alexandre ou si c'était une intuition féminine, mais elle avait touché le point sensible. Le Canadien a tenté de détourner le sujet :

— Vous m'avez demandé un baiser pour une série grand public, pas pour un film pornographique...

Son commentaire n'a pas calmé sa partenaire dans la scène, au contraire.

— Si tu n'es pas capable de jouer dans une série, c'est effectivement dans les films pornographiques que tu vas continuer ta carrière. À condition que tu sois capable de bander. Ce n'est pas gagné...

— Si je dois tourner la scène avec toi, tu as raison, ce n'est pas gagné...

Julia est restée sonnée un instant, choquée par l'attaque insultante, avant de prendre la bouteille d'eau à ses pieds et de la jeter à la tête de l'acteur.

— Petit con ! Tu vas voir, je vais te faire virer !

Les échanges avaient été si vifs et si soudains que personne n'était intervenu. C'est Simon qui a interrompu ce déchaînement de violence verbale.

— Ça suffit comme ça ! Je veux que toutes les personnes qui ne sont pas utiles au tournage quittent le plateau. Julia, Alexandre, suivez-moi. Richard, peux-tu te joindre à nous ? Merci.

Arwen, principale personne visée par la mesure, a quitté le plateau sans un mot, imitée par une bonne dizaine de personnes. Je me suis demandé si je devais suivre le mouvement, mais, même si je n'étais pas « utile au tournage », j'étais la productrice de la série et je pouvais revendiquer d'avoir le droit de rester, surtout quand la situation se révélait aussi tendue.

Il a fallu plus de vingt minutes pour que le tournage puisse reprendre. Après l'explosion de haine à laquelle nous venions d'assister, je ne pouvais pas imaginer que ces deux-là puissent jouer une scène de passion. J'avais tort.

Dès la première prise, Alexandre a embrassé Julia avec beaucoup de fougue et celle-ci lui a répondu sans exagérer. Ils en ont fait six et à aucun moment on ne pouvait douter de la réalité de leur baiser.

Quand Richard a mis fin au tournage et que l'assistant réalisateur a renvoyé les équipes techniques, j'ai poussé un ouf de soulagement.

Le réalisateur et Simon ayant décidé de parler en aparté, j'ai profité de l'occasion pour aller féliciter les deux acteurs. Julia avait un petit sourire en coin en s'adressant à Alexandre :

— Tu vois, ce n'est pas si difficile. Tu ne pourras pas nier que tu y as même pris un certain plaisir.

— Julia, c'est un tournage, nous sommes des acteurs.

— Allez, arrête, je suis capable de sentir la différence entre un vrai baiser et un *fake*.

— Je suis un excellent acteur de composition...

— Tu ne peux pas préférer l'embrasser elle.

— « Elle » a un prénom et, pour répondre à ta question, oui, je préfère embrasser Arwen. Pas sur le plateau, mais dans la vie, et ce n'est pas une question de technique mais de sentiments. Julia, je n'ai rien contre toi, mais toi et moi n'avons rien en commun, nous ne pourrons jamais être ensemble.

La jeune Anglaise a paru chercher une réponse, mais elle s'est abstenue et est partie comme une furie. Alexandre s'est tourné vers moi.

— Tu m'accompagnes à ma loge ?

— C'est une proposition ?

Il s'est marré.

— Tu ne crois pas que la situation est assez compliquée ? Et puis Arwen doit m'y attendre. Tu ne suggères pas une relation à trois ?

Il a froncé les sourcils comme s'il était fâché, ce qui m'a fait rire à mon tour.

— Non, pas pour l'instant. Je te laisse d'abord faire son éducation en duo avant de passer à des choses plus compliquées.

La légèreté de nos échanges offrait un contraste apaisant avec cet après-midi très conflictuel.

Alexandre a ouvert la porte de sa loge et s'est effacé pour me laisser passer. Je me suis retrouvée en face d'une Arwen en pleurs. Ce n'est pas vrai, un autre drame !

— Ça va, Arwen ?

Elle a levé la tête et ses larmes avaient ruiné son maquillage.

— C'est affreux, je ne sais pas comment il est possible de demander à quelqu'un de faire un tel choix !

Je n'avais aucune idée de ce dont elle voulait parler. Je me suis tournée vers Alexandre, qui n'avait pas l'air très inquiet vu son ton quand il s'est adressé à la jeune femme :

— Je t'avais dit que ça te ferait de la peine. Mais c'est bien, non ?

Son propos me semblait étrangement décalé. C'est à ce moment-là que j'ai vu le livre sur la table à côté d'Arwen. Le titre m'a donné la solution de ce mystère : *Le Choix de Sophie*, pas étonnant qu'elle ne puisse s'arrêter de pleurer.

Je l'ai réconfortée :

— C'est un livre extraordinaire et je peux vous dire que j'ai épuisé une boîte entière de Kleenex à sa lecture.

— Oui, ce que j'adore, c'est ce mélange entre l'évocation des camps et cette vie new-yorkaise où l'on ressent l'amitié et l'amour qui unit les trois héros.

— Sophie, Nathan et Stingo sont trois grands personnages de l'histoire de la culture américaine et même mondiale. C'est simple, j'ai lu le roman il y a plus de dix ans et je me souviens encore de leurs prénoms. Quand on pense que, pour certains livres, j'ai du mal à me souvenir du nom des protagonistes d'un jour à l'autre !

Nous avons continué à parler littérature pendant qu'Alexandre se changeait. Tout d'un coup, quelqu'un a frappé à la porte et est entré avant d'avoir obtenu une réponse. Seule Julia pouvait commettre ce genre d'impolitesse. Elle avait encore l'air d'une furie, mais elle s'est néanmoins arrêtée, surprise par notre présence. Alexandre est apparu, il n'avait pas eu le temps de boutonner sa chemise.

— Oui, Julia ?

Elle a pris une grande inspiration avant de déclamer son message. Je ne sais pas si c'était dû au torse parfait du Canadien ou à sa colère.

— Alexandre, je tenais à mettre les choses au point et je suis contente que ta poule soit là pour être le témoin de ce que je vais t'annoncer. Tu m'as dit que nous ne pourrions jamais être ensemble, je te prouverai que tu as tort. Un jour, tu mangeras dans ma main.

Cette déclaration n'a entraîné de réaction chez aucun des amoureux. Elle n'a provoqué que regards méprisants et glacés. C'est sans doute ce qui a poussé la jeune Anglaise à bout.

— Enfin, manger dans ma main, c'est une expression qui ne reflète que de façon imparfaite ce que sera notre relation. Pour être plus exacte, il faudrait dire « brouter le minou ». Et si tu t'appliques, peut-être que je te rendrai la pareille. Je pense, d'ailleurs, que tu me supplieras de te soulager après avoir subi la frustration des bisous-bisous avec miss Pucelle.

La « pucelle » a souri, mais ça ressemblait plus à un rictus, à une bête fauve qui montre les dents.

— Ma chère, j'hésitais à donner ma virginité à mon bel Alexandre lors de notre petit week-end en amoureux au bord du Pacifique, mais je crois que tu viens juste de me persuader.

L'objet de la dispute a tenté d'intervenir :

— Arwen, ne rentre pas dans son jeu, ça n'en vaut pas la peine.

Mais c'était aussi vain que de séparer deux chats qui s'affrontent toutes griffes dehors. Arwen lui a fait un petit geste de la main lui signifiant de ne pas interférer.

— Et si, par esprit chevaleresque, il refuse de prendre ce que je lui offrirai, je le prendrai dans ma bouche et je ne lâcherai que quand sa jouissance l'aura amené aux portes du paradis. Et je ferai de sa semence ma nourriture spirituelle et physique de ces deux prochains jours…

Ce n'est pas possible, l'Américaine devenait dingue à son tour ! Cette déclaration aussi crue dans la bouche d'une jeune femme que l'on croyait innocente a entraîné un déclenchement de violence. Julia s'est précipitée sur elle.

— Salope !

Je me suis dit que j'allais perdre mes deux actrices dans les prochaines secondes, qu'elles seraient défigurées sans que je sache si ce genre d'accident est pris en compte par la police d'assurance de la série.

Heureusement, Alexandre s'est interposé, ce qui était très courageux vu la rage que l'on pouvait lire sur les deux visages.

— Julia, stop ! Arwen, éloigne-toi !

Les deux femmes se sont séparées. L'Anglaise a réussi à se calmer et même à sourire.

— Tu vois, Alexandre, j'ai bien fait de passer. Grâce à moi, tu vas t'envoyer en l'air ce week-end. Enfin, je ne sais pas si ce sera le pied : une vierge…

431

— Julia, sors, je t'en prie.

— Je te promets une chose : au soir des Emmys, en septembre prochain, tu auras goûté au plaisir d'avoir couché avec la fille la plus canon de Los Angeles et tu me demanderas pardon.

L'acteur n'a pas voulu répondre.

— Bonsoir, Julia.

Il a poussé fermement la jeune femme vers la sortie avant de refermer la porte. Je me suis effondrée sur une chaise.

— Tu n'as pas du whisky ? J'ai besoin d'un remontant.

Il n'avait pas d'alcool dans sa loge et, quelques minutes plus tard, j'ai laissé les amoureux se préparer pour leur escapade.

Je suis rentrée seule et, une fois à la maison, j'ai commandé des sushis. Quand mon plat japonais est arrivé, je me suis préparé un plateau-repas. Ma seule entorse à ce régime asiatique est que j'ai remplacé le thé vert par un margaux. Boire seule est un peu triste, mais c'est aussi un bon remontant pour les âmes solitaires.

J'ai parcouru la médiathèque fort bien remplie de Charlie pour trouver un film qui me ferait oublier cet après-midi éprouvant. Je ne sais pas combien de Blu-ray et de DVD contenaient les rayonnages. J'ai mis un temps fou à faire mon choix, non pas parce qu'il n'y avait rien qui m'attirait, mais au contraire à cause de la multitude de grandes œuvres. Il fallait que la sélection me soit, en quelque sorte, imposée. Quand j'ai vu le Blu-ray du *Choix de Sophie*, j'ai su que j'avais trouvé. Aussi étonnant que cela puisse paraître, je ne l'avais jamais vu. J'ai regardé la jaquette : film d'Alan J. Pakula, Oscar et Golden Globe de la meilleure actrice pour Meryl Streep, je ne risquais pas de passer une mauvaise soirée.

Plus de deux heures trente plus tard, mon vague à l'âme avait disparu et je me suis imaginée produire, moi aussi, un film de cette envergure.

Au moment où je me préparais dans la salle de bains, j'ai entendu le son de l'arrivée d'un SMS. J'ai ouvert le message : « On fait des rencontres surprenantes au Shutters on the Beach. J'ai pensé que ça vous intéresserait... » Il y avait une photo attachée où l'on pouvait voir Michael, avec à sa droite Julia et à sa gauche... Simon !

J'ai renvoyé un SMS : « Ils dînaient à côté de vous ? »

Michael : « Je peux vous appeler ? J'ai horreur des SMS. »

Je lui ai donné mon accord et, quelques secondes plus tard, j'ai reçu un appel. Ce qui m'a le plus surprise, c'est qu'il a utilisé FaceTime.

— Bonsoir, Laure, excusez-moi de vous déranger si tard.

Je l'ai regardé et je dois dire que, pour un homme d'une cinquantaine d'années, il était très beau et surtout hypercharismatique avec cette voix unique que les films avaient rendue célèbre. Soudain, j'ai pensé que je sortais de la salle de bains.

— Michael, bonsoir. Je n'aurais pas dû accepter votre appel vidéo, je viens de me démaquiller.

Il a ri d'une manière charmante.

— Laure, je n'ai jamais eu la chance de me réveiller à vos côtés, mais je n'ai jamais douté que votre beauté naturelle ne pouvait être altérée par l'absence de produits Lancôme.

J'ai entendu sans pouvoir comprendre un commentaire féminin qui venait de la chambre où il se trouvait. Il semble que la personne qui était avec lui n'avait que peu goûté le compliment qu'il venait de me faire. Ça peut se comprendre... Le bel acteur a rabroué sa partenaire :

— Je suis dans une discussion avec une amie chère. Ne m'emmerde pas. Prends-toi un bain, je te rejoins dans dix minutes.

Il a pris la direction du balcon.

— Excusez-moi, Laure.

— Je vous en prie. Vous êtes avec Lauren ?

Je ne sais pas pourquoi j'ai posé cette question d'une indiscrétion totale. J'aurais voulu la retirer, mais c'était trop tard. Il aurait pu se fâcher, mais il s'est contenté de faire une grimace aussi charmante qu'amusante.

— Malheureusement, il semble que ma période de monogamie ait pris fin et que mon avocate ne veille plus que sur mes affaires[1]...

— Je vais vous laisser, mais parlez-moi de cette photo avec Simon et Julia.

— Ils ont dîné pas loin de nous et Julia est venue me saluer. Vous vous rappelez que son père et moi sommes de vieux amis ?

— Oui, c'est vous qui me l'avez présenté. Et Simon, vous le connaissiez ?

— Non, Julia m'a dit que c'est votre showrunner. C'est pour cela que je me suis permis de vous déranger.

---

1. Voir *Movie Star, Saison 3 – Hollywood* : à la fin du livre, Michael décide, à la suite de ses problèmes conjugaux, d'abandonner ses aventures multiples pour commencer une relation avec son avocate.

— Parce que vous trouviez bizarre qu'ils dînent ensemble ?

— Laure, l'âge a beaucoup de désavantages, mais il vous procure quelque chose de très important, l'expérience. Quand un réalisateur ou un showrunner mélange vie privée et professionnelle, la production est en danger.

Ses paroles m'ont glacée. Je me suis raccrochée à ce que je pouvais :

— Mais, Michael, il est possible que Simon ait juste voulu la remettre dans le droit chemin. Vous savez, Julia est talentueuse, mais n'oubliez pas qu'il s'agit de son premier rôle.

Il a pris un air songeur.

— La remettre dans le droit chemin, c'est une manière d'envisager les choses.

J'ai préféré rire de ses soupçons.

— Michael, votre expérience personnelle vous fait voir le mal partout. Simon est en train de coacher une jeune femme dotée d'un fort tempérament, c'est tout.

— Fort tempérament, je n'en doute pas, vu qu'elle n'a pas hésité à l'embrasser avec passion alors qu'il n'avait pas encore ouvert la porte de la chambre.

Mon monde s'est écroulé.

— Parce qu'ils ont pris une chambre ?

— Pour être exact, une suite, au même étage que nous. Je pense que c'est elle qui doit payer avec la carte de crédit de son père.

— Une suite...

— Oui, ça doit être l'endroit idéal pour le coaching dont vous parliez.

Je suis restée silencieuse et c'est lui qui a repris :

435

— Excusez-moi pour cette plaisanterie un peu facile. Ne vous mettez pas non plus martel en tête, mais restez vigilante. Je dois vous laisser, Laure, bonne nuit et bonne chance.

— Merci, Michael, de m'avoir prévenue. Bonsoir.

Une tempête, un véritable ouragan s'est déchaîné dans ma tête pendant presque toute la nuit. L'incorruptible Simon, le Eliott Ness de l'entertainment, se retrouvait pris dans les filets d'une jeune actrice sans aucune expérience. Dès que des fesses fermes et des seins hauts apparaissent, le sens commun des hommes disparaît. J'étais assez fâchée par cet instinct primaire qui dirige leurs décisions. Comment peut-on prétendre qu'Ève a été créée à partir d'une côte d'Adam quand il s'avère que notre psychologie est mille fois plus subtile que la leur ?

En dehors de ces réflexions sur nos différences avec la gent masculine, j'avais un problème à résoudre, savoir quelles allaient être les conséquences pratiques de cette liaison entre mon showrunner et une des actrices. Il était clair que les changements déjà effectués dans le script avaient été motivés par une volonté de favoriser le rôle du personnage interprété par Julia. Pour l'instant, les répercussions n'étaient pas dramatiques. Après tout, on pouvait toujours garder les scènes tournées au début et revenir au script d'origine. À moins que la nouvelle histoire ne soit meilleure… À 3 heures du matin, seule dans mon lit, je n'avais plus une grande lucidité et l'obscurité était au moins aussi présente dans mon cerveau que dans la chambre.

Je ne sais pas à quelle heure j'ai réussi à m'endormir, mais, au petit matin, je n'étais pas fraîche et mon moral n'était pas au beau fixe. J'avais réalisé que l'actrice qui intriguait contre moi avec mon showrunner était la fille de mon coproducteur et une condition essentielle à la réussite de la série pour mon diffuseur. Si je faisais un faux pas, je pouvais me retrouver débarquée !

Je n'ai rien pu avaler et je me suis contentée de boire les espressos les uns à la suite des autres pour essayer de récupérer un peu de peps.

Alors que je terminais mon cinquième, affalée sur le canapé, le téléphone a sonné. C'était l'appel qu'il me fallait pour me réconforter, l'amie du bout du monde, Ophélie. Elle m'a demandé des nouvelles de mes amours et de ma série et je ne lui ai rien caché. Elle m'a aidée à mettre de l'ordre dans mes idées.

— Laure, tu es la productrice de cette série. Simon est ton employé. Dès demain, tu le prends à part avec l'autre scénariste et tu les forces à remettre l'histoire dans le droit chemin.

— Oui, tu as sans doute raison…

— C'est évident. S'il le faut, tu n'hésites pas à lui balancer à la figure son week-end érotique avec son actrice. C'est pour ça que c'est bien qu'Alexandre et toi ne soyez plus ensemble.

— Pourquoi ?

— Parce qu'il ne pourra pas établir de parallèle ! Tu aurais difficilement pu lui reprocher sa liaison avec Julia si tu étais toujours avec ton Canadien. Et sinon, tu devrais reconsidérer ta position sur David.

Je ne sais pas pourquoi, mais entendre le nom de mon ancien amoureux m'a déchiré le cœur. J'ai essayé de cacher mes émotions par une plaisanterie :

— Quelle position ? Missionnaire, levrette ? Parce qu'on a beaucoup expérimenté avec David.

Elle a soupiré.

— Laure, un mec comme David est assez unique et je peux t'affirmer qu'il est fiable. S'il te dit qu'il n'a pas couché avec sa collègue, tu peux le croire.

— Peut-être... Il n'empêche qu'il habite à douze heures d'avion et que je n'ai aucune idée de la prochaine fois où je vais le voir.

— Plus tôt que tu ne le crois. C'est pour cette raison que je t'appelais. Charlie et moi organisons une fête dans un mois à Los Angeles et je voulais l'inviter.

L'idée de faire la fiesta ne m'enchantait pas alors que je serais en plein montage de mon pilote.

— C'est quoi, la grande occasion ?

Il y a eu un long silence et je l'ai visualisée en train de sourire en attendant que je comprenne. Il m'a fallu quelques secondes.

— Ce n'est pas vrai, Ophélie, vous vous mariez !

— *Yes*, ma grande.

— Génial, mais pourquoi tant de hâte ?

— La plus vieille raison du monde...

— Tu es enceinte ! Je n'y crois pas !

J'ai eu un gros choc. Ma meilleure amie allait devenir maman !

— C'est de ma faute, je suis tombée à court de pilules alors que nous étions dans le bush. J'ai bien demandé à Charlie de faire attention, mais les hommes sont incapables de se retenir !

— Il est fâché ?

— Tu plaisantes ? Il est ravi ! À se demander s'il ne l'a pas fait exprès.

— Tu sais si c'est une fille ou un garçon ?

— Les deux, mon capitaine !

Ophélie sort avec Charlie depuis moins d'un an et ils vont se marier et avoir des jumeaux. Pour tout autre couple, je dirais que c'est une folie, mais, en ce qui les concerne, je suis certaine que c'est une décision logique.

Toutes ces nouvelles merveilleuses, après ces derniers jours si difficiles, ont provoqué un trop-plein d'émotions et j'ai versé quelques larmes. J'ai cherché à affermir ma voix.

— Ophélie, je suis si contente, c'est fantastique !

— Alors, pourquoi pleures-tu ?

— Je ne pleure pas, enfin pas vraiment. Ça ne compte pas, ce sont des larmes de joie.

— Je ne sais pas si je dois te dire la suite…

— Vas-y.

— J'aimerais que tu sois mon témoin.

C'était trop, le barrage a lâché et les larmes ont ruisselé sur mes joues. À l'autre bout du fil, Ophélie s'est gentiment moquée de moi :

— Laure, tu vois, on ne peut rien te dire. Si encore tu avais attendu que je t'annonce la mauvaise nouvelle.

— Je suis prête à tout affronter…

— Tu seras aussi ma demoiselle d'honneur.

J'ai mis quelques secondes à comprendre.

— Tu veux dire que tu vas me faire porter une de ces robes immondes comme on en voit dans les films ?

— Exactement ! Après tout, c'est un mariage à l'américaine.

Nous avons passé les cinq minutes suivantes à négocier la forme et la couleur de la robe. C'était bien de retrouver cette insouciance qui caractérise certaines discussions entre de vraies amies, des sœurs... Mais Ophélie avait encore un sujet à aborder.

— Laure, il y a un point important dont je souhaite parler avec toi. Charlie voudrait prendre David comme garçon d'honneur.

J'ai été plus surprise que choquée.

— Mais pourquoi ? Ils ne se connaissent pas tant que ça.

— C'est vrai, mais Charlie considère que, sans David, nous ne nous serions peut-être jamais remis ensemble. C'est David qui l'a forcé à se rendre compte qu'il m'aimait plus que tout et qui l'a poussé à risquer ses liens familiaux et sa carrière pour moi[1].

Les événements me sont revenus en mémoire, quand David avait imaginé ce stratagème génial pour provoquer Charlie et le faire réagir. Je me rappelle que j'étais si contente que nous avions fait l'amour avec une tendresse inhabituelle. Cette évocation a fait surgir une vague de nostalgie pour une période où ma vie amoureuse était simple et heureuse. Je suis restée sans répondre pendant plusieurs secondes et Ophélie s'est méprise sur mon silence.

— Laure, Charlie est conscient que ça peut te paraître incongru et il veut ton autorisation avant de lui demander.

— Non, non, il a raison, c'est une excellente idée. La seule chose qui puisse me gêner, c'est qu'il me voie dans cette robe ridicule.

— On a déjà discuté de la robe ! Tu vas finir par obliger Charlie à vendre sa maison pour payer la note de téléphone...

---

1. Voir *Movie Star, Saison 3 – Hollywood*.

Nous avons parlé encore une dizaine de minutes avant de raccrocher.

Mon moral s'était amélioré et j'ai décidé de faire une grande promenade dans Los Angeles. J'ai pris mes écouteurs et j'ai lancé ma playlist préférée. J'ai descendu la colline pour rejoindre West Sunset Boulevard au niveau du Château Marmont. J'ai marché longtemps en écoutant James Blunt, Adèle et d'autres... À Beverly Hills, je suis passée à côté de magnifiques maisons qui avaient appartenu à Madonna, Dionne Warwick, Marlene Dietrich. Après la maison de Gene Kelly, j'ai traversé le golf du Los Angeles Country Club. C'était beau, c'était calme, et je me suis demandé si, un jour, j'arpenterais ces fairways manucurés. Pour ça, il faudrait soit faire fortune dans les séries – un pari pas gagné –, soit épouser un milliardaire. Quelqu'un comme Sean... Un bel homme qui aurait entre dix et vingt ans de plus que moi et qui rechercherait ma jeunesse et ma vivacité d'esprit. L'idée pouvait sembler séduisante, mais, si j'avais le choix entre un Sean et un David, quelle serait ma décision ? Contre la puissance, l'intelligence, la richesse de l'un, qu'est-ce que l'autre pouvait m'offrir ? La réponse se définissait par un mot de quatre lettres en anglais, de cinq en français.

J'ai continué à penser à mon journaliste jusqu'à ce que ma marche me conduise devant la mansion de Hugh Hefner, le créateur de *Playboy*. J'ai réalisé qu'avant de rencontrer David j'aurais sans doute rêvé d'être invitée à nager dans la célèbre grotte en compagnie des célèbres Bunnies et de tas d'hommes riches. Mais ce genre de fantasme avait disparu de mon univers.

Plus loin, j'ai tenté sans succès d'apercevoir la maison d'Humphrey Bogart et de Lauren Bacall. Bogie et Lauren, le duo parfait dont l'amour restera éternel. J'ai repensé à Ophélie et Charlie et je trouvais qu'ils incarnaient, eux aussi, le couple idéal.

J'avais marché presque deux heures pour arriver à mon but et j'ai hésité à prendre un taxi pour rentrer à la maison. Mais il faisait beau et j'ai décidé d'être courageuse. Cette longue marche m'a permis de prendre la décision d'être ferme avec Simon dès le lundi matin. L'esprit rasséréné, j'ai eu une bonne soirée et une nuit réparatrice.

Il est heureux que Michael m'ait prévenue, car je ne sais pas sinon comment j'aurais réagi à la folie qui s'est emparée du tournage. Ça m'a aussi permis d'arriver la première au studio. Je suis tombée tout de suite sur Brad, alors que les techniciens préparaient le plateau.

— Bonjour, Brad, quel est le programme ce matin ?

J'avais adopté un ton jovial, sa réponse a été à la limite de la politesse.

— Troisième version de la scène entre Valerian et Julie.

— Encore ! Mais on ne va pas la tourner cent fois ! C'est quoi, le problème ?

— Simon veut une scène plus adulte, plus torride. Vous voulez lire ?

Il m'a tendu quelques feuilles de script. J'ai parcouru la scène et j'ai vu que l'on avait franchi une nouvelle étape : les deux protagonistes ne se contentaient plus d'un baiser passionné, ils se jetaient l'un sur l'autre dans une étreinte qui faisait penser à *Cinquante nuances de Grey*.

— Brad, comment est-ce possible ? Vous aviez écrit deux scènes magnifiques dont la subtilité offrait aux spectateurs une fin de pilote parfaite. Après la lecture chez moi et avec l'ajout du baiser d'Arwen, tout le monde était d'accord pour dire qu'on tenait notre truc. Et maintenant, ça... Comment avez-vous pu massacrer votre propre travail ainsi ?

Le désespoir que j'ai lu dans son regard valait toutes les réponses et valait condamnation de son ami showrunner. Mais l'exprimer par la parole est plus difficile. Il n'en a pas eu l'occasion, car Simon et Richard sont arrivés. Je les ai interpellés :

— Suivez-moi, il faut que l'on parle.

Nous sommes entrés dans le bureau de la production. J'ai claqué la porte.

— Messieurs, je viens de lire la scène qui doit être tournée ce matin et je dois vous dire qu'elle ne me convient pas du tout. Cette série est destinée à un public familial avec des adolescents. Je ne souhaite pas y inclure des scènes de sexe comme dans *Game of Thrones*.

Simon a ricané et a répondu avec ironie :

— Vous devez avoir raison, c'est juste la meilleure série de l'histoire. Alors, pourquoi prendre exemple sur elle, n'est-ce pas ?

— Simon, vous savez très bien que ce n'est pas grâce à ces scènes que la série plaît autant. Beaucoup d'autres ont mis du sexe dans leurs propres séries sans obtenir un tel succès.

— Moi, je trouve que l'évolution des personnages est très positive, que *Mysteria Lane* s'améliore de jour en jour.

— Je pense exactement l'inverse.

Il a eu un regard mauvais.

— Je ne vous ferai pas l'offense de comparer nos expériences respectives dans cette industrie. En revanche, nous pouvons demander leur opinion à Richard et à Brad.

C'est le réalisateur qui s'est exprimé en premier, avec beaucoup de diplomatie :

— Laure, le poids respectif des personnages interprétés par Arwen et Julia s'est inversé et je comprends que vous puissiez être surprise. Mais cela répond, je crois, aux désirs exprimés par Amazon. Et la série ne s'est pas affaiblie, elle est juste différente.

Pas un franc soutien pour Simon, mais un soutien quand même. Brad a été encore plus neutre :

— Ce n'est pas mon rôle de juger quelle direction doit prendre une série. Moi, j'écris et j'aime toujours plus sa première version que celles qui sont amendées par la suite. C'est vrai pour *Mysteria Lane* comme ça l'a été pour les autres projets sur lesquels j'ai travaillé.

Simon a eu un résumé curieux de la situation :

— Deux votes pour, un vote blanc. Je crois que vous êtes en minorité…

— Si vous confondez démocratie et production d'une série, je ne peux rien pour vous. Je produis, je suis responsable de l'achèvement et de la conformité de ce pilote vis-à-vis du client et des coproducteurs.

— Et moi, j'engage mon nom pour que *Mysteria Lane* soit une réussite et je ne vous laisserai pas tout foutre en l'air.

Il était en train de dépasser les bornes et j'allais devoir le recadrer. Mais la première règle de management, c'est de faire ce genre de chose entre quatre yeux.

— Brad, Richard, pouvez-vous nous laisser quelques instants ?

Jamais l'expression « partir sans demander son reste » n'a été plus appropriée. Je suis entrée tout de suite dans le vif du sujet.

— Simon, je sais pour quelle raison vous modifiez la série dans de telles proportions.

Il m'a lancé un regard insolent.

— Ah oui ?

— Si je vous dis dîner aux chandelles au Shutters on the Beach samedi, ça vous suffit ou vous voulez aussi que je vous donne le numéro de votre suite ?

Mon attaque ne l'a pas désarmé.

— Bravo ! Vous avez engagé un détective privé ? Non, suis-je bête, vous avez dû le savoir par Michael Brown. J'avais oublié votre connexion par votre amie avec qui il a eu cette mystérieuse et sordide liaison[1]. Vous me reprochez mon *affair* avec Julia. Êtes-vous certaine d'être la mieux placée pour cela ?

Ophélie avait raison : dès le premier incident, on cherchait à m'affaiblir en utilisant Alexandre. Mais dommage pour Simon, c'était de l'histoire ancienne.

— Oui, moi, je ne couche pas avec un des acteurs de la série.

Cette fois, la nouvelle l'a déstabilisé. J'ai décidé de lui faire entendre raison, quitte à être un peu dure.

— Simon, Julia vous utilise. Pas seulement pour obtenir un meilleur rôle dans la série, mais parce qu'elle veut Alexandre dans son lit. Elle est jalouse d'Arwen et elle est prête à tout.

---

1. Voir *Movie Star, Saison 3 ~ Hollywood*.

445

— Vous racontez n'importe quoi.

Il refusait de prendre pour argent comptant ce que je lui expliquais, mais j'ai lu dans ses yeux qu'il commençait à douter.

— Elle me l'a dit vendredi soir. Elle a même parié avec moi qu'il succomberait dans les six mois. Mais elle n'a pas l'intention d'attendre si longtemps... Réveillez-vous, Simon ! Elle a couché avec le fils de la vice-présidente d'Amazon pour que l'on puisse obtenir le contrat. Jusqu'où pensez-vous qu'elle puisse aller pour obtenir un homme aussi beau qu'Alexandre ? Qui plus est, un homme qui se refuse à elle...

Simon avait perdu toute sa morgue. J'ai décidé de porter le coup de grâce.

— Qui a eu l'idée de faire coucher Valerian et Julie ? Vous ou elle ? Et l'évolution des rapports entre Valerian et Cécile, le fait qu'ils ne s'embrassent plus, qui en est responsable ?

Il n'a rien dit, il a quitté le bureau sans dire un mot.

De mon côté, j'étais dans l'état psychologique d'une conductrice qui vient d'échapper par miracle à un accident grâce à son sang-froid. Une fois l'événement terminé, elle se retrouve avec les jambes en coton. Eh bien, moi, c'était pareil. Je me suis précipitée sur les placards pour voir s'il n'y avait pas une bouteille de whisky ou de gin, sans résultat. Je me suis alors affalée sur le canapé et j'ai attendu que mon cœur s'arrête de sprinter. Il fallait aussi que mes jambes acceptent de me porter jusqu'au plateau pour voir si le showrunner suivait mes indications. Et j'espérais qu'il n'allait pas retourner sa fureur contre l'équipe et provoquer une panique générale.

446

Si les événements de ces derniers jours avaient pu me faire douter de Simon, ce que j'ai vu en arrivant sur le plateau m'a rassurée. Il avait ordonné de changer le plan de tournage et les techniciens préparaient la nouvelle scène. Simon m'a ignorée et Julia m'a foudroyée du regard. Ce n'est pas grave, j'ai eu droit à un clin d'œil et un sourire d'Alexandre, ça compense largement !

Mardi, je n'avais pas prévu de passer sur le plateau, mais Jason, mon assistant, m'a informée qu'un journaliste du *Hollywood Real Truth* voulait faire un article sur le tournage de la série. J'ai demandé un peu plus d'informations.

— C'est quoi, le *Hollywood Real Truth* ?

— C'est un nouvel hebdo à la fois pour les professionnels et pour le grand public.

— C'est bien ?

— C'est un peu trop magazine people, mais ça touche beaucoup de monde.

— Donc vous pensez qu'il faut accepter ?

— Il faudra être prudente dans vos réponses, mais un peu de publicité ne peut pas faire de mal pour une société nouvelle comme la nôtre.

Ce n'est pas faux… J'ai pris quelques instants de réflexion, mais plus le temps passait plus j'étais convaincue.

— Vous avez raison, ça peut être très positif. Je pourrai ainsi renvoyer l'ascenseur à Amazon et à Sean, ils seront contents. Vous connaissez le journaliste qui va faire le reportage ?

— Non, juste son nom, Donald Duncan. Je crois qu'il vient juste d'arriver de la côte est.

— Très bien, alors vous pouvez fixer un rendez-vous pour 14 heures.

J'étais un peu stressée à l'idée de cette entrevue. Quand j'ai vu que Donald était accompagné d'un photographe, je me suis dit que j'avais bien fait de passer me changer. Son attitude m'a tout de suite mise à l'aise. Nous sommes allés nous installer dans le bureau et il a commencé à me poser des questions après m'avoir demandé l'autorisation de permettre à son collaborateur de prendre des photos sur le plateau. J'ai bien entendu accepté et nous avons pu débuter l'entretien. L'exercice a duré près de trois quarts d'heure qui m'ont paru cinq minutes. Donald était cordial et professionnel. J'ai bien eu droit à quelques questions délicates sur le choix des acteurs et sur le financement, mais je m'en suis tirée avec beaucoup de finesse. À la fin, le journaliste a voulu s'entretenir avec d'autres membres de l'équipe et je lui ai donné carte blanche. Il m'a remerciée et m'a indiqué que la parution de l'article aurait lieu jeudi.

Si le mercredi a été on ne peut plus calme, le jour suivant m'a vu essuyer la plus incroyable tempête de toute ma vie. En 1929, il y avait eu le jeudi noir à la Bourse de New York, il y a eu un remake à Los Angeles, quatre-vingt-sept ans plus tard.

Ça a commencé par un appel de Jason alors que j'étais encore dans les bras de Morphée.

— Laure, c'est Jason.

— Qui ça ?

448

Je sais, au réveil, je ne suis pas très vive d'esprit. Pour ma défense, il faisait encore noir dehors et j'ai eu l'impression d'être réveillée au milieu de la nuit.

— Jason, votre assistant.

— Mais quelle heure est-il ?

— 6 h 20.

— Mais vous êtes fou, Jason, de me réveiller à cette heure indue !

— Désolé, mais c'est une urgence ; sinon, je ne me serais pas permis.

Le ton et les paroles ont provoqué en moi un électrochoc.

— Qu'est-ce qui se passe ?

— Je viens de lire sur Internet l'article dans le *Hollywood Real Truth*.

— Il n'est pas bon ?

— C'est pire que ça. Je vous l'envoie sur votre messagerie. Vous pouvez me rappeler après l'avoir lu.

Je me suis précipitée sur mon MacBook Pro et j'ai ouvert le fichier. Ce qui m'a d'abord frappée, c'était le titre géant, « Hysteria Lane ». Juste en dessous, il y avait une caricature dans laquelle une jeune femme qui portait un manteau de fourrure ouvert révélant de la lingerie faisait de l'œil à un Esquimau. L'allumeuse, c'était moi, et l'Esquimau avait les traits d'Alexandre. La légende du dessin me faisait dire : « *Viens, mon chéri*, je vais te réchauffer à Hollywood. » Les trois premiers mots étaient en français pour que tout le monde comprenne que c'était bien de moi qu'il s'agissait.

C'était immonde, c'était révoltant et les larmes me sont montées aux yeux. L'article était de la même veine :

« Hollywood est connu pour ses excès et les tournages de films comme *Cléopâtre*, *La Porte du paradis*, *Apocalypse Now* ou *Titanic* ont rencontré retards et dépassements de budget. S'ils sont entrés dans l'histoire, c'est aussi grâce à la personnalité de leurs réalisateurs et de leurs producteurs, qui en ont fait des chefs-d'œuvre. Ce que la productrice française de la nouvelle série *Mysteria Lane*, Laure Masson, n'a pas dû comprendre car, si elle génère un chaos indescriptible, elle n'a aucune chance de réussir une œuvre dont le public se souviendra. Si c'est le cas, ce sera peut-être comme de la pire série de la décennie. Nous avons eu la possibilité d'assister à une journée de tournage et nous vous invitons à plonger dans les coulisses d'une mort annoncée. »

Suivaient deux pages où le journaliste décrivait par le détail tous les travers de notre entreprise. Il expliquait comment j'étais allée chercher un acteur inconnu dans le Grand Nord juste pour pouvoir coucher avec lui. Le journaliste avait écrit : « Un acteur canadien dont le nom de famille – Cabot – donne une idée assez exacte de la qualité de son jeu. »

On me reprochait aussi d'avoir incité une de mes « très jeunes » actrices à avoir une relation avec le fils d'un dirigeant d'Amazon juste pour signer le contrat de commande. Plus loin, le journaliste attribuait une qualité à la série, le fait d'avoir embauché une jeune actrice anglaise qui était à l'aube d'une grande carrière ainsi qu'un showrunner à la créativité reconnue. Mais l'article soulignait ensuite que le talent de ce dernier était gâché par la censure constante venant de sa productrice. Cerise sur le gâteau, il m'attribuait la responsabilité du grand nombre de changements de dernière minute qui rendaient fous les techniciens. Ceux-ci avaient transformé le nom de la série qu'ils appelaient maintenant *Hysteria Lane*, la rue de l'Hystérie !

Une fois l'article lu, je suis restée immobile un long moment. Quel déchaînement de haine ! Pourquoi ce journaliste qui paraissait si professionnel avait-il déformé ainsi la vérité ? La réponse m'est apparue assez évidente. Comme on dit, cherchez à qui profite le crime. En l'occurrence, seuls Simon et Julia trouvaient crédit aux yeux du journaliste et je pouvais les considérer comme suspects numéro un. Tous les deux avaient aussi un motif de m'en vouloir.

Alors que je m'interrogeais sur leur culpabilité, mon mobile a sonné. J'ai lu le nom sur l'écran : Sean !

— Laure, je suppose que vous savez pourquoi je vous appelle.

Pas de bonjour ni de formule de politesse, l'échange promettait d'être sévère.

— Oui, j'ai lu l'article.

— Et vous comptez faire quoi ?

— Je vais appeler mon avocat pour vérifier si on peut les attaquer. Au moins obtenir un droit de réponse.

— Parce que vous trouvez qu'il y a beaucoup d'éléments relevant de la diffamation dans l'article ? Vous êtes bien allée chercher Alexandre dans le Grand Nord, Julia a bien couché avec le fils Greyson, et j'ai cru comprendre qu'il y avait eu effectivement des changements de script et de planning de tournage.

— Oui, mais la présentation est fallacieuse…

— Laure, vous n'avez aucun élément juridique pour les attaquer, et leur répondre ne ferait qu'étendre l'incendie au lieu de le contenir. Car c'est bien de cela qu'il s'agit, de limiter les effets de la déflagration. Le plus urgent, c'est Amazon, et surtout Mme Greyson.

Je n'en croyais pas mes oreilles : il allait laisser impuni ce véritable crime commis par Donald Duncan !

— Sean, on ne peut quand même pas laisser dire des choses pareilles. Et puis il faut savoir si quelqu'un a commandité cette action, peut-être une personne de l'équipe.

J'aurais dû éviter d'insister sur le sujet. Pour la première fois avec Sean, j'ai pris cher...

— Laure, grandissez un peu, *for God's sake*[1] ! Vous vous êtes fait avoir, il faut l'accepter et chercher à avancer. Ce n'est pas le moment de faire une chasse aux sorcières et, s'il y a une brebis galeuse dans votre équipe, vous la trouverez en temps et en heure. En attendant, je veux que vous parliez à Mme Greyson dès que possible, ainsi qu'aux équipes d'Amazon qui vous ont commandé la série. Ensuite, vous irez sur le tournage pour rassurer le staff. Restez sur place toute la journée et venez me rendre compte chez moi, ce soir à 19 heures.

Il a mis fin à la conversation de façon assez abrupte. Ma première pensée a été de me demander s'il pouvait me virer pour ce genre d'incident. Certes, nous étions coproducteurs, mais c'est lui qui avait apporté le financement. Quand on connaît Hollywood, on sait que celui qui tient les cordons de la bourse est le vrai patron.

Je n'avais pas un gros moral, mais je me suis attelée aux tâches qu'il m'avait confiées. J'ai commencé par envoyer un SMS à Mme Greyson. Elle m'a appelée cinq

---

1. « Pour l'amour de Dieu ! »

minutes plus tard. Je lui ai expliqué qu'il y avait sur la série un article peu flatteur qui citait Amazon. Elle m'a demandé de le lui faire parvenir et elle l'a lu pendant que je patientais en ligne. Attendre ainsi sa réaction pendant sept à huit minutes a été une véritable épreuve, mais la suite a été bien pire.

— Laure, vous pouvez m'expliquer ce bordel ? Comment mon fils et moi pouvons être cités dans ce torchon ?

— Pour être précise, vous n'êtes pas citée, on parle d'« une dirigeante d'Amazon » sans donner de nom.

— Mais vous êtes abrutie ou vous le faites exprès ? Ne croyez-vous pas que mon président va chercher à savoir de qui il s'agit ? Il n'aura pas de mal à trouver… Je vais être accusée de manque de professionnalisme et de prendre des décisions pour des motifs liés à ma vie privée. Il n'y a qu'une seule façon de sauver la situation…

Malgré l'injure, j'étais désireuse de l'aider pour me sauver également.

— Oui, dites-moi, je ferai l'impossible.

— Il faut que votre putain de série « déchire », comme dirait mon fils !

— Elle sera formidable, je vous l'assure.

— Vous y avez intérêt. Sinon, je vous promets que je ne plongerai pas toute seule. Je vais faire vérifier le contrat que nous avons signé, ligne par ligne, pour que nous puissions en sortir si jamais le produit ne nous plaît pas.

La conversation s'est arrêtée sur cette menace nucléaire. Si elle trouvait un moyen de casser le contrat, cela voulait dire qu'ils ne prendraient pas la série, mais surtout qu'ils ne me paieraient pas le pilote. Comme le coût était de 3 millions de dollars et que j'étais à 50/50 avec Sean, cela me laisserait une ardoise de 1,5 million ! Et encore, je supposais là que l'Écossais n'allait pas me mettre sa note sur le dos. De toute façon, 1,5 ou 3 millions de dollars, pour moi, c'était la même chose, c'était la ruine et la fin de ma vie hollywoodienne.

L'appel à l'équipe des programmes d'Amazon a été du même acabit, les mots grossiers en moins. Ils ont demandé à voir le montage dès que possible et m'ont enjoint de respecter le script « à la lettre ».

Après ce début de journée réjouissant, je me suis dépêchée d'aller au studio. Si j'avais eu un doute sur le fait que l'équipe ait lu ou non l'article, les messes basses sur mon passage l'auraient dissipé. Je suis tout de suite allée voir Simon, Richard et Brad, qui étaient en train de préparer le tournage dans le bureau de la production. Ils ont arrêté leur discussion quand je suis entrée.

— Messieurs, bonjour. Vous avez, je suppose, lu l'article. Je ne sais pas si vous imaginez la fureur de nos clients d'Amazon. Notre contrat ne tient plus qu'à un fil.

J'ai regardé leurs visages un par un avec beaucoup d'attention pour voir si je pouvais y voir des traces de culpabilité. Richard avait l'air indifférent ; à l'opposé, Brad avait la tête de celui à qui on vient d'annoncer que sa famille a péri dans un crash d'avion. Simon, lui, essayait de masquer ses émotions, mais j'ai cru déceler une lueur d'amusement dans ses yeux. Dans l'état de paranoïa où j'étais, je ne pouvais en être certaine, aussi je ne me suis pas lancée dans des accusations risquées. Sean avait raison : pour l'instant, il s'agissait surtout de colmater les voies d'eau et de sauver le navire. En tant que capitaine, j'ai donné les ordres :

— On va donc reprendre le script original écrit par Brad et on va le suivre à la lettre.

J'ai ramené le sourire sur le visage de mon scénariste, mais j'ai provoqué la fureur de Simon.

— Vous ne pouvez pas faire ça, vous allez massacrer ma série !

— Non seulement j'en ai le droit, mais cette décision que je prends en cet instant va sauver votre travail. Aujourd'hui, vous n'avez pas la lucidité pour vous en rendre compte, mais bientôt vous me remercierez.

En disant ça, j'ai regardé Brad et j'ai lu dans ses yeux une forme de reconnaissance. Ça m'a permis d'affronter le nouvel assaut du showrunner.

— Votre discours est inacceptable ! Vous n'avez aucune expérience et vous débarquez pour tout changer !

— Je ne fais que remettre les choses en l'état et je suis en cela les demandes du client.

— Le client ? Amazon ? Je crois que vous avez oublié qu'ils mangent dans la main de Julia et qu'elle est très heureuse de la nouvelle direction prise par la série.

— Décision qu'elle vous a « suggérée » en ne guidant pas que votre stylo…

J'aurais pu éviter cette allusion… Il a explosé :

— Espèce de garce ! Vous oubliez que vous nous avez imposé votre acteur de pacotille. Tout le monde s'en rend compte sauf vous, il ne vaut rien. Il vous fait mouiller, alors vous avez les yeux de Chimène pour lui. C'est d'ailleurs le passage que j'ai préféré dans l'article du *Hollywood Real Truth* : « Un acteur canadien dont le nom de famille donne une idée assez exacte de la qualité de son jeu. » J'adore !

— Simon, vous dépassez les bornes. Si vous ne vous calmez pas, vous risquez de le regretter.

— Vous savez ce que j'en fais de vos menaces ? Vous devriez plutôt aller faire vos adieux à votre protégé, car il va tourner ses dernières scènes.

Pour la première fois, la conversation échappait à mon contrôle.

— Que voulez-vous dire ?

— Je vais suivre l'exemple de *Game of Thrones* et sacrifier un des personnages principaux. Le « bel » Alexandre va se faire tuer par son frère à la fin du pilote. Celui-ci n'aura pas supporté qu'un autre s'adjuge les faveurs de la belle Julie, dont il est fou amoureux. Vous allez voir, ça va être super, on fait d'une pierre deux coups ; on se débarrasse d'un acteur ridicule et on donne au public une envie irrépressible de voir la suite.

— Mais vous êtes complètement dingue ! Amazon n'acceptera jamais un changement aussi drastique.

Il a eu un sourire mauvais.

— J'ai en la personne de Julia une ambassadrice qui saura leur expliquer les avantages de cette nouvelle histoire.

— Encore une fois, vous surestimez son influence.

— On verra.

— Non, on ne verra rien du tout. Je vous interdis de leur proposer cette version ridicule.

Simon s'est mis à hurler. Cet homme n'avait jamais été d'une grande beauté, mais la fureur qui déformait ses traits le rendait hideux.

— Vous n'avez rien à m'interdire !

— Simon, je vous demande de quitter le plateau et de ne pas revenir tant que vous n'aurez pas repris vos esprits.

— Si je pars, vous allez perdre aussi Richard et Brad. Ça veut dire que vous n'allez plus pouvoir tourner du tout et que vous courez à la banqueroute.

Je suis restée silencieuse. S'il avait raison, j'étais foutue. Il me serait impossible de trouver des remplaçants pour reprendre le projet au pied levé. Simon a dû lire mon angoisse sur mon visage.

— Tant pis pour vous, Laure. Vous l'aurez voulu. Brad, Richard, on y va.

Le réalisateur lui a emboîté le pas immédiatement, mais le scénariste a, lui, marqué un temps d'arrêt. Je me suis lancée :

— Brad, vous n'avez pas à le suivre. Vous savez en votre for intérieur que j'ai raison et que le script originel – votre script, votre œuvre – est bien meilleur que tous les changements qui ont pu être décidés par la suite. Vous savez aussi que ces modifications ont été motivées par de mauvaises raisons.

Simon est intervenu :

— Ne l'écoute pas. Elle est finie.

En regardant le visage tourmenté de Brad, on voyait le combat intérieur qu'il livrait. La question était de savoir s'il devait être loyal à son ami ou à son travail. La survie de la série était suspendue à sa décision. Simon a senti cette hésitation et il a pesé de tout son poids dans la balance.

— Brad, je sais que tu tiens à cette série, mais tu ne peux pas faire confiance à cette productrice incompétente. Le plus grand service que tu peux rendre à *Mysteria Lane*, c'est de venir avec nous.

— Mais, Simon, si on part, on tue ce projet merveilleux !

— Peut-être ressurgira-t-il de ses cendres tel le Phénix. Ne t'inquiète pas, je n'ai pas dit que j'abandonnais la série. Je refuse simplement de continuer dans ces conditions.

Dans le feu de la discussion, Simon venait de lâcher une information capitale. Il avait l'intention de continuer le projet sans moi !

Brad s'est avancé en direction de son ami. C'était la faillite de mon rêve qui se mettait en place. Mais l'Américain rouquin m'a regardée puis il s'est tourné vers Simon.

— Je suis désolé, je ne peux pas l'abandonner.

— Brad, tu dois choisir ton camp, il n'y aura pas de retour en arrière. Ou tu es avec moi ou tu es avec elle !

Le scénariste a reculé pour se mettre à mon niveau.

— Je regrette que nous en arrivions à cette extrémité, mais Laure a raison. Le script que nous avons écrit au début était bien meilleur. Je ne veux pas te juger, mais tu n'étais plus toi-même quand tu nous as poussés à favoriser le personnage de Julie aux dépens de celui de Cécile. Tu as été envoûté par cette actrice. J'ai refusé d'admettre la vérité, je me suis raconté des histoires pour croire que tu agissais toujours pour le bien de *Mysteria Lane*. J'ai fait tous les changements que tu m'as demandés, mais c'était une erreur, une erreur grave. On a fait de la merde, Simon, de la merde !

Tout le monde a été surpris par la violence verbale de Brad qui s'était mis à hurler. Personne ne l'aurait cru capable d'un tel éclat. Simon l'a regardé froidement puis il a tourné les talons, suivi par Richard.

La tension extrême est retombée et mon scénariste s'est effondré dans un fauteuil.

— On n'a plus de réalisateur ni de showrunner ! Qu'est-ce qu'on va faire ?

Il était désespéré, alors que moi, dans le même temps, j'avais retrouvé calme et contrôle.

— D'abord, je vous remercie pour votre soutien. Vous allez voir, on va s'en sortir.

J'ai pris le téléphone et j'ai demandé que Pete Khan, l'assistant réalisateur, nous rejoigne dans le bureau. Ce garçon qui n'avait pas trente ans, d'origine indienne, m'avait toujours fait bonne impression, et la probité et l'intelligence me semblaient ses qualités principales. Quand il est entré dans le bureau, j'ai prié d'avoir eu le bon feeling à son sujet.

— Pete, vous êtes content de travailler sur ce tournage ?

Il a fait une petite grimace.

— Je dois vous avouer que les derniers jours ont été compliqués. J'ai un peu perdu la direction dans laquelle nous allons...

Je l'ai regardé sans rien dire et il s'est empressé d'ajouter une phrase d'excuse :

— Je suis désolé, j'ai le gros défaut de ne pas savoir me taire et de dire ce que je pense.

Je lui ai adressé un sourire rassurant.

— De nos jours, la franchise peut apparaître à certains comme un défaut, mais, rassurez-vous, elle reste pour moi une qualité inestimable. Je ne vais pas y aller par quatre chemins : je vous nomme réalisateur du pilote, au moins pour les prochains jours.

Il a eu l'air sonné.

— Richard est parti ? Et Simon est d'accord ?

— Ils se sont mis en dehors du projet tous les deux.

— Donc on n'a plus de showrunner ? Comment va-t-on faire ?

— Pete, vous n'en avez pas besoin. Nous allons revenir au script d'origine écrit par Brad. La plupart des scènes ont été tournées. Je compte sur vous pour tourner celles qui restent. S'il y a certains petits ajustements à faire sur le texte, Brad sera à vos côtés. Je vous donne à tous les deux les pleins pouvoirs.

— Et qui va prendre ma place ?

— Le second assistant réalisateur. Et pour le remplacer, lui, vous pouvez engager quelqu'un si c'est nécessaire. Tout est clair ?

— Oui, mais...

— Pete, Brad, je vous fais entièrement confiance. Le script est bon, la série le sera aussi.

Dix minutes plus tard, j'ai réuni l'équipe pour leur annoncer les nominations que je venais de faire et la nouvelle organisation. Je m'attendais à des protestations ou des commentaires désobligeants, mais j'ai plutôt eu l'impression que mon discours était accueilli comme un soulagement. Seule Julia est partie comme une furie vers sa loge. J'ai décidé de la suivre pour m'expliquer avec elle. Quand je suis arrivée, elle s'apprêtait à partir. Elle m'a apostrophée :

— Si tu crois que tu vas m'empêcher de conquérir Alexandre en vidant Simon, tu te mets le doigt dans l'œil.

Son absence de maturité n'a jamais manqué de me surprendre.

— Quel rapport ?

— Il était en train de créer entre nos personnages une idylle qui finirait par déteindre sur nos vies privées. Nous allons devenir un couple mythique dans l'histoire des séries, comme Ian Somerhalder et Nina Dobrev dans *Vampire Diaries*. Pendant une centaine d'épisodes, nous nous aimerons et cet amour fera le succès de la série.

J'ai trouvé la référence culturelle un peu pauvre... Mais j'ai noté que Simon n'avait pas parlé de ses derniers plans à son amante.

— Simon ne t'a pas dit ce qui arrive à Valerian à la fin du pilote ? Une idée pourtant assez révolutionnaire...

— Il m'a tout dit.

— Donc tu es au courant que Valerian est tué par son frère ?

La stupéfaction sur son visage m'a confirmé qu'elle n'était pas informée de ce changement.

— Tu mens ! Il ne ferait pas ça. Tu essaies de me monter contre lui. Je ne me laisserai pas abuser. Je vais aller en parler à mon père. Tu es en train de foutre en l'air notre travail et il va te virer.

— Il fera ce qu'il a à faire.

Je venais de me faire menacer pour la troisième fois de la journée et je commençais à être lasse, ce qui explique ma réponse empreinte de philosophie hindouiste. Mon calme a surpris mon interlocutrice, qui m'a quittée sur-le-champ.

Je suis restée toute la matinée au studio et j'ai déjeuné avec l'équipe. Ma sérénité était revenue en voyant combien le duo Pete-Brad avait effectué un bon travail dans les scènes qu'ils avaient tournées. Même John, l'acteur interprète du président de l'université, m'avait semblé moins mou, presque bon.

J'ai décidé de rester aussi l'après-midi, mais un SMS de Sean a interrompu ma tranquillité : « Pouvez-vous venir pour 16 heures ? Merci, Sean »

Qu'il avance ainsi notre rendez-vous n'était pas bon signe. J'ai pris ma voiture et les quarante minutes dans les embouteillages ont fait monter mon stress dans des proportions considérables. Quand, en arrivant chez Sean, j'ai vu la voiture de Simon dans l'allée, mon cœur est monté à 180 pulsations-minute. Les affaires s'annonçaient compliquées.

J'ai été accueillie par l'assistant de Sean, qui m'a conduite dans le bureau.

— M. Branson ne devrait plus être long.

Il a fallu dix minutes pour que le propriétaire des lieux arrive, suivi de Simon et de Richard.

— Bonjour, Laure. Donnez-moi quelques minutes et je suis à vous.

Et sur ces quelques mots, il s'en est allé, me laissant avec les deux traîtres. Si Richard évitait mon regard, visiblement gêné par cette confrontation, Simon, lui, rayonnait.

— Laure, je pense que c'est la fin du voyage pour vous.

De façon étrange, entendre la sentence de mort énoncée par mon ennemi a fait tomber la tension d'un coup. Il n'y avait plus d'incertitude, ou presque.

— C'est ce que Sean vous a dit ?

— Non, pas directement, ce n'est pas ce genre d'homme. Mais il a beaucoup écouté, posé des questions pertinentes et pris des notes. Beaucoup de notes…

— Simon, vos parents se sont trompés pour votre prénom. C'était louable de vous choisir le nom d'un des douze apôtres, mais je pense que, dans votre cas, Judas aurait mieux convenu.

Avant qu'il ait le temps de trouver une réponse, Sean est apparu.

— Excusez-moi, j'avais besoin de vérifier une petite chose.

Je me suis dit qu'il fallait que je puisse me défendre avant qu'il statue sur mon sort.

— Sean, peut-être pourriez-vous m'accorder quelques minutes pour avoir ma version ?

— Non, je ne crois pas que cela sera nécessaire. J'ai lu l'article, puis j'ai pu échanger avec Simon et Richard. Enfin, à l'instant, j'ai posé quelques questions à ma fille. Je crois… non, je suis persuadé d'avoir une vue globale de la situation.

Moi, j'étais persuadée au contraire que, s'il venait d'écouter le témoignage de sa fille après avoir entendu les deux affreux en face de moi, il ne pouvait avoir une vue plus partiale. Mais je n'ai rien dit ; il était trop tard, les dés étaient jetés. J'ai écouté, résignée, mon coproducteur qui s'apprêtait à me débarquer.

— Cette journée, cette longue journée, m'oblige à intervenir pour sauver une production qui va à vau-l'eau. Ma fille emploierait une autre expression, sans doute dirait-elle qu'elle part en vrille, en live ou même en sucette. J'ai lu l'article ce matin et j'ai échangé avec vous, Simon et Richard. J'ai même vu les rushes de la série, les scènes d'origine comme les nouvelles. Vous m'avez expliqué avoir voulu développer le personnage de Julie – interprétée par ma fille – pour satisfaire le client, mais aussi parce que vous jugez que l'histoire est plus forte ainsi.

Richard l'a interrompu :

— Et aussi parce que votre fille s'est révélée une actrice remarquable, bien supérieure à sa collègue Arwen.

Les réactions à cette intervention ont été étonnantes : Simon l'a foudroyé du regard alors que Sean a eu un petit sourire énigmatique.

— « Une actrice remarquable »... Vos paroles sont une douce musique à mes oreilles de père. Vous m'avez dit que Laure Masson avait opposé une résistance de tous les instants à cette nouvelle direction et qu'elle avait provoqué le chaos sur le tournage. D'où l'article de ce matin et son titre, « Hysteria Lane », qui reprend le sobriquet que les techniciens ont donné à notre projet. En clair, vous m'avez demandé de la débarquer.

Richard n'a pu s'empêcher d'intervenir à nouveau alors que Simon restait silencieux :

— Pour le bien de la série.

— Bien entendu, c'est ce que nous voulons tous, non ? Même Laure, par ses interventions, a toujours cherché à préserver la série, vous ne croyez pas ?

Cette fois, personne n'a bronché. On aurait pu entendre une mouche voler quand Sean a repris :

— J'ai demandé à voir tous les rushes pour me faire une idée par moi-même. J'ai passé quelques coups de fil et j'ai, comme je l'ai dit, une vision claire de la situation et des décisions à prendre.

Ça y est, c'était parti pour le grand huit...

— Laure, ça m'embête d'avoir à prendre cette décision alors qu'elle est de votre responsabilité, mais je ne peux pas laisser les choses pourrir. J'ai comparé les deux versions de la série, et celle d'origine est nettement la meilleure. Si je devais vous faire un reproche, ce serait de ne pas être intervenue plus tôt pour stopper cette dérive qui nous emmenait droit vers l'abîme. Simon et Richard, j'ai décidé de vous enlever tout rôle dans le projet de *Mysteria Lane*. Cette décision prend effet dans l'instant.

La stupéfaction a été totale, en tout cas pour Richard et pour moi. Le réalisateur a cherché à se justifier :

— Mais, Sean, il doit y avoir une erreur, nous avons essayé de défendre ce qui nous semblait être la meilleure piste. Si nous nous sommes trompés, si je me suis trompé, je vous demande de m'excuser.

Ce retournement de veste de dernière minute était pathétique et il y a eu un silence gêné. Seul Richard ne s'est aperçu de rien et a continué son plaidoyer :

— Sean, vous n'allez quand même pas faire ça ! Laure, je vous en supplie, c'était une erreur.

Mon coproducteur est intervenu pour couper ces supplications insupportables :

— Richard, il ne sert à rien de vous adresser à Laure. Même si elle faisait l'erreur de vous pardonner, je ne l'autoriserais pas à vous reprendre. Comme je l'ai dit en préambule, c'est ma décision. Vous avez fauté, Richard, vous avez voulu tuer la série pour servir des intérêts particuliers. C'était sans doute plus par bêtise que par méchanceté, mais cela n'excuse pas la faute. En ce qui vous concerne, Simon, je ne vous ferai pas l'injure de faire semblant de croire que ce sabotage n'était pas une manœuvre délibérée pour assassiner Laure. Je n'ai pas la preuve que vous avez commandité l'article de ce matin, mais j'ai au moins eu la confirmation que vous avez fourni au journaliste la plupart des informations qui salissent notre série. Cela justifie votre renvoi mille fois et, si j'étais vous, je ne compterais pas sur mes indemnités.

La différence entre Simon et Richard, c'est qu'il n'a pas rompu sous l'assaut.

— Vos menaces ne me font pas peur, Sean, et vous ne vous en tirerez pas comme ça. Si vous croyez que vous pourrez échapper au versement des 200 000 dollars qui me sont dus, vous vous méprenez. Je vais même vous poursuivre et vous allez me payer une indemnité record.

Sean lui a jeté un regard d'acier. Il a montré deux petits points rouges qui ressemblaient à des spots dans les coins de la pièce.

— Si vous regardez là-haut, vous verrez mon système ultra-perfectionné de caméras HD qui ont enregistré en détail vos accusations mensongères contre votre productrice. Cela devrait suffire à inciter tout juge à vous débouter de vos demandes de dédommagement, vous ne croyez pas ?

Simon n'a pas répondu. Les deux hommes se sont défiés du regard puis le showrunner a tourné les talons, suivi par le réalisateur.

Je me suis retrouvée seule avec Sean, un peu hébétée. Il m'a regardée et m'a fait un clin d'œil.

— Un doigt de whisky ?

— J'ai envie de vous dire une main, mais ce ne serait pas raisonnable. Alors, on va dire deux doigts.

Quelques instants plus tard, le liquide me brûlait la gorge. J'ai eu l'impression que le sang recommençait à circuler dans mon corps.

Plus tard, Sean a voulu faire le point sur la série. Je l'ai informé de mes décisions au sujet de Pete et de Brad. Il les a approuvées, mais j'ai eu la curieuse impression qu'il était déjà au courant. À la fin de la conversation, il a envoyé un SMS.

— Je vais vous laisser le bureau, Laure. Quelqu'un veut vous présenter ses excuses.

Sans me donner plus d'informations, il est sorti. Moins d'une minute plus tard, Julia est entrée. J'aurais dû me douter que Sean me parlait de sa fille, mais associer le mot « excuses » à Julia me semblait aussi baroque que « chaleur » à « cercle polaire ». Ce devait être d'ailleurs très inhabituel pour elle, car sa voix était différente.

— Laure, je vous présente mes excuses pour tous les problèmes que je vous ai causés. Mais je tiens à vous dire qu'à aucun moment je n'ai intrigué pour vous faire renvoyer. Je voulais juste me rapprocher d'Alexandre, c'est tout...

On a connu des excuses plus fortes, mais, de la part de la jeune Anglaise, c'était déjà énorme.

— C'est pardonné, Julia. Vous verrez, votre personnage est bien meilleur dans le script d'origine.

— Peut-être...

Ses yeux sont restés dans le vague avant de trouver une force nouvelle. Elle a alors plongé ce regard de jeune femme gâtée dans mes yeux.

— Mais, en ce qui concerne Alexandre, ça ne change rien. Je coucherai avec lui dans les six mois, comme je vous l'ai promis.

Et sans autre forme de procès, elle m'a quittée. Quelle fille impossible !

Sean m'a invitée à dîner chez lui. Julia ne s'est pas jointe à nous. À la fin de la soirée, après l'avoir remercié, j'ai posé à Sean une dernière question :

— Et si vous aviez préféré la nouvelle version de la série à l'ancienne, vous auriez fait quoi ?

— Je serais sans doute en train de dîner avec Simon et Richard et mon avocat serait en train de prendre contact avec le vôtre.

Il y avait dans son ton une petite note d'humour, mais il était impossible d'être sûre qu'il s'agissait vraiment d'une plaisanterie. J'ai préféré sourire, mais une goutte de sueur glacée est descendue le long de ma colonne vertébrale.

Une fois revenue chez moi, j'étais assez rassérénée pour reprendre mon rituel plaisir du soir. Je me suis préparé une théière d'Earl Grey, j'ai pris un paquet de biscuits écossais (des *shortbread*, les meilleurs !) et quelques chocolats et j'ai rassemblé le tout sur un plateau que j'ai apporté dans la chambre. Je sais, c'est très mauvais pour la ligne, ça génère des formes qui ne sont pas forcément placées aux bons endroits, mais on n'a qu'une vie ! Accompagnée par ma petite chatte, Princesse Leia, je me suis allongée sur le lit et, après avoir ajouté un nuage de lait dans ma tasse, j'ai pris la télécommande et j'ai commencé à zapper. L'ordre est toujours le même : je regarde d'abord HBO pour vérifier s'ils ont une nouvelle série puis je passe aux autres chaînes premium, Showtime, Starz. Plus récemment, je me suis abonnée à Netflix et, bien entendu, à Amazon. J'ai donc un choix immense et je profite de toutes les meilleures séries. Mais, parfois, je n'ai pas le courage de me plonger dans un nouvel univers et je me réfugie sur les chaînes cinéma à la recherche d'un classique.

C'est ce qui est arrivé ce soir et, quand j'ai vu le poignard s'abattre à travers le rideau de la douche, j'ai reconnu le film référence du maître Alfred Hitchcock.

Je connaissais l'histoire par cœur, mais j'ai regardé jusqu'au bout.

Après tout, n'avais-je pas, moi aussi, connu une journée terrifiante ? Les coups de couteau qu'avaient reçus Janet Leigh et le détective ne correspondaient-ils pas dans mon cas à l'article paru dans le *Hollywood Real Truth* et à l'abandon de poste de mon réalisateur et de mon showrunner ? Quant à la révélation finale où l'on apprend qui est le véritable assassin, l'épisode chez Sean où j'avais découvert la vraie nature de Simon n'aurait-il pas pu provoquer en moi une vraie psychose ?

Heureusement, la réalité est plus belle que la fiction : il est viré, et moi, je suis toujours en vie, prête à réaliser mon rêve !

Chapitre 19

Le mariage de ma meilleure amie

Je sais que les fans de comédies sentimentales me diront que le vrai titre est *Le Mariage de mon meilleur ami*. Mais, de toute façon, puis-je vraiment me comparer à Julia Roberts ? Elle doit faire quinze centimètres de plus que moi ! Mais, pour la coiffure, je suis contente de ne pas avoir l'affreuse choucroute qu'on lui impose le jour du mariage.

Une autre différence plus fondamentale est que je soutiens ce mariage à 100 %. Comment pourrait-il en être autrement ? J'étais là quand Ophélie a rencontré Charlie, sur le yacht de Michael, dans le port de Porto Cervo, en Sardaigne. J'avais même été la première à flasher sur le bel Anglais. Mais ça ne s'était pas fait... Et puis, neuf mois plus tard, ils s'étaient mis ensemble[1].

Ophélie et Charlie, le couple parfait. Beauté, intelligence, célébrité et richesse, ils ont tout : ça paraît presque caricatural ! C'est *Amour, gloire et beauté* dans

---

1. Voir *Movie Star, Saison 2 – Venise*, et *Movie Star, Saison 3 – Hollywood*.

la vie réelle. Ah oui ! parce que j'ai oublié de dire qu'ils s'aiment ; mieux, ils s'adorent !

Quand ils sont rentrés à Los Angeles, à une semaine de la cérémonie, je me suis demandé où j'allais loger. Je pouvais retourner chez David, car il m'avait laissé la clé, mais ça aurait été bizarre. Je n'ai pas eu à trouver une autre solution, grâce à Ophélie.

— Tu plaisantes, Laure, tu restes avec nous ! J'ai besoin de mon témoin et de ma meilleure amie près de moi pour les derniers préparatifs de mon mariage.

— Mais je ne vais pas vous gêner ?

— Non, mais je ne peux pas te garantir la réciproque.

— À quel niveau ?

Elle m'a lancé un regard coquin.

— En ce moment, je suis insatiable. Et assez bruyante...

— Ce n'est pas vrai ?! La maternité ne te bride pas ?

— Tu plaisantes ? Au début, j'ai eu des nausées, mais maintenant mon appétit sexuel est décuplé. Même chose au niveau du plaisir !

Des orgasmes dont l'intensité est multipliée par dix, ça fait rêver ! Le problème est qu'il faut d'abord être enceinte et que, condition première, il faut être en couple. Je n'étais pas près de connaître ces sensations...

À ce moment, Charlie est apparu.

— Salut, les filles ! Je dérange ?

C'est Ophélie qui a répondu :

— Pas du tout, mon amour, j'expliquais que tu me faisais hurler de plaisir en ce moment.

Il a été un peu surpris puis un sourire a illuminé son beau visage.

— Seulement en ce moment ?

— Disons que mes hormones aident mais que c'est ta fougue et l'amour que j'ai pour toi qui provoquent mon plaisir.

— Tu oublies ma technique impeccable.

— Oui, tu es un dieu du sexe... J'ai proposé à Laure de rester habiter avec nous jusqu'au mariage. Ça ne te dérange pas ?

Ce genre de question m'a toujours paru bizarre. Peut-on imaginer un seul instant qu'il réponde : « Si, si, ça me dérange beaucoup, elle devrait aller à l'hôtel » ?

Mais, quand l'interlocuteur est un gentleman comme Charlie, on a droit à une réponse magnifique :

— Ophélie, je n'aurais pas autorisé que le témoin et demoiselle d'honneur de ma future épouse l'abandonne à quelques jours de cet événement si important. Surtout quand cette personne est aussi une amie très chère.

— Merci, Charlie, tes paroles me touchent beaucoup.

— Alors, comment se passe ce tournage ? Ophélie m'a parlé du changement de showrunner et de réalisateur.

— Le tournage s'est très bien terminé. Nous avons rattrapé le retard et nous avons respecté le budget. Certes, ça va dépendre aussi des éventuelles indemnités à payer à Simon et à Richard. Mais l'avocat est plutôt optimiste à ce niveau grâce aux enregistrements vidéo de Sean : il pense qu'on va juste leur payer leur salaire.

— Vous avez terminé le montage ?

— On termine jeudi.

— Je pourrai le voir ?

— Vraiment ? Si tu veux, il y a une projection vendredi à 14 heures avec les clients. Ah ! je suis bête, c'est la veille du mariage, tu auras d'autres choses à faire que d'aller à une projection.

— Non, non, tout est prêt. Il me reste juste à trouver la bonne réponse à la question...

— À quelle question ?

— Tu sais, le prêtre va me demander : « Voulez-vous prendre pour épouse... »

Ophélie a compris avant moi et elle lui a balancé un énorme coup de poing sur l'épaule.

— Mufle ! Si tu songes à me faire le coup de Hugh Grant à « Tronche de Cane » dans *Quatre mariages et un enterrement*, tu dois savoir que tu prends un risque avec ta virilité. Si tu ne me dis pas oui, tu vas devenir un castrat !

— Tu vois, Laure, ma dernière interrogation vient d'être levée en un instant. Je serai donc avec toi pour la projection.

— Génial !

La semaine a été tendue, car les délais étaient serrés. Le résultat était d'une telle importance ! Le jeudi matin, j'ai enfin eu le droit de voir le pilote dans son intégralité. Alexandre m'avait accompagnée. Pour la première fois depuis que je le connais, j'ai senti que lui aussi était tendu.

On s'est installés dans la salle avec Brad et Pete ainsi que la chef monteuse, Fiona.

La lumière s'est éteinte, le générique est apparu et mon cœur s'est emballé. Au moment où j'ai lu « Executive Producer : Laure Masson », Alexandre m'a pris le bras en signe de soutien.

Les cinquante minutes suivantes ont été un mélange de fierté et d'angoisse.

À la fin, il y a eu quelques instants de silence. Tout le monde guettait mon avis. Brad n'a pas eu la patience d'attendre et il m'a interrogée :

— Alors, qu'en pensez-vous ?

La réalité, c'est que mon premier sentiment était le soulagement. La série, malgré tous ses déboires, était très professionnelle et elle correspondait à 100 % au produit commandé par Amazon. La perspective de la ruine de ma société de production s'éloignait, c'était le plus important. Je me suis aperçue que j'étais très contente, mais que la pression que j'avais ressentie avait altéré ma capacité à m'enthousiasmer. Mais, pour l'équipe, je devais passer outre ce problème personnel.

— Je n'ai qu'un mot à dire et c'est un mot français : *bravo* ! En fait deux : *bravo* et *merci*. Brad, depuis la lecture de votre script, je savais que je pouvais vous faire confiance, car j'ai vu votre talent d'écriture. En ce qui vous concerne, Pete, je vous ai poussé à faire le grand saut et vous avez dépassé mes attentes. Je crois que la chenille est devenue papillon : vous êtes un vrai réalisateur maintenant.

Les deux hommes étaient rouges de bonheur en entendant mes compliments. Je me suis adressé aussi quelques compliments pour la qualité de mon discours qui, en toute objectivité, me mettait au niveau des meilleurs managers. Certes, je dois reconnaître que la métaphore n'était ni très moderne ni très originale, mais le reste, c'était top !

Et puis je me suis aperçue que j'avais oublié quelqu'un.

— Mais un bon texte et une bonne mise en scène ne servent à rien sans la sensibilité artistique de la monteuse. Et avec vous, Fiona, nous avons été gâtés.

J'ai vu qu'elle aussi appréciait le compliment.

— Si ça ne vous dérange pas, j'aimerais le revoir. Je pense que je l'apprécierai encore plus maintenant que j'ai été rassurée par la qualité de votre travail. Vous n'êtes pas obligés de rester avec moi.

Brad et Pete sont restés. Fiona, elle, est retournée soigner quelques petits détails qui lui avaient semblé mériter un ajustement : cent fois sur le métier remettez votre ouvrage... C'est bien de travailler avec des pros motivés !

Le second visionnage a été, comme prévu, beaucoup plus agréable. J'ai pu mesurer la qualité de l'interprétation d'Arwen et je dois avouer que Julia montrait son potentiel pour devenir une grande actrice. Quant à Alexandre... les mots n'auraient pu exprimer ce que j'ai ressenti : les plus proches seraient peut-être « joie », « fierté » et « talent », que je ferais précéder de l'adjectif « immense ».

J'ai enfin compris pourquoi ce pilote était bien mais pas génial : le personnage du président, qui est clé, souffrait d'une interprétation trop faible. J'ai enragé en mon for intérieur car, depuis le premier jour, au casting, j'avais eu des réticences sur le choix de John. Mais j'avais fait confiance à Simon... C'était ma première erreur.

Sur le chemin du retour, j'étais partagée, comme c'est le cas en pareilles circonstances. J'étais heureuse de voir le travail accompli et la réalisation d'un rêve se concrétiser. Mais j'étais aussi frustrée d'être passée à côté de la série événement. Ce doit être le même genre de sentiment qui habite un athlète qui gagne la médaille d'argent aux jeux Olympiques.

Le positif l'emportant nettement, j'étais dans le bon état d'esprit pour la soirée d'enterrement de vie de jeune fille d'Ophélie.

De façon assez amusante, Charlie était inquiet.

— Laure, je compte sur toi pour éviter que les choses ne dérapent.

— Charlie, penses-tu que mon passé plaide pour faire de moi le meilleur chaperon ?

— Je pense, en effet, que ton expérience te permettra d'anticiper les mauvais coups.

— OK, compte sur moi.

Je ne voyais pas ce qui pouvait mal se passer, d'après mon expérience gagnée dans plusieurs enterrements précédents. Mais c'était en France, et là, on était aux États-Unis.

On s'est retrouvées à une quinzaine de filles dans le jardin d'une villa magnifique qui appartenait au père de l'une d'entre elles. Je ne connaissais pas une seule personne et j'ai compris que la majorité étaient des amies de Charlie et même de son frère. Elles avaient toutes des robes de soirée et j'ai regretté mon choix de cette petite robe noire toute simple. Mais j'étais la petite Française, alors ça passait.

Après l'apéritif, nous sommes rentrées dans la maison, où une superbe table avait été dressée. Nous avons eu droit à un service à table. Trois plats avant le dessert et des vins blancs et rouges de qualité. On m'avait demandé 100 dollars de contribution, mais je pense que l'on était loin du compte. Enfin, je n'ai pas eu de complexe car, vu la villa, la famille n'était pas à 2 000 ou 3 000 dollars près !

La soirée semblait assez innocente. Au dîner a succédé un karaoké dans le jardin. Le seul reproche que l'on aurait pu nous faire, c'est une consommation excessive d'alcool et quelques joints qui circulaient de main en main. Avec le matériel sono professionnel, on se serait crues en boîte de nuit. Le moment le plus sympa, c'était quand plusieurs filles ont choisi la chanson *I Say a Little Prayer for You*. Dans le film *Le Mariage de mon meilleur ami*, elle est interprétée par Rupert Everett et reprise par toute la table. Là, c'était pareil, on a toutes chanté à tue-tête. C'était tellement bien qu'on l'a recommencé deux fois. Ce morceau, c'était notre trait d'union et, pour la première fois de la soirée, je me suis sentie dans mon élément.

Mais les meilleures choses ont une fin. Deux flics ont débarqué. Quand ils ont commencé à s'en prendre à Ophélie (qui, manque de chance pour elle, tenait le micro) pour lui reprocher l'excès de bruit, j'ai eu une impression de *déjà-vu*, comme disent les Américains.

J'avais connu l'arrestation avec Alexandre et son ami à East Los Angeles, et aussi l'intervention des deux flics dans la maison de Sean. Jamais deux sans trois...

Mais Ophélie était très détendue, beaucoup trop pour que je ne détecte pas quelque chose de bizarre. Quelques secondes plus tard, quelqu'un a mis une musique techno et les flics ont commencé à danser autour de mon amie. Des stripteaseurs ! Quelle gourde ! Je crois que j'avais été la seule à ne pas percuter. Et là, ça a commencé à dégénérer. Ils ont d'abord enlevé le haut et j'ai compris pourquoi c'est un métier. Les deux mecs avaient des torses hypermusclés. Les filles se sont mises à siffler ! Les deux flics ont enlevé leur pantalon d'un coup (c'est un truc, ils sont attachés par des boutons-pression) et les ont lancés dans l'assistance. La tension a redoublé et le regard de mes camarades m'a inquiétée. Mais le vrai danger était pour Ophélie. Le plus jeune mec avait un slip qu'il lui a demandé d'enlever sous les hourras. J'ai failli intervenir pour répondre à la confiance que m'avait accordée Charlie. En même temps, je ne voulais pas casser l'ambiance : quel dilemme ! Le temps de mon hésitation, Ophélie a pris le slip à deux mains et l'a fait glisser. Heureusement, sous son slip, il avait un string. On avait échappé au pire... L'autre flic avait fait la même opération avec la fille qui possédait la maison, une grande brune pas mal. Ils se sont lancés dans une danse torride et il a avancé ses lèvres vers elle. Quand elle s'est mise à l'embrasser, elle a déchaîné les spectatrices. J'ai alors vu que le chippendale d'Ophélie dansait avec elle et que lui aussi devenait insistant. Les spectatrices ont scandé son nom : « Ophélie ! Ophélie ! Ophélie ! »

Là, je n'ai pas eu le choix. J'ai bondi et j'ai bousculé mon amie.

— Ophélie, tu permets ?

Elle m'a jeté un regard de travers.

— Eh bien, tu es pressée ! Tu es si en manque que ça ?

Je n'ai pas répondu. Même si elle n'avait ni picolé ni fumé de joints – on doit être raisonnable quand on est enceinte, de surcroît de jumeaux –, j'avais peur que la pression des autres filles ne la pousse à échanger un ou deux smacks qu'elle regretterait plus tard.

Le problème, c'est que le flic a cru que j'étais excitée par lui ; il m'a serrée contre lui et a pris mes mains pour les plaquer sur ses fesses. Un seul mot : berk !

En plus, j'ai senti une bosse en train d'augmenter de volume dans le string : trop dégueu, le mec était gagné par l'excitation générale !

Je ne sais pas si c'est à cause de mon âge ou de ma culture française, mais cet épisode m'a glacée. Je crois que j'étais la seule dans ce cas. Même Ophélie semblait s'amuser.

Quand le mec a commencé à me mettre la langue dans l'oreille, j'ai mis le holà. Je l'ai pris par la main et l'ai conduit vers une fille pas trop jolie. Elle était hystérique et elle s'est jetée à son cou, les jambes enserrées autour de sa taille. Ils se sont embrassés de façon répugnante et il a mimé le coït.

La demi-heure suivante, les deux éphèbes sont passés de fille en fille pour « danser » avec chacune d'entre elles. Deux ou trois ont résisté comme moi, mais la majorité a joué le jeu, au-delà de ce que les convenances acceptent.

La maîtresse de maison a même disparu avec l'un des deux. J'ai senti qu'il était temps de partir.

— Ophélie, on va y aller.

Elle m'a regardée comme si je lui annonçais que je voulais embrasser la vocation de nonne.

— Tu plaisantes ? Il est à peine 1 heure !

— Eh bien, tu as de la chance, Cendrillon à cette heure-là était déjà partie depuis soixante minutes.

— Sois sympa, c'est mon enterrement de vie de jeune fille ! On peut rester encore un peu... On ne fait rien de mal.

Je me suis dit qu'il était heureux que je sois venue pour éviter un éventuel dérapage, mais je me suis retenue d'émettre un commentaire.

— Non, mais j'ai une réunion vitale demain, je dois être en forme.

— Rentre, je prendrai un taxi plus tard.

— Impossible, j'ai promis à Charlie que je te ramènerais.

— Vous n'êtes vraiment pas drôles ! Je me demande ce que j'ai fait pour mériter des bonnets de nuit comme vous deux.

J'ai coupé court à la conversation. Un peu avant 2 heures, j'étais au lit pour prendre un peu de repos avant une journée cruciale. Si j'avais su ce qui allait se passer, je pense que je serais restée à la fête, je me serais pris une cuite et peut-être même que j'aurais ajouté un rail de coke ou une pilule d'ecstasy !

La réunion chez Amazon avait lieu à 14 heures. Charlie ayant décidé d'assister à la projection, je disposais d'un chauffeur pour me conduire. Et pas n'importe quel chauffeur ! Un homme magnifique, grand, bronzé, avec des yeux incroyables, conduisant un coupé Maserati, c'était la classe absolue. D'ailleurs, nous sommes arrivés à destination en même temps que le vice-président des programmes d'Amazon. Il a fait une tête pas possible quand il m'a vu ainsi accompagnée.

Vingt minutes plus tard, nous étions installés dans la salle de projection. Je m'attendais à une réception un peu fraîche de la part de mes interlocuteurs, mais la présence de Charlie a créé un climat cordial. Il a discuté avec tout le monde et a répondu avec beaucoup de gentillesse aux questions sur le film qu'il venait d'achever de tourner. Ça a apporté un tel plus pour donner une ambiance positive avant de commencer la projection que je me suis soudain questionnée sur l'insistance de Charlie à venir. J'avais même peu de doutes, c'était un coup monté par Ophélie. Elle avait dû penser que je refuserais si elle en discutait ouvertement avec moi mais elle avait poussé son mec à m'accompagner pour maximiser les chances de succès.

Et ça a marché ! Au-delà de ce qu'on pouvait imaginer. Quand les lumières se sont rallumées, tous les regards se sont tournés vers Greg, le VP, le Vice-Président Programmes. Au début, il est resté mesuré.

— Eh bien, Laure, vous avez tenu vos engagements et je vous en remercie. Votre pilote est réussi compte tenu des difficultés que vous avez rencontrées.

Ses propos constituaient un réel soulagement : ils allaient accepter mon pilote, j'allais être payée ! Il ne montrait pas non plus un enthousiasme débordant et la probabilité qu'ils commandent une saison complète était, pour le moins, incertaine. C'était compter sans la présence du Zorro de service sous les traits de Charlie. Il est intervenu avant que tout autre ne donne son avis :

— Vous avez raison, Greg, le pilote est très réussi. Laure, il est étonnant de penser que tu aies dû recourir à deux réalisateurs différents. Il y a une qualité de production constante. Et j'aime beaucoup la photo. Tu me donneras le nom de ton chef op[1], il est possible que je te le prenne pour un prochain film. Vous ne trouvez pas, Greg, que l'image est incroyable ?

_____

1. Le « chef op », ou directeur de la photographie, est le responsable créatif et technique des prises de vues et de la qualité artistique de l'image. Sur un tournage, il prépare l'éclairage afin de restituer les tons, les couleurs et même les émotions selon les attentes du réalisateur.

Connaissant le lien qui unissait Charlie et le chef op qu'il avait utilisé sur ses deux premiers films, j'ai su que son intérêt n'était que pour la façade. C'était bien joué : comment voulez-vous que le VP, confronté à cet avis positif d'une des nouvelles stars de la réalisation à Hollywood, donne un avis contraire ? Surtout que, dans la salle, il y avait une dizaine de ses collaborateurs. Alors, il a fait ce que beaucoup d'hommes auraient fait à sa place : pour ne pas paraître fade en comparaison, il est tombé dans la surenchère.

— Je suis d'accord avec vous, Charlie, je dirais même qu'il y a des similitudes avec la photographie du *Collateral*, de Michael Mann.

Là, c'était vraiment *too much* et assez irréaliste. Comparer le film avec Tom Cruise, qui se passe la nuit dans Los Angeles, avec *Mysteria Lane*, dont les scènes se déroulent dans une université à la campagne...

Charlie a continué à faire la promo du pilote :

— Pour l'interprétation, je m'interroge...

— À quel sujet ?

— Si je devais décerner un prix d'interprétation féminine, j'aurais du mal à choisir entre les deux jeunes femmes. Ce qui est certain, c'est que vous avez beaucoup de chance de les avoir dans votre casting, car elles vont vite passer dans le monde du cinéma.

— Oui, c'est fort possible. Pour répondre à votre question, je crois que je préfère Julia Branson, mais je reconnais que les deux sont remarquables. En revanche, pour le meilleur rôle masculin, le choix est facile, c'est Alexandre Cabot. C'est d'ailleurs ma seule réserve sur ce pilote : l'interprétation de John Donner est un peu faible.

En entendant cet avis qui confirmait le mien, mes poils se sont hérissés et ma rancœur contre Simon a augmenté : on avait frôlé le chef-d'œuvre et cet imbécile arrogant avait laissé passer l'opportunité !

Mais Charlie, lui, continuait sa défense inconditionnelle :

— J'entends ce que vous dites, mais ce n'est pas inintéressant d'avoir un rôle un peu moins intense. Enfin, le plus important est de garder les trois autres le plus longtemps possible. J'espère que vous ne les avez pas signés pour une seule saison.

Greg s'est tourné vers moi.

— C'est une excellente question. Laure, vous les avez sous contrat pour combien de saisons ?

C'était une fausse question, car Charlie et moi avions échangé sur le sujet en venant au rendez-vous. En mettant une deuxième saison sur le tapis, il entérinait de fait la première...

— Nous avons une option ferme pour une deuxième saison et sous certaines conditions le renouvellement pour la saison 3.

— Très bien, c'est une excellente chose.

Greg s'est aperçu qu'il s'engageait un peu trop et il a tenu à nuancer ses propos.

— Cela ne veut pas dire que nous allons signer la commande de cette première saison. Il faut que nous nous réunissions entre nous pour en décider.

Charlie a compris qu'il ne fallait pas pousser le bouchon trop loin.

— Je vais vous laisser. J'ai un après-midi chargé. Merci pour cette projection. Laure, je suppose que tu restes ?

— Oui, ne t'inquiète pas, je prendrai un taxi.

Il est parti et je suis allée avec Greg dans son bureau pour parler des prochaines étapes. D'abord pour savoir quand il comptait me donner la réponse pour la commande d'une *full season*. Et puis je voulais lui demander s'il avait une idée de la date de diffusion et de la campagne de communication. Nous avons échangé sur le sujet avant qu'il ne jette un coup d'œil à son ordinateur.

— J'ai informé Mme Greyson de la qualité de votre pilote. Elle vient de m'envoyer un mail où elle me demande de vous féliciter. Vous pouvez donc considérer que votre pilote est accepté, et il y a de bonnes chances que l'on vous commande la série.

Quel soulagement ! J'ai posé la question triviale :

— Et pour le paiement ?

— Dès que vous nous livrez le master[1], je donnerai les ordres à la comptabilité.

À ce moment-là, son regard a été attiré par une personne qui lui faisait signe. J'ai reconnu la directrice juridique que j'avais rencontrée lors de la signature de notre contrat. Greg lui a fait signe d'entrer, mais il s'agissait visiblement d'un sujet confidentiel, car elle lui a signifié qu'elle voulait le voir seul à seul.

Il s'est excusé auprès de moi et a quitté le bureau. Pendant son absence, j'étais dans une sorte de transe, d'extase. Mon avenir me semblait tout tracé, j'allais devenir productrice de séries et, pourquoi pas, de cinéma !

---

1. Programme définitif prêt à la diffusion fourni par le producteur à son client.

Greg est resté absent très longtemps, plus de vingt minutes. Quand il est revenu, les soucis avaient transformé son visage.

— Laure, Simon Herzog, c'est le showrunner dont vous vous êtes séparés, n'est-ce pas ?

C'était une question de pure forme, il savait parfaitement qui il était. Cette façon d'entamer la conversation m'a provoqué un coup au cœur. J'ai senti que les ennuis arrivaient.

— Oui, c'est ça.

— Vous avez terminé la négociation de départ ?

— C'est en cours... mais ça ne touche pas notre pilote. Il s'agit juste d'un différend financier.

— Ce n'est pas ce que semblent indiquer les quinze pages de documents juridiques que son avocat vient de nous envoyer. Il prétend qu'il y a un problème de *copyright infringement*[1].

— Mais ce n'est pas possible !

— Il semble que votre script reprenne des scènes venant d'une autre œuvre dont vous n'avez pas acquis les droits.

J'ai compris l'angle d'attaque vicieux du salopard : il utilisait sa fanfiction pour me mettre en difficulté. C'était ridicule !

— Greg, ça ne tient pas debout, il s'agit juste...

Il m'a interrompue d'un geste de la main.

— Ce n'est pas moi qu'il faut convaincre. Mon département a étudié les documents et considère les fondements juridiques suffisamment solides pour me demander de différer l'acceptation du pilote.

---

1. « Violation de droits d'auteur ».

Pas d'acceptation, ça voulait dire pas de paiement !

Greg a essayé d'atténuer la mauvaise nouvelle.

— Mais, Laure, cela ne change rien à ce que je pense de votre série qui reste très prometteuse. Il vous suffit de régler ce différend et je vous ferai virer les fonds. Votre avocat, c'est maître Buffon ?

— Oui, pourquoi ?

— Il semble qu'il a aussi reçu une copie du dossier. Il est donc au courant de la situation. Je vous conseille de le voir le plus vite possible. Tenez-nous au courant.

Je me suis retrouvée dans la rue sans m'en rendre compte. J'ai erré pendant cinq minutes avant de prendre mon portable pour appeler mon avocat.

— Bonjour, maître, je voulais savoir...

— Bonjour, Laure, je viens de lire le dossier. J'ai dégagé le reste de mon après-midi. Vous pouvez venir maintenant ? Pouvez-vous aussi demander à Brad Killarney de se joindre à nous ?

Quarante minutes plus tard, nous étions tous les trois dans le bureau de l'avocat italien.

— Laure, j'ai une question préalable que je dois vous poser, même si je crains de connaître déjà la réponse : avez-vous fait signer à Simon Herzog l'addendum au contrat que je vous avais envoyé ? Vous savez, celui où il est spécifié qu'il ne doit reprendre aucun élément de la fanfiction pour la série ?

La réponse méritait une explication. J'avais bien reçu le projet d'addendum et j'en avais parlé à Simon pour le persuader de le signer. Il m'avait embrouillée sur des notions d'« histoire éternellement réécrite » et il avait essayé de me dissuader de la nécessité d'un tel document. J'avais quand même insisté et il avait pris le document, me promettant de le soumettre à son avocat. N'ayant pas de nouvelles, je l'avais relancé une semaine plus tard. Il s'était excusé et avait promis de regarder le document. Ensuite, j'avais oublié et il s'était gardé de m'en reparler... J'aurais pu expliquer tout cela à maître Buffon, mais j'ai choisi la version courte :

— Non.

En homme pragmatique et en fin psychologue, il n'est pas entré dans un discours du genre « je vous avais pourtant avertie du danger de cette situation ». À quoi sert-il de revenir sur les erreurs commises ? Il a préféré se concentrer sur le futur.

— Brad, avez-vous réutilisé des scènes que vous aviez écrites dans la fanfiction ?

— Oui.

— Beaucoup ?

— Je dirais cinq ou six.

— Et ça représente combien de temps dans le pilote ?

— Quinze, vingt minutes. Enfin, c'est difficile de savoir avec précision, car quelques scènes ont certains dialogues inédits.

— Laure, peut-on réécrire ces vingt minutes pour ne plus tomber dans le plagiat ?

J'ai réfléchi quelques secondes avant de répondre :

— Ça créerait un dépassement budgétaire, mais ça ne me paraît pas le plus gros problème. Je ne vois pas comment garder une unité et un sens à l'histoire en en changeant un quart. Brad ?

Le pauvre scénariste a lui aussi pris son temps pour se prononcer.

— J'ai envisagé cette solution et je cogite depuis pour trouver une nouvelle histoire qui tienne la route, mais sans succès.

— Alors, il ne reste plus qu'à négocier. Vous êtes d'accord pour que je contacte la partie adverse ?

J'ai haussé les épaules.

— Que peut-on faire d'autre ? Allez-y.

Il nous a quittés pour revenir quelques minutes plus tard.

— Je ne sais pas si on doit considérer ça comme une bonne nouvelle, mais ils nous attendent.

— Tant mieux. Autant savoir à quelle sauce ils veulent nous manger.

Dans l'ascenseur qui nous rapprochait de la confrontation décisive, maître Buffon m'a donné ses consignes :

— Laure, laissez-moi officier, et ne prenez la parole que sur mon invitation. C'est très important, maître Merteuil est une avocate redoutable.

J'ai cru avoir mal entendu.

— Merteuil, Kathryn Merteuil ?

— Oui, vous la connaissez ?

— Oui, je l'ai rencontrée une fois.

Une seule fois, pendant une dizaine de minutes, juste avant les fiançailles de Charlie et d'Ophélie. Et le hasard faisait que j'allais la recroiser la veille du mariage ! Enfin, le mot « hasard » n'est peut-être pas approprié, car je n'ai jamais cru à ce genre de coïncidence. Les deux seules personnes que je détestais à Los Angeles étaient réunies pour me pourrir la vie ! Quand elles ont pénétré dans la salle de réunion où on nous avait installés, j'ai été contente que la table nous sépare et que les coutumes américaines nous autorisent à nous saluer sans nous serrer la main.

C'est mon avocat qui a pris la parole :

— Maître, je vous présente ma cliente, Laure Masson.

Elle a eu un sourire froid.

— Nous nous connaissons. Et je crois que nous avons également partagé un amant...

Là, je me suis dit que j'allais me la faire, mais maître Buffon a posé mon bras pour me prévenir de ne pas répondre à la provocation.

— Maître, je ne crois pas que vos vies privées entrent en jeu dans notre affaire. Évitons ce genre de considérations.

Son sourire s'est teinté d'ironie.

— Vous seriez surpris... Mais restons-en là, nous y reviendrons plus tard. À mon tour de vous présenter Simon Herzog.

Le revoir n'aurait jamais pu être agréable, mais, dans ces circonstances, c'était un cauchemar. Si j'avais été armée, j'aurais pu faire une bêtise... Il m'a regardée droit dans les yeux avec arrogance et je me suis forcée à ne pas détourner les yeux.

Son avocate a fixé les enjeux.

— Nous sommes ici pour parler de la violation de copyright de l'œuvre créée par mon client par la série *Mysteria Lane*, dont la productrice est Laure Masson...

Maître Buffon l'a interrompue :

— Violation supposée, maître. N'oubliez pas que votre client était le showrunner et qu'il a lui-même choisi d'incorporer des scènes dans *Mysteria Lane*. Un juge pourrait statuer qu'il y a une volonté malicieuse qui annule le préjudice.

— Maître, je vous rappelle que le scénario a été écrit par Brad Killarney...

— Sous la direction de votre client.

Ils ont continué leur échange qui ressemblait à un duel au fleuret. Sans grand intérêt, sauf celui de tester la résistance de l'autre camp. Jusqu'à ce qu'une proposition de maître Buffon vienne modifier les rapports de force.

— Maître, nous étions déjà en discussion sur les dommages que réclame votre client en raison de son départ de la série. Nous pouvons y inclure la résolution de cette affaire de copyright.

Il m'a glissé un papier sur lequel il avait écrit : « OK pour les 200 000 dollars ? » J'ai pris le stylo pour écrire trois lettres : « *Yes*. » Il a repris la parole :

— Ma cliente est prête à accepter de verser les 200 000 dollars de dédommagement que vous demandez.

— Merci, maître, vous ne faites là que respecter une des clauses du contrat que votre cliente a signé. C'était un prérequis indispensable à la poursuite de nos discussions. Nous considérons que nous aurions pu demander un dédommagement supplémentaire vu le préjudice moral subi, mais nous considérons que nous avons un accord sur ce point-là.

J'ai poussé un soupir de soulagement. 200 000 dollars, c'était beaucoup d'argent, mais je restais dans des limites acceptables. L'avocate a poursuivi :

— Mais cela ne règle en rien le problème du copyright.

Ce n'est pas vrai ! Ce cauchemar prendra-t-il fin un jour ? Mon avocat a gardé un calme admirable.

— Notre proposition financière couvrait aussi cette acquisition de droits supplémentaires. Mais dites-moi ce que souhaite votre client.

— M. Herzog n'est pas le seul concerné dans cette deuxième partie de nos discussions.

— Que voulez-vous dire ?

— M. Herzog m'a cédé une partie de ses droits...

Je n'ai pas pu me retenir.

— C'est une blague ?

Maître Buffon est intervenu :

— Laure ! Maître, que signifie cet épisode grotesque ? Vous investissez dans la création artistique, maintenant ?

— Par obligation, maître, par obligation... Votre cliente ayant bloqué la rémunération du mien, celui-ci s'est trouvé à court de cash et a été obligé de me céder une partie de ses droits pour payer mes honoraires.

La nouvelle était déconcertante. Même maître Buffon a pris quelques instants pour enchaîner :

— D'accord, quelles sont vos demandes pour régler ce problème de copyright ?

J'ai commencé à faire des calculs. Après la réaction très positive d'Amazon, je pouvais espérer au moins vendre la saison de treize épisodes. Au moins six... Ça voulait dire que je pouvais sacrifier 1 ou 2 millions de dollars pour payer ces requins. Pas idéal, mais si ça me permettait de me sortir de ce guêpier... Je pourrais me refaire si une deuxième saison était commandée. J'étais suspendue à la réponse de Kathryn.

— Simon est très attaché à cette série et il m'a transmis son virus. Nous voulons la totalité des droits de la série *Mysteria Lane*.

J'ai fait un bond mais j'ai réussi à me contenir. Mon avocat a répondu :

— Ce n'est pas possible, ma cliente n'en possède que la moitié.

— Oui, ma langue a fourché, je ne parlais que de la part détenue par Mme Masson. Nous savons que l'autre moitié appartient à M. Sean Branson. C'est un partenaire qui nous convient.

— Et pourquoi ma cliente accepterait-elle un deal où elle perd tout ?

— Désolée, maître, je ne suis pas d'accord avec vous. Elle se rembourse sur le pilote et évite la ruine.

— La ruine ?

— Oui, maître, la ruine. Vous savez très bien qu'Amazon ne prendra aucun risque et ne diffusera jamais votre pilote tant que le problème de droits ne sera pas réglé. Ce qui veut dire qu'ils ne paieront pas...

— Mais je peux obtenir un jugement pour manœuvre frauduleuse.

— Vous savez que vos chances sont minces, pour le moins.

Maître Buffon est resté silencieux, preuve que notre affaire était mal engagée. Kathryn a repris la parole avec plus de douceur :

— Nous pouvons assouplir notre position et vous offrir de garder 20 % de vos parts, donc 10 % de la série.

— Et en contrepartie, que voulez-vous ?

— Simon et moi-même pensons qu'un des acteurs ne doit pas continuer dans la série. Nous souhaitons que votre cliente le convainque de renoncer à continuer.

493

« Un des acteurs », il n'était pas difficile de deviner quelle était la cible. Cette fois, je suis intervenue directement, sans m'énerver :

— Ce que vous demandez est impossible, les clients viennent de voir le pilote et ils ont beaucoup aimé. Et puis tuer le personnage interprété par Alexandre – parce que je suppose que c'est de lui qu'il s'agit – obligerait à retourner d'autres scènes et à refaire la postproduction et le montage. Même si j'acceptais, je n'ai pas l'argent...

L'avocate a eu l'air ennuyée. Elle a réfléchi puis s'est penchée vers Simon. Celui-ci a froncé les sourcils avant qu'elle ne rajoute un point qui l'a fait sourire.

— D'accord, nous acceptons votre argument. Vous allez donc convaincre Amazon qu'il est nécessaire que Valerian soit tué dans le deuxième épisode.

Plus d'Alexandre à partir du deuxième épisode, autant arrêter la série. Eh ! mais ce n'est pas bête, ça ! Pourquoi ne pas accepter leur deal, empocher l'argent d'Amazon et leur saborder la commande de la saison complète ? Est-ce que Sean m'aiderait ?

À cet instant, je me suis aperçue que mon esprit me suggérait des solutions débiles : pourquoi Sean renoncerait-il à faire de l'argent sur une série offrant également un tremplin formidable pour la carrière de sa fille ?

Mais ce risque devait exister, car Kathryn y a pensé en même temps que moi.

— Je tiens à préciser que, si Amazon ne commandait pas la suite de la série, le deal ne tiendrait plus.

— Et pour ce « service », vous ne me laissez que 20 % de mes parts ?

— N'oubliez pas que cela vous permet de garder votre nom au générique.

J'ai eu un nouveau coup au cœur. Je n'avais pas réalisé que la perte de mes parts impliquait que je perdrais la paternité du projet aussi bien pour le public que pour le monde professionnel. Cela voulait dire que je repartais de zéro ; je n'aurais jamais la force de recommencer.

Quand je me suis aperçue que j'étais prête à sacrifier la carrière d'Alexandre pour sauver la mienne, j'ai eu un vrai dilemme. L'affreux visage de la tentation me susurrait à l'oreille que, grâce à moi, il avait pu au moins tourner un pilote, ce qui allait lui faciliter la vie dans les castings à venir. Mais la voix de la raison m'a ramenée à la réalité : un acteur qui est « viré » après le pilote de la première série dans laquelle il tourne a une faible probabilité d'avoir une deuxième chance. En plus, avec son caractère, il allait tout plaquer...

J'ai contre-attaqué :

— Pourquoi accepterait-il ? Il ne me doit rien.

Kathryn Merteuil m'a dévisagée avec un sourire mauvais.

— Vous plaisantez ? Il vous doit tout, au contraire. Sans vous, il n'aurait jamais trouvé un rôle dans cette ville, j'y aurais veillé. D'ailleurs, il l'avait bien compris en s'exilant dans le fin fond du Canada. Mais ne vous inquiétez pas pour lui, le métier de guide touristique lui va très bien avec sa petite gueule d'ange.

J'avais envie de lui sauter à la gorge, mais la table nous séparait...

— Il n'a pas d'argent, pas 1 dollar : il ne peut pas accepter.

Cette fois, elle n'a même pas consulté son « associé » pour me faire une offre.

— OK, 25 000 dollars pour qu'il parte sans faire de vagues.

— C'est une aumône ! 100 000 dollars.

— 50 000 dollars, et c'est mon dernier mot. Si vous n'êtes pas d'accord, nous annulons ce deal, ce qui élimine toute chance pour lui de gagner 1 dollar de plus. Vous voyez que, dans cette configuration, tout le monde est gagnant.

La réunion s'est achevée dans une sorte de brouillard.

Quand maître Buffon a suivi sa consœur dans son bureau pour discuter d'un point technique, je me suis retrouvée seule avec Simon. Celui-ci en a profité pour m'assener un dernier coup :

— Laure, je dois vous remercier. Sans vous, je serais toujours en train d'essayer de négocier ma pauvre indemnité de départ. C'est vous qui m'avez expliqué qu'il fallait signer un addendum au contrat pour vous protéger. Vous m'avez montré la faille, vous m'avez signalé votre talon d'Achille. Pour vous qui êtes cinéphile, c'est un peu comme dans *Le Seigneur des anneaux*, quand Grima, Langue de Serpent, indique à Saroumane le point faible du mur de la forteresse afin que les troupes Uruk-hai puissent anéantir les humains.

J'ai essayé une pauvre contre-attaque :

— Je crois que je préfère encore les Uruk-hai à vous.

Il a émis un rire massif.

— Je vous comprends : ils sont féroces, certes, mais moins que moi.

Je n'ai pas commenté. À quoi bon ?

Mon avocat est revenu et les deux escrocs nous ont accompagnés aux ascenseurs. Le sourire satisfait de Simon m'inspirait un dégoût indicible. Au moment où la porte se refermait, j'ai mis ma main pour interrompre le mécanisme. J'avais une envie d'imiter le général Cambronne, qui avait refusé de se rendre aux Anglais à Waterloo en prononçant une phrase devenue immortelle : « La garde meurt mais ne se rend pas. » Je n'allais pas le plagier, alors j'ai choisi de reprendre la métaphore que mon ancien showrunner avait employée.

— Simon, vous avez oublié qu'à la fin de la bataille du Gouffre de Helm, à l'aube du cinquième jour, Gandalf arrive avec la cavalerie du Rohan et renverse l'issue du combat.

Les deux avocats m'ont regardée comme si j'avais perdu la tête. Simon, lui, a paru désarçonné et l'ascenseur avait commencé sa descente quand il m'a crié sa réponse :

— La différence, Laure, c'est que vous n'avez pas de magicien blanc ! Ne l'oubliez pas !

Comment l'oublier… maître Buffon m'aurait fait redescendre sur terre si jamais j'avais pu me mettre à espérer une issue favorable.

— Laure, nous devons leur donner une réponse avant mardi, 9 heures. Ils voulaient lundi midi, mais j'ai réussi à obtenir un jour de délai.

J'ai eu envie de lui dire qu'il n'y avait qu'une demi-journée de différence, mais ça aurait été mesquin. De toute façon, ça ne changeait pas grand-chose, j'étais coincée, ce que mon avocat m'a confirmé.

— Je vais étudier nos recours juridiques, mais je vous engage déjà à réfléchir très sérieusement à leur offre. Même si je trouve des arguments pour les attaquer, je pense qu'il faudra au moins un à deux ans pour obtenir un jugement final.

Deux ans ! Je n'aurai jamais les reins assez solides financièrement pour survivre pendant un laps de temps aussi long.

Après avoir quitté maître Buffon, j'ai pris un taxi pour rentrer chez Charlie. Mon portable a sonné et l'écran a indiqué qu'il s'agissait de l'interlocuteur que je voulais le plus éviter, Alexandre. J'ai laissé sonner sans répondre. Il m'a envoyé un SMS : « Je suis au courant. Décroche, on doit parler. A. »

J'ai donc pris l'appel suivant.

— Alexandre ?

— Laure, comment vas-tu ?

Je lui aurais bien dit que j'avais l'impression d'avoir été attachée sur les rails du TGV Paris-Marseille pendant une journée...

— On a connu mieux. Ils t'ont appelé ?

— Oui, Simon a mon numéro de portable.

— C'est lui qui t'a parlé ?

— Non, c'est elle. Elle était trop contente de m'annoncer qu'elle me renvoyait au Canada.

— Alexandre, je n'ai pas accepté ! J'ai presque quatre jours pour trouver une solution. Il faut réfléchir.

Son ton s'est fait un peu cassant.

— Réfléchir à quoi ? Les données du problème sont simples. Accepter leur offre te permet de sauver ton nom au générique et un peu d'argent. Et moi, je repars avec 50 000 dollars, ce n'est pas rien.

— Mais, Alexandre, tu auras du mal à trouver un autre rôle.

Cette fois, sa réponse a été douce, presque murmurée.

— Laure, maintenant, il va falloir que tu me laisses partir. Cette femme veut m'éliminer du monde de l'entertainment. En continuant à t'occuper de moi, tu fous en l'air ta propre carrière. Tu as déjà réussi à me faire tourner et j'ai pris un pied incroyable. Ce que tu as fait restera à jamais comme une des plus belles choses qui me soient arrivées. Je t'en serai éternellement reconnaissant.

Qu'il me remercie au lieu de m'agonir d'insultes pour avoir merdé et foutu sa carrière en l'air, ça a été trop pour moi. Les vannes ont cédé et je me suis mise à pleurer toutes les larmes de mon corps.

Il m'a entendue.

— Ne pleure pas, Laure, ils n'en valent pas la peine. Je t'assure, ça va aller.

J'ai reniflé.

— Mais tu ne vas pas repartir ?

— Pas tout de suite, je vais participer au lancement de la série. Ensuite, je quitterai Los Angeles.

— Et Arwen ?

— C'est une actrice belle et intelligente. Elle retrouvera quelqu'un.

— Mais tu l'aimes !

— Oui, mais je ne veux pas prendre le risque que cette folle de Merteuil s'en prenne à elle. Et puis j'ai aussi une raison égoïste pour penser qu'une séparation est préférable : je suis certain que je ne supporterais pas que ma compagne réussisse dans une profession qui me serait interdite.

Je comprenais son sentiment. Il avait raison, son couple ne pourrait survivre à cette situation. J'arrivais à ma destination, nous avons dû stopper notre conversation.

Dans la maison, une mauvaise surprise m'attendait sous la forme d'une bouteille de champagne qui trônait dans un seau à glace au milieu du salon. Ophélie s'est jetée dans mes bras.

— Bravo, ma grande ! Charlie m'a dit que c'est un énorme succès.

Elle a provoqué le syndrome du tsunami : après la première vague, il y a toujours une réplique. Dans mon cas, les larmes ont ressurgi, aussi violentes que la première fois. Mon amie m'a regardée, interloquée, comme son futur mari, qui entrait juste dans la pièce. Malgré mon chagrin, j'ai tant bien que mal expliqué la situation.

Dire que j'ai cassé l'ambiance est un euphémisme. Ophélie est restée muette, sans trouver le moindre mot de réconfort. C'est Charlie qui a rompu le silence :

— Tu as prévenu Sean ?

— Non, pas encore. Mais, pour lui, rien ne changera. Il n'est pas vraiment concerné, c'est avant tout mon problème.

Charlie m'a reprise avec un rien de sévérité :

— Non, Laure, ce n'est pas exact. Il s'est lancé dans l'aventure avec toi, il t'a accordé sa confiance. Il va se retrouver associé à des gens avec qui il n'a aucune affinité ; pire, avec une personne qu'il a virée ! Tu te dois de lui annoncer.

Il avait raison. J'ai pris mon courage à deux mains et je l'ai appelé :

— Sean ?

— Laure, comment allez-vous ? Je suis au courant.

Ce n'est pas vrai, ils ont passé la nouvelle sur les chaînes d'info ou quoi ? Après Alexandre, maintenant Sean.

— C'est maître Merteuil qui vous a appelé ?

— Non, c'est maître Buffon.

L'espace d'un instant, savoir que mon avocat avait appelé mon associé sans me prévenir m'a un peu agacée. Et puis je me suis raisonnée : après tout, il était notre avocat à tous les deux. L'avantage était que je n'avais pas tout à réexpliquer.

— Alors, qu'en pensez-vous ?

— Je préférerais en parler de visu. Vous êtes où ?

— Je suis chez Charlie Brown.

— Je sais où il habite. Pouvez-vous lui demander si ça l'ennuie que je passe ?

Moi, ça me gênait d'imposer ce genre de contrainte à mes amis la veille de leur mariage. Mais, quand j'ai relayé la question de Sean, Charlie m'a signifié que cela ne posait aucun problème. Dans mon monde qui s'écroulait, dans cet ouragan de haine qui s'abattait sur moi, s'il y avait une muraille qui ne rompait pas, c'était bien mon couple d'amis !

— Sean, Charlie est d'accord.

— Je vais appeler Marco Buffon pour qu'il se joigne à nous. De votre côté, demandez à votre scénariste, Brad, qu'il vienne aussi.

J'ai appelé mon assistant, Jason, pour qu'il trouve Brad et lui passe le message. Et puis, dans l'élan, sans savoir pourquoi je faisais cela, j'ai invité Jason à se joindre à nous. Comme on dit aux États-Unis, *the more, the merrier*[1].

Une heure plus tard, on était tous réunis autour d'un grand plateau de sushis. Je suis allée dans la cuisine avec mon amie chercher des bières japonaises pour tout le monde.

— Ophélie, je suis désolée de t'imposer ça la veille de ton mariage.

— Il faut reconnaître que c'est une préparation originale. Beaucoup plus, d'ailleurs, que mon enterrement de vie de jeune fille. J'en profite pour te remercier de t'être occupée de moi ainsi. Tu as été un chaperon incroyable.

— C'est normal quand ma meilleure amie, ma sœur, se marie.

Elle qui a parfois un cœur dur m'a prise dans ses bras.

— Tu vas voir, je suis sûre que vous allez trouver une solution. Il est impossible qu'autant d'esprits brillants n'y parviennent pas.

C'était gentil, je n'ai pas voulu la détromper, mais j'étais sceptique.

Nous avons commencé le dîner et la réunion. C'est Sean qui menait le débat et, au début, il a beaucoup sollicité notre avocat. Il a imaginé un grand nombre d'hypothèses juridiques, mais, à chaque fois, maître Buffon a douché nos espoirs.

En désespoir de cause, j'ai émis une idée :

— Et vous, maître, vous n'auriez pas un moyen de pression qui les force à reculer ?

Il a haussé les sourcils, surpris par ma question.

---

1. « Plus on est de fous, plus on rit ».

— Vous pensez à quoi ?

— Je ne sais pas, je n'ai pas d'idée précise...

À ce moment-là, Sean a explosé de rire.

— Je crois qu'elle sait parfaitement mais qu'elle n'ose pas te dire à quoi elle songe. Tu vois la scène du *Parrain*, quand le consigliere va voir le producteur pour lui demander de donner le rôle principal au filleul de Don Corleone. Celui-ci refuse ; et tu sais ce qui se passe ensuite ?

C'est Charlie qui a répondu :

— Le lendemain, le producteur retrouve la tête de son étalon de course préféré sur son lit dans une mare de sang !

Sean avait un grand sourire.

— Exactement ! Alors, comme tu es d'origine italienne, Marco, Laure se demande si tu ne pourrais pas avoir ce genre d'« arguments » avec maître Merteuil et M. Herzog. C'est ça, Laure, non ?

Tout le monde a éclaté de rire pendant que j'essayais de nier. La vérité est que je n'aurais pas été contre l'aide du parrain. Dans ma situation, ça me paraissait la seule solution...

Ce moment a constitué un intermède de détente dans une soirée difficile. Il semblait n'y avoir aucune solution.

Sean s'est tourné vers chaque personne pour savoir si elle avait une solution « miracle ». Il a même demandé à Ophélie.

— Charlie ?

— Non, désolé.

— Laure ?

— Malheureusement, non.

— Brad ?

— Non...

On a senti son hésitation et Sean l'a relancé :

— Allez-y, Brad, à ce stade, aucune idée n'est mauvaise. Pensez que Laure a voulu faire intervenir la Mafia.

— Mon idée n'est pas très réalisable financièrement.

— Cela veut donc dire que vous en avez une. Exposez-la sans vous soucier de la faisabilité.

— J'ai pensé à ce qu'a dit Charlie à la sortie de la projection et qu'il a répété tout à l'heure : la thématique et l'histoire sont très fortes. D'autre part, on a un cast, des décors. Pourquoi ne pas revisiter le script et tourner de nouvelles scènes pour avoir un produit final qui ne viole aucun copyright ?

J'ai soupiré. C'était évidemment la première idée que j'avais eue... Je l'ai signifié :

— Vous l'avez dit vous-même, Brad, ça nous coûterait un autre million de dollars.

Sean est intervenu :

— Si c'était le seul problème, on le résoudrait sans trop de difficulté.

Tu parles, il doit avoir une machine à imprimer les dollars dans sa cave ! Il a continué :

— Mais je crois que notre client n'accepterait pas de diffuser tant qu'il y a une incertitude juridique. Qu'en penses-tu, Marco ?

— C'est certain, ils ne vont prendre aucun risque.

Résultat, on dépenserait 1 million de dollars pour rien ! Retour à la case départ.

Soudain, Jason, qui était resté très en retrait, conscient que son rôle d'assistant ne le prédisposait pas à participer à ce genre de réunion, m'a fait un signe. Je lui ai indiqué d'un geste qu'il pouvait intervenir.

— Permettez-moi de reprendre le constat de Brad : vous avez un casting, des décors, une équipe en place. Votre seul problème est le scénario qui empêchera toute série. Vous n'avez qu'à tuer la série et son scénario, et adopter la solution de David Lynch dans *Mulholland Drive*.

J'étais déçue de son intervention : tout mettre à la poubelle, quelle solution innovante ! Mais Charlie m'a devancée, son œil brillait.

— Jason, c'est génial ! C'est exactement ça, *Mysteria Lane* sera le nouveau *Mulholland Drive*.

Charlie a dû lire mon incompréhension dans mon regard, car il a fait une explication de texte pour toute l'assemblée.

— C'est ce qui est arrivé au film de David Lynch. Au départ, ce devait être un pilote de série, mais après son visionnage il a été rejeté par les clients. David Lynch a alors repris son projet et a doté son pilote d'une fin pour le transformer en long-métrage.

Sean l'a suivi dans son enthousiasme.

— Tu as raison, Charlie, c'est le même problème. On va adopter la même solution… Marco, cette fois, tu valides ?

Notre avocat a souri pour la première fois de la soirée.

— Si vous abandonnez la série et que vous faites un film avec un nouveau scénario, je n'ai aucune raison de m'opposer à ce genre de projet. Et nos adversaires n'auront aucun recours juridique. S'ils bougent ne serait-ce qu'une oreille, je les crucifie, je les attaque pour procédure abusive.

— Génial, il ne reste plus qu'à trouver un complément de financement. Charlie, à vue de nez, combien ?

— Sean, c'est plus ton domaine que le mien. Ça dépend du nouveau script et il faut savoir si tu renforces ton casting par un ou deux acteurs célèbres.

— On n'aura pas l'argent pour ça. Tu crois qu'on peut s'en tirer à 8 millions ?

— 8 à 10 ; un film coûte quand même plus cher qu'une série.

— Bon, ça doit pouvoir se trouver.

J'assistais à cet échange dans un sentiment d'irréalité, mais aussi d'espoir. J'ai pensé à un problème que je me devais d'exposer.

— Je ne veux pas doucher l'enthousiasme général, mais il nous manque une pièce du puzzle importante.

Tous les regards se sont tournés vers moi.

— Je vous rappelle que le réalisateur est parti et que son remplaçant débute dans la fonction. On ne peut pas lui confier un long-métrage.

J'ai alors vu Ophélie s'approcher derrière Charlie et le prendre par le cou. Il s'est retourné et ils ont eu un échange non verbal intense. C'est mon amie qui a traduit pour tout le monde.

— Je connais un grand réalisateur qui, juste après une courte lune de miel, sera complètement disponible pour tourner. Il sera ravi de ne pas avoir à rester bloqué avec une épouse qui va bientôt ressembler à une vache laitière.

Elle a ponctué son annonce d'un grand sourire. Les invités, qui n'avaient pu remarquer la petite rondeur d'Ophélie au niveau du ventre, se sont précipités pour féliciter le jeune couple et notre problème a été relégué au second plan pendant quelques minutes. Charlie a remercié tout le monde avant de prendre la parole :

— J'aurais préféré que ma future épouse parle du fruit de notre amour avec plus de respect. Et chaque moment passé loin d'elle est difficile... Mais, sur le fond, elle a raison : je suis avec vous à 100 %.

Sean a froncé les sourcils.

— Charlie, c'est très généreux de ta part, mais tu es sûr ? Après avoir dirigé un blockbuster qui a fait un très bon box-office, tu veux plonger pour un petit film indépendant ?

Le futur marié a souri autant avec ses yeux qu'avec ses lèvres.

— Vous plaisantez ? Jason a parlé de l'aventure de David Lynch tout à l'heure. Vous ne vous rappelez pas qu'il a gagné le prix de la mise en scène au Festival de Cannes ? Moi, ça me va, même si je dois le partager avec les frères Coen[1] !

Je suis restée sans voix devant tant de générosité. Sean avait un grand sourire.

— Bon, je crois que nous avons un plan ! Brad, à vous de transformer votre plume en baguette magique et de nous pondre le scénario de la décennie.

— Ne vous inquiétez pas, Sean. Je suis sur le sujet depuis si longtemps que j'ai noté plein d'idées. Pour un film, je vais pouvoir explorer des concepts plus profonds, comme la tolérance envers les gens différents.

Charlie a rebondi dans la seconde.

— Excellent ! Il faut en faire une ode à la différence et à la tolérance.

Sean a sifflé la fin du match.

---

1. En 2001, David Lynch avait partagé le prix de la mise en scène avec Joel et Ethan Coen pour *The Barber*.

— Je vois que les esprits créatifs sont déjà à l'œuvre. Merci à tous pour votre contribution à cette réunion qui nous a permis de sortir d'une situation compliquée. Il ne me reste qu'à trouver les fonds pour financer ce chef-d'œuvre.

À ce moment, un doute de dernière minute est venu me tarauder.

— Mais Amazon n'a-t-il pas un droit de préemption sur ce film ?

Sean s'est tourné vers Marco Buffon, dont le front a révélé qu'il y avait bien un problème.

— Laure a malheureusement raison ; on ne peut rien développer sur ce sujet sans leur accord. Je m'étais focalisé sur le problème de scénario et je n'ai plus pensé à cet aspect des choses. Sean, je suis désolé.

Le regard de l'Écossais s'est voilé.

— Ça complique les choses. Ça veut dire qu'il faut convaincre Amazon de transformer la série en film et de rajouter 7 millions de dollars ! Difficile mais pas impossible maintenant que l'on a un réalisateur de renom. Il faut que je joigne Jennifer Greyson, la vice-présidente d'Amazon, pour qu'on la rencontre avec son équipe dès que possible.

Cette fois, nous avons réussi à mettre un terme à la réunion. Plus tard, j'ai enfin pu exprimer ma gratitude à Charlie.

— Je ne sais pas quoi dire, Charlie. C'est si généreux de ta part ; tu m'as sauvée.

Il a eu ce sourire gentil qui est sa marque de fabrique.

— C'est naturel, Laure. À quoi servent les amis sinon ?

— Certains disparaissent quand les ennuis surviennent…

— Ce ne sont donc pas des amis. Je n'oublie pas que tu étais là avec David pour soutenir Ophélie durant les épreuves qu'elle a subies. Sans vous deux, je ne serais pas un futur marié et papa.

David ! Ce nom m'a fait revenir à une autre incertitude de mon existence que j'avais occultée. Avec tous ces soucis concernant *Mysteria Lane*, j'avais oublié que David était le témoin de Michael. Mais, comme la journée avait déjà été suffisamment rude, j'ai décidé de ne pas m'en faire. D'ailleurs, quand j'ai éteint la lumière de ma chambre, j'ai pensé à ce qu'avait raconté Charlie sur le destin du film *Mulholland Drive*. Quel rêve d'aller à Cannes monter les marches pour présenter un film ! Je me suis endormie en m'imaginant en robe de soirée sur le tapis rouge avec Charlie, Alexandre, Julia et Arwen...

Le mariage de ma meilleure amie restera à jamais un grand moment de ma vie. Il est impossible de relater tout ce que l'on peut ressentir pendant ces heures de fête. Il me reste des flashs...

Le premier moment d'émotion a été la séance d'habillage. Ça a d'ailleurs commencé par une discussion difficile avec la mariée pour l'essayage de la robe de demoiselle d'honneur. Enfin, essayage est un grand mot car, que ça me plaise ou non, j'allais devoir porter la fichue robe toute la journée. Tout ça parce que je n'avais pas pu être présente le jour de l'essayage officiel !

La styliste est arrivée avec Ophélie et m'a donné la robe en question. Déjà, quand j'ai vu le tissu, j'ai cru que j'allais avoir la nausée : une sorte de mousseline rosée. Elle m'a proposé de la passer. J'ai pris sur moi et je suis allée dans la salle de bains. Cinq minutes plus tard, j'étais au bord du suicide en me regardant dans la glace. Mon amie m'a rejointe.

— Alors, elle te va ? Pas mal, elle est bien ajustée, la styliste a fait un beau travail.

Je l'ai regardée, catastrophée.

— Ophélie, mais elle est horrible !

— Horrible ? Non, tu exagères. C'est le style américain. Peut-être un peu kitch...

— Un peu kitch ? Mais même dans les années 1970, à l'époque du peace and love, ils n'auraient pas osé porter quelque chose d'aussi, d'aussi, d'aussi...

Je n'ai pas trouvé le qualificatif approprié.

— Viens te montrer à Louisa, ma styliste.

Je l'ai suivie dans la chambre en traînant des pieds. Ophélie, elle, était enthousiaste.

— Alors, Louisa, comment la trouvez-vous ?

La jeune femme m'a jaugée avant qu'un grand sourire éclaire son visage.

— C'est formidable, elle est juste à la bonne taille. Ce n'était pas évident de réussir ce pari sans séance d'essayage.

Mais ils allaient me lâcher avec cette séance d'essayage ! Le seul avantage, si j'avais pu y aller, est que j'aurais pu les convaincre que porter cette horreur était impossible. Maintenant, c'était certainement trop tard. J'ai quand même tenté ma chance.

— Ophélie, tu m'avais dit que tu choisirais une tenue sobre pour les demoiselles d'honneur.

— C'est pour cela que c'est un rose pas trop soutenu.

J'ai soupiré, je ne savais pas quoi ajouter. Ophélie était si contente.

— Laure, tu comprendras quand tu auras vu ma robe. Les deux s'accordent à merveille.

Elle m'a laissée un bon quart d'heure dans la chambre à désespérer, assise seule sur le lit. La seule bonne nouvelle était que, si les deux robes se complétaient dans l'horreur, je ne serais pas la seule ridicule et nous pourrions partager cette épreuve ensemble.

Quand elle est apparue dans la chambre, j'ai compris que l'expression « s'accordent à merveille » n'avait pas la même signification pour elle et pour moi. Pour moi, c'était l'équivalent de la matière et de l'antimatière, de la Belle et de la Bête, de docteur Jekyll et Mr Hyde. Elles « s'accordaient » car elles ne pouvaient pas être plus opposées. Autant la mienne était sans cachet, sans forme, sans couleur définie, autant celle d'Ophélie était une pure merveille. Une robe bustier qui s'étirait jusqu'à une traîne somptueuse : c'était la quintessence de la simplicité et de l'élégance. Ses épaules dénudées soulignaient la finesse de sa silhouette et son chignon dégageait son beau visage. Si vous vouliez connaître la mariée idéale, c'est simple, elle était devant moi. Ophélie a tourné sur elle-même.

— Oscar de la Renta ! Alors, tu en penses quoi ?

Les larmes me sont venues aux yeux. Je n'ai pu les retenir, ce qui a inquiété mon amie.

— Laure, tu pleures. C'est à cause de ta robe ? Tu ne l'aimes pas ? Tu veux en essayer une autre ?

J'aurais pu abonder dans son sens et profiter de sa proposition pour me défaire de l'affreux bout de tissu qui me rendait moche, mais, à ce moment, j'ai dit ce que je pensais :

— Non, je pleure parce que je suis heureuse de te voir si belle pour ce jour spécial. Tu n'as jamais été aussi radieuse, et il le faut, car tu vas épouser un homme sans équivalent. Alors, bien que l'on ne puisse imaginer pire robe pour une demoiselle d'honneur, je serai quand même à tes côtés quand tu diras « oui » à Charlie.

Ophélie a été si émue qu'elle a aussi versé une larme et nous nous sommes prises dans les bras de longues minutes. Puis elle s'est reculée.

— Laure, j'espère que tu me pardonneras cette blague, ce sont les autres qui ont insisté. Louisa, vous pouvez les faire entrer.

Je n'ai pas compris ce qu'elle voulait dire ; pas plus quand j'ai vu les trois autres demoiselles d'honneur entrer dans la pièce toutes habillées d'une robe ressemblant à celle de la mariée, mais d'une couleur gris-vert. J'ai bafouillé :

— Mais, je ne comprends pas…

Les filles poussaient des cris de joie et effectuaient une sorte de danse guerrière autour de moi ; il m'a fallu tendre l'oreille pour entendre les explications d'Ophélie.

— Comme elles t'avaient trouvée rabat-joie le soir de l'enterrement de vie de jeune fille, elles ont insisté pour te faire croire que cette robe immonde serait ta tenue de demoiselle d'honneur. Elles ont parié que tu refuserais de la porter, et moi, j'ai parié le contraire. J'avais confiance en toi et j'ai gagné. Pardonne-moi cette imposture.

J'ai eu du mal à réaliser.

— Mais alors, la robe que je vais porter, c'est…

— Oui, c'est aussi une Oscar de la Renta, faite spécialement pour l'occasion. Tiens, la voici.

Louisa était venue derrière moi et elle me montrait la robe avec un gentil sourire. L'heure suivante a été un moment de pur bonheur. Cette fois, j'avais la bonne robe, les souliers assortis, et la coiffeuse s'est occupée de moi.

Quand je me suis regardée dans la glace, je ne me suis pas reconnue : une vraie beauté ! Laure Masson en Oscar de la Renta : ça le fait, non ?

Plus tard, en me rendant à la cérémonie, je me suis demandé combien ce mariage allait coûter. Cinq robes Oscar de la Renta pour commencer...

Et pour aller au lieu où se déroulait la cérémonie, nous avons eu droit à la limousine ! Pourquoi se gêner ?

Quant à l'endroit où les deux amoureux allaient prononcer leurs vœux, c'était une hacienda juste au-dessus de Santa Barbara, la Quinta Estate in Montecito. Ophélie m'a glissé que la valeur de la propriété était de 29 millions de dollars !

Je n'ai pas eu le loisir de visiter, le temps a passé si vite jusqu'à l'heure fatidique !

Nous sommes descendus une quinzaine de minutes avant la mariée. J'ai salué les parents d'Ophélie.

Quand elle m'a embrassée, sa maman n'a pu s'empêcher de verser des larmes.

— Ah ! Laure, je n'arrive pas à y croire. Quand je pense qu'il y a moins d'un an nous étions au milieu de ce cauchemar, que ma petite fille[1]...

Son mari l'a interrompue :

---

1. Voir *Movie Star, Saison 3 ~ Hollywood*.

— Martine, ce n'est pas le moment de ressasser ces événements. Et tu te rappelles qu'Ophélie t'a fait promettre de bien te comporter avec Michael Brown. Elle a insisté pour dire que les choses n'étaient pas aussi simples que la presse avait pu les décrire et que, sans lui, elle n'aurait pas eu la chance de rencontrer Charlie.

— Oui, mais, quand même, il est son témoin de mariage ! Charlie aurait pu éviter cela !

— Martine, tu as promis...

Je suis restée aussi longtemps que possible avec eux, jusqu'à ce que je voie David. Il était magnifique dans sa jaquette. Il s'est approché de moi. J'ai noté qu'il n'avait pas bonne mine. Il m'a prise dans ses bras et m'a embrassée sur les joues.

— Laure, tu es resplendissante.

— Tu n'es pas mal non plus. Tu vas bien ?

Il m'a regardée avec un triste sourire.

— Ça va, je survis.

— C'est à cause du boulot ? C'est dur ?

— Non, le boulot, ça va. Ce qui est difficile, c'est de ne plus être avec toi. Le seul avantage, c'est que j'ai perdu quelques kilos...

Effectivement, il me paraissait tout mince, je ne reconnaissais pas celui dont les poignées d'amour étaient un sujet de moquerie. Ça m'a inquiétée.

— Combien ?

— De kilos ou de cheveux ? Pour le poids, je dois en avoir perdu une dizaine et, pour les cheveux, je prévois une calvitie vers la quarantaine.

Il essayait de faire de l'humour, mais ce n'était pas drôle. L'arrivée du *wedding planner*, qui nous a demandé de nous mettre en place, a interrompu notre discussion.

À l'autel, en plus du prêtre, il y avait Charlie et Michael. J'ai commencé par embrasser le futur marié, qui était dans tous ses états. J'ai essayé de le rassurer :

— Charlie, tout va bien se passer, profite de ce moment unique.

Il m'a remerciée, mais il était vraiment nerveux. Je suis allée saluer Michael qui, lui, était détendu.

— Laure, vous êtes plus belle à chaque occasion où je vous rencontre.

Le compliment n'a pas beaucoup plu à David, qui se tenait à proximité, mais il n'a rien dit. J'ai évité de le regarder quand j'ai répondu :

— Michael, vous êtes vous aussi très élégant.

— Merci, je me tiens prêt à remplacer mon frère au pied levé si celui-ci défaille avant de prononcer les paroles fatidiques.

Il a réussi à faire sourire Charlie.

— Dans tes rêves, grand frère ! Tu as eu ta chance, tu l'as laissée passer…

— C'est vrai ! Et je suis heureux qu'il en soit ainsi, vous formez un couple merveilleux.

— Merci, Michael.

— Enfin, si tu es dans un tel état alors qu'elle n'est pas encore à ton côté, tu vas nous faire une crise cardiaque tout à l'heure.

— Ça va aller. Tu sais que la demoiselle d'honneur ici présente, Mlle Laure Masson, est la productrice du prochain film que je vais réaliser.

C'était curieux de parler de ce sujet à quelques minutes de son mariage, mais j'ai compris qu'il cherchait à décompresser. Michael est entré dans son jeu.

— Oui, Sean m'a expliqué. Ça me semble une excellente idée. Bravo, Laure, c'est formidable !

Je l'ai remercié, mais j'étais assez gênée par ces compliments immérités compte tenu des problèmes engendrés par la série. Soudain, la marche nuptiale a retenti et j'ai vu mon pauvre Charlie redevenir tout pâle. Michael l'a, lui aussi, remarqué.

— Charlie, n'oublie pas : je suis là pour te remplacer si nécessaire.

C'était la bouffée d'oxygène pour permettre au marié de se décontracter.

— Ton divorce n'est pas encore prononcé...

— Exact, mais le prêtre ne le sait pas !

Après cet échange, tout le monde s'est tu pour regarder la mariée qui remontait l'allée au bras de son père entre les deux rangées d'invités. Elle marchait lentement et mon cœur a commencé à s'emballer quand elle est arrivée à notre niveau. Elle a relevé son voile et, quand je l'ai regardée à côté de Charlie, j'ai cru être dans un dessin animé de Walt Disney tellement ils étaient beaux.

Le reste, c'était comme dans un rêve, comme dans tous les films romantiques américains que je regardais depuis une vingtaine d'années, sauf que ce n'était pas sur un écran mais à quelques mètres de moi.

Le prêtre s'est finalement tourné vers Charlie pour prononcer la phrase rituelle :

— *Charles Brown, do you take Ophélie Delacour for your lawful wife, to have and to hold, from this day forward, for better, for worse, for richer, for poorer, in sickness and in health, until death do you part ?*

Le marié a regardé sa future femme dans les yeux et c'est la gorge serrée qu'il a répondu :

— *I do.*

— *Ophélie Delacour, do you take Charles Brown for your lawful wife, to have and to hold, from this day forward, for better, for worse, for richer, for poorer, in sickness and in health, until death do you part ?*

Mon amie avait un sourire éclatant et elle a parlé d'une voix forte, comme si elle voulait faire partager la force de son amour à toute l'assemblée.

— *I do.*

Ils ont ensuite échangé les alliances et le prêtre a dit :

— *You may kiss the bride.*

Charlie s'est penché vers Ophélie pour leur premier baiser de couple marié. L'échange des consentements m'avait déjà beaucoup émue, et là j'ai dû me concentrer pour retenir les larmes qui ne souhaitaient rien d'autre que ruiner mon maquillage.

David et moi étions à la table d'honneur avec les mariés. Ophélie nous avait même placés côte à côte. C'était gentil de sa part, une volonté de donner une chance à un couple qu'elle avait vu naître deux ans et demi plus tôt. Mais la tristesse de David me faisait de la peine. Malgré ses efforts pour échanger avec moi et les autres convives sur des sujets divers, son humeur contrastait avec l'ambiance et elle déteignait sur moi.

Après les discours, Ophélie et Charlie ont ouvert le bal aux bras respectifs de leur père et de leur mère. Ils étaient beaux, ils étaient heureux, ils célébraient leur amour alors que nous souffrions de notre séparation ; les Américains ont emprunté une phrase dans notre langue pour qualifier ces circonstances : *c'est la vie !*

Je n'osais pas quitter David pour rejoindre les autres sur la piste de danse, mais il me connaissait trop bien pour ne pas deviner ma frustration.

— Laure, je vais y aller.

— Déjà ? Mais le dîner vient juste de se terminer !

— Je suis content pour Ophélie et Charlie, mais cette image du bonheur me renvoie à nos difficultés de couple. Je te vois aussi belle à mon côté et je ne peux plus te serrer dans mes bras. C'est très dur...

Je n'ai rien dit. Il a pris mes mains dans les siennes et il m'a regardée droit dans les yeux.

— Laure, je vais rentrer à Los Angeles dans quelques mois. Même si le job est formidable, il ne sera jamais assez bien pour rivaliser avec le plaisir d'être avec toi. Est-ce que je peux espérer avoir une chance de te reconquérir ? Est-ce que tu es avec cet acteur ? Es-tu amoureuse de lui ?

Qu'il mentionne Alexandre m'a énervée. Tout comme le fait qu'il veuille rentrer alors qu'il aurait été plus simple qu'il ne parte pas. Ma réponse a donc été un peu sèche :

— Je ne suis pas avec lui et je ne l'ai jamais aimé. En tout cas, pas comme je t'ai aimé, toi. Mais cela ne veut pas dire que nous avons une chance : je ne peux te dire si notre amour est juste malade ou s'il est mort. La seule chose que je sais est que tu dois faire tes propres choix, et pas en fonction de moi, car je ne peux rien te promettre.

Il a hoché la tête et n'a rien répondu. Il m'a fait la bise et il s'est éclipsé après m'avoir demandé de transmettre ses salutations aux jeunes mariés.

Je me suis retrouvée seule à table et j'ai repensé au film *Le Mariage de mon meilleur ami*. À la fin du film, Julia Roberts se retrouve dans la même situation d'abandon total. Jusqu'à ce qu'elle découvre que son ami George est venu passer la soirée avec elle. Moi, je n'avais pas d'ami gay pour me faire danser.

Soudain, sortant de la foule, Michael est apparu. Il était toujours aussi beau et sa tenue de garçon d'honneur était d'une élégance rare. Il s'est approché de moi.

— Chère amie, accepteriez-vous de danser avec moi ?

— Volontiers, Michael.

L'orchestre a interprété plusieurs rocks sur lesquels j'ai enfin pu m'éclater dans les bras d'un danseur hors pair. Ophélie, entre deux morceaux, m'a glissé une petite vanne avec un sourire.

— Si je me rappelle bien, tu m'as dit un jour que tu lui préférais George Clooney[1].

— Ça, c'était avant de savoir qu'il dansait comme un dieu. Depuis Venise[2], je l'ai replacé en première position des apollons. Enfin, non, en deuxième, derrière Alexandre.

— Sois sage, Charlie et moi vous observons.

— J'ai bien le droit de m'amuser, non ?

— Je plaisantais, éclate-toi !

Contrairement à ce qu'elle affirmait, je me suis demandé s'il n'y avait pas un fond de jalousie. Je n'ai pas eu le temps de cogiter à ce sujet, car Michael a recommencé à me faire tourner et à enchaîner les passes compliquées.

La chanteuse était une Noire formidable, la vraie descendante d'Aretha Franklin. Elle a d'ailleurs poursuivi

---

1. Voir *Movie Star, Saison 1 – Deauville*.
2. Voir *Movie Star, Saison 2 – Venise*.

avec une chanson de la Queen of soul. C'était un slow et Michael, sans me laisser le choix, a mis sa main gauche autour de ma taille alors que sa droite se saisissait de la mienne. Quand j'ai entendu les premières paroles, « *Say a little prayer...* », j'ai pouffé, ce qui a intrigué mon cavalier.

— Qu'est-ce qui vous fait rire ?

— Je viens de penser à la scène finale d'un film avec Julia Roberts...

— Et Ruper Everett. Vous parlez du *Mariage de mon meilleur ami.*

— Exact. Je fais le parallèle entre ce mariage et celui du film. Comme Rupert Everett, vous êtes venu me sauver de ma solitude...

— Mais, contrairement à lui, je ne suis pas gay !

En disant cela, il m'a fait un clin d'œil. Je me suis demandé s'il me faisait une proposition. Il a dû sentir qu'il pouvait y avoir méprise.

— En revanche, je pourrais reprendre ses mots dans le film : « *Maybe there won't be marriage. Maybe there won't be sex. But, by God, there'll be dancing*[1]. *Brown. Michael Brown.* »

J'ai éclaté de rire.

— Michael, vous trichez ! Les vraies paroles à la fin de sa tirade sont : « *Bond. Jane Bond.* »

— Laure, ne suis-je pas aussi glamour et sexy que l'agent 007 ?

Il l'était, sans aucun doute. Ça m'a ramenée à une vraie question :

---

1. « Peut-être qu'il n'y aura pas de mariage. Peut-être qu'il n'y aura pas de sexe. Mais, que Dieu en soit témoin, il y aura de la danse. »

— J'en déduis que ce n'est pas ce soir que nous testerons notre compatibilité sexuelle.

Il m'a regardée avec intensité et il se dégageait une grande gentillesse de ses yeux bleus.

— Notre complémentarité dans ce domaine ne fait aucun doute pour moi. Mais je ne pense pas que votre esprit ait la tranquillité nécessaire pour ce moment que je souhaiterais inoubliable.

J'ai pensé à la confrontation difficile avec David.

— Vous avez sans doute raison. Ça veut dire qu'il n'y aura pas de mariage non plus ?

Il a fait une grimace.

— Non, j'en ai terminé avec le mariage, je laisse ça à mon frère. Pour moi, je m'en tiendrai au sexe.

— Et vous croyez que vous et moi...

— Qui sait, Laure ? Quand je vous vois resplendissante comme ce soir, je me dis que je ne peux pas estimer avoir fait le tour de la sensualité sans passer une nuit avec vous.

C'était une réponse charmante.

— Merci, Michael, je ne suis quand même pas Julia Roberts.

— Vous êtes beaucoup plus jeune. C'est une vieille !

— Elle doit avoir dans les cinquante ans, non ?

— C'est ce que je disais.

— Et donc le célèbre Michael Brown va passer une nuit seul dans des draps de satin ?

Deuxième grimace.

— Je suis attendu par une des demoiselles d'honneur dans sa chambre. Je vais d'ailleurs la rejoindre, car elle patiente depuis une heure.

— Profitez, Michael. Je vous souhaite une bonne nuit.

Il m'a embrassée puis il est parti saluer son frère et sa toute nouvelle belle-sœur.

Quand je me suis retrouvée seule dans mon lit dans cette belle chambre d'hôtel, j'avais retrouvé le moral. Je venais d'assister au mariage de ma meilleure amie et j'étais convaincue que, comme elle, je saurais surmonter les épreuves pour vivre un happy end.

Chapitre 20

The White Wizard, le magicien blanc

Quand on est une petite fille, on croit aux fées et on aimerait en avoir une pour marraine comme Cendrillon.

Plus tard, on abandonne cette croyance, mais, dans un coin de sa tête, on espère toujours obtenir une aide surnaturelle dans les moments difficiles.

Est-ce pour cela que j'ai adoré la trilogie du *Seigneur des anneaux* ? Je ne saurais le dire. J'avais quinze ans quand le deuxième volet est sorti. Contrairement à ma meilleure amie, je n'ai pas succombé au charme du bel Aragorn, mais, de façon surprenante, je suis devenue une fan de Gandalf le Gris, le magicien. Après sa chute dans les abîmes avec le Balrog, il a ressuscité en tant que Gandalf le Blanc. J'ai aimé sa figure paternelle rassurante, son humanité, mais aussi sa capacité à défendre ses amis.

Ce lundi matin, quand je me suis levée, je me suis dit que, plus que de magie, j'avais besoin d'un bon scénario et d'un Sean au meilleur de sa forme pour convaincre Amazon de poursuivre l'aventure.

À 10 heures, il m'a envoyé un SMS : « Rendez-vous accepté : 20 heures au Château Marmont. Travaillez bien le script avec Brad, nous n'aurons le droit qu'à une seule chance. »

Quelques minutes plus tard, le scénariste m'a rejointe au bureau. Il avait l'air si épuisé que je me suis inquiétée.

— Ça va, Brad ?

— Un peu fatigué, mais je crois que je tiens quelque chose. Je crois même que je n'ai jamais écrit un scénario aussi fort.

Dans la bouche de quelqu'un dont la modestie est la principale qualité (et aussi, à Hollywood, le principal défaut), de telles paroles étaient encourageantes.

— Parfait. Vous allez nous faire une lecture. Jason, vous vous joignez à nous ?

À ce moment, on a frappé à la porte. Qui pouvait nous déranger à cette heure ? Jason est allé ouvrir ; c'était Charlie.

— Charlie, mais qu'est-ce que tu fais ici ? Tu ne devrais pas être dans l'avion ?

Il m'a fait un grand sourire.

— Le voyage de noces est repoussé de vingt-quatre heures. J'étais trop impatient de connaître le nouveau scénario de mon film.

Derrière ces propos, j'ai senti un geste d'amitié de sa part et, sans aucun doute, de la part d'Ophélie.

Brad a commencé sa lecture. Au début, sa voix était hésitante, mais au bout de quelques minutes elle s'est raffermie. Mes espoirs ont suivi le même chemin ! Au bout d'un quart d'heure, mon intérêt s'est mis à évoluer vers ce que je pourrais qualifier d'enthousiasme. J'ai tourné la tête pour regarder Charlie. Un large sourire illuminait son visage et il m'a fait un clin d'œil. Nous étions sauvés, Brad avait accompli un exploit. J'espérais qu'il ait trouvé une fin qui égale la qualité du reste du script. Car les grands films ont souvent une grande fin : pensez à *Usual Suspects*. S'il n'y avait pas ce retournement de situation dans les dernières minutes, où l'on comprend que le pauvre boiteux Verbal est en fait le terrible Keyser Söze et qu'il s'est joué des flics (mais aussi des spectateurs), le film resterait-il inscrit dans toutes les mémoires ?

Quand Brad nous a lu la scène où le président de l'université se sacrifie pour permettre aux élèves des différentes races (et notamment à sa fille et à son petit ami mutant) de pouvoir vivre pacifiquement, j'ai eu la larme à l'œil. J'avais tort, ce que Brad avait réussi ne pouvait être qualifié d'exploit ; le mot « miracle » était plus approprié.

Il s'est tu et il y a eu un moment de silence. Puis Charlie s'est mis à applaudir, imité par Jason. Je me suis levée et j'ai embrassé le scénariste.

— Brad, vous êtes un génie ! Je vous dois la vie.

Il est devenu tout rouge et a bredouillé quelques mots de remerciement. Charlie avait des petites remarques sur deux, trois détails à changer. J'ai donné le planning de la journée.

— Brad, vous faites ces modifications et vous remettez le fichier à Jason pour 15 heures. Jason, vous faites imprimer et relier ce script en dix exemplaires. Il faut que ce soit nickel et prêt à 18 heures. Vous me les apporterez à 19 h 30 au Château Marmont. Brad, vous me rejoignez à la même heure.

Charlie est intervenu :

— J'arriverai un tout petit peu plus tard, vers 20 heures. Ça ira ?

— Mais tu viens ?

— Bien sûr, je ne vais pas vous abandonner pour ce pitch décisif. Ne me parle pas de mon voyage de noces, il ne commence que demain. Et tu imagines comment ta copine Ophélie réagirait si Amazon ne prenait pas le deal parce que je n'aurais pas jugé utile de venir t'aider ? Je serais tout près du divorce !

Je n'ai pas argumenté. Il avait raison et nous aurions besoin de toutes les alliances possibles pour accomplir notre plan.

À 19 h 30, j'étais dans le salon de l'hôtel réservé par Sean. J'avais mon tailleur-pantalon bleu marine et des chaussures assorties : ma tenue de combat ! Jason m'avait apporté les scripts et Brad était arrivé en avance. Sean nous a rejoints un peu avant 20 heures avec maître Buffon, suivi par Charlie. Nous étions cinq pour défendre ce projet, ils sont venus à quatre : Jennifer Greyson, la vice-présidente, son directeur juridique et les deux VP éditoriaux, Alice et Greg, que nous avions à la projection du pilote.

Les salutations ont été un peu froides et guindées : tous connaissaient le scandale de l'article du *Hollywood Real Truth*, qui avait jeté un discrédit sur leur entreprise.

C'est encore la présence de Charlie qui a changé la donne. Il a parlé de son tournage au Kenya, du plaisir de revisiter le chef-d'œuvre de Sydney Pollack, *Out of Africa*. Les cadres d'Amazon buvaient ses paroles. Enfin, pour être plus exacte, seulement 75 % de leur contingent. Alice, la vice-présidente en charge du cinéma, donnait l'impression de s'ennuyer prodigieusement. Elle souriait à peine aux mots d'humour de Charlie. Ça m'a un peu inquiétée, car nous allions quand même leur pitcher un film. C'était une jeune femme de moins de trente-cinq ans, avec de grandes lunettes et un chignon très strict. Sans son tailleur assez chic, on aurait pu la prendre pour une maîtresse d'école !

Quand les plats de résistance ont été servis, Sean a pris la parole pour expliquer le projet, la transformation du pilote en film. Le directeur juridique d'Amazon s'est renseigné sur les conséquences sur le conflit qui nous opposait à Kathryn Merteuil et Simon Herzog. Maître Buffon lui a répondu et ils ont eu un échange pendant quelques minutes sur le sujet. C'est Mme Greyson qui a posé la question clé :

— D'accord, il semble que vous ayez résolu le problème juridique. Maintenant, il y a un problème financier. Un film coûte cher. Surtout quand on prend un réalisateur de blockbuster... Alors, combien pour le film ?

— Vous aviez donné 3 millions de dollars pour le pilote. Si vous en rajoutez 7, vous avez un film réalisé par Charles Brown.

— Pour un film, ce n'est pas très cher. À condition qu'il soit bon... Et vous, Charlie, qu'est-ce qui vous motive dans cette aventure ? Visiblement pas l'argent.

Sa question n'était pas agressive, mais Charlie avait quand même intérêt à motiver sa réponse.

— Jennifer, je suis trop jeune et trop passionné par le cinéma pour ne choisir les films qu'en fonction de leur budget. Ce projet est formidable, et je crois que ce sera un excellent film. Vous verrez, on en reparlera quand vous aurez entendu le script.

Cet échange a mis fin à la discussion sur *Mysteria Lane*. Ce n'est qu'après les desserts que Brad a fait une lecture de son script. Je m'attendais à ce qu'il soit nerveux, comme il l'avait été plus tôt en présence de Charlie et de moi. Mais je me trompais ; je ne sais pas si notre enthousiasme l'avait galvanisé ou si c'était à cause des enjeux, mais sa lecture a été un grand moment. C'était beaucoup plus fort et il a réussi à m'envoûter une nouvelle fois. En espionnant discrètement l'équipe d'Amazon, j'ai cru comprendre que je n'étais pas la seule à apprécier.

Après ces cinquante minutes de lecture, Sean a demandé leur avis à nos partenaires. C'est Jennifer Greyson qui a pris la parole :

— C'est un très beau script, il peut faire un bon film. Pas de problèmes de droits, j'espère ?

Maître Buffon et son directeur juridique l'ont rassurée. Elle a interrogé Greg, qui avait un avis similaire, avant de passer la parole à Alice. Celle-ci a pris son temps pour exprimer son opinion :

— C'est effectivement une jolie écriture originale sur un thème pourtant très commun. Il défend des valeurs de tolérance et de diversité que notre groupe soutient...

J'ai commencé à respirer. Si la VP cinéma avait aimé, tout allait se résoudre. Mais elle n'avait pas fini son analyse :

— Cependant, en ce qui concerne le cast, je suis moins convaincue. J'ai revisionné le pilote ce matin. Certes, le jeune Alexandre Cabot est prometteur... et votre fille est très bien, Sean. Mais l'autre rôle féminin n'est pas génial. Quant au président de l'université, c'est une véritable catastrophe ! Vous l'imaginez dans la scène finale ? Il va faire pleurer, c'est certain. Mais pas dans le sens où vous l'entendiez, il fera pleurer de rire.

Son avis était sévère, mais je ne pouvais être en désaccord avec elle. En revanche, sa conclusion ne m'a pas plu du tout :

— En résumé, je trouve le projet intéressant, mais pas assez abouti pour vous donner mon accord.

Il y a eu un silence de mort et j'ai eu l'impression que même les trois autres personnes d'Amazon étaient catastrophées. J'ai pris la parole :

— Vous avez quand même le gage de qualité d'un réalisateur comme Charles.

— Même Scorcese ou Spielberg ne pourraient rien tirer de votre acteur.

— Mais nous pouvons le recaster. J'ai d'ailleurs des idées…

— Parfait, nous pourrons en reparler à ce moment-là.

Pour qui connaissait le langage de Hollywood, « on pourra en reparler » signifiait qu'il y avait 99 % de probabilité que le projet soit abandonné. Sean a tout de suite senti le problème.

— C'est une décision importante et, comme vous appréciez tous le script, je vous propose de vous laisser entre vous pour en discuter. Nous serons à l'extérieur, prenez votre temps.

Nous nous sommes retrouvés dans le patio. Sean avait l'air sombre ; Brad, lui, était livide. Quant à Charlie, il a tout de suite disparu. Si c'était pour aller vomir aux toilettes, je l'aurais bien accompagné, car j'avais la nausée devant ce gâchis dû à une seule personne. Je n'arrivais pas à croire qu'elle allait faire tout capoter.

— Sean, Jennifer est la patronne d'Alice, non ? Ne peut-elle pas lui imposer le projet ?

— Oui, c'est sa boss, mais Alice a en charge le cinéma. Il est difficile de rendre un arbitrage contre elle. Surtout que, dans notre cas, il y a l'antécédent de l'article qui indiquait clairement que Jennifer avait poussé notre projet pour des considérations personnelles.

Dans un autre contexte, l'utilisation de la formule « considérations personnelles » pour évoquer le fait que les enfants de Sean et de Jennifer avaient couché ensemble m'aurait fait sourire. Mais, là, rien ne pouvait m'arracher un rictus.

Le quart d'heure suivant a été très long. Charlie est réapparu et, peu après, le directeur juridique d'Amazon est venu nous chercher. Il a cherché à garder un visage impassible, mais, dès que je suis entrée et que j'ai vu l'air atterré de Greg, j'ai compris, c'était mort…

Si je m'étais écoutée, je serais partie dans l'instant. Je savais exactement ce qui allait se passer. Ils allaient nous faire un grand speech pendant un quart d'heure pour nous communiquer une décision qui pouvait se résumer en une phrase. La seule interrogation était de savoir qui allait nous délivrer la sentence de mort : Jennifer ou Alice ? C'est la big boss qui s'y est collée. Elle nous a remerciés, nous a félicités pour notre très beau script – qui allait finir à la poubelle – et elle a conclu que, à son plus grand regret, le casting un peu faible empêchait Amazon de se lancer dans l'aventure.

J'ai vu que Sean s'apprêtait à conclure la réunion. Je savais qu'il allait faire un discours très politique, les remercier à son tour pour préserver le futur. Un futur qui ne concernait ni *Mysteria Lane* ni Laure Masson.

Mais Charlie l'a devancé :

— J'ai entendu vos arguments et je reconnais que l'acteur qui joue le président de l'université est très faible…

Alice l'a interrompu :

— Ce n'est pas la seule faiblesse du projet ; il y a aussi l'absence de star, d'un visage qui pourrait attirer le public.

Elle commençait à me chauffer sérieusement, Alice. J'avais envie de lui expliquer que c'était un film indépendant, pas le pays des merveilles. Si j'avais été dans le roman de Lewis Carroll, j'aurais crié « Qu'on lui coupe la tête ! » comme la Reine de Cœur. Dans la vraie vie, je me suis contrôlée.

— Vous avez un réalisateur de blockbuster, ce n'est déjà pas mal, non ?

— Sans vouloir offenser Charlie, ce n'est pas la même chose qu'un acteur célèbre.

J'allais répliquer, mais Charlie a posé la main sur mon bras.

— Pas de problème, Alice, je comprends votre point de vue. Il vous manque une actrice ou un acteur célèbre pour le film ainsi qu'un meilleur interprète pour le rôle du président.

— C'est ça.

Il y a eu un silence un peu gênant. Soudain, j'ai entendu la porte du petit salon s'ouvrir pour l'apparition la plus inattendue. J'ai d'abord vu une tenue blanche, des souliers jusqu'au costume. Puis les yeux bleus qui avaient fait du visage l'un des plus beaux et des plus célèbres de la planète. Michael Brown, puisque c'est de lui qu'il s'agissait, est entré dans la pièce. Il était souriant et détendu. Il a serré la main d'un Sean qui avait l'air étonné de le voir là. Il s'est adressé au groupe :

— J'espère que je ne vous dérange pas ? Vous avez fini de dîner ? Sean, tu me présentes ?

— Bien sûr, Michael. Voici Jennifer Greyson, la vice-présidente d'Amazon.

— Bonjour, Jennifer, j'ai entendu parler de vous. Vous êtes en train de révolutionner l'industrie des médias. Avec vous, même Netflix pourrait paraître ringard !

Elle n'a pas su quoi répondre, elle s'est contentée de sourire et de le remercier. Michael a ensuite salué le directeur juridique puis le VP programming télévision.

— Greg, si vous voulez me voir dans une série comme Kevin Spacey dans *House of Cards*, préparez un excellent scénario et un chèque avec plein de zéros.

Puis Michael est arrivé près d'Alice, qu'il a saluée sans faire de commentaires. Il est tombé ensuite dans les bras de Charlie.

— Eh ! *brother*, tu ne m'avais pas dit que tu dînais ici. Tu défends ton projet auprès de gros clients, à ce que je vois.

Il s'est tourné vers notre scénariste.

— Vous devez être Brad Killarney ? Charles m'a dit que vous aviez un talent fou. Tant mieux, il a besoin d'être épaulé ; c'est un jeune réalisateur et il lui faut un scénario de qualité pour faire un bon film.

Charlie s'est marré.

— On en a tous besoin, non ? N'est-ce pas Hitchcock qui disait que, pour faire un bon film, il fallait trois choses : d'abord, une bonne histoire ; ensuite, une bonne histoire ; enfin, une bonne histoire ?

Michael n'a pas répondu et il s'est adressé à ma personne :

— Comment va la plus charmante et talentueuse productrice de Los Angeles ?

J'avais envie de lui répondre qu'elle était au bord du suicide et que sa société allait déposer le bilan, mais je me suis abstenue.

— Bien, Michael, en plein projet.

— Formidable ! Vous avez raison de traiter avec Amazon et de faire un film indépendant : vous serez plus libres et plus créatifs que dans un projet de studio.

Il s'est soudain tourné vers Alice pour lui lancer :

— Alice, nous nous connaissons, n'est-ce pas ?

Elle a eu l'air surprise.

— Oui, nous...

Il l'a interrompue :

— Ne me dites pas. Laissez-moi faire marcher ma mémoire. C'est excellent pour éviter Alzheimer. Je dirais que nous nous sommes vus à un festival.

— Oui, c'était...

— Non, non, laissez-moi un peu de temps. Il y a quelque chose de différent, quelque chose qui ne colle pas...

Il s'est approché d'elle et l'a regardée avec attention. Elle était gênée, tous les regards étaient tournés vers eux. Il lui a fait un grand sourire.

— Vous me faites confiance ?

— Oui, j'imagine.

— Je peux jouer au *hair stylist* ?

Et sans lui laisser le temps de répondre, il est passé derrière elle et a commencé à retirer les épingles à cheveux qui retenaient son chignon. Ses cheveux lâchés sont tombés sur ses épaules. Il est venu vérifier son look.

— C'est mieux, mais ce n'est pas encore ça. Attendez, je sais ce qui manque.

Il a pris sa pochette blanche dans sa veste et il s'en est servi pour lui attacher les cheveux et lui faire une queue-de-cheval qui la rajeunissait de cinq ans.

Tout le monde était abasourdi par l'audace de la star, à l'exception peut-être de son frère. Michael ne semblait pas s'apercevoir de l'émoi qu'il avait causé. Il est revenu face à elle.

— Eh bien, maintenant, je peux vous dire que nous nous sommes rencontrés au Festival de Sundance.

La cadre supérieure d'Amazon arrogante et revêche s'était transformée en une jeune femme timide.

— C'est cela.

— Vous êtes venue à ma master class.

— Oui.

— Et vous m'avez posé une question, n'est-ce pas ?

— Oui, je vous ai demandé...

— Alice, je vous en prie, je pense que je peux me souvenir...

Il y a eu un long silence. Personne n'osait respirer. On se serait cru dans un numéro de mentaliste.

— Je crois que je sais. Je dois dire que votre changement de coiffure ne m'a pas aidé. Soit dit en passant, la queue-de-cheval vous va beaucoup mieux, vous êtes beaucoup plus jolie avec cette coiffure.

Il lui a souri et elle n'a pas été capable de soutenir son regard bleu intense : elle a rougi comme une collégienne.

— Mais je m'égare. Je me rappelle maintenant : votre question était de savoir si des grandes stars comme moi pourraient envisager de tourner des films indépendants pour Amazon ou pour Netflix. Et qu'ai-je répondu ?

La question de Michael a sorti Alice de son état d'hébétude.

— Que ça dépendait de la qualité du projet. Vous avez aussi ajouté qu'il ne faudrait pas que le chèque manque trop de zéros...

Michael a ri.

— Je ne me souvenais plus de la deuxième partie. Il faut m'excuser, c'est à cause de mon agent ; il doit rembourser les traites de sa villa et de sa Ferrari.

Il a repris son sérieux.

— Alors, Alice, vous avez un projet pour moi ?

Elle est restée bouche bée. C'est Charlie qui a rompu le silence :

— Je n'aurais pas osé t'en parler, mais nous avons un rôle taillé pour toi.

— Une chance pour une troisième statuette[1] ?

— Possible...

— C'est toi qui vas me diriger ?

— J'ai l'impression.

— Et c'est le script de Brad dont tu m'as parlé ?

— C'est ça, tu interpréteras le premier rôle ; celui du président de l'université. Et Julia jouera ta fille.

Michael s'est tourné vers Sean.

— Tu acceptes que je serve de père à ta fille l'espace d'un film ?

L'Écossais a fait un signe d'impuissance.

---

1. Oscar.

535

— Au xxie siècle, les jeunes femmes font ce qu'elles veulent et ce n'est plus le père qui décide de leur carrière professionnelle. Je serais d'ailleurs un mauvais père si je l'empêchais de tourner avec le meilleur acteur de Hollywood.

— Merci, Sean. Alice, je crois que vous avez la réponse à la question que vous m'avez posée. Vous avez votre premier film avec Michael Brown dans le rôle principal.

La jeune femme semblait dépassée par les événements.

— Merci pour cette offre généreuse, Michael, mais…

Il l'a interrompue :

— J'espère que vous avez quand même un peu d'argent pour ce projet. Combien avez-vous prévu pour le tournage, Sean ?

— Nous avons demandé à Amazon 7 millions de dollars.

— 7 millions ! Sean, tu deales avec Amazon ! Ils font 2 milliards de dollars de profit ! Pardonne-moi, mais ils ne vont pas vous prendre au sérieux si vous ne demandez pas un montant plus conséquent.

Sean a accepté la critique.

— Michael, c'était avant que tu ne rejoignes notre projet. Et nous avons déjà les décors et le cast.

— Soit, mais maintenant je suis partie prenante. Je n'ai pas vu le projet, mais je pense qu'il faut 10 à 12. Jennifer, vous pouvez bien trouver ça, non ?

La boss, qui n'était pas intervenue depuis longtemps, a répondu en souriant :

— Michael, ce n'est pas aussi simple que vous le présentez de trouver une telle somme alors que les budgets sont engagés. Je suppose que vous n'incluez pas votre salaire dans cette somme ?

Il l'a regardée comme un père qui entend une grosse bêtise sortir de la bouche de son enfant adoré.

— Jennifer, vous savez que mon tarif normal tourne autour de 20. Vous voulez vraiment que je perde mon agent ? Non, je ne veux pas m'engager pour lui, mais je pense que vous aurez de la chance si vous arrivez à négocier un cachet de 5 millions pour moi. Mais je m'engage à vous aider à obtenir cet énorme effort de la part de mon agent. Alors, qu'en dites-vous ?

Elle lui a souri plus franchement.

— Votre proposition n'est pas bon marché, mais elle est intéressante. Je ne suis pas contre, mais je ne vais pas pouvoir demander des budgets supplémentaires. C'est donc à Alice de vous dire si elle peut faire des arbitrages dans ses projets de cette année.

Tout le monde s'est tourné vers la jeune femme à la queue-de-cheval. On pouvait sentir ses hésitations.

— Le projet est certes tentant, mais on parle de 15 millions. Ça va m'obliger à annuler deux projets à 7,5 millions...

Jusqu'à présent, son raisonnement était sans faille, mais, pour les mathématiques, c'était niveau CM2 !

Michael l'a toisée.

— Alice, c'est le moment de décider qui vous voulez être : la jeune femme au chignon qui calcule en milliers de dollars ou celle à la queue-de-cheval qui n'hésite pas à poser des questions stratégiques à un acteur oscarisé dans un grand festival ? Si James Cameron ou Francis Ford Coppola avaient hésité comme vous le faites, le cinéma aurait été privé des chefs-d'œuvre *Titanic* et *Apocalypse Now*. Nous parlons du film où Charles Brown, un des réalisateurs les plus talentueux de sa génération, va, pour la première fois, diriger son frère, immense acteur qui a déjà reçu deux Oscars !

Elle hésitait toujours. Michael s'est penché et a murmuré à son oreille. Mes parents auraient dit que les messes basses sont un signe d'impolitesse en public, mais je n'en avais cure ; je ne souhaitais qu'une chose, c'est qu'elle nous donne son putain d'accord !

OK, je sais, je me mets à parler comme les Américains et j'utilise le *F-word*. Mais je commençais à en avoir plein le dos de dépendre d'elle. En tout cas, je ne sais pas ce qu'il lui a dit, mais elle a eu un grand sourire.

Elle a encore pris quelques instants pour réfléchir, mais je crois que c'était pour la façade, pour ne pas montrer qu'elle capitulait trop vite.

— D'accord, je vous suis. Amazon va produire *Mysteria Lane*, le premier film qui réunira les frères Brown.

En prononçant ces paroles, son visage s'est illuminé d'un grand sourire, car elle comprenait enfin qu'elle avait touché le gros lot.

Michael s'est ensuite excusé en expliquant qu'il devait retourner à sa soirée. Je me suis précipitée à sa suite.

— Michael !

— Oui, Laure ?

— Michael, comment se fait-il que vous étiez là ?

— Une « soirée blanche » organisée par un de mes gros sponsors dans l'hôtel. Mon agent voulait absolument que je sois présent. J'étais réticent, mais il semble que le hasard ait bien fait les choses !

— Vous plaisantez ? C'est un vrai miracle ! Vous avez sauvé la situation, Michael. La vice-présidente cinéma était résolue à nous faire la peau.

— Oui, elle semblait avoir une dent contre vous…

— Mais une question me taraude : comment vous rappeliez-vous tous ces détails, sa question, sa coiffure ? Elle n'est pas assez jolie pour vous avoir tapé dans l'œil à ce point-là, si ? Vous êtes magicien ou quoi ?

Il s'est marré.

— Non, je ne suis pas magicien et j'avoue que j'ai souvent du mal à me souvenir d'un top model avec qui j'ai couché un mois avant…

— Alors ?

— Regardez, je vous montre un grand secret. Mon agent serait furieux, mais je vous fais confiance.

Il a pris son iPhone et me l'a donné. Il y avait une fiche sur Alice où était écrite sa biographie, mais aussi les fois où elle avait pu être en contact avec Michael.

— Ouvrez la pièce jointe, Laure.

C'était une vidéo où j'ai pu voir la fameuse master class et Alice posant sa question. Elle avait une queue-de-cheval…

— Vous êtes mieux renseigné que le FBI et la NSA réunis.

— On peut dire ça.

— Eh bien, j'en suis heureuse. Merci, Michael, de tout mon cœur.

— Je vous en prie, Laure. Je l'ai fait parce que vous étiez la demoiselle d'honneur au mariage de mon frère, mais aussi parce que je vous apprécie. Bonsoir, Laure.

— Bonsoir, Michael.

Il s'est éloigné de quelques mètres avant que je ne l'interpelle de nouveau :

— Michael !

— Oui, Laure ?

— Qu'est-ce que vous lui avez glissé à l'oreille ?

— Un magicien ne dévoile pas ses trucs…

— S'il vous plaît, Michael.

— Vous n'avez pas une idée ?

J'ai fait une grimace horrifiée.

— Vous lui avez promis une nuit !

Il a souri.

— Non, je n'ai jamais marchandé mon corps, je n'ai jamais eu besoin. Je me suis contenté de dire que, si nous étions sélectionnés à Cannes, je monterais les marches avec elle à mon bras.

— Mais, Michael, pendant Cannes, on sera en plein tournage ! On ne sera jamais prêts pour participer à la compétition !

— C'est ça, la magie, Laure. Les spectateurs savent que ce n'est qu'une illusion et pas la vérité, mais ils y croient quand même. C'est pareil pour Alice : elle a voulu y croire, même si c'était irréaliste. Bonsoir, Laure.

Il s'est retourné et a disparu, silhouette blanche dans la pénombre. Frodon et Aragorn avaient eu l'aide de Gandalf le Blanc. Moi aussi, j'avais eu droit à mon magicien blanc, et il avait pour prénom Michael !

Chapitre 21

Say a Little Prayer

Quand Frédéric Mitterrand, en tant que président du jury, a pris la parole, j'ai retenu mon souffle. Je crois que j'ai même fait une prière.

— Le prix du jury du 42e Festival de Deauville est attribué à... *Mysteria Lane* !

Je me suis levée et Charlie m'a prise dans ses bras. Puis j'ai embrassé Ophélie : un vrai moment d'émotion !

J'ai fait signe à Michael, Julia et Alexandre de venir sur scène. Frédéric Mitterrand m'a fait la bise en me remettant le prix. Il m'a aussi remis un micro... J'ai essayé d'oublier que j'avais toujours bafouillé en public, même quand mon audience se résumait à une dizaine de personnes. Et là, j'en avais devant moi mille cinq cents qui attendaient mon speech !

Ce dont on ne se rend pas compte quand on est dans le public, c'est que les lumières aveuglent la personne sur scène et qu'elle ne peut donc voir les gens dans la salle. Dans cette position, vous pouvez tout juste deviner les premiers rangs, mais vous sentez la foule dans la pénombre. Cette présence invisible génère un stress énorme. Sans parler des photographes au pied de la scène...

Bien entendu, j'avais refusé d'écrire mon discours par superstition : quelle idiote ! J'ai inspiré un grand coup et je me suis lancée :

— Je remercie d'abord Amazon, et en particulier Jennifer Greyson et Alice Dillon.

Ayant regardé les Oscars et les Césars, je sais qu'il faut toujours remercier ceux qui ont financé le film, mais, autant j'étais contente de mentionner Jennifer, autant il m'a fallu beaucoup de professionnalisme pour faire de même à propos d'Alice. J'ai ensuite remercié les équipes techniques avant de passer aux acteurs :

— J'ai eu la chance de trouver trois jeunes acteurs fantastiques en les personnes de Julia, d'Arwen – qui n'est malheureusement pas avec nous – et d'Alexandre.

Quand je l'ai regardé, le jeune Canadien m'a fait un clin d'œil. Pendant une fraction de seconde, j'ai fait un voyage dans le temps pour revivre notre aventure commune depuis notre arrestation à East Los Angeles jusqu'à notre affrontement avec l'ourse dans le Grand Nord canadien. Je me suis demandé s'il pensait à la même chose. J'ai enchaîné :

— Mais ce film n'aurait pas été possible sans deux hommes extraordinaires : Charlie et Michael Brown. Le talent de réalisateur du premier a magnifié l'histoire génialement interprétée par le second. Je ne pourrai jamais m'acquitter de la dette que j'ai envers eux. Charlie, Michael, merci à tous les deux.

Charlie s'est approché pour prendre le micro, mais Michael s'est précipité pour le devancer, provoquant les rires de la foule. Il a commencé son speech en français :

— Bonsoir, il y a trois ans, le Festival de Deauville avait décidé de me rendre hommage et j'avais promis de revenir et de faire mon discours en français. Voilà, je remplis ma promesse. Mais, désolé, je dirai le reste en anglais.

La salle a croulé sous les applaudissements pour ces trois phrases prononcées avec un fort accent américain. Je me suis dit que la célébrité était un énorme avantage, mon propre discours ayant été poliment applaudi pendant deux secondes et demie !

— Ce film et ma vie sont très liés à cette ville de Deauville et à son festival. Il y a trois ans, j'ai rencontré deux jeunes femmes exceptionnelles qui travaillaient pour Ciné organisation. L'une, qui est à mon côté, est devenue ma productrice, et l'autre, qui se trouve quelque part dans la salle, est devenue ma belle-sœur et la mère de mes deux neveux. Si mes visites dans votre belle ville aboutissent à chaque fois à autant d'événements heureux, comptez sur moi pour revenir ! Et la prochaine fois, je ferai le discours entièrement en français !

Sa déclaration un brin démagogique a provoqué une nouvelle réaction enthousiaste du public. Charlie s'est emparé du micro.

— Comme ma femme est française, elle m'a obligé à dire mon speech dans votre belle langue. Je voulais vous dire que, bien qu'étant anglais, je suis en faveur de l'Europe et que l'amitié entre les pays est aussi importante que celle entre les êtres humains. Ce film illustre l'importance de la tolérance et de l'acceptation de la différence. Il célèbre aussi l'amitié et l'amour qui me lient à ma productrice, à mon frère et à ma femme, que j'aime plus que tout au monde.

Il a été applaudi, plus que moi, mais moins que Michael.

Nous sommes allés nous rasseoir. À peine installée, j'ai reçu un grand coup de coude d'Ophélie dans les côtes.

— Aïe, tu es folle !

— Alors, on remercie la terre entière et on oublie son amie et associée ? Dois-je te rappeler que l'agence s'appelle Masson & Delacour ?

La honte m'a submergée, elle avait raison ; je n'avais aucune excuse !

— Désolée, j'ai improvisé, je n'avais rien préparé.

— Ça s'est vu, patate ! Ce n'est pas grave, je ne t'ai pas beaucoup aidée, cette réussite est la tienne.

— Merci.

Elle a attendu un instant avant de me balancer une petite vacherie.

— Et puis ce n'est pas comme si vous aviez gagné le grand prix...

Quelle peau de vache !

— Tu n'es pas sympa, c'est bien, le prix du jury. N'oublie pas qu'on a gagné aussi le prix du public. Tu...

— Chut ! Ils vont annoncer le prix d'interprétation masculine.

La voix si reconnaissable de Frédéric Mitterrand m'a stoppée dans ma réponse :

— Le prix du meilleur acteur est attribué à l'unanimité à deux acteurs que nous n'avons pu départager : Michael Brown et... Alexandre Cabot.

Là, j'ai crié, presque plus contente que pour le prix qui récompensait le film. Les deux hommes se sont regardés et Alexandre a tendu la main à son aîné. Mais Michael a dédaigné la main, préférant lui donner une vraie accolade.

Je me suis penchée vers Ophélie.

— On pourra dire ce qu'on veut de Michael, mais il faut avouer qu'il est d'une générosité exceptionnelle. Combien d'acteurs ayant déjà deux Oscars auraient la même attitude quand ils apprennent qu'ils partagent un prix avec un acteur débutant ? Et je ne parle pas de sa générosité quand il a offert de tourner dans *Mysteria Lane*.

— Tu as raison, on ne peut lui nier cette qualité. Le problème, c'est quand elle s'exprimait en prêtant son corps à des jeunes femmes autres que son épouse.

— *Nobody's perfect*[1] !

— Comme tu dis, sauf Charlie, bien sûr.

— Bien sûr.

Une fois monté sur scène, Michael a laissé Alexandre prendre la parole en premier. Le jeune Canadien a approché le micro de sa bouche, mais l'émotion l'a submergé. Michael lui a mis la main sur l'épaule pour l'encourager.

— Merci, Michael. Je dois dire combien tu as été un soutien de tous les instants. Non seulement ce soir pour me donner la force de remercier le jury et le public, mais aussi durant tout le tournage. Tu as été un exemple pour nous tous et je ne pourrai jamais assez te remercier. Je veux aussi saluer Charlie, un réalisateur formidable, et mes deux co-interprètes, Julia et Arwen, qui ont un talent fou. Mais, ce soir, je voudrais rendre hommage à une personne très spéciale qui aura toujours une place dans mon cœur, ma productrice, Laure Masson.

---

1. « Personne n'est parfait ! » Réplique finale culte du film *Certains l'aiment chaud*.

Il s'est interrompu une seconde pour reprendre son souffle et retenir ses larmes.

— Laure, je voulais te remercier pour avoir cru en moi à un moment où personne, même moi, n'aurait misé 1 dollar sur ma chance de faire carrière. Tu as bravé le froid, tu as affronté un ours et, même pire, une avocate californienne pour que je réalise mon rêve. Merci du fond du cœur.

Il a eu du mal à prononcer ces dernières paroles et son émotion a provoqué la mienne. Je me suis effondrée en larmes, consolée par mon amie.

— Eh ! bêtasse, ne pleure pas, tu as réussi ton pari ; c'est vrai, il est formidable, ton James Dean canadien.

Elle avait raison, mais je n'ai pas pu me calmer et j'ai raté le second discours de Michael, qui avait l'air plus amusant que le premier vu l'hilarité du public.

Lors du grand dîner de gala, Michael a fait rire la table à de nombreuses reprises. Tous les convives étaient sous le charme. Cet homme est le mix parfait entre un physique de rêve, un humour décapant et un charisme inégalé : pas étonnant que toutes les femmes craquent sur lui.

J'ai repensé à notre première rencontre, avec Ophélie dans le rôle de la groupie de base. Une vague de nostalgie m'a envahie : c'était lors de ce festival que j'avais rencontré David. Le début de ma plus belle histoire d'amour... Aujourd'hui, il était à deux cents kilomètres de moi, dans son appartement parisien. Hier, il m'a envoyé un texto sympa pour me souhaiter bonne chance. C'est trop con, la vie, quand deux personnes se séparent pour de mauvaises raisons...

À propos d'amoureux, je me suis inquiétée de l'état du couple formé par Alexandre et Arwen. Avant ce voyage en Normandie, je n'avais pas vu mon jeune acteur pendant tout l'été. J'ai profité d'un moment où tout le monde se focalisait sur Michael pour en savoir un peu plus.

— Alexandre, tu as des nouvelles d'Arwen ?

— Elle est à Vancouver pour un tournage.

— Tu lui as texté que tu avais gagné le prix d'interprétation ?

— Non, je pense qu'elle a d'autres chats à fouetter.

Je n'ai pas aimé l'amertume dans sa voix. J'ai essayé de lui remonter le moral.

— Tu as tort, je pense qu'elle serait fière de toi.

Il a émis un soupir profond.

— Je ne sais pas… On s'est disputés avant le départ. Je voulais qu'elle vienne avec nous à Deauville, elle a préféré partir quelques jours se reposer avant son tournage.

— C'est compréhensible.

— Ça dépend de ses priorités… Je ne suis visiblement pas en tête de liste.

— Alexandre, les disputes, ça arrive dans tous les couples.

— Laisse tomber, Laure. Je ne vais pas me prendre la tête. Je suis ici pour m'amuser.

Sa phrase suivante, même si elle était assortie d'un clin d'œil, ne m'a pas fait rire.

— Et puis, si je me sens seul, je pense que je peux compter sur Julia pour passer une bonne soirée…

— Alexandre, ne déconne pas, tu vas foutre en l'air ta relation avec une fille formidable pour…

J'ai hésité sur le qualificatif à attribuer à la jeune Anglaise.

— Pour une... jeune femme dont les attentes sont plus sexuelles que sentimentales.

— Parfait, c'est l'idéal.

— Alexandre !

Il a éclaté de rire.

— Je me fous de toi. On va juste aller en boîte. Entre amis et collègues. Tu peux venir avec nous, si tu veux servir de mère chaperon.

Comme je n'étais pas certaine qu'il s'agisse d'une plaisanterie, j'ai hésité à les accompagner. Il y avait deux éléments qui rendaient la situation plus préoccupante. La première, c'est que Julia avait une robe incroyable en dentelle et taffetas noirs qui montrait ou suggérait les formes parfaites de son corps. Difficile de résister à une telle vision. La seconde, c'est que la cérémonie des Emmys avait lieu dans moins de dix jours et que Julia avait promis qu'elle coucherait avec Alexandre avant cette date. Elle n'en avait jamais reparlé, mais je doutais qu'elle ait oublié ce défi. La dispute entre Arwen et mon Canadien tombait au pire moment, sauf à se placer du point de vue de la jeune Anglaise...

J'avais pris ma décision quand Michael m'a rejointe.

— Laure, je rentre. Vous m'accompagnez à l'hôtel pour un dernier verre ?

— Vous n'allez pas en boîte ?

— Non, je laisse ça aux jeunes.

Ma réponse allait de soi. Tant pis pour Alexandre, il allait devoir se débrouiller tout seul avec sa conscience, face à la tentatrice ultime.

— Avec plaisir, Michael.

Sur le chemin de l'hôtel, j'ai bénéficié du charme de Michael pour moi toute seule. Arrivés au bar, nous avons eu la désagréable surprise de voir le barman nous refuser un verre sous prétexte qu'il était 23 h 30. J'ai pesté contre cette attitude de fonctionnaire.

— Quelle image il donne de la France : il n'est même pas minuit !

Michael, lui, était amusé.

— Votre compatriote est encore plus intransigeant que la marraine de Cendrillon : avec lui, nous avons droit à une demi-heure de moins. J'ai une bouteille de champagne rosé au frais dans ma suite. Vous m'aidez à m'en débarrasser ?

Seule dans la chambre de Michael Brown, l'un des cinq hommes les plus séduisants de la planète... Sans compter que les confidences d'Ophélie m'avaient révélé qu'il était un amant hors pair. Est-ce que je m'imaginais des choses ou allais-je connaître ma première jouissance dans les bras d'un acteur oscarisé ? Hors de question de refuser.

— Avec plaisir, Michael.

Dans l'ascenseur, je l'ai regardé discrètement. Avec son smoking, il était d'une élégance sans égale. Il fallait que j'arrête de fantasmer ; je ne devais pas oublier qu'il s'était déjà refusé à moi quelques mois plus tôt. La différence, c'est qu'à l'époque il s'essayait à la relation monogame ; l'expérience n'avait pas été concluante.

Nous sommes entrés dans la suite, sans doute la plus grande du Royal. Pendant qu'il prenait la bouteille de Ruinart rosé dans le seau à glace, j'ai jeté un regard à la chambre à côté, au magnifique lit dans lequel j'allais peut-être faire des galipettes toute la nuit. Chose

549

bizarre, je n'étais pas forcément impatiente de franchir cette étape. En fait, depuis le début de la crise avec David, j'avais eu cette passion pour Alexandre qui s'était soldée par une série d'orgasmes. Mais, de la passion à l'amour, il y avait une marge : Alexandre m'avait permis d'oublier pendant quelques semaines la peine générée par la perte de David, mais il n'était qu'un antalgique, pas un médicament : j'avais moins mal mais je n'étais pas guérie.

J'étais dans mes pensées quand Michael m'a servi ma coupe. Il avait un sourire gentil.

— À quoi pensez-vous ? Vous me semblez si loin de moi.

Je ne pouvais lui dire la vérité, j'ai menti :

— J'ai repensé à toute cette aventure, à « Hysteria Lane »…

Il m'a interrompue :

— Vous voulez dire *Mysteria Lane* ? « Hysteria Lane », c'est le titre de l'article horrible du *Hollywood Real Truth*.

J'ai souri en pensant à mon lapsus.

— Oui, ils ont failli me détruire avec cet article infâme. Pourtant, le titre n'était pas mal trouvé, et il reflète bien tout ce que j'ai subi pour arriver à être là ce soir.

— Dansez avec moi pour ne retenir que les bons moments et oublier les mauvais.

Champagne et danse pour renvoyer les fantômes et les mauvais génies dans les oubliettes ? Après tout, pourquoi pas ? De toute façon, Michael ne m'a pas laissé le choix. Il a pris ma coupe pour la poser sur la table. Il a saisi son Apple Remote et la voix d'Aretha Franklin a retenti pour la magnifique chanson *I Never Loved a Man (the Way I Love You)*.

Michael m'a prise dans ses bras et a commencé à me faire tourner. Il m'a chuchoté :

— Laure, avez-vous déjà aimé avec la force exprimée dans la chanson ?

J'ai pris mon temps pour répondre, j'avais la gorge serrée.

— Oui, je le crois.

— David ?

— Oui.

— Mais, contrairement à l'homme de la chanson, lui ne vous a pas trompée ?

Si j'avais pu avoir des doutes sur cette question à une certaine époque, je me suis aperçue qu'ils avaient disparu.

— Non.

— Alors, pourquoi vous être séparés ?

— Parce que... Je ne sais pas, Michael, c'est compliqué. Sans doute l'éloignement.

Il n'a plus rien dit et la chanson s'est achevée. La suivante nous était bien connue. J'ai levé la tête vers Michael quand j'ai entendu les premières paroles : « *The moment I wake up...* » Il me souriait.

— Décidément, cette chanson nous poursuit.

— Michael, c'est votre iPod, c'est votre playlist, vous ne pouvez pas prétendre être surpris !

— Me croyez-vous assez machiavélique pour préparer une playlist à votre intention ? Est-ce un message pour vous dire que, ce soir, il y aura des danses, du sexe et peut-être un mariage ?

Plus clair, comme message, ce n'était pas possible.

— Michael, vous m'aviez dit que vous étiez maintenant opposé au mariage.

Son sourire s'est élargi.

— Je ne parlais pas de moi. Comme je vous l'ai dit, je m'en tiens au sexe...

Son regard était si charmant et séduisant que j'ai compris pourquoi il avait fait succomber des millions de femmes à l'écran et des centaines dans la vraie vie. Malgré sa gentillesse et sa beauté, j'ai compris que ça n'allait pas le faire.

— Michael, vous êtes sans conteste l'homme le plus beau que j'ai jamais eu dans mes bras...

Il me regardait avec attention.

— Mais vous vous apprêtez à me renvoyer à ma solitude, n'est-ce pas ? Vous allez être la première qui va dire non à Michael Brown.

Il a prononcé ces paroles sans arrogance ni agressivité. Il avait même l'air amusé. J'ai essayé de m'excuser :

— Michael, ce n'est pas vous qui êtes en cause, c'est moi. Vous êtes l'homme dont tout le monde rêve, mais notre discussion précédente me fait réaliser que j'aime toujours David.

— Alors, pourquoi ne lui avez-vous pas demandé de vous rejoindre ce soir ?

Sa remarque m'a transpercé le cœur avec la précision de la flèche de Guillaume Tell avec la pomme.

— Je ne sais pas... Vous avez raison...

Il s'est arrêté de danser et m'a laissée. J'ai craint de l'avoir blessé, mais il avait toujours ce large sourire. Ses yeux bleus ont sondé les miens.

— Laure, vous êtes une personne rare et vous avez des amis qui vous aiment. Quand je parlais de sexe et de mariage, je ne parlais pas de moi, mais je parlais bien de vous... Claquez la porte en partant. Bonne soirée.

Sur ces paroles énigmatiques, il a quitté la suite, sa suite ! Il n'a même pas refermé la porte. Je n'ai pas eu le temps de m'interroger quelques instants sur ce que j'allais faire, car une silhouette est venue remplacer le bel acteur américain.

David, parce que c'est de lui qu'il s'agissait, s'est approché.

— Salut.

— Salut.

Il m'a regardée, il avait l'air fatigué et amaigri, mais il avait le sourire d'un homme heureux.

— Je t'aime.

Et là, je lui ai fait la réponse de Han Solo à la Princesse Leia à la fin de *L'Empire contre-attaque* :

— Je sais.

Vers 5 heures du matin, je me suis réveillée en me demandant si j'avais rêvé. Il était là, à côté de moi. Peut-être pas le plus bel homme du monde, mais, en tout cas, celui que j'aimais. Michael avait raison, il y avait eu du sexe, mais il y avait surtout eu beaucoup de tendresse.

Peut-être suffit-il de faire une petite prière au réveil... comme le suggère Aretha Franklin :

The moment I wake up
Before I put on my makeup...
I say a little prayer for you
Forever and ever, you'll stay in my heart
And I will love you
Forever and ever, we never will part
Oh, how I love you...

Au moment où je m'éveille,
Avant de me maquiller...
Je récite une petite prière pour toi
Pour toujours, tu resteras dans mon cœur
Et je t'aimerai
Pour toujours, et jamais nous ne nous séparerons.
Oh, combien je t'aime...

Épilogue

Les plus belles histoires ne se terminent pas toujours bien, et même quand il y a happy end, comme dans mon cas, les auteurs aiment à insérer un petit épisode pour montrer au lecteur ou au spectateur que la vie n'est pas parfaite.

Après m'être réveillée dans la nuit, j'avais une fois de plus profité d'avoir l'homme de ma vie dans mon lit et nous avions fait l'amour. Il était un peu plus de 9 heures et David dormait du sommeil du juste. Après la nuit épuisante que nous avions passée, il méritait un peu de repos. Je suis allée prendre une douche et m'habiller, puis j'ai pris mon iPhone pour voir si j'avais des messages. J'en avais trois, tous émanant de la même personne, Ophélie. Ils se résumaient en deux mots : « Alors, heureuse ? » Le côté cliché m'a fait rire. J'ai répondu sur le même mode : « Follement ! »

Elle devait être impatiente de savoir ce qui s'était passé, car elle m'a envoyé un nouveau SMS dans la seconde : « Je suis ravie, ça n'a pas été facile de convaincre David. »

« Il ne voulait pas me revoir ? »

« Non, il en mourait d'envie, mais il ne voulait pas t'imposer sa présence. Et Michael, il a bien joué le jeu ? »

« Trop ! Et si j'avais succombé à ses charmes alors que David était à la porte ? Vous avez pris un gros risque, non ? »

« Aucune chance, ma grande. Je te connais par cœur : tu es beaucoup plus romantique que tu ne le penses. »

Pas faux... À propos de romantisme, je me suis demandé ce qu'il advenait d'Alexandre. J'ai regardé son compte Twitter. Rien de neuf depuis son tweet où il montrait la photo du trophée du meilleur acteur qu'il avait obtenu la veille. J'ai alors décidé de consulter le compte de Julia, et là j'ai eu un choc en voyant la photo affichée sur l'écran : c'était le même trophée que je venais de voir sur le Twitter de mon Canadien ! Le commentaire m'a achevée : « Nuit de folie avec un acteur fabuleux, très beau et de surcroît fantastique amant ! #orgasmesmultiples. » Il y avait un deuxième tweet, juste au-dessus, avec une photo de la salle de petit déjeuner de l'hôtel Royal : « Breakfast pour reprendre de l'énergie ! #nouveauxorgasmesàvenir. » Mon sang n'a fait qu'un tour : la petite intrigante avait réussi à gagner son pari ! J'étais triste pour Arwen, mais j'avoue que j'étais aussi déçue par Alexandre et sans doute un peu jalouse... Comme elle annonçait qu'ils allaient recommencer, je me suis dit que je devais intervenir. J'ai foncé vers la salle de restaurant. Long couloir d'hôtel, ascenseur qui se fait attendre, un autre couloir : j'avais l'impression que je n'arriverais jamais. Je ne pouvais quand même pas courir dans l'hôtel ; cela n'aurait pas convenu à la productrice du film ayant obtenu le prix du jury !

Je suis enfin arrivée à destination pour tomber face à la jeune Anglaise à une dizaine de mètres. Malgré mon ressentiment, il était difficile de ne pas reconnaître qu'elle était superbe avec son chemisier blanc en lin juste assez échancré pour attirer le regard et son short bleu dans la même matière. Des lunettes noires venaient compléter la tenue « star au petit déjeuner ». La chaise en face était vide, Alexandre avait dû s'absenter. Je me suis dit que c'était ma chance pour pouvoir engueuler la jeune femme sans interférences. Je me suis approchée de la table. Julia m'a accueillie avec beaucoup de calme, moins arrogante que j'aurais pu l'escompter.

— Bonjour, Laure.

J'ai attaqué direct :

— Alors, contente de ta soirée ?

— Très.

— Tu n'as pas eu de scrupules ?

— De scrupules ? Pourquoi ? Par rapport à mon père ?

J'ai été surprise : pourquoi jouait-elle ainsi les idiotes ? Si elle voulait que je lui mette les points sur les « i », elle allait constater que j'étais capable de taper du poing sur la table quand les circonstances l'exigeaient.

Alors que j'allais me lancer, une voix dans mon dos m'a stoppée dans mon élan.

— Bonjour, Laure, vous allez bien ?

Je me suis retrouvée face à un Michael souriant. Il a poursuivi :

— Vous vous joignez à nous pour le petit déjeuner ?

Et, sur ces paroles, il s'est assis en face de Julia. J'ai compris, dans l'instant, ma méprise : la nuit avec un « acteur fabuleux, très beau et de surcroît fantastique amant » qui avait reçu le prix d'interprétation à Deauville, c'était Michael et pas Alexandre !

— Merci, Michael, je vais vous laisser. Je voulais juste vous remercier pour ce que vous avez fait hier. Vous avez fait mon bonheur.

— Tant mieux, Laure, je suis ravi.

J'allais prendre congé quand Julia m'a rappelé combien elle était capable d'être peste quand elle le veut.

— Laure me demandait si j'avais des scrupules par rapport à mon père…

Michael a fait la grimace.

— Laure, si ça ne vous ennuie pas, je préférerais qu'il ignore cet épisode. Tant que vous y êtes, ne le mentionnez pas non plus à Ophélie, elle est très à cheval sur tout ce qui concerne ma vie sexuelle. Et ne le dites pas à Charlie, il est incapable de cacher quoi que ce soit à sa femme.

Après tout ce qu'il avait fait pour moi, j'aurais eu mauvaise grâce à refuser.

— Je serai muette comme une carpe !

Ce qui est amusant, c'est qu'il a tenu à se justifier.

— Certes, il y a une différence d'âge, mais pourquoi n'aurions-nous pas nous aussi droit à l'amour ?

Je les ai salués et je suis remontée voir David, l'homme de ma vie. Dans l'ascenseur, j'ai repensé à ce qu'avait dit Michael. Il avait raison, on n'a qu'une vie et il faut savoir en profiter !

#droitaubonheur #bonheurpourtous #toutestbienquifinitbien #happyend

Éditions Belfond :
12, avenue d'Italie
75013 Paris.

Canada :
Interforum Canada, Inc.,
1055, bd René-Lévesque-Est,
Bureau 1100,
Montréal, Québec, H2L 4S5.

Imprimé en France par CPI
en septembre 2017

Composition et mise en pages
Nord Compo à Villeneuve-d'Ascq

Dépôt légal : octobre 2017
N° d'impression : 143651